KB171592

형사刑事 이야기, 윤계식

1

형사刑事 이야기, 윤계식1

발 행 | 2024년 05월 08일
저 자 | 장성우(살생금지)
펴낸이 | 한건희
펴낸곳 | 주식회사 부크크
출판사등록 | 2014.07.15.(제2014-16호)
주 소 | 서울특별시 금천구 가산디지털1로 119 SK트윈타워 A동 305호
전 화 | 1670-8316
이메일 | info@bookk.co.kr

ISBN | 979-11-410-8304-5

www.bookk.co.kr

형사刑事 이야기, 윤계식 1

장성우(살생금지) 장편 서스펜스 소설

목차

작가의 말

작가의 말입니다.

형사 이야기, 1권입니다.

음….

할 말이 여러가지 있지만 늘 무엇을 골라야 할 지 모르겠군요.

아무쪼록 이 책을 읽어보시는 분들에게 잠깐의 평안함이나, 즐거움, 뭐 그런 게 있으시다면 좋겠습니다.

즐거우라고 적은 것이니만큼 그렇게 즐겨주셨으면 좋겠고….

취향에 맞으실 지는, 사람에 따라 다르기에 확답은 못드리겠습니다만.

아무튼.

뭐, 긍정적으로 어떻게든 사건을 풀어 나가는, 어느 심지 굳은 형사의 이야기입니다. 이건. 추리극, 수사물, 보다는 사실 이야기, 서사, 사연에 집중을 한 소설이라… 그렇게 봐주시면 더 좋을 듯도 합니다.
아무쪼록, 즐거운 시간 되시길 바랍니다.

24.4.26. 저자, 장성우:살생금지 올림

1. 낡은 사내는 거친 턱매를 쓰다듬는다.

*

남자는 거친 턱 주변을 쓰다듬었다. 거칠하게 묻어 나오는 수염의 촉감이 만만찮게 닳고 굳은 손가락을 방해했다.

흐리멍텅한 눈동자. 그러나 완전히 빛을 잃지는 않은 듯 그 내부에 형형하게 타오르는 의지는 있었다.

그 외에는 일부러 그렇게 빈틈으로 채우기라도 한 것처럼 정돈되지 않은 행색이었다. 헝클어지고 대충 뻗은 푸석한 머리칼.

사내는 오래되어 찌들은 작업용 면바지에 때묻은 재킷을 걸치고 있었다. 안에는 갈색의 셔츠를 조금쯤 풀어놓고 있다.

비스듬하게 정면을 바라보지 않고 탁자에 몸을 기대어 앉은 사내는 어두운 방 안에 있었다. 취조실. 지방 광역수사대에서 임시 지부로 쓰고 있는 건물이었다. 말은 그럴싸하지만, 그냥 시외에 있는 컨테이너 박스였다.

남자가 탁자 너머로 마주하고 있는 인물은 두 청년이었다. 50대 정도로 보이는 사내보다는 훨씬 어린 청년들이었다.

“그러니까.”

청년 중 한 사내가 말했다. 조금 마르고 볼도 앏상한 남자였다. 으레 형사들이 그렇듯 움직이기 편한 재킷 정도를 걸치고 있었다. 단정하게 깎은 머리가 눈썹 정도에서 흔들린다. 나름의 관록을 나타내는 듯 눈빛을 날카롭게 하며 얼굴을 늙은 남자에게 가까이 했다.

"협. 조. 부탁드립니다. 최근 있었던 사건이 그 놈 일인 건 아시잖아요?"

컨테이너 박스 천장에 매달아 머리 높이 정도로 내려오는 원형의 전등이 덜렁거리며 움직인다. 사내, 50대 정도의 남자는 권태롭다는 듯 정돈되지 않은 볼의 수염을 손바닥으로 쓸며 말했다.

"그 놈이라."

늙은 사내는 아직도 그 체격이 남아있었다. 젊은 시절의 흔적인지, 아무렇게나 앉아 있는 것처럼 보이지만 어딘가 날카로운 기세가 있었다.

두 젊은 형사가 그를 함부로 대하지 못하는 건 그런 이유에서일지도 모른다.

"……."

늙은 남자는 별 말이 없었다. 젊은 형사 중 다른 한쪽이 입을 열었다. 그는 맞은 편에 정자세로 앉아 있었다. 눈이 동그랗고, 굳이 따지자면 착한 인상의 사내였다.

“…최근 1년간 벌어지고 있는 연쇄살인 사건의 흔적이… 선배님이 추리하시던 당시 범인의 모습과 아주 흡사합니다. 동일범의 소행이라고 봐도 좋을 정도로요.”

사내가 중간에 뜸을 들인 것은, 본 적도 없는 은퇴한 형사에 대한 호칭을 고민한 것이었다. 일단은 얻어내야 하는 정보가 있으니 굳이 존칭을 사용했다.

“수도권 지방에서도 난리였고… 저희 광수대 인원들이 모조리 동원되어서 잡으려고 애를 썼지만 아직까지 별다른 근거를 찾지 못하고 있습니다. 얼마나 급하면 이렇게까지 와서 사정을 하겠습니까. 당시 상황 설명 좀 자세하게 해주십시오.”

늙은 남자는 말을 들으면서도 거친 피부 아래의 근육이 변화가 거의 없었다. 속내를 짐작할 수 없는 태도에 달아 오르는 건 두 젊은 사내들이었다.

툭, 툭. 하고 더 다혈질인 마른 사내가 철제 테이블을 두드렸다.

“아저씨. 말 안들리십니까? 여기까지 오셨는데 피차 시간 낭비하게 마시고 빨리빨리 이야기 해 주시죠.”

그가 여기까지 온 건, 일을 더 귀찮게 만들고 싶지 않았기 때문이었다. 그가 쉬려고 가게를 가는 거리 위에서 대낮에 연행이 되듯 억지로 끌려왔다.

주변에서 소란을 일으키는 것도 번거로운 일이고, 형사라고 하는 작자들이 하는 일도 대충 알기에 마지 못해서.

그러나 깊은 피로감과 지난 날의 트라우마의 흔적을 채 다 떨어내지 못한 그는 지독한 스트레스를 동시에 느낀다.

그는 아무렇지 않다는 듯 지긋지긋한 살인자의 이야기를 머릿속에서 잠시 생각했다. 그리고 입술을 떼어 무언가 뱉어내려 했다가 아무도 모르게 다물었다. 형사였던 늙은 사내는 기색을 감추며 고개를 들고 웃었다. 희미한 웃음이었다. 정말로 즐겁다기 보다는 상대에게 불쾌감 정도만을 주는 웃음기였다.

그는 그런 웃음기로 다른 두 청년을 바라보다가, 한참을 말없이 시간을 끌고는 가죽 재킷의 겉주머니에서 무언가를 꺼내 들었다.

툭.

쥔 주먹을 테이블 위에 올려두고, 슬그머니 펴자 그 안에서 나타난 건 꼬깃하게 뭉쳐 있는 지폐 두 개와 동전 조금이었다.

오천 원짜리 하나. 천원 권 지폐 하나. 오백원 두 개였다.

그는 지갑도 없이 돈을 구겨서 속에 넣고 다닌다. 피폐해진 그의 삶이나 정신머리처럼, 그가 삶을 다루는 태도 역시 되는대로일 것이다. 지폐는 완전히 구겨졌다.

그래서 이렇게 말을 뱉을 수 있는지도 모른다.

"젊은 친구들."

느리게, 그가 말을 꺼냈다. 그가 내놓을 말의 내용이 중요했던 이들은 한없이 집중하며 다음을 기다렸지만 그들이 원하는 내용은 아니었다.

늙고 은퇴한 사내는 비식 웃음을 지어보이며 천천히 테이블 근처로 고개를 옮겼다. 그리곤,

훅 하고 바람을 분다. 지폐 쪼가리들이 숨에 밀어붙여져 공중에 떴다가 빠르게 내려앉았다. 맞은편에 앉은 청년 근처로 자리를 옮긴 지폐 쪼가리들.

옆에 선 청년이 채 화를 내지도 못한 때 늙은 사내가 손가락으로 동전을 퉁겼다. 딱. 누워 있던 오백원 짜리가 손가락에 튕겨져 맞은편으로 보내진다. 남은 하나마저 보낸 뒤에야 그가 입을 열었다.

"맥주 아무거나 좀 사오게. 편의점 가서. 안주는 적당히 먹고 싶은 걸로 고르고."

사내의 눈가는 흐리듯 찌푸리지만 그 안에 눈빛의 강렬함은 살아있다. 눈동자는 흔들리지 않는다. 맞은 편에 앉은 청년은 그 눈을 마주보고 있다.

맞은 편에 앉은 청년은 저도 모르게 압도당했다. 그랬음이 분명하다. 그렇지 않다면 곧바로 책상을 엎으면서 대노를 했었을 테니까. 다만 옆자리에 서 있던 마르고 키 큰 형사는 조금 더 반응을 했다.

"뭣… 이 씨팔 장난쳐요 지금?"
"…."

맞은 편의 남자는 더 이야기를 하지 않았다. 생각보다 조용하다. 다혈질인 마른 청년은 두 사람의 눈치를 살폈다.

"아니… 아저씨… 아니 선배님. 뭐 말해주실는 게 있으신가본데…"

그러다 눈치를 보고 화를 삭히며 이야기한다. 자리에 앉은 둘은 오래도록 이야기가 없었다.

젊은 형사, 는 자리에 앉아서 늙은이를 처다보았다.

그의 생각을 읽어보려는 듯 한참.

그리고 반대의 경우로, 늙은 형사 역시 눈 앞의 청년을 재어보았다. 어떤 인종인가.
말만 앞서는, 그저 그런 개새끼인가. 혹은, 정말로 의지가 있는 부류인가.

이 시대는 참혹한 시대였다. 열정이란 놈을 쥐똥만큼도 찾아보기 어려운.

늙은 사내는 그런 점에서 눈 앞의 젊은이들을 시험하고 있었고.

젊은 청년은 오래도록 늙은이와 눈을 마주치며 대치를 하다가 마음을 정한 듯 굴었다. 쯧, 하고 작게 혀를 차기도 하면서.

"맥주 뭐 드시는데요. 아무거나? 캔?"

젊은 청년이 별다른 말 없이 자리에서 일어섰다. 끼익, 하고 컨테이너 실내의 바닥에 의자 다리가 끌렸다. 청년은 그대로 꼬깃한 지폐를 쥐어서 주머니에 넣었다.

오백원마저 꼼꼼하게 챙긴다.

늙은 형사는 그런 움직임에, 천천히 다시 몸을 뒤로 기울이며 의자에 몸을 기댄다. 세상에서 다시 없을 편안한 자세로 긴장을 풀며 뒤로 깍지 까지 끼며 머리를 대고는,

느릿하게 말했다.

"하이스."

"싼 걸로 드시네."

늙은 사내가 피식 웃었다.

"국산이 좋지."

"그럼요 국산 좋지. 쓰레기같은 놈들도 많지만 한국에."

청년이 자리를 뜨면서 옆에 서 있던 마른 형사의 팔께를 툭 쳤다. 그의 표정은 영 풀리지 않고 있었다.

"야, 갔다 온다."

"뭐?"

마른 청년이 반문했지만 그는 눈을 마주치며, 턱짓으로 빈 의자와, 앞에서 한가롭게 쉬고 있는 늙은 형사를 번갈아 가리킬 뿐이었다. '지키고 있어'라는 뜻이었다.

"불편한 거 있으면 애한테 말씀하시고. 금방 옵니다."

"그러지."

청년이 무전기나 핸드폰 따위가 잘 있는가 대충 품을 두드리면서 컨테이너 박스를 나섰다.

"……."

끼익.

마른 청년은, 약간은 찌푸리고 이상하다는 표정으로 천천히 자리에 앉았다. 늙은 사내는 뒤로 깍지를 끼고 천장을 바라본 채 눈을 감고 있다. 움직임도 없다.

그는 의심스러운 생물을 바라보듯 경계를 하며 의자에 조용히 앉았다.

마른 얼굴에 스트레스를 많이 받는 것처럼 더 헬쓱해 보이는 낯빛이었다, 청년은 말이다. 장년의 남자는 감은 눈 사이로 자신의 지난 삶으로 버리지 못하고 쌓인 잔여물들, 트라우마나 스트레스를 다 감추어버렸다. 보이지 않으려는 듯, 감추는 게 능숙하다는 듯 미동도 않고 태연히 있는 자세에 청년은 더욱 혼란스러웠다.

얼마간 뚫어지게 노려보더니, 상대가 아무런 변화도 움직임도 없자 이내 포기하고 자신의 얼굴을 손바닥으로 쓸어내렸다.

피가 제대로 돌지 않는다고 생각이 들만큼, 멀쩡하게 움직이지 못하고 생각 속에 갇혀 굳어있다 보면. 자신이 어디에 있는가 인지를 못할만큼 고민에 사로잡혀 있다보면 그런 일들이 필요하다. 살갗에 닿는 손바닥의 감촉이 차갑게 식어 안면의 열을 뺏었고, 머리에 조금 올랐던 열기마저 지우는 듯하다.

"…후."

청년은 짧게 숨을 뱉었다. 고민 속에서 뱉은 것 같은 숨 한 자락이다. 요 근래는 잠조차 제대로 잔 날이 없었다. 망할 싸이코패스 살인마는 인근의 강력계 형사들의 모든 원망을 독식하고 있었고, 그건 그들의 휴식과 잠마저 빼앗아버린 탓이다.
그 자체로 악한 죄를 저지른 인간이었으나 조금 더 직접적인 사정과 원망이었다.

한 차례 고비가 지나갔다고 마음 한 구석으로 느꼈는 지도 모른다. 늙은 선배와의 은근한 기싸움을 마치고. 어떻게든 진전이 있고 일단락이 되어 보인다.
가쁜 숨을 몰아쉬며 자신의 호흡기가 어떻게 움직이는 지도 모른 채 달려온 근 몇 주간의 일정이어서, 청년은 이 아무 말 없는 시간이 갑자기 소중하게 다가왔다.

그렇게 마음 속도 표정도 시끄럽고 사나웠던 청년과 아직도 상처를 다 회복하지 못한 낡은 중년은 컨테이너 내부에서 잠깐의 휴식을 가졌다.

*

벌컥, 하고 문이 열렸다. 컨테이너의 현관이랄만한 문은 여닫을 때마다 그 잠금쇠가 요란스럽게 울어댔다. 기름칠도 전혀 되어 있지 않았고. 실내가 사용 가능하게 개조된 이후로 오랜 시간이 지났고, 그런 매물을 두 젊은 형사가 있는 수사 본부에서 사들여 급하게 이용하고 있는 터다.

갑자기 열린 문에 눈을 감고 있던 늙은 사내도 천천히 앞을 바라봤다. 끼고 있는 팔짱이나 뒤로 젖힌 자세는 그대로였으므로, 그가 처음 본 건 천장에 묻은 먼지들이었다. 내부는 공기가 좋지는 않았다.

컨테이너가 있는 곳은 충청도 어느 도시의 외곽 도로 근처다. 시골은 아니지만 서울 사람이 보기에는 일부 그렇게 보일 지도 모른다. 인구 밀도도 그렇게 높지 않은 한적한 교외의 어느 대여 창고 같은 곳이었다.

지금은 완전히 수사 인원들이 세를 내고 사용하고 있었으므로 그들 외에는 주변에 사람이 없는 공간이다.

탁, 하고 맥주 캔을 다급하게 내려 놓는다.

사내는 고개를 내려 앞을 바라봤고, 어느새 문을 열고 들어와 옆에 선 아까의 청년이 보였다. 자리에 앉아 있던 놈보다는 체격이 평균에 탄탄하고, 혈색도 좋은 평범한 인상이었다.

"싼 거. 사왔습니다.""……."

장년의 형사는 눈 앞의 청년의 눈을 빤히 바라보았다. 흔들리지 않는 눈동자가 합격이다. 늙어빠진, 모르는 선배 형사에게도 쫄 정도라면 싸이코패스 살인마 수사는 때려치는 게 낫다. 그는 고갤 끄덕거리며 캔을 집었다. 딱, 하고 까자 공기가 유입되며 탄산이 올라왔다. 그는 몇 캔을 사온 것을 두고 그들에게도 눈짓으로 권했다. '들겠나?'

들릴듯 말듯 중얼거린 모습과 고갯짓에 앉아 있던 마른 형사가 고개를 저었다.

"근무 중에는 안 마십니다."

"좋은 자세네."

늙은이는 그렇게 말하고는 한 모금을 들이켰다. 쓰읍.

원래 술을 즐겨 하지는 않았다. 다만, 형사를 그만두고 자신이 잡지 못한 이들에 대한 소회와, 또 그로 인해 생겨난 희생들과, 찌꺼기처럼 남아서 영 태워버리질 못하는 감정과 괴로움의 잔해들이 마취제를 바라는 환자처럼 손을 대게 만들었을 뿐이다. 시들시들한 장년의 체력에 독한 것은 마시지도 못한다.

싼 것을, 그저 차가운 맛에 가끔 들이킬 뿐이다. 제 몸에 더욱 지독한 짓을 하고 나서야 정신이 가라앉는 기분이 든다.

작게 올라오는 트름을 삼키며 낡은 사내는 두 청년에게 고갯짓을 했다. 앉으라는 의미였다. 끼익, 하며 의자를 끌어 갔다 온 형사가 앉는다.

쩝.

그는 눈을 감고 있을 때, 아무 생각도 하고 싶지 않았지만. 그럴 수는 없었다. 이미 들어버린 이야기에 오랜 시간 쫓아온 어느 인간 말종에 대한 단서들이 머릿속에 떠올라 뇌리를 헤집고 다녔다.

천천히, 그리 길지 않은 시간만에 정리를 다 해낸 그는 마음을 먹고 입을 열었다.

괴로웠으나, 어쩌면 잘 된 일인지도 모른다. 이런 식으로 건드리고, 해결을 해내는 과정일지도 모른다. 만약 눈 앞에 두 명과, 현역에서 뛰고 있는 이들과, 현대 대한민국의 수사 체계와 수단들이 잘 협력을 해낸다면 그렇게 될지도 모른다.

그 고된 작업에 한 손을 거들기로 한 사내가 떠듬거리며 떠오른 단어들 중 하나를 골라 이야기를 시작한다.

"…20년 전 일이네."

*

2. 김연수

"20년 전의 일이네……."

낮고 침잠된. 뱃속 깊이에서 끌어올리는 듯한 회한이 섞인 어두운 톤의 목소리였다. 낡고 늙은 사내는 이미 지쳤는 지도 모른다.

그는 지쳐서 그 일을 그만두었다.

오래도록 닳고 닳은 베테랑이었지만, 그럼에도 전혀 해결의 실마리가 보이지 않는 어떤 일은 그를 그 직업의 자리에서 빠져나오게 만들었다.

'김연수'.

가명假名이었다. 어떤 연쇄 살인마는 최초에 세 명을 죽였다. 한 번에 죽인 것은 아니었고, 빠른 시일 내에 벌어진 연속적인 살인 사건이었다. 서울의 연수동에서 벌어진 세 건의 살인이 곧 한 명의 범행이라고 추리되었다. 이십여 년 전의 일. 당시에도 기초적인 프로파일링은 있었다.

범인의 특색은 뚜렷하다. 피해자의 시체에는 사인을 결정하는 상처들 외에는 크게 훼손되거나 변형되는 부분이 없었다.
미치광이같은 놈이었다.

살인자는 시체와 흔적을 감추게 마련이었는데, 그 자는 마치 그 죽음의 흔적을 전시라도 하듯이 범행 장소에 두고 사라졌다.

최초, 약 한달 여 간 일어났던 세 건의 살인사건의 피해자는 모두 김 씨였다. 그것이 어떤 의미를 가질 확률은 많진 않았지만. 어쨌든 그 이후로 살인마의 가명은 '김연수'였다. 그것이 형사들 사이에서 불리는 별명이었다.

놈은 신출귀몰하다. 세 건의 범행 이후에는 텀을 두었다. 일 년, 다시 일 년. 그리고 세번 째 해에는 한 해 동안 일곱 건을 저질렀다.

극악무도한 살인마였다. 이미 그 정도가 되면 연쇄 살인마라는 범주에서도 조금 벗어난다. 그러니까, 이 좁은 남한 땅에서 그런 수준이 되면 이미 테러리스트에 가깝다. 한 명의 손에 십 수 명이 손도 쓰지 못하고 살해당한다? 국가의 치안이 이미 흔들거리는 지점이다.

세번 째 해에 모든 언론이 그것을 다루었다. 그런 국민적 관심과 치안에 대한 의심은 곧 경찰력에 대한 의심과 증명으로 이어졌다. 검찰총장, 경찰청장, 그 위의 장관급 인사나 대통령까지도 분명하게 인식은 하고 있었다. 실질적으로 나서서 진두지휘를 한 것은 각 조직의 장인 총장이나 청장이었다.

막대한 인력이 배정되어서 미친 살인귀를 잡기 위해서 수도부터 시작해서 남한 전역을 들쑤셨다.

범인의 흔적은 많이 발견되지 않았다. 현대 사회에서 CCTV를 완벽하게 벗어나는 건 어려운 일이었다. 놈이라고 해도 그것을 다 무시할 수 없다. 남자, 사내. 모자를 눌러 쓴 모습. 중간 체격에 중간 키. 염색 없는 검은 머리. 문신이 없는 매끈한 팔꿈치 아래와 목. 좁은 턱.

그 정도가 살인마에 대한 단서의 전부였다.

살인마는 DNA를 남기지 않는다.

깨나, 힘이 센 녀석으로 알려져 있기는 했다. 생목숨을 시신으로 바꿀 때 놈은 흉기나 둔기를 사용했다. 오로지 제 힘만으로 사람에게 충격을 가해 그런 꼴을 만들어놓는 녀석이었으니. 운동 경력이 오래 되었거나 무술 계열의 기술을 익힌 인간일 수도 있었다.

세 번 째 해에 저질렀던 경악스러운 연쇄 살인 이후에는 한참이나 종적을 드러내지 않았다.

낡은 사내.

윤계식은 그를 십 년은 넘는 세월동안 쫓았다. 그가 형사로서 가장 혈기왕성한 시절에 보낸 십 년이었다. 삼십대 중반부터 사십대 중반이 될 때까지.

지금 그는 어느덧, 50대 중반을 바라보고 있는 연식의 낡은 자동차였다.

회한은 사람을 고장나게 만든다.

사실 그의 운동 기능이 모조리 못 쓰게 된 것도 아닐텐데. 감정적인 찌꺼기들은 영 인간 구실을 못하도록 늘 방해했다. 잘 웃지도 울지도 않으며, 그저 침대나 소파 혹은 방의 구석에 베개를 뒤에 두고 앉아 무기질적으로 TV만 바라보고 있는 것이 그 증거였다.
그의 삶에는 새로움이 진정 없었다.
새로움.

눈 앞에 있는 두 마리의 애송이들이 새로움이라면 새로움일 것이다.

낡은 이의 굳었던 혀가 움직여 정보를 토해냈다.

"김연수."
"예. 김연수요."

낡은 이가 토해낸 낡은 정보가 바로 통했다. 아직까지도 놈은 김연수였고, 그의 뒤를 따라 그의 뒤를 좇고 있는 두 어린 놈도 예전의 정보들 정도는 공유하고 있는 모양이었다.

예 김연수요, 하고 맞받아친 건 맞은 편에 앉은 맥주를 사온 놈이었다.

윤 계식은 고개를 천천히 끄덕였다.
그의 모든 행동은 느리다. 질릴 정도로 느렸다.

언제나 편두통을 달고 사는 그가, 자신의 행동을 제대로 파악하기 위해서 그런 것이었다. 정신적인 스트레스로 기능이 떨어진 늙은 형사는 자신의 행동을 확인하기 위해 조금 움직이고, 그것을 곱씹은 뒤 다시 또 움직였다.

실수를 하지 않을까, 해서였다. 치매의 초기 증상을 겪는 노인들이 이럴까. 거기까지 생각하자 비식 웃음이 나왔다.

"뭘 웃으세요."

맞은 편에 앉은 얌전하던 놈이 쿡 찌르듯 말을 뱉었다. 윤계식은 그런 게 아니라는 듯 고개를 저었다.
장년의 행동은 사람을 짜증나게 하려는 의도가 있는지, 느렸고 두 젊은이는 지나치게 혈기왕성하다.

"아냐. 그 새끼 일이라면 나도 손을 거들지. 제대로 하고 있는 것 같군. 어디까지 알아봤나?"

길게 토한 말에 그 옆에 비스듬히 자리를 내어주고 앉은 채인, 얇상하고 키 큰 놈이 답했다.

"저희가 물어봤잖습니까."
"나도 얘기는 알아야지. 최근에 두, 세 건이 의심된다는 것 까지는 나도 봤네. 비슷한 단서지. 종적을 잡을 수 없고, 목격자도 없다. 다만 비슷한 체격과 힘을 가진 사내가 저지른 것 같은 두 건의 살인 사건. 원한 관계도, 돈을 노린 것도 아닌 순수한 살의.
미친 싸이코패스 새끼들의 짓거리야."

맞은 편에 앉은, 둥글하게 생기고 평범한 체격의 사내가 고개를 끄덕거렸다.

"맞습니다. 마법이라도 부리는 놈이 아닐까 싶어요."

형사가 가장 하면 안되는 종류의 말이었다. 마법같은 건 없다. 그건 살인을 추리하는 이 자들이 누구보다 가장 잘 알게 되는 일이었다.
마법같은 건 없다.
그 뒷면을 까보면 지루하고 재미 없는 트릭이 있을 뿐이다.

사람의 편견을 이용한 트릭들.

키 큰 놈은 고개를 젓는다.

"미친 개새끼들이라는 건 공감합니다. 어쨌든, 수사 본부에서는 김연수 그 놈 짓이라고 거의 확정 짓고 있습니다. 단서가 없다는 게 역설적으로 단서거든요. 그 놈만한 솜씨를 지닌 놈이 여태껏 남한 역사상 없었습니다.

정말로 신출귀몰하고, 건국 이래 가장 쌍놈의 새끼죠."

그 체격이나 외형 정도는 파악이 되었다. 검은 머리. 좁은 턱. 수염이 없고 매끈하다. 체모가 많은 편도 아닌 것 같았다. 그저 먼 거리에서 찍힌 CCTV의 희박한 단서만이 '그'를 지칭하는 전부였다.

그만한 체격에서 생사람을 십 수명이나 제 손으로 베어 죽이고, 썰어 죽이려면 얼마만한 근육이나 기술이 있어야 한다는 말인가?

전문적으로 인간 백정 노릇을 하기 위해 따로 트레이닝이라도 거쳤나?

어디, 만화나 영화 따위에서 나오는 킬러 조직의 정체가 이 즈음해서 드러나야 말이 될까. 그도 아니라면 정말 이해할 수 없는 사상에 심취한 싸이코패스가 사람을 죽이기 위해서 어느 산 속에서 수련이라도 하다가 뛰쳐나온 것일까.

죽은 이들은 전부 노약자가 아니었다.

여자도, 남성도 있었다. 중년도, 장년도 있었다. 노인과 아이는 역설적으로 건드리지 않았다. 체구가 가녀린 여성도 있었고, 남자 중에서도 왜소한 이도 있었으나 반대로 멀쩡한 체격의 장정들도 있었다.

도리어 그들의 수가 많다. 그런 이들을 참살이나 타살로 모두 죽인 것이 김연수다. 총을 쓰지도 않았다. 차라리 화약 무기를 썼다면 일이 쉬웠을 것이다. 이 국가에서 총기라는 건 그래도 불가침의 영역 중 하나였다.
최근에는 마약 따위가 많이 나돌아다닌다고 하는데…. 그래도 휴전 중인 국가에서 총기는 터부시되는 무언가였다.

범행에 사용된 무구 또한 발견이 된 적이 없었다.

김연수의 다른 별명은 '매지션magician'이다. 그 왜, 있지 않은가. 아무것도 없던 장소에서 갑자기 칼이나 지팡이 따위를 꺼내고 없애고 하는 공연가들. 그런 게 아니라면 무엇이란 말인가.

자신만의 특제 접이식 무구를 개발해서 들고 다닌다?

그럴 가능성은 있었다. 그런 발상을 하고 실천을 한다는 게 소름이 돋는 것 이상의 미친놈일 뿐이다. 누가 현대 사회에서 그따위 발상을 하는가.
콘크리트 정글을 홀로 야만의 사회로 바라보고 살아가는 괴물이었다.

인두겁을 쓴 짐승.

형사들은 모조리 그 짐승을 위한 사냥꾼이 되어야만 했다. 기필코, 반드시 잡아야 한다.

낡은이의 눈빛 아래에는 시꺼먼 불길이 있었다.

그 불길은 증오와도 닮아 있었고, 집념이라 해도 좋았다. 불꽃의 연소를 위해 쓰이는 건 양심이나 정의감, 법치 국가의 정립을 위한 다양한 절차들이었다.
윤계식은 뛰어난 인간이었다.

그러니까 십 년 이상을 한 놈을 쫓았지.

별다른 성과는 없었지만, 그래도 기약도 없는 대상을 계속해서 쫓은 건 소수 중의 소수였으며 개중에 가장 앞섰던 것이 그였다.

"이십 년이 지났네. 이제 와서 다시 그런 짓을 한다는 게 놀라울 따름이지."

계식의 말에 둘은 고개를 주억거렸다.

계식은 고개를 아래로 깔았다. 그의 눈빛이 움직이는 방향대로 두 청년의 시선이 따라갔다. 계식은 제 몸통이나 팔다리를 훑는다. 그가 느리게 고개를 움직거리며 입을 열었다.
말의 속도는 그렇게, 생각보다 느린 편은 아니었다. 일단 말하기로 결정을 한 다음이라.

"보면 알지 않나? 나는 당시 서울 강남 경찰서에서 강력계로 근무하면서, 연수동에서 일어난 사건을 맡았어. 거기서 김연수 그 놈이 범행을 저지를 때마다 옮겨가면서 뒤를 밟았지. 당시에 범인 한둘 정도는 정면에서 때려잡던 내 몸뚱이가 이래 됐네."

계식은 한 호흡 멈추고 말했다.

"이십 년이야. 내 나이가 54이고. 그럼 놈은? 당시에 그런 짓거리를 저지를 때 고작 20대였나? 나보다 연배가 높다고 한다면 아무리 생각해도 답이 안나와. 엘리트 운동 선수라고 해도 지칠 무렵일텐데.

어떤 살인귀가 태어났길래, 그 젊은 나이에 그렇게 과감하게 인생을 버리나. 일반적인 상리로는 이해할 수 없는 일이지. 정신이든 육신이든 둘 중 하나는 괴물인 놈이야."

'……나는…… 소름이 돋았네.'

라고 계식은 그 말을 끝내고 작게 혼자서 중얼거렸다. 앞에 앉은 바른 인상의 청년은 그 말을 들었다. 비스듬하게 앉은 키 크고 마른 청년은 딴 생각을 하고 있었는지 듣지 못했고.

확실히 계식은 수사를 포기했고, 일선에서 물러났다.

자신의 삶도 버린 듯이 살아가고 있었다. 전쟁터에서 빠져나간 군인은 더 이상 군인이 아니다. 노병은 사라질 뿐이라지만, 자신은 아직 '살아'있었다. 사라지지 못하고.
누군가에 의해서 차마 죽지도 못하고 남아 있는 어딘가 턱 걸려있는 목 속의 생선 가시같은 것. 윤계식은 자신의 처지를 그렇게 자조했다.

어쨌든 그런 잔념은 남아서 김연수의 소식을 귀신같이 파악했다. TV, 신문 따위에 그만한 정보가 들어오자 형사로서의 추리력이 발동을 해서 제대로 언론에 쓰여지지도 않은 사실들을 생각한 것이다.

최근에 일어난 살인이 한 명의 범행이며 연쇄 살인마의 등장이라는 말은 아직 공개적으로 나타나지 않았다. 그러나 연속적으로 일어나는 행각의 행태가 유사하다는 걸 그는 본능적으로 깨달았고, 그 당시 집구석에서 소름이 돋는 팔을 혼자 쓰다듬으며 진정해야 했다.

말했듯 김연수는 싸이코였고, 괴물이었다.

어린 날에 연쇄 살인을 계획적이고 대담하게 저질러서 전국의 형사들을 개 취급 한 것이 사실이라면 그 놈의 정신 상태는 비범 그 이상이었다.
어떤 싸이코도 그렇게까지 과감하게 자신의 인생을 처박기란 쉽지 않은 것이다. 날 때부터 지옥 구덩이로 들어갈 악마 새끼가 아니고서야.

인간이라는 건 행동의 원리가 있게 마련이었고, 아무리 악한 놈도 타고 나는 희노애락이 있는 법인데.

사연 없이 괴물이 만들어지지 않는다. 아무리 바보 같고 사소한 것이라도, 원인이 있어야 결과가 나는 법이다. 무엇하나 겪지 않은 어린아이가 진정으로 인생의 의미를 되돌아보게 할 클래식을 적어낼 수는 없는 법이다.
그런 건 '경험'의 문제였다.

20살, 혹은 20세 초반에 그런 짓거리를 벌였다면 그 짓을 위한 준비를 그 이전에 했다는 말이었다. 10대의 소년이 무참하게 연쇄 살인을 저지르고 수사망을 돌파할 지식과 체력을 기르기 위해서 운동을 하고 공부를 한다?

사춘기 어린 아이의 망상 속에서나 있을 일을 실제로 저지른다기에 한국은 너무 평화로웠다. 위로는 북한이 있다지만. 그건 아직 실감되지 않는 위협이다. 어차피 핵이 터지면 모조리 죽는다. 그런 위험에 대해서는 일상 생활에 늘 염두에 두는 인간 따위 없다.

이 시대가 차라리 정말 전근대의, 야만인 부족들의 사회이며 아침에 눈을 뜨면 언제 칼을 맞을 지 모르는 전란의 시대라면 차라리 말이 될 테인데.

한국 사회에 그런 인간이 태어났다는 걸 윤계식은 머리로 믿을 수가 없었다.

반면 다른 쪽으로 생각해, 자신과 비슷한 나이대의 인간이라고 한대도 비현실적인 부분이 더러 있었다.

김연수의 특징은 신출귀몰한 움직임이다. 한 가지 범행과 그 다음 범행 사이의 거리가 먼 경우가 더러 있었다.
이번에 계식이 TV로 바라본 사건들도 두 건은 경기권 지방에서 일어났지만 마지막 한 건은 대전 근처에서 벌어졌다.
TV에서 다루어지는 살인이 실제 일어난 사건의 전부라고 할 수도 없었다. 저런 위험하고 또 민감한 주제에 대해서는 관계자들이 대중에게 갈 정보를 통제하는 게 일상이었고 일부분 필요한 게 사실이었다.

그 정보에 대한 반응으로 살인귀를 자극할 수도 있었으니.

어쨌든, 공개된 것만 해도 수도권에서 지방까지 거리가 멀다. 경기권 내에서도 가까운 거리는 아니었다. 서울 북부에서 하나, 광명시에서 하나. 다음이 대전이다.

텀이 짧다는 게 그의 행동 반경을 설명하는 정보였다.

연이어서 벌어진 살인 사건의 시차는 고작 이틀이다.

어떤 살인귀도 이런 식으로 저지르지는 않는다. 사람의 마음이라는 게 있었다. 치안력이 살아있고, 또 어느 나라보다도 높은 남한 도시 한복판에서 저 혼자 정글북을 찍고 있었다. 일반적인 인간과는 생각의 궤가 완전히 다르다는 게 특징이었다.

살인을 하지 않으면 금방 죽어버리는 저주에 걸린 마귀라도 되는 것처럼 굴고 있다. 그리고 그 모든 건 치안과 공권력을 담당하는 모든 국민들에 대한 조롱이자 선전 포고이기도 했다.

광명시에서 살인 사건이 벌어지고, 3일 뒤에 대전에서 사람이 죽었다.

경찰은 별개의 사건으로 소개했으나 그럼에도 사람들의 소문이 뒤숭숭했다. 요즘 아이들이 하는 인터넷 커뮤니티 따위에서 불길한 이야기나 가십거리들이 떠돌고 있을 테였다.

"목숨을 걸어도 그 정도로 움직이지 못하네. 동기가 무엇인지 감도 잡히지 않고. 정말로 저주에라도 걸린 마귀 새끼라는 건지. 삼류 영화에나 나올 법한 이야기가 되어버리지. 대체 무슨 이유로 온갖 위험을 감수하고 그렇게 대담하게 범행을 저지르냐는 말이야."

윤계식은 머릿속으로 복잡한 정보들을 정리하면서 열변을 토하듯 말했다.

"……."

두 청년은 별다른 말이 없었다. 계식은 사 온 싸구려 맥주로 목을 축였다. 입맛이 쓰다. 맥주는 다녀오는 그 사이 벌써 조금 미지근해져 있었다.

원래 잘 마시지도 않던 것을 은퇴 후에 홀짝이고 있을 뿐이었다. 차갑지 않다면 그다지 반길만한 물건도 아니다. 간신히 입 안을 마르지 않게 하고서 그가 말했다.

"난 놈을 본 적도 없어. 다만 질리도록 그것이 저지른 현장은 관찰을 했고, 또 머리를 굴렸지.

김연수는 일반적인 방식으로 움직이는 놈은 아니다. 그러나 그런 미치광이들은 자신들만의 규칙을 갖고 움직이는 법이야.

사람은 결국 무질서함을 버티지 못하게 되어있으니까, 정신이."

계식이 손가락으로 제 머리를 톡톡 두드렸다.

"미치광이 싸이코라도 자기 보호적으로 군다는 말이지. 그들은 그래서 더 자신들만의 룰에 집착을 해. 상리에 벗어난 놈들을 잡기 위해서는 놈들의 생각대로 우리도 추리해야 하네."

계식은 한 호흡을 골랐다.

"언론에서 말한 세 건이 전부일 지는 나는 모르네. 더 있을 수도 있겠지. 지금 그 놈의 나이가 얼마인지는 모르겠지만, 놈도 한계는 있을 거야.

늙은 나이에 홍길동처럼 굴며 제 손으로 사람을 잡아 죽이는 몸뚱이가 괴물 새끼이던가,

어린 나이에 동기도 짐작할 수 없게 미쳐버린 정신이 괴물인 새끼이던가, 둘 중 하나일텐데.

아무튼 놈은 일단 나타났으면 멈추지 않을 거네."

마른 청년이 눈을 조금 크게 뜨며 계식에게 집중했다.

"멈추지 않는다는 말씀은…."

"당시에 쫓던 인간들은 대충 알겠지. 아니면 나만 아는 걸 수도 있네만. 놈은 자신의 유명세를 즐기고 있어. 더 기쁘다는 듯이 저지르지. 그리고 본인의 한계를 시험하는 듯 게임을 하는 거네. 육신의 한계이든, 전략의 한계이든.

얼마나 걸리지 않고 이 짓거리를 계속 할 수 있나. 자기가 얼마나 이 나라를 시끄럽게 하고 이목을 모을 수 있나.

놈의 한계는 아직인 것 같네. 당시에 내가 느꼈던……

김연수의 한계는 훨씬 월등했네. 그 놈이 당시의 기량의 반이라도 유지하고 있다면 여기서 멈추지는 않겠지. 그래서 묻는 거네.

놈에 대해서 얼마나들 알고 있나? 놈이 저지른 사건이 지금 언론에 나온 세 건이 정말 전부인가?"

계식의 말에, 말 없이 듣고만 있던 맞은 편의 평범한 청년이 입을 달싹이다가 입술을 벌렸고, 이야기가 새어나왔다.

*

3. 다시 봅시다.

*

박주영은 김연수에 대해 생각했다.

경찰청 쪽에서 직접 지시가 내려와 꾸려진 수사 본부, 태스크포스에서 그가 맡고 있는 일은 분명 핵심적인 부분 까지는 아니었다.
그보다 연차도, 계급도 높은 까마득한 이들이 많이 있었고. 그는 이렇게 발로 뛰면서 직접 답도 없는 탐문 수사를 이어나가는 과정이었다.

어디까지 말해줘야 하나.

그는 다시금 눈 앞의 낡은이에 대해 생각하고 조금 더 그 안면을 살폈다. 믿을만한 인간인가. 윤 계식. 54세. 대전 태생. 본인의 말대로 강남 경찰서 출신의 형사였고, 어느 살인마의 범죄를 좇다가 따로 그 종적을 찾기 위해 이리저리 근무지를 옮겨 다녔다.
쥐꼬리만한 무엇이라도 잡아 오라는 팀장의 지시에 의해 이곳까지 일부러 찾아왔다. 어느 정도를 내어주고 어느 정도를 얻어야 하는가.

그는 자신보다는, 자신이 속해 있는 팀의 구조와 '협업'에 대해서 생각하면서 천천히 말을 골랐다.

윤계식의 맞은 편 자리에 앉아 턱을 괸 채 고심하던 똘망똘망한 놈, 평범한 체격의 형사가 입을 연다.

"…두 번 더."

"……."

"두 번이 더 있습니다. 경기도 광주시에서 한 번. 세종시에서 한 번이요."

계식은 그 말에 고개를 끄덕거렸다. 저 말이 오롯한 사실일 지는 모르겠다. 그러나 적어도 두 번이 더 다.

김연수의 것으로 추정되는 범행이 TV에 나온 것이 3개월 전의 일이다. 3개월 만에 이 정도 수가 연쇄 살인마의 손에 죽어나갔다는 건 국가적인 일이었다.

시민들의 안정을 위해서 정보는 제한하는 게 옳았다.

살인마가 직접 다가오는 사람들은 수천 만 명 중에 몇 명일 것이다.

그러나 수천 만 명이 모두가 밤에 잠을 설치게 할 수는 없었다.

"미친 새끼."

라는 호칭은 김연수에 대한 것이었다. 칭찬이기도 했다. 쓰레기 같은 인간에게는 말이다. 놈은 개중에서도 가장 지독한 부류의 쓰레기였다.

계식의 말이었고, 앏상하고 키 큰 청년이 시선을 그에게 돌리며 거들었다. 그의 이름은 김민식이었다. 박주영과는 동기였지만 계급은 하나 아래였다. 시험에서 한 번 떨어진 탓이다.

짧은 커트 머리에 약간은 두께감이 있는 갈색 재킷을 앞섬을 연

채 걸치고 있다. 두 청년 모두 바지는 짙은 색의 청바지였고.

"맞습니다. 미친 놈. 아시는 거 좀 있으세요?"

계식은 주영을 처다 봤다.

"내가, 뭐라고 더 알겠나. 자네들이 수사과에서 얻을 수 있는 정보가 다 내가 알고 있는 것들일텐데.
그럼에도 개인적인 직감에 대해서 선배에게 묻고 있는 거라면……"

그는 뜸을 조금 들였다.
눈 앞의 놈들이 그를 선배로 대했는지 잠깐 생각했다.
아슬아슬하게 뭐, 체면은 차린 것 같았다.

"다섯 번이라고 했지? 이 미친 놈은 아마 끝을 볼 것 같네. 더 아슬아슬한 지점까지 갈 거야.
지난 번, 그러니까 젊은 날에는 열 두 건을 4년 동안 저질렀네. 체력이 꺾였다고 하더라도 집념은 여전하겠지. 정신이 고쳐졌을 리는 없어. 그런 종자는 뿌리까지 썩어들어갔을 테니까."

인간으로서나, 도덕적으로는 어떨 지 알 수 없는 말이었다.
그러나 형사로서 윤 계식의 말은 많은 회한과 경험을 담고 있었다. 세상에는 고쳐 먹을 수 없는 쓰레기들이 많다. 아주.

"잡히기 직전. 자신이 가장 유명해지는 지점까지. 국가의 치안 공권력의 실무자들이 가장 치를 떨만큼.
놈은 거기까지 하겠지.

더군다나, 젊은 날에는 한 번 더 기회가 있었을 거라고 생각했을 거네.
실제로, 이십 여 년이 지나서 다시 활동하고 있고.
그러나 이번에 잠적하고 나면 아마 다음 기회는 없을 거야.
놈이 얼마나 치밀한 지는 모르겠지만. 똑같은 짓을 저지를 만한 힘이 남을까. 적게 잡아도 중년이 넘었을 놈은 이전보다 더,"

윤계식이 말을 멈추었다.

"간절하게 일을 저지를 거네. 쉽게 멈추지 않아."

형사들로서는 다행스러운 말이었다. 끔찍한 이야기였지만. 적어도 쉽게 잠적한다는 예상보다는 나았다. 영영 놓치는 것보다는 놈을 잡을 가능성이 조금이라도 있는 편이 좋다.
놈이 아직 움직일 동기를 갖고 행동하고 있다면, 다음 희생자가 나타나기 전에 미리 잡아채야 했다.

단서는 희미하다. 놈은 정말로 마술사처럼 굴었다. 이 현대 사회에서 이 정도로 자신의 자취를 감추는 건 웃기는 일이다.

어딜 가나 CCTV가 있는 시대이고, 대부분의 행정이 전산 처리화 되어 있는 사회 속에서 살아가면서 마치 없는 인간인 것처럼 군다는 게.

영화 속의 킬러라도 된 것 마냥 굴고 있는 게 틀림 없었다. 사회의 시설들을 사용하고 버젓하게 돌아다니고 있으니. 사회에서 떨어져 야인으로 살아가는 건 아닐 거다.
그렇게 지나치게 유리된 인간은 어딜 가나 눈에 뜨이고 결국 꼬리가 밝히게 되어 있었다.

연쇄 살인마들, 싸이코패스들은 나무가 숲에 숨듯 자신의 몸을 숨긴다. 곧 '가장 평범한' 지점을 광적으로 탐구하고 찾아 그 특징들로 자신을 가린다.

가장 연기를 잘 하는 놈. 역설적으로 가장 평범한 놈이 싸이코일 확률이 있다는 게 그런 놈들을 잡는 추리의 요점 중 하나다.

철저하게 이중 신분으로 다니면서, 살인마로서의 행적을 죽이고 살아가는 놈일 것이다.

그러지 않고서는 설명이 안 되는 수준이다.

체격이나 행색, 스타일이 노출이 되었지만 희미한 화상도의 영상만이 증거 자료의 전부였다.

그 옛날이라고 하더라도, 조금 본격적인 업계 종사자와 연이 닿아 있다면 문신이나 흉터 따위를 가릴 수 있는 살색의 스티커나 비슷한 재질의 옷 따위를 구할 수도 있을 것이다.

실제의 피부는 흉터나 반점이 있으나, CCTV에 잡힌 순간에만 매끈한 피부로 위장했을 수 있다.

살인을 할 때는 제 평범한 체격으로 다니고, 일상 생활을 할 때는 반드시 높은 굽을 신어 아예 키가 달라졌을 수도 있다.

마술이라는 게 그렇다. 그저 사람의 편견과 인식을 사용한 말장난을 현실화 시킨 것이다. 알고 보면 별 것 아닌 짓거리를, 인고의 노력으로 마술처럼 만들어내고 있을 것이다.

"가능한 모든 상상력을 동원하시게, 젊은 친구들. 미치광이같은 놈들의 사고는 영 평범하지 않거든. 정말로 어느 추리 범죄 소설에서 영향을 받아서 진지하게 그 짓거리를 하고 있다고 해도 이상하지 않을 거야.

그걸 현실화시킨다는 점에서 끔찍하지만."

"예상되는 범행 양태나 지점이 있습니까? 시점이나요. 아무리 직관적인 거라고 해도 좋습니다."

"자네들이 말한 다섯 번이 사실이라고 한다면 한 두 번 정도 더 일어날 수 있을 것 같군. 놈은 기록 세우는 것에 집착할 거야. 지난 번에 저질렀던 한 해 연속 살인의 기록이 일곱 번이었으니까.

그 이상을 하려고 하겠지. 현실적인 여건으로 그게 실행이 될지는 모르겠지만. 두 번도 이번 해에 일어났나?"

"…예."

앞에 앉은 동글한 형사, 박주영이 느리게 고개를 끄덕거렸다.

2X년.

초가을이었다. 여름의 기세가 한 꺼풀 꺾이고, 어느덧 9월 둘째 주.

한 해의 3분기가 지나가는 시점에서 놈은 게임을 하듯이 골을 달성하고 있었다.

페이스로 보자면 제법 괜찮을 것이다. 몸이 낡았을텐데, 지난 번 기록에 거의 근접해가고 있으니까. 일주일 새에도 몇 명을 죽이는 놈이니까, 남은 3, 4개월의 시간들은 마지막 게임을 준비하기에 충분한 시간일 테다.

놈이라고 정말 육신이 없는 유령처럼 다닐 수는 없을 테니 짧은 기간에 버닝 타임Burning time을 갖고 나면 약간의 냉각 시간이 필요할 것이다.

이전의 기록을 뛰어넘기 위해서 그 다음 행각까지 생각을 하면 4개월의 시간을 반으로 쪼개어서, 한 달 이상을 휴식기로 쓰기가 부담스러울 테다.

한 달이 휴식기. 한 달이 행동기.
놈이 신기록을 염두에 둔다면 행동기 다음에 다시 휴식기를 갖고, 한 번 더 날뛰기 위해 마지막 달의 행동기를 계획할 것이다.

마구잡이로 죽이고 있는 것처럼 보여도, 나름의 치밀한 준비를 거치고 한 번에 해치우는 방식일 테다. 몸을 쉬고 준비 후 행동까지 하고, 마지막으로 숨기까지 하려면 늘 시간을 계획적으로 써야만 하리라. 김연수는 말이다.

그렇게 경찰 인력들을 따돌리고, 종적을 감추고 나면 어느 골방 한구석에서 입꼬리를 올리며 희희낙락하고 있겠지.

싸이코패스들은 의외로 표정을 잘 짓는다. 말했듯 연기에 익숙한 놈들이 많으니까.
주변에 잘 섞이기 위해서는 평범한 인간을 따라해야 했다. 얼굴 근육도 근육이라서, 굳어지고 잘 쓰지 않으면 발달하지 않은 티가 난다. 평소의 삶이라는 건 어느 정도 표정과 인상에 드러나게 되어 있다.

첫인상을 보고 어떤 인간의 지난 삶을 판단하는 건 섣부른 일이었지만, 또 아주 근거가 없지는 않은 일이었다.
형사라고 한다면 그런 류의 감각과 본능이 없어서는 안되고.

현장에서 쓰이는 것들은 그런 말로 다 표현하지 못할 부분의 기술들이다.

교묘하게 DNA하나 흘리지 않고 연속적으로 범행을 저지른다. 실마리 하나 남기지 않고 자신의 일상을 고도로 발달한 사회 속에서 살아내고 있었다.

분명 이성적이고 냉정하며, 철저한 면이 있을 테였다.

그런 인간은 일부러 더러운 척 하는 것이 힘들 테니, 아마 평소에도 철저한 깔끔함으로 단정하게 살고 있을 확률이 높았다.

이를테면 아주 평범한 행색으로, 자신이 속한 집단 내에서 모범생 류의 모습으로 말이다.

엘리트나 우등생을 연기하면서, 어느 정도까지는 헌신적으로 굴며 주변의 지지나 박수를 받고 있을 수도 있었고.

몇 명 정도는 나름대로 깊이감 있는 관계성을 나누면서 완전히 녹아들었을 가능성도 높다.

그 정도의 심계가 아니라면 불가능한 짓이다. 완전범죄라는 건.

윤 계식은 머릿속에서 어떤 이미지를 상상했다.

형사로서 일을 하다보면 쫓고 있던 살인마의 단서가 끊어진 지점에서,

그 손에 남은 실 한가닥을 잡고 빌딩들 사이에 서 있는 것만 같은 느낌을 받을 때가 있었다. 몇 차선에 여러 방향, 도로에서 차들이 밀려들고. 또 한 번에 신호가 바뀌어 크로스 오버로 행인들이 파도처럼 지나가는 그런 도심의 한 가운데 말이다.

한 낮.
사람들의 일상이 무기질적으로 이어지는 그런 장면의 자리에서 피가 묻은 실 한 가닥을 손에 들고 있으나, 그 끝은 끊어져 있다.

끊어진 단서를 쥐고 이미 사람들 속에 성공적으로 섞여 들어간 짐승의 흔적을 추리해야 했다. 짐승은 완벽 이상으로 인간의 연기를 해내고 있을 것이다.

그 피묻은 실마리, 증거는 짐승의 터럭 한 가닥이다.

가만히 지켜보면, 가죽에 들러붙어 있던 단백질로 이루어진 무언가.
그 털에 남은 냄새와 같은 향을 풍기는 놈을 잡아야 했다.
그러나 인간인 척 하고 있을 때의 짐승을 잡는 건 극도로 어렵다. 편집증이나 강박증이 반드시 있을 수준의 완벽주의로 의태를 하고 있을 테니.

다시 누린내를 풍기면서 야성을 드러낼 때가 적절한 타이밍이다.

지점과 시기. 언제일까. 또 어디일까.
계식은 머릿속으로 남한을 그렸다.
둔한 머리로나마 시뮬레이션을 해보는 것이다.

어차피 자신이 계산을 해봤자, 수사본부에서 프로파일러나 계산기들이 두드리고 또 도출하는 정확한 시점과 행동 경로의 예측보다 정확할 수는 없을 테지만.

"놈은 불가능을 즐기지."

"예?"

김민식이 들뜬 호흡으로 멍청하게 물었다.

"먼 거리를 다니면서 완벽하게, 최대한 많은 사람을 죽인다라는 게 조건이야. 불가능에 가까울 수록 본인이 스타가 된다고 생각할 거고.
마지막 건이 대전이지? 맞나?""예."
박주영이 짧게 답했다.

밝히지 않은 사건이 하나 더 있었다. 마지막 사건은 언론에 밝인 대전 건이 맞았다.

"글쎄… 북부나 남부 극단에서 일을 칠 것 같군. 별로 정확성이나 근거는 없는 추측이네. 그렇지만 경기권에서 대전까지 쏴 봤으니까, 다음엔 경주라도 한다면 더 멀리 가보겠지.
동서부 거리보단 남북부가 경주하기에 좋지. 길쭉하지 않은가, 우리나라."
"……."

곧이곧대로 듣고 막대한 인력을 움직일 수는 없는 노릇이었다. 말대로 근거도 없고 막말로 은퇴한 어느 아저씨의 혼잣말일 뿐이었다.
그러나 지푸라기나 실 한자락의 단서도 아쉬운 상황에서 귀에 담아두기는 해야 할 것이다. 이 정보가 완전히 틀렸다고 하더라도, 근거 삼아서 다음 사실을 알 수 있는 단초로 쓰인다면 결국 의미 있는 정보였다.

"게임처럼 생각을 합시다, 우리. 놈이 아직까지 범죄를 저질러보지 않은 지방이 전남, 경남, 강원 셋이네. 게임 많이 해봤나? 달성 목표가 늘 있지. 새로운 곳에서 일을 저지른다. 그리고 새로운 기록에 도전해보기도 좋다.
최장 거리인 전남에서 강원 알맞아 보이는 군. 정말 제대로 미친놈이라면 우리나라 최남단과 최북단 근처 지역으로 골라볼 수 있을 것 같은데."
"……."

피식하고 웃었다. 윤계식은.

"그냥 헛소리네."

그리고 나서 맥주를 또 한 모금 마셨다. 긴 말을 해서 목이 조금 마른 것 같았다. 이미 식었고, 미지근하며, 향도 날아가고 또 탄산도 없다. 씁쓰레한 입맛에 끝맛이 그렇게 좋지 않았다.
괜히 마셨다. 맛대가리 없는 물건.

그는 곧바로 자신의 행동을 후회하며 입을 다셨다.

그 꼴을 보고 있는 둘은 별다른 말이 없었다.

한 사, 오 초 정도 그렇게 더 가만히 있다가 박주영이 입을 연다.

"…아무튼 감사합니다. 거기까지가 선배님이 생각하시는 결론의 전부입니까?"

윤계식은 박주영의 눈을 슬쩍 처다봤다.
근거도 없는 헛소리를 제법 진지한 눈매로 듣고 있던 모양이다. 그는 한 쪽 입꼬리를 구기듯 올린 다음에 덧붙였다.

"…일단은. 이왕 이렇게 만난 것도 인연인데 앞으로도 진전 있으면 얼마든지 알려주고 같이 생각해봐도 좋네.
……
늙은 노친네도 녹슨 머리를 굴려서 도와주면 쓸모가 있겠지."

윤계식의 덧붙임에 김민식은 완벽하게 마음을 열지는 않았지만 일단 부정하지도 않았다. 박주영은 천천히 고개를 끄덕였다. "예, 그러죠."

진짜로 은퇴한 그에게까지 현장 정보가 들어올런지는 모를 일이다.

어쨌든 오늘의 만남이 영 쓸모 없는 시간이 아니었길 바랄 뿐이다.

"……크흠."

김민식이 헛기침을 했고, 어색하게 말이 끝난 세 남자는 잠시 그 자리에 있었다. 박주영이 천천히 의자를 끌면서 일어난다. 그러고 물었다.

"말씀 끝나셨으면, 저희는 또 가봐야 하는 일이 있습니다. 데려다드리는 게 편합니까?"
"아, 좋지."

시내 길거리에서 홀로 걸어가다가, 느닷없이 찾아온 두 애송이에게 붙잡혀 차를 타고 이곳까지 왔다. 여기서 갈 방법이 없는 건 아니겠다만. 이 노친네를 멋대로 데려와놓고 그냥 가버린다면 정말 몹쓸 놈들이었다. 반쯤은 농담이지만.

계식의 끄덕임에 박주영 역시 마주 끄덕거렸다.

"그럼 같이 나가시죠. 모셨던 데까지 바래다 드리겠습니다."

솔직히 모신 수준은 아니었다. 계식이 제 발로 따라왔지만, 같은 계열 종사자가 아니라면 이해 못해줄 정도의 다급함과 약간의 강압적인 분위기였다.
애송이들은 이래서 문제다. 아무 데, 아무 때나 사내로서 위력을 행사하면 다 되는 줄 안다.

박주영과 함께 김민식이 자리에서 일어섰다. 별다른 가구도 없이 불편하고 낡은 의자, 철제 테이블과 전등. 물건을 놓는 몇 단의 수납대 뿐이다. 한 구석에 잡기가 가지런히 처박혀 먼지에 둘러쌓여 있었다.

시간은 조금 늦은 오후지만. 아직 하루가 완전히 끝나지도 않았다. 게임방에 가서 느즈막히 시작한 컴퓨터 오락을 조금 즐겼다가, 카페에 가서 시간을 떼우고 은행에 들른 뒤에 집에 돌아갈 생각이었다.
은행에서 볼 일은 ATM기만 사용하면 된다.

별 일 없는 하루였지만, 괜스레 간만에 '길다'고 느꼈다 계식은.

박주영이 먼저 나가며 문을 열었다. 계식이 천천히 따랐고, 민식이 마지막에 나서며 컨테이너의 문을 닫았다.
달칵, 하고 낡은 문이 닫혔다. 나가면서 전등 불은 꺼진다.
바깥에서 쇠 열쇠로 문의 잠금 장치가 걸린다.

***

4. 어둠

최수영은 은행에서 업무를 보고 있었다.

30대 초반. 가버린 20대의 날들이 아쉽다. 그래봐야 별로 달라지는 건 없었지만. 목을 가리고 어깨에 닿을락말락한 길이의 검은색 단발 생머리.
조금 꾸며야 한다면 끝에만 약간 웨이브를 넣어 준다.

찰랑거리는 머리 아래로 베이지 색과 회색을 섞은 톤의 오피스룩이었다. 근무를 할 때는 단정하게 주변과 맞추는 편이 원만한 사회 생활의 상식이었다.
은행에서 일을 하는 사람들은 대개 이렇게 입고들 다닌다. 금융계열의 일을 하고 대기업, 공기업, 혹은 중견 기업의 직원으로서 신뢰감을 주기 위해 필요한 복장이었다.

남의 돈을 다루고 방안을 제시하는 입장에 있는데, 그 시스템이 실재라고 하더라도 일단 그 분위기라는 것이 있다. 보여지는 것과 보이지 않는 실제 업무들은 어느 정도 일치감을 보여야 한다.

사람을 상대하지 않는다던가, 서비스보다는 개인적으로 업무 능력을 개발해서 의뢰만 수행하면 되는 기술직이라면 도리어 해당 업무에 어울리는 작업복을 입는 것이 신뢰감을 형성할 수 있으리라.

가수는 가수처럼. 목수는 목수처럼. 프로그래머는 프로그램 개발자처럼. 그럴싸한 복장이나 말로 굳이 설명하지 않는 비언어적 행태들은 대개 일관성 있는 이유가 있어서 정해지는 것이었다.

사회의 천차만별한 양태들은 모두 이유가 있다. 파고들어보면 사회학 학문 하나를 뚝딱 정립할 수 있을 정도로.

사람이라는 건 보이지 않아도 한 가지 커다란 생각을 이어서 하게 마련이었고, 그 기억과 생각의 얽힌 뿌리들은 한 개인의 인격을 형성한다.

보이지 않는 마음이나 생각이라는 건 때로 따라 그려보면 육신만큼이나 뚜렷한 외곽선을 가지고 있는 것이다.

그것을 연구하는 학자들은 그렇게 생각할 테다.

어쨌든 다양한 사정으로, 그녀는 얌전하고 조신하며 조곤조곤한 말투로 여러 금융상품을 설명하고 고객의 업무를 도와주는 참한 아가씨를 연기하고 있었다.

완벽한 탈바꿈은 아니었고, 평소의 말투가 한 3-40%정도는 묻어난다. 발음이 정확하고 조곤조곤 빠르게 정보 전달이 가능한 건 원래 그녀가 가진 특징이었다.

사실 최수영은 그렇게 침착하지는 않았고, 자주 웃지도 않고, 가만히 오래 앉아서 나긋나긋하게 제스쳐를 취하지도 않는다.

왈가닥같은 면을 사회에서 처음 만난 약속된 관계에서 갑자기 보여줄 수야 없지 않은가.

체구가 그리 크지 않고 날씬한 마른 체형의 그녀는 은행의 직원 편 의자에 앉아 창구의 손님에게 말을 건네고 있었다.

"네, 들어가세요."

마무리 단계였다. 그녀는 곱게 눈을 접으면서 그녀보다 나이가 훨씬 많은 장년기, 혹은 노년기 사이에 있는 사내를 배웅한다.
별 일은 아니었다. 늘 넣고 있는 적금의 상세를 확인하고 새로운 금융 상품이 좋은 게 있는가, 설명을 몇 개 듣고 나중에 결정하겠다며 이제 떠나는 차였다.

실제로 인생의 경로를 변경할만큼 어떤 선택이나 시급을 다루는 업무를 위해서 오는 건 아니었고, 약간의 적적함 해소를 위해서 창구를 찾는 어르신들도 더러 있었다, 늘.

그런 어르신들과 관계를 제대로 맺고 상대를 오래 해주는 것 역시 은행원으로서의 업무 중 하나이다. 어쨌든 서비스 직이니까. 사람을 상대해야 돈을 얻을 수 있다. 은행과 거래를 한다지만 고객들이 만나는 '은행'은 결국 창구에 있는 은행원의 얼굴이니까.

개인으로서, 최수영으로서의 고민은 잠깐 두더라도 일단은 회사에 소속된 인간으로서 웃는 일이 그녀의 직업이었다.

다양한 전산 사무 처리나 계산, 공부는 당연히 전제되는 이야기였고.

한 명을 떠나보내고 나자 잠깐은 일이 없었다. 오늘은 오전에 잠깐 바빴고, 오후 들어서는 뜸하더니 별다른 업무도 없었다. 창구가 닫히더라도 가외적인 업무가 있었으나, 중요한 건들은 전 날 종료 되었다. 보고서 올린 것들은 피드백이 없으면 넘어가고, 늘 하는 결산표 확인 등 마감 업무를 보고서 퇴근이다.

평이한 시간이 흐르고 영업 시간이 끝났다. 분주히 움직이면서 창구 직원들도 자리서 일어났고, 남자 직원 몇이 은행의 셔터를 닫는다. 서큐리티들도 대강 업무를 종료하고 나가보려는 중이다.

부러 말은 필요 없이 그저 척척척, 저마다 맡은 일을 하며 움직일 뿐이었다. 대개의 은행이 그러하듯 하얀 톤의 깔끔하고 다소 차가운 재질의 인테리어다. 벽면이나 바닥에 어울리는 흰 빛을 기조로 회색이나 베이지 색이 약간 섞인 응대 창구 자리들이 있었고, 집기 가구들은 목재 질감을 사용해서 검은 빛이나 감색, 갈색 따위가 섞여 있다.

깨나 큰 지점이었기에 넉넉하게 수십 명이 들어올 수 있는 홀이 있었고 그 너머로 직원들이 일하는 공간도 평수가 컸다.

그녀 역시 잠깐 피곤한 지 눈가를 주무르며 마사지하다가 일어나서 일을 보았다. 응대 창구에서 보던 서류들을 정리하고, 컴퓨터에서 하던 작업을 넘기고.

뒤쪽 업무용 자리로 넘어가 몇 가지 결산을 하며 남은 시간이 갔다.

친한 직원과, 그렇지 않지만 적당히 얘기만 나누는 선배와, 아직은 그녀에게 낯을 가리는 체를 하는 후배와 시시콜콜한 얘기를 짬짬이 주고받다가 일차적으로 업무가 모두 종료 되었다. 개인적으로 중요한 프로젝트에 엮여 있거나, 맡은 마감 업무 종류가 시간이 더 걸리는 사람들은 잠깐 더 남아있다.
그녀는 별다른 사정도 돌발적인 업무 지시도 없어서 마음 편히 은행을 나섰고.

"나중에 봬요."
"예, 수영씨. 들어가요."

은근한 눈총인지 부러움인지 질시인지 모를 눈길이 있었다. 그녀는 애써 무시하면서 사람들 사이에 섞여 나왔다.

"후우……."

저녁 약속이 있는 경우도 있었는데, 그녀는 자주 하진 않는 편이다.
은근히 식사라도 하자면서 사람들을 끌어모으는 남자 선배도 오늘은 전산 기기 마감이 조금 늦어져 없었다.
건물 바깥으로 나온 그녀는 눈치 볼 일도 없이 낮은 구두 굽을 또각거리면서 집으로 향한다.

*

서걱거리는 소리.

지하실은 방음이 잘 되어 있다.

조금 낡은 단독 주택을 구매해서 리모델링을 해 사는 건 적당히 돈이 있다면 괜찮은 방법이었다. 적절한 인맥과, 취향의 타협이 있다면 훨씬 싼 값에 높은 만족도를 누릴 수도 있었다.
직접 새 집을 짓거나, 구입하는 것에 비한다면 말이다.

내부 구조를 약간 바꾸는 것도 어쨌든 필요한 일이었다.

'그'에게는 말이다.

김재영은 칼을 갈고 다루었다.

칼날, 이 붙어 있는 조금 대형의 물건이다. 사실 톱이라고 봐야 할 것이다. 모양은 대검처럼 생겼지만.

현실, 현대에서 그런 물건을 쓰는 인간은 거의 없었다. 어느 미치광이가 진지하게 대검을 다루고 있다는 말인가. 거대한 식육 동물의 살을 정육할 때는 쓸 지 모른다.
그런 일이 아니라면, 일반적인 사람들은 그걸 볼 일도 쥘 일도 없었다.

현대의 대한민국, 그러니까 선진국을 벗어나면 또 어떨까. 극악한 삶이 실재로서 펼쳐져 있는 곳에 간다면 이야기가 조금 다를 수는 있었다.
세계는 생각보다 안정적이진 않았다. 유지되는 만큼의 안정성과 치안 권력은 있었지만, 불만을 가진 놈도, 싸이코도, 불평등과 잘못된 사상 속에서 신음하는 국가의 시민들도 얼마든지 있다.

제3세계라고 불리는 쪽으로 간다거나, 이슬람 계통 혹은 그와 닿아 있는 중동, 동남아시아. 혹은 중국의 아주 오지 산간 마을.

사람이 사람답게 사는 것이 처절한 꿈이 되어버리는 그런 곳들이 더러 있었다.

이 시대에도 전쟁은 일어나고, 이미 그처럼 사는 사람들도 있다.

안정적인 사회에 산다고 해도 전쟁이 아닌 건 아니었다. 삶이란 다들 영향을 주고 받는 것들이기에.

이웃이 굶고 또 지옥 속에 살아가고 있다면 직접적이든 간접적이든 그와 상관이 있게 마련이었다. 안락한 집에서 자신의 직업에 몰두하는 삶을 산다고 해도.

진정한 직업인이라면 세계의 구성원으로서 의식을 갖고 열심히 일해야 한다. 그게 이 시대를 일궈나가는 방식이었다.

다만 노동을 한다고 모두 일은 아니었다.

좋은 의미에서의 일, 생산 말이다.

생산보다는 파괴에 초점을 두는 자들도 있었다.

김재영은 그런 편이었다. 그런 편, 이라는 말로 설명하기도 뭐한 것이. 아주 극단으로 치우친 파괴자 중 한 명이었다.

한국 사회에서 인간의 생명을 파괴하고 있었으니까.

거대한 숫돌에 물기가 조금 묻어 있었다. 방음이 잘 되는 지하실. 특별하게 만들어진 지하 저택의 아래였다.

연이 닿은 불법적인 브로커를 통해 개조를 했다. 웃돈을 주어야 했지만, 신용성이나 안정성에 비한다면 싼 값이다.

그는 정보를 흘리는 법이 없었으니. 마귀 같은 영감이었다. 한국에 어찌 그런 자가 있는가 이해가 가지 않을 정도로. 이 저택을 개조할 때 불렀던 브로커 말이다.

그리고 재영은 무감각했다.

어둔 톤에 매끈하게, 방수 소재로 마감을 하고 물이 빠지는 곳도 만들었다. 도시 하수도로 직접 연결이 되어서 걸리는 것 없이 액체라면 뭘 버려도 좋았다.

빛을 밝힐 수도 있지만 굳이 그런 날이나 때는 아주 적었다. 대부분은 미약한 전등 불빛 정도만 둔다.

사내가 대 여섯 정도는 끼어서 누울 수 있는 크기의 방이다. 내벽을 두드려보면 단단하게 속이 찬 느낌이 나고 잘 부서지지 않을 것 같았다.

바깥으로 향하는 문은 재영의 시선에서 전방 좌측. 벽면 끝 모서리에 있었다. 내벽과 마찬가지로 어둔 톤의 색깔, 검은 회색톤의 철제 문이었다. 마찬가지로 방음과 방수 처리가 되어 있는 문의 접촉면이다.

네모난, 정사각형에 가까우나 세로가 조금 길다. 문을 열고 들어가면 안쪽으로 한 걸음 쯤 더 걸을 것이다.

그런 방 안.

콘크리트 재질에 특수 소재의 페인트를 두껍게 발랐을 뿐이라, 사람이 살 만해 보이는 공간은 아니다.

물론 살기 위해 지은 공간도 아니었고.

'산다'라는 게 무엇인지에 대해 생각해볼 만한 문제이기도 했다.

재영은 그렇게 '산다'.
타인을 죽이면서도.

이곳은 그의 방이었다.

재영은 톱처럼 날이 삐죽이 솟은 거대한, 사람의 상반신을 넉넉히 가로로든 세로로든 쪼개버릴 수 있는 물건을 다 갈고 자리에서 일어섰다.

작은 앉은뱅이 의자에, 앞에 숫돌을 놓고 한 구석에서 갈다가 털고 선 참이다.

어둔 방의 가운데에는 으레 그렇듯 네모나고 소름 끼치는 침구가 하나 있었다. 사람이 잘만한 곳은 아니었다. 매트도 없고, 그저 딱딱하고 오물이나 액체류에 배어들지 않도록 겉에 두꺼운 비닐 시트를 깔은 거대한 판대였다.

아, 그래. 그런 '으레'였다. 살인 사건 개중에서도 싸이코패스 악질 살인마의 킬링 하우스 따위에서 보이는 시신 처리용의 침대 말이다.

사람이 살아서 누울 만한 자리는 아니었고, 이미 싸늘하게 죽어 영혼이 떠난 몸이라면 누워도 버틸만하겠다.

조금 더 끔찍한 부류의 상상과, 악행을 묘사한다면 아마 아직 살아있는 인간을 그 위에 둔 채 고통마저 살인 행위의 일부로 삼아 자신의 쾌락으로 치환하는 살인마를 그릴 것이다.

재영은 그 중간 즈음이었다.

딱히 그가 더 나은 존재라는 건 아니었다.

조금 더 지독한 짓거리를 하는 쓰레기와 약간 깔끔한 쓰레기 짓을 하는 인간 말종의 차이다. 둘 모두 어둠에 깊이 물든 괴물이고, 괴물이 그 짓을 하는 데 차이를 두는 건 그 스스로의 취향이나 주변 상황 조건에 의한 것이지 특별히 개심의 발로인 건 아니었다.

재영은 무기질적으로 칼을 댔다.

침상에 누워 있는 존재에게.

아직 목숨은 붙어 있어 미세하게 근육이 생동하고 있었다. 그러나 의식은 없다. 치명적인 독극물 류는 상대의 감각을 완전하게 차단시켰다. 죽은 것이나 거의 마찬가지인, 가사상태이다.
아마 이대로 두어도 상대는 아무것도 느끼지 못하고 얼마 지나지 않아 이 세상에서 그 영혼이 떠나가고 말리라.

그런 이에게 굳이 손을 대는 것이 재영이 하는 일이었다.

침상 위에 있는 건 어느 여성이다. 30대 중후반 정도. 그저 평범하고, 못나지도 눈에 뜨이지도 않는 외견. 어느 사회의 한 틈바구니에서 자신의 삶을 이어가던 소시민.

재영은 무른 살에 차가운 쇠를 대며 한 명의 육신을 세상에서 지워나갔다.

*

즐거움으로 행하는 일은 아니었다.

'김재영'이 하고 있는 일은.

설명하자면 조금 긴 말이 되는데, 따진다면 '즐거움'을 '찾기' 위해서 하는 일이었다. 그의 감정은 이미 딱딱하게 굳은 것 이상으로 말을 듣지 않아서 아무것도 느끼질 못했다.
삶에는 감동이 없다.
있다가 사라진 것이 아니라, 처음부터 그러했다.
그에게는 세상에 대한 감사함이 없었다.

그는 무기질적인 콘크리트 숲 한 가운데 덜컥 떨어져 버린 버려진 놈이었고, 그 안에서 그저 자신이 할 수 있는 걸 할 뿐이었다. '할 수 있는 일' 치고는 좀 지나치게 난해하고 어려우며 가당찮은 짓거리였지만.
그는 할 수 있어서 했다. 그런 감각에 가까웠다.

무언가 느낄 수 있을까 싶어서 더 지독한 곳으로 갔고, 그의 마음은 아직도 그에게 아무런 말을 일러주지 않고 있었다.

그가 하는 일에는 여러 방식이 있었다. 그러니까 살인殺人말이다.

그래봤자 이루 말할 수 없는 죄악이라는 건 같지만. 거기에 다다르는 방식은 가짓수가 꽤나 많다. 1. 직접 둔기로 장기를 부순다. 2. 흉기로 베어낸다. 3. 현대 과학에서 밝혀낸 오만가지 약물을 사용한다. 4. 위치 에너지나 지형지물을 이용해 제 힘을 이용하지 않고 없앤다. 5. 사람 정도는 쉽게 깨부수는 거대한 기계류를 이용한다.

대강 그가 사용했거나, 사용할 수 있는 방식을 러프하게 늘어놓아도 이렇게 나온다. 이 안에서 이제 세세한 실행 수칙과 계획들을 세우고 디테일하게 들어가면 여섯 가지만으로도 다시 온갖 경우의 수가 나올 것이다.

다양한 방식의 죽음.

사실 모두 한 가지 종류의 죽음이기도 했다. 자연사도, 병사도 아니었고. 거국적인 이유로 맞이하는 전사戰死나 같은 것도 아니고.

사고사도 아니며 전부 그의 의지와 손으로 이끌어 낸 죽음이니까. 따지고 보면 피살해자의 시선에선 사고사가 가장 가까울 것이다.

현대 한국 사회에서 괴물을, 그것도 의지나 마음만 썩어들어가지 않고 하필 실행력마저 마침 갖추었던 류의 쓰레기를 마주쳐버린 일은.

그는 한 가지 결론을 도출하는 그 일의 '프로'에 가까웠다. 그런 일에 직업이 있을 리가 없고 또 있어서도 안되지만. 그러니까, 암약하는 사회의 뒷면에 그런 것이 존재하든 않든 실재와 관련없이 도의적으로 존재해서는 안되지만.

비유를 하자면 그는 그런 전문가였다.

재영도 처음부터 그 과정에 드는 기술들을 혼자서 개발하고 익힌 건 아니었다. 그에게는 좋은 선생이 있었다. 애초에 썩어 들어간 듯 아무것도 느끼지 못했던 괴물인 그를 발견하고, 자신과 같은 구렁텅이로 들어가게 당겨버린 선생 말이다.

재영은 삶에 대해서 생각하지는 않는다. 죽음에 대해서 고민하지도 않았다. 그런 것에 고민하다 보면 결국 자신이 하고 있는 행동과 대치되는 것이기에, 필연적으로 말이다.

자신의 삶에 관심이 없듯 타인의 삶과 죽음에도 관심이 없어서, 버튼을 누르고 장난감을 다루는 마냥 아무렇게나 저지르고 살아간다.

재영은 자신의 삶을 책임질 생각도 없었고 다른 이들의 삶 역시 마찬가지였다.

도리어 적극적으로 부수어대고 있지.

애초에 한국 태생도 아니었던 그는 어쨌든 지금 한국에 있었다. 그저 겉 껍데기만큼은 멀쩡하게. 위장된 신분을 갖고 전산 체계로 구축된 사회 시스템 안에서 버젓이 살아간다.

그렇게 그냥 살아도 아무 문제가 없을 만큼.

그러나 그에게 주어진 신분은 그가 얻은 것도 아니었고, 그에게 살인 기술을 알려준 것처럼 누군가가 쥐어준 도구였다.

그는 딱히 '명령' 혹은 '부탁'을 거절할 생각이 없었고, 도리어 적극적으로 동참했다.

어느 빈국의 뒷거리에서 쓰레기처럼 죽어갔을 그는 악마의 손에 거두어졌고 그것이 길러낸 재능 넘치는 괴물로 한국에서 생활하고 있었다.

통탄스러운 일이다.

한국 사회의 입장에서 보면.

*

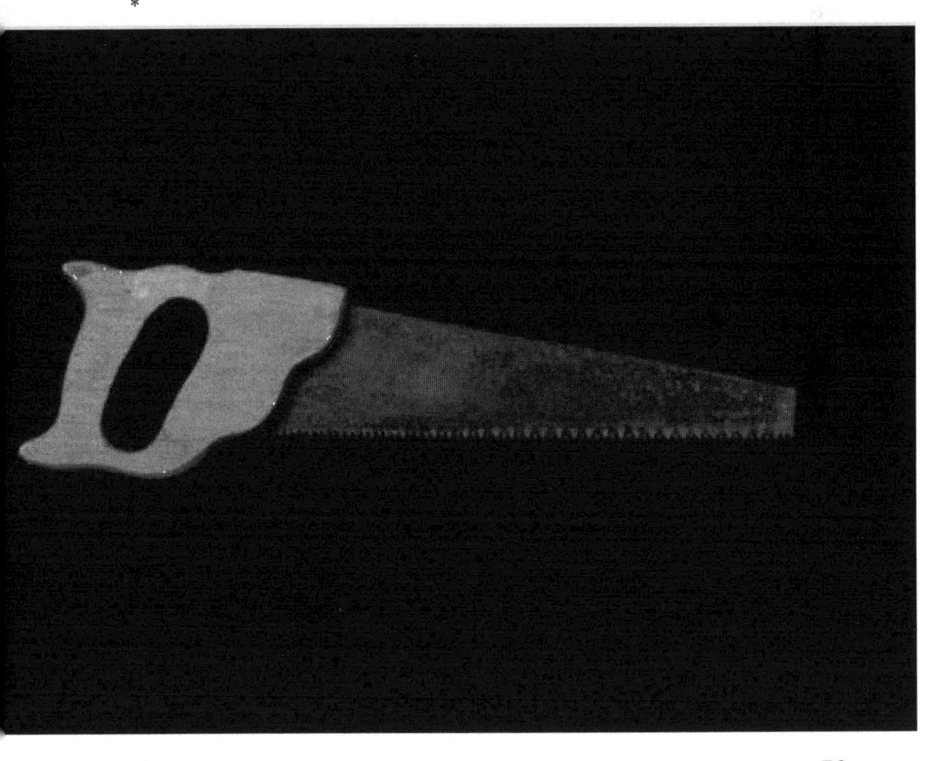

5. 출도

2X년 9월 8일 금요일.

저녁 9시 23분.

초가을에 약간 한기가 드는 날 밤이었다.

여름의 기세가 간신히 물러가는 즈음의 환절기였지만 때때로 이상기후는 전 날이랑 전혀 연관성이 없는 기온을 시민들에게 안겨주었다.

그런 날이었다.

재영은 천천히 거리를 걷고 있었다.

그는 서울 시내 어딘가에서 멀끔하게 차려 입고 도로를 활보하고 있다. 스트라이프 셔츠에 겉에는 가벼운 방수용 재킷을 걸쳤다. 스포티한 느낌에 어디에서나 입을 수 있는 윈드 브레이커다.

밑에는 색이 조금 바랜 청바지를 마른 몸매에 딱 맞게 입었고, 그 아래 발목이 슬쩍 드러나는 흰 운동화를 신었다.

탄탄한 몸매에 군살이 적었고, 운동을 한 흔적이 겉으로 보이지는 않았으나 적어도 둔해 보이는 체구는 아니었다. 검은 머리에 단정한 커트 스타일이다. 콧대가 높고 눈빛이 차분하게 착 가라앉았다. 옆으로 길게 뻗은 눈은 무심하게 있으면 조금 냉정해보이고, 눈꼬리를 휘며 웃게 만들면 대부분의 이성은 호감을 느낄만하다.

밤거리. 그렇게 도심지나 번화가는 아니었다. 근처로 지하철 역이 있으나 고층 빌딩이 많거나 대단한 규모의 몇 차선 도로가 있지도 않았고.

생활하는 거주민들이나 약속을 위해 나온 이들, 그리 멀지 않은 자리에 있는 대학가에서 나온 학생들이 행인들의 분포이다.

왼쪽으로 차도에 차들이 지난다. 건널목까지 아직 한참이나 남았고, 그는 산책을 하듯 터벅거리는 걸음으로 앞으로 걷는다. 시선은 앞에 두었다가 가끔은 아래를 쳐다보곤 한다.

눈이 마주치게 행인들의 시선 즈음을 바라보지도 않았고, 저 멀리 어딘가가 주된 시선지다.

웅웅, 하고 청바지의 주머니에 넣었던 핸드폰이 울렸다. 재영은 얼마 전에 산 스마트폰의 화면을 두드리고 밀었다.

전 국민이 쓸법한 메신져로 연락이 와 있었다.

-대전. 조금 이따가 올라간다. 거기 그, 춘천에서 보자. 얼마 안 되긴 했는데 그래도 밥이나 같이 먹어야지. 지난 얘기도 좀 나누고.

아마 좀 더 가서 속초에서 놀아도 좋고.

일상적인 회화, 의 내용을 담고 있는 메시지였다. 그럭저럭 누구나 쓰는 이모티콘도 그 사이사이에 끼어 있다.

사내의 말투였는데 아주 친하거나, 혹은 좀 살가운 사이인 모양이다.

"……."

재영은 가만히 핸드폰을 노려보듯 잠시 보았다. 길을 걷는 발걸음은 멈추지 않는다. 머릿속으로 무언가 생각을 하듯 고심하면서.

그러다가 이내 화면을 캡쳐해뒀고, 사진으로 저장한 뒤 받은 메시지는 상대와 나누고 있는 대화창을 삭제하면서 없애버렸다.

별 얘기는 아니었다. 일상적인 내용에 맞는 일상적인 정보 전달용 메시지다.

재영에게 있어 일상은 물론 다른 인간의 일상을 파괴하기 위한 행동의 집합체다.

그는 피곤한 체를 하며 두 눈을 주물거렸다. 손바닥으로 얼굴을 감싸며 잠시 마사지를 하는데, 걷다가 앞에서 걸어오는 누군가와 그만 툭 부딪혔다.

그리 빠르지 않은 속도로 걷고 있었는데, 상대가 피하지 않은 건지. 재영보다 덩치가 더 큰 누군가였다. 재영은 눈가를 쓸던 손을 내리며 앞을 쳐다보았다. 누군가가 말을 하려다가 잠깐 멈추었다.

"그…."

한 소리를 하려는 것 같은 표정이었는데, 상대는 재영과 눈이 마주치더니 뭔가 이상한 기분이 들었는지 더 말을 하진 않았다. 사실 별 일은 아니었다. 그가 한 눈을 팔았을 뿐이다. 그러니까 부딪힌 상대.

재영보다 키가 약간 더 크고, 체구도 그리 작지 않은 사내였다. 멀끔한 20대 중후반의 청년이었고, 스포츠 머리로 헤어스타일을 깎고 가을 바람이 싸늘하지도 않은지 민소매 티를 펑퍼짐하게 입고 있었다. 어디에서 운동이라도 하다 온 것 같은 사내다.

상대방, '규식'은 불쾌함에 사과라도 듣고자 했지만, 무기질적으로 가라앉은 재영의 눈을 보고 그냥 가기로 했다. 왜인지 얘기가 잘 안 통할 것 같은 인간이다. 정확히 말하면, 약간 맛이 가 있었다. 무슨 생각을 하다가 그를 처다본 것인지 싸늘한 눈빛이었다. 저런 상대를 건드려서 좋을 일이 없었다.

그저 수많은 인파 속에서 마주친 것처럼, 그렇게 지나가면 될 뿐이다.

규식은 감이 좋았다. 그는 아주 잠깐의 멈춤 다음에는 별 일 없이 길을 계속 갔고, 재영은 그 자리에 서서 잠시 고민을 했다. '죽일까?'

별 이유는 없었다. 그냥 그에게는 제한 장치가 없을 뿐이었다. 욕망이나 즉흥적인 발상에 대한 제어 장치.
브레이크가 고장난 것도 아니었고, 아주 어린 옛날에는 누군가에 의해 주입된 흔적이 있을지 모르겠지만 어떤 훈련을 받음으로써 그 흔적마저 남지 않았다.

지금 이토록, 홀로 떨어져서 생활을 하고 있는 와중에는 그에게 떠오르는 단발적인 상념들이 곧 그의 다음 행동이 될 때가 많았다.

재영은 그 자리에서 한 십여 초간 고민을 하다가 계속 걸어갔다.

어쨌든, 메세지의 내용을 보면 준비할 것들이 좀 있었다.

다음 일은 강원도 어느 지방인 모양이다.

'메세지'에 상대의 사정은 적혀 있지 않았다. 정확하게 재영이 하면 되는 일들이 적혀있을 뿐이었다.

상대는 '대전'에서 일을 마치고 이쪽으로 올라오지 않는다. 올라온다는 말은 정반대의 뜻이었다. 처음에 주어지는 행동 정보는 거짓이다. 기본적으로 메세지를 보낸 상대방은 자신의 계획을 그에게 공유해주지 않았다.
필요에 의해서 전달할 때는 특별한 암어暗語를 곁들인다.

상대의 행동을 다 빼버리고 재영이 해야 할 행동 정보를 생각하면 '지시 사항'이 나온다. 일단 춘천으로 간다. 같은 지방의 지역 두 개가 이름이 거론된 것을 보면, 그 지방 내에서만 일을 벌이면 나머지는 크게 상관이 없다는 뜻이었다.
조금 더 상대에 대해 파악을 해보자면, 두 번째로 말한 '속초'가 사실 더 의도에 가깝다는 뜻도 조금쯤 있다.

강원 지역이면 아무 곳이나 상관이 없으나, 춘천보다는 속초. 아마 남부 지방을 기점으로 더 멀어질수록 좋은 모양이었다.
이런 부분들까지 특별히 정하고 약속을 나눈 건 아니었지만 그냥 재영의 노하우였다. 상대방의 의중을 읽는 말이다.

얼마 안되긴 했는데 밥이나 같이 먹어야지,

라는 말은 '밥'이 중요했다. 그, 혹은 그들에게 있어 일상이라는 건 그들의 정체성을 규정하는 가장 중심적인 행위를 뜻했다. 가수라면 노래를 하는 일이고, 경찰이라면 범인을 잡고 수사를 하는 일이다. 그들이 그런 일을 한다고 누군가 돈을 주지는 않지만, 그들의 주요한 일은 어쨌든 그것이었다.

얼마 안 되었다, 라는 건 이전 일과의 텀이 짧지만 일을 벌이자는 뜻이다. 아마 이 이후로도 몇 번의 지시가 더 있을지 모른다. 일단 개략적인 시작을 알리는 메세지였다.

정말로 얼마 지나지가 않았다. 재영은 자신의 모든 행동을 상대에게 보고하고 다니지는 않았다. 상대가 명령한 것 외에도 저지른 때가 있다. 가장 직전에 벌인 '여성'을 상대로 한 게 그것이다.
방금은 우연하게 마주친 스포츠 머리의 남자에게 저지를 뻔 했고 말이다.

전체적인 계획 안에서 재영과 메세지의 상대는 움직이고 있었다. 일단 큰 틀의 목표는 올해 안에 일들을 마무리짓는 것이다.
그 이후 내년으로 넘어간다고 멈추지는 않겠지만, 어쨌든 한 해가 중요하다. 상대는 예전에 하던 게임의 기록을 마저 깨고 싶어한다.
그것을 위해 '재영'에게 협조를 구하고 있는 것이기도 했고.

뭐 상대는 머릿속으로 '게임'을 그리며 플레이하고 있었고 재영은 그것의 동참자일 뿐이었다. 지금 벌어지는 일련의 사건들의 주체는 결국 저쪽이었다. 그리고, 재영이 벌이는 일도 상대의 머릿속에선 그 자신이 벌이는 일이라고 치는 모양이었다.

'재영'이 이렇게 자라난 것, 그리고 그가 그 일을 할 수 있도록 대부분의 지식과 훈련을 주고 시킨 게 바로 그였으니까.

재영은 아마 그가 길러낸 도구, 정도인 모양이다.

재영으로서도 딱히 달가운 얘기는 아니었지만 도구라고 해도 큰 감흥은 없다. 어차피 의미도 목적도 없는 삶이었다. 그렇다면 되는 대로, 휘둘러지는 칼로 살아보는 것도 뭐 괜찮다. 어쨌든 시끄러울 테니까 말이다.

재영은 아무것도 들리지 않는 듯한 마음 속에서, 무감각해진 감각 속에서 어떤 비명과 같은 소리를 가끔 느끼는지 몰랐다.

그 자신은 귀가 멀어 들리지 않음에도 존재하는 '비명'은 확실하게 그를 괴롭히고 있었다.

비명으로부터 멀어지기 위해서. 그리고 다른 이들도 그 비명의 고통에 당하게 하기 위해서 재영은 움직인다.

그가 다른 사람의 몸에 허락을 구하지 않고 피부 너머로 무정물을 통과시키는 건 일종의 대화나 마찬가지였다.

그게 그가 사회에서 살아가는 법이다.

재영은 운동 겸, 밤거리의 분위기를 즐길 겸, 일상을 만들기 위한 산책을 적당히 끝마치고 다시 집으로 돌아갔다.

챙길 짐들이 조금 있었다. '안가'처럼 꾸며진 저택이 언제까지 안전할 지도 알 수 없는 노릇이다.

그의 삶은 불안정했으며, 언제 부숴질 지 알 수 없다. 그렇게 되기 전에 다른 곳으로 또 옮기는 게 차라리 나을지도 모른다.

***

2X년 9월 8일 토요일.
대전 중구 성유동 어느 단독주택.

띠리리.

전화가 울었다.

낡은 단독 주택. 그 안의 2층은 윤계식이 세들어 살고 있는 집이었다. 전세로 살고 있기는 한데, 뭐 마냥 정없는 세입자의 신세는 아니었다. 예전부터 오래도록 알고 지내던 은사님 소유의 자택이었고, 시세보다 훨씬 싼 값에 들어와 은퇴 후에 머물고 있었다.

그로서는 당장 집을 구하러 발품 팔지 않고 돈도 아낄 수 있어서 나쁠 것 없는 이야기였다.

형사로서 근속 기간이 20년하고도 몇 년이 더 되었다. 쉼 없이 일했고, 그래도 누군가 물어도 열심히 했잖느냐고 되물을 수 있는 시간들이었다.

그와 같이 일했던 시대의 동료들이 질문자라 할지라도 당당하리라. 그는 열심이었고, 또 그들은 열심이었다. 너무 열심을 보이다가 그만 제 명에 가지 못한 동료들조차 있었으니까.

그런 사건들도 한 둘이 쌓이고 시간이 지나다보면 마음 속에 퇴적층처럼 남아버린다. 당장은 어떤 증상도 보이지 않지만 해결되지 않은 마음들이 계속 쌓이다 보면, 어딘지 현실이 현실같지 않은 느낌에 그저 꿈을 꾸듯 하루를 살아가는 날들이 이어지게 되는 일이다.

그런 삶에도 여전하게 타오르는 의지는 물론 있다.

그의 몸은 방 한구석 낡은 소파에 처박혀서 TV를 바라보고 있었지만.

그런 의지에 닿아 있는 연락이었다.

번호는 최근에 계식과 만난 인간의 것이었다. 연락처를 주면서도 이 번호로 연락이 올 거라고는 그리 생각하지 않았는데.
기쁜 오산이었다. 상대가 의욕이 있고, 또 가능성이 있는 집단이 함께하고 있다면 그 역시 기껍다. '의지'란 예전에 못다했던 일의 마무리다.

김연수란 이름으로 설명할 수 있는 오래된 사연이고.

-예, 선배님. 별 일은 아닙니다. 별 일은 아니고……. 그냥 최근에 낌새가 조금 이상해서요. 예전에 김연수 그 놈 추리할 때 말입니다.
"뭐?"

전화를 받고 간단한 안부 인사 후에 상대는 사건에 관한 질문을 바로 시작했다.

윤계식은 소파에 기대어 누워서 TV 화면을 바라보다가 무너진 듯 있던 자세에 조금 힘이 들어갔다. 전화기 너머의 상대는 '박주영'이었다. 똘망똘망하게 생겼던 놈.

"뭐가 이상한데."

계식이 낮고 굵는 목소리로 답했다. 대화를 오래도록 하지 않고 방구석에 처박혀 있다가 간만에 튼 목소리라 그런 모양이다.
그 이후로 계식은 조금 목을 가다듬었다. 박주영이 그 사이에 말하고 있었다.
통화는 스피커 모드로 바꿔 두어 박주영의 목소리가 먼지가 조금 있고, 이런저런 집기가 쌓여 있는 계식의 방 안에 울렸다.

-"예 그러니까요…… 혹시 김연수 그 새끼가 한 명이 아닐 거란 사실에 대해선 의심해보신 적이 있으십니까?"

으레 할 수 있는 추론이었다.

차라리 조금 더 쉬워질 수도 있다. 완벽에 가까운 편집주의에 틈을 드러내지 않으며 신체적으로도 달인과 같은 연쇄 살인마의 모습을 상상하는 것보다는. 차라리 여러 명의 공조라고 보는 게 현실적일 수도 있었다.

상대가 '여러 명'이 된다면 어떻게 그 종적을 감추었는가, 가 다시 주요한 논점이 되고 만다. 한국 사회는 그렇게 호락호락한 곳은 아니었다.
몸뚱이가 커질수록 고도화된 도시 속에서 자취를 감추기란 불가능에 가까워지리라.

여러 명의 행동 반경을 맞추기 위해서 연락은 어떻게 하고, 그들이 범행에 사용하는 도구와 생활 자금 따위는 어떻게 모으는가.
한 명의 괴물이냐, 혹은 여러 반 짐승 새끼들이냐.

계식도 그런 생각을 해보지 않은 건 아니었다. 그는 솔직하게 답변했다.

"……. 최초에 그 놈이 저질렀던 세 건의 살인. 그건 적어도 한 명의 범행일 거라고 국과수를 비롯해서 경찰계쪽 과학 분야 인사들이 모두 입을 모았네. 수사 경력이 오래되었던 베테랑들도 그랬고.
지문이라도 남긴 것처럼 거의 일정한 방식이었거든. 강남 연수동에 부잣집 자택에 들어가서 홀로 사는 주인을 죽인다. 사건 현장에선 결벽증이라도 있는 것처럼 아무런 물건도 건드리질 않았지.
유령이라도 다녀간 것처럼 말이야. 그리고 사람을 죽일 때 저항의 흔적도 그리 많지가 않았네. 단번에 상대가 의식을 잃도록 최초의 가격 한 번. 그리고 확실하게 죽이기 위해서 확인차의 참격을 한 번 더.

두 번의 공격으로 중장년의 남성 셋을 별다른 제압도 없이 곧바로 죽였네. 자잘한 상처가 보였지만 그건 직접적인 살인 행위를 위한 건 아니었고 그 전 상황에서 상대를 위협이라도 한 것이라 생각되었지.

별다른 결박 도구도 없고, 총이나 약물 류를 사용하지도 않은 채 냉병기만 가지고 사람을 꼼짝 못하게 만들어 죽인 새끼네. 그런 정도의 솜씨를 가진 놈들이 여럿 있다고 한다면 오히려 그게 더 끔찍한 결론이군."

누워서 받은 전화를 어느새 계식은 제대로 앉아서 받고 있었다. 그는 TV를 껐다. 큰 소음 없이 LED TV가 화면이 닫힌다.

그는 전화기 너머의 박주영에게 집중하며 마저 말했다.

"상대가 몇 명이든 어쨌든 '김연수'는 실재하는 인물이네. 음험하고 뱀 같은, 거기다 사람을 제 몸으로 졸라 죽일 수 있는 위험한 괴물 말야.

수사 과정에서 연상되는 거대한 괴물이 몸뚱이를 나눠서 여러 명이라고 한다면 이제 우리는 도리어 더 큰 상대를 상상해봐야 하네.
최초의 김연수만큼은 아니더라도 여전히 위협적이며 솜씨가 뛰어난 살인마들을 거느리고 있는 조직의 모습을 말야.

싸이코패스들을 그렇게 훈련시킬 수 있는 제반이 대체 어디에 있을까. 또 그렇게 야만적으로 살아가는 미치광이들을 컨트롤할 수 있는 카리스마의 리더가 존재할 수 있을까.

국가의 치안망이 그렇게 허술하지는 않네. 국가 전복을 노리고 이렇게 대놓고 날뛰는 테러리스트가 나타났다고는 아직 생각하지 않아. 그 정도의 배짱과 힘을 가진 단체면 애초에 일을 쳤고 우리나라는 전쟁터가 되었겠지.

어디까지나 개인으로서 존재하고 움직이는 싸이코패스 살인마가 하나나 둘 정도. 조직으로서의 사명감보단 개인의 살의로 이 자유주의 국가 안에서 날뛰는 버릇없는 짐승이 물을 흐리는 거겠지.

반드시 한국 태생이라고까지는 말할 수 없겠지만……. 꼬리가 잘 잡히지 않는 걸 보면 철저하게 내국인, 모범적인 시민으로 본인을 연기하고 있을 확률이 아무래도 높지.

외국 태생의 한국계 인물이 농간을 부리고 있는 걸지도 모르고…."

윤계식은 긴 말을 쉬지도 않고 토해냈지만 호흡이 그리 벅차 보이지도 않았다. 노년의 것처럼 자극도 반응도 없던 행동거지나 삶의 태도였는데, 체력보단 아마 목적 의식의 부재가 문제였던 모양이다.

실제로 지금 김연수에 대한 추리를 나누고 그 덜미를 잡기 위한 대화를 하는 순간 계식의 눈은 반짝였다. 오래도록 빼놓고 있던 몸의 말단에 힘이 돌아오는 것도 같았다.

계식은 바지에 묻은 먼지가 보여 툭툭 털어내면서 말했다. 그는 집에서도 얇은 바람막이 재킷 하나에 면바지를 입고 있었다. 외출복과 실내복은 거의 구분이 없다. 물론 빨아둔 새 옷을 안에서 입는 것이지만. 무슨 일이 생기면 언제든 바깥으로 뛰쳐나갈 수 있는 복장이다.

"왜, 뭔가 단서가 좀 잡히나. 생각을 해본 적은 있지. 말했듯 한 놈이 아니면 본격적인 조직까진 아니고 각자 움직이는 한 둘, 최대로 쳐야 셋 정도일 거야. 그 이상은 이 좁은 땅에서 그렇게 완벽하게 움직이기 쉽지 않네.

형사로서 일했던 내가 모든 노하우를 동원한다고 해도 그러겠지. 그건 다른 규모의 지원이 있어야 하는 일이야 이미."

겉으로 드러나지 않는다고 하면, 다른 일을 한다고 하면 혹시 모른다. 그러나 이 좁은 땅 여러 도시 전체를 떠들썩하게 만들 정도의 살인을 저지르면서, 그 자식이 원하는대로 '스타'가 되어가면서 신비주의를 유지하는데 그 이상은 불가능한 인원이었다.

김연수는 다이빙 따위를 하고 있는 것이다. 그저 오래 잠수를 하다가 슬쩍 드러나고 다시 밑으로 숨는 운동이 아니라, 모두가 볼 수 있게 저 높은 곳에서 시선을 끌다가 화려하게 밑으로 처박고 다시 올라오기를 반복하는 스포츠.

다이빙 대 위, 범죄를 저지를 때와 물 아래, 일상을 살아갈 때의 차이가 확실하고 완벽하게 구분짓고 있는 만큼 여러 제약이 생긴다.

공동체 속에서 살아가려면 다른 사람의 눈을 의식해야 했고. 멀쩡하게 '구성원'의 연기를 해내려면 일상 생활과 취미, 직업 모두를 가진 한 사람 분의 일상 생활을 가장해야 했다.

살인마로서의 뒷 일을 벌이면서 그 겉으로의 가장을 해내는데, 본격적인 조직을 운영하며 그 집단의 움직임을 컨트롤하고 또 절대 어디에도 그 조직이 드러나지 않게 하려면 그 조직보다 큰 가림막이 필요했다.

그 큰 가림막은 곧 막대한 돈이나, 인력이나 권력이다. 사회에서 이름을 날리고 있는 거대한 집단, 가령 대기업과 같은 뭐 그런 연줄.

이 나라에도 암적인 존재는 분명 있겠지만, 대한민국의 치안이 그렇게까지 판타지로 가버리는 것도 참 쉽지 않은 상상이다. 공권력을 농락하며 음지와 양지를 모두 장악한 뒷세계의 킬러 조직이라는 건 상상은 그럴싸하지만 성립하기가 지극히 어렵다.

애초에 이 나라가 썩은 채로 시작을 했고, 아무런 도덕성도 정의도 없는 거대 집단이라고 한다면 모를까.

그가 알고 또 살아가고 있는 실제의 대한민국은, 제대로 된 가치를 논할 수 있고 또 누군가가 진지한 인생을 살아내고 있는 번듯한 곳이었다.

살만한 땅.

이 땅 어딘가에서 개새끼들이 자신들의 야욕을 위해 검은 음모를 작당하고 있을 지 몰라도 그것이 현실화되기 까지는 많은 저항과 장애물이 있을 것이다.

윤계식, 당장 그만하더라도 가장 큰 방해물이 되어 줄 용의가 있었다. 용의만이 아니라 실제로도 그럴 것이었고.

-“어… 예 아닙니다. 아직 뭐 정확한 건 없어요. 다만 최근에 일어나는 살인 사건들이 조금 수가 많습니다. 이건 ‘김연수’ 그 새끼 혼자서 다 저지르기엔 물리적으로 조금 불가능해 보이기도 하고요. 선배님이 말했듯 20년이 지났으니까. 놈이 회춘이라도 해서 그 때보다 더 쌩쌩해졌다면 모를까….

그 새끼랑 비슷한 놈이 하나 더 있을지 모른다는 게 지금 저희 쪽 수사본에서 하고 있는 이야기입니다.

그리고…… 선배님 말씀이 저희 쪽 과장님에게 먹힌 것 같습니다. 강원도랑 전남쪽 몇 군데서 인원 차출 받아서 한 번 훑을 거 같습니다. 그 건은 나중에 결과 나오면 또 말씀 드리겠습니다.”

“…….”

윤계식은 가만히 말을 들으며 잠깐 생각했다. 박주영이 말한다.

-"사실 선배님께 말씀 안 드린 사건이 서울 쪽에서 하나 더 있었습니다. 이전까지랑은 조금 다른데. 30대 여성 하나가 사라진 건입니다. 완전 범죄에 가깝고 재산 피해도 없고. 느낌이 쎄해서 추적 중인데 내부적으로 '김연수'같은 놈이 건드린 것 아닌가 하는 예상이 있습니다.

만약에 실종이 '살인 사건'이라고 할 때… 살인범이 김연수와 라인이 있는 지는 모르겠습니다만 아무튼 그렇습니다.

대전에서 마지막으로 벌어진 사건과 시간이 너무 가깝게 붙어있어서, 정황상 저희는 지금 살인마 새끼가 '두 명'이 아닌가 추리하고 있는 중입니다."

"서울 어디."

계식의 짧은 말에 주영이 답했다.

-"동대문구입니다. 휘령1동 부근에서 사라졌습니다. 납치 살인이라고 하면 조금 더 대담하게 움직이고 있다고 생각됩니다. 사람을 옮기는 것도 일일 테니…. 여성 하나를 완벽하게 제압 가능한 젊은 장정, 체격이 큰 2, 30대 정도를 상상하고 있습니다.

실종인 지 살인인 지 알 수 없습니다만… 만약 살인이고 사체를 유기하거나 훼손한 거라면 서울 시내에 처리 장소가 있을 것 같습니다.

실종자 행적을 추적했을 때 마지막 자리에서 이동한 흔적이 없거든요. 어디 골목에 CCTV사각으로 샛길이라도 따로 이용하는 건지…."

"휘령동이라……."

계식도 잘 아는 곳이었다. 서울 자체는 그가 모르는 곳은 별로 없으리라. 유달리 더 잘 아는 데가 있을 뿐이지. 동대문구 인근은 예전에도 '김연수'를 좇을 때 사건이 한 번 있었던 곳이다.
지금의 실종 건이 정말 살인이라면. 그 때의 살인과 어떤 연관성이라도 있을까.

당장 있는 정보로 알 수 있는 건 없다.

그럴 때 필요한 건 현장 정보다.

계식에게 직접 일선에서 뛰고 있는 순경들이 정보를 갖다 바칠 리도 없으니, 직접 그가 보아야 하리라. 그는 어떤 계획이나 확신도 없이 일단 나섰다.

발로 무언가를 얻어내는 건 형사 생활을 하면서 가장 익숙한 방식의 업무였다. 책상에서 생각하고. 발로 뛰고. 쉬지 않고 무언가를 하는 동안에 영감이라는 것이 찾아온다. 그도 아니라면, 차마 완벽한 인간이 되지 못한 짐승이 터럭을 남긴 것을 발견하기라도 하던가.

그 뒤로 몇 가지 중요하지 않은 정보나 이야기를 나누고 전화를 끊었다. 계식은 대충 정리해둔 채 잘 건드리지도 않는 집 안에서 불만 끄고 바로 나왔다.
지루한 삶이었다.

지루하지만 평화롭지 않다는 게 늘 그의 고통이었고.

지금은 좀 평화로워져야 할 것 같았다. 그리고 그 평화는 가만히 있어서는 얻을 수 없고, 그의 손으로 해치는 놈을 잡아 없애야만 얻을 수 있는 것이다.

늘 들고 다니는 몇 가지 물건들, 지갑이나 핸드폰 따위를 챙긴 채 그가 집을 나선다. 달칵, 하고 낡은 현관문이 닫혔다.

***

6. 만남

"흠흠."

2X년 9월 9일 토요일.

최수영은 콧노래를 흥얼거린다. 웨이브 진 단발이 그녀가 걸을 때마다 맞추어서 흔들거렸다. 휴일은 매주 돌아오지만 그럼에도 불구하고 항상 달갑다. 언제나 오는 날이지만 마치 다시는 보지 못할 것 같은 느낌마저 있다.

은행일이 여러 직군들 중에서 특별히 단기에 사람을 쥐어짜는 건 아니었고, 그녀가 맡은 업무도 그런 게 아니었지만. 그리고 최근에 그녀에게 주어진 업무도 크게 바쁠 건 없었지만.
모두가 그렇듯 직장이라는 게 쉽지만은 않다.

자신에게 그 직장이 얼마나 잘 맞느냐 하는 것도 있을 테고. 주어지는 상황의 힘듦보다 자신의 체력과 컨디션같은 여건이 못미친다면 남들이 볼 때 별 것 아닌 일이더라도 누구보다 괴로울 수도 있다.

자신의 삶의 평화와 불안은 결국 마지막에 자신이 결정하는 것이었다, 그런 점에선.
어떤 고난이 닥쳐 오더라도 눈을 똑바로 뜨고, 솟아날 구멍을 찾아내면 한 번 또 살아낼 수 있으리라. 이전까지의 삶이 정당한 양심에 근거한 올바른 삶이었다면.

그녀는 대강 그런 좌우명이나, 가치관을 갖고 있었다.

일주일을 버텨낸 스스로가 대견했다. 은행에 들어가 연차가 오래 되지도 않았으나. 계속해서 배울 것도 많고 해나가야 할 업무의 종류도, 크기도 계속 달라질 테지만.

그럭저럭 잘 하고 있었다.

그녀는 주말 오후. 밝은 낮 거리에서 가볍게 산책을 하고 있었다. 오전 시간은 전부 잠으로 날려버렸다. 특별히 약속을 잡지도 않았고, 금요일에 퇴근을 하고 짧게 회식 자리를 가진 이후엔 집에 들어와 그대로 뻗었다.

느즈막히 일어나 대충 씻고, 배고프지 않을 정도로만 전에 시켜두었던 배달 음식을 데워 먹었다.

원래는 강아지 한 마리를 키우고 있어서 퇴근을 하면 그 녀석을 챙겨주는 일과가 있었는데, 요즘엔 본가에 맡겨 둔 상태였다.

야근이 있거나 하는 날에 돌보지 못하는 수가 있었고, 또 활동적인 라이프 스타일이 잘 맞는 견종이라 서울 근교에 마당이 있는 집에 있는 부모님께 보낸 참이다.

아버지는 은퇴를 하신 후에도 이런저런 소일거리를 쉬지 않고 찾아 하시는 모양이지만, 어머니는 집에 오래도록 계시니 적적하지 않아 제법 만족한다고도 하신다. 산책이 필요할 때도 멀리 갈 것 없이 마당에서만 잠시 놀게 두어도 좋았고.

그녀가 출퇴근하는 은행의 지점은 서울 중심가 명동에 있었고, 그녀가 살고 있는 곳은 동대문구 어느 곳이었다. 지하철로도 금세 오갈 수 있고 차를 타도 좋았다. 면허는 있지만 아직 차는 없어서 대중 교통을 이용하며 출퇴근을 한다.

오후 2시 반.

그녀는 태양빛이 내리쬐는 초가을의 거리를 가볍게 차려 입은 운동복에 외투 하나를 걸치고 걷는 중이다.
집에서 주욱 도로를 따라가면 있는 산책 코스가 있어서, 코스대로 길을 걷고 마지막에 나오는 작은 공원에서 잠시 달리기를 한다.

체력은 그녀의 장점이기도 했다. 머리도 특출나게 뛰어나지도 않았고, 공부를 잘 하는 편도 아니었다. 물론 은행에 취직한 것만 하더라도 나름대로 모범생 이상의 성적을 받고 좋은 대학에 간 것이긴 했지만. 그녀가 속한 무리 중에서는 늘 중간 이상을 해본 적이 없었다.
결정적으로 앉아서 주구장창 무언가 배우고 익히는 것에 대단한 취미가 없었다. 필요에 의해서 할 뿐이었고 그 이상 개인적인 흥미를 느끼지는 못한다.

그럴 때 머리를 비우기 위해서 좋은 건 몸을 움직이고 운동을 하는 일이었다. 달리기는 아주 단순하며 기초적인 운동이었고, 잡념을 잊게 해주는 고마운 친구였다.

많은 준비가 필요하지도 않다. 런닝화라고 해봤자 거창한 것을 구비하지도 않고. 그냥 싸게 세일하고 모양이 이상하지만 않으면 적당히 운동화를 사고 간편한 티나 바지 정도만 있으면 된다.

어디 마라톤을 나갈 것도 아니니까. 자신이 기분 좋은 만큼만 뛰면 되는 일이다.

주말 낮에, 동네에 사람들이 많이 나와 있었다. 그녀는 핸드폰을 꺼내서 잠시 뒤적거렸고, 곧 음악을 찾아 블루투스 이어폰을 한쪽에 꽂았다. 양쪽 전부 귀를 막고 다니다 보면 중요한 걸 못 들을 때가 있었다.

그녀는 괜한 불안감이나 조심성이 가끔 있다. 음량을 크게 해두고 듣는 편인데, 그렇게 귀가 막혔다가 뒤에서 뭐라도 날아올 때 못듣고 맞으면 어쩐단 말인가.
청각이 살아있다고 불의의 무언가를 꼭 피할 수 있는 건 아니겠지만.
말했듯 그녀는 자신의 운동 신경에는 나름의 자부심이 있었다. 감각이 살아 있다면 어지간해선 대처할 수 있으리라.

편하게 늘어나는 재질의 면바지에 흰 티셔츠. 그 위에 하늘색 얇은 재킷 차림이다. 화장기도 없는 맨 얼굴에 선크림만 발랐다.

그녀는 주욱 동네의 산책로를 따라 공원을 향해 가면서, 도중에 목이 마를 것 같아 편의점에 들러 물 하나를 산다.

가격표를 보면, 요즘에는 물 값조차도 많이 오른 것을 보게 된다. 물가 안정을 위해서 경제 정책자들은 늘 궁리를 한다지만 영 실효성이 있는 것 같지는 않았다.
친서민 정책을 하다 보면 돈이 많이 풀리게 되고, 그러다보면 또 물가가 오르고. 건실하게 일을 하고 또 돌아가는 나라의 산업구조, 경제 구조와 일꾼들이 많아져야 하는 일일텐데.

요즘 시대에 '건실한 노동'이라는 것이 얼마나 가치를 지니는지는 잘 모르겠었다. 그것이 가장 와닿아야 할 젊은이들에게 말이다.

미래에 대한 보장이 없는 불안정한 경제와 사회 구조 속에서, 미래를 만들어나가야 할 젊은이들은 결국 꿈을 꾸지 못한다.

불안감과 작고 또 좁은 심장으로 결국 그들은 자포자기식의 현재를 살아가게 되고, 미래를 위한 건실한 시간들을 현재에서 잡아내지 못한다.

그저 불안정한 미래처럼 흔들리는 미래 가치를 위해 허송세월을 하게 되고, 사기꾼에게 속거나 혹은 그 스스로가 사기꾼이 되는 일도 많이 있었다.

허상과도 같은 일확천금을 좇기도 하고, 진정한 의미에서 '안정성'이라는 것을 경험하지 못하는 세대가 앞으로 점점 많아질 것이다.

미래의 불안감으로 현재를 헐값에 팔아넘기고 나면, 다가오는 내일은 결국 그보다 더 싸구려일 테니까.

제대로 된 값. 젊음을 온전히 환전해도 될만큼의 오롯한 열정만이 그럴싸한 내일을 맞이하게 해준다.

열정이 죽은 시대였다.

유사 이래, 선사 시대부터 내리 쬐던 태양은 아직도 뜨거운데 말이다. 그녀는 물병을 쥐고 그냥 공원이 나오기 조금 전부터 슬쩍 달리기 시작했다.

얼마 가지 않아 작은 체구임에도 빠르게 뻗는 다리가 그녀를 공원에 다다르게 했고, 탁 트인 공원 내부의 길목이 나오자 그녀는 속도를 높여 본격적으로 뛰었다.

"헉, 헉."

그리 오래지 않아 숨이 차올랐지만 그 때부터가 운동의 시작이었다. 한 번 차오른 숨이 내려앉고 안정화 될 때까지 계속해서 뛴다. 자주 또 익숙하게 운동을 해왔다면 흔하게 경험할 수 있는 일이었다.

굳어 있던 근육이나 운동을 위해 움직이는 다양한 내부 기관들이 적응하는 시간이 필요하다. '운동 중'이라는 상태를 뇌, 혹은 본인의 마음이 제대로 받아들이는 일도 필요했고. 아무래도 운동선수는 아니며 평소에는 자리에 앉아 사무를 보는 게 대부분의 시간이었으니까.

그녀는 500ml짜리 편의점에서 산 생수를 든 채로 공원을 두 바퀴 즈음 뛰고서야 한 모금을 열어 마셨다. 준족인 그녀의 다리로 한 오 분 정도 뛰고 난 뒤였다.

"후우우…."

물을 마실 때는 멈추던가 조금 속도를 늦추어야 했다.

그녀는 잘 정돈된 공원 내 길과 가로수들, 한 쪽에 있는 농구장이나 풋살장 따위를 자연스럽게 구경하면서 잠시 걷는다.

그녀가 있는 자리에서 농구장까지는 한 오십 보 정도 떨어진 데였다. 일단의 남자 무리들이 하프 코트로 시합을 하고 있었다.
운동에 관심이 있고, 또 익숙한 그녀는 자연스럽게 움직임을 관찰한다. 천천히 걸으면서 보는데, 3대 4의 일곱 명 경기였다. 아마 세 명인 쪽이 체격이 더 좋고 실력이 나은 모양이다.

개중에 그리 작지 않은 키, 세 명 쪽에 속한 한 명이 유달리 특출난 활약을 보였다. 농구를 잘 하지는 못했지만, 그런 그녀가 보기에도 드리블을 하는 폼이 마치 춤을 추듯 리듬감이 있었고, 멀리서도 슛을 골대에 꽂아 넣는다.

그녀가 제법 빠른 걸음으로 물을 마시며 걸어가는데, 근처에 다다랐을 때 즈음에는 화려한 드리블로 몇 명을 재치고 단독 플레이를 하기도 했다. '잘하는구나…….' 그녀는 별달리 마음을 두지 않고 지나쳤다.

농구장은 그녀가 도는 공원 내 둘레길에서 바깥 쪽에 있었고, 사내들이 뛰는 하프 코트는 그녀로부터 먼 쪽이었다. 농구장에 접한 길을 지날 때도 사내들과는 거리가 조금 있다.

사내들은 동네 주민들이었는데, 서로 아는 사이는 아니었으나 늘 비슷한 시간대에 농구를 하러 오다 보니 정기적으로 시간을 맞춰서 시합을 하게 된 이들이었다.
근처 대학교 학생도 있었고, 프리랜서도 있다. 직장이도 둘 정도 있고, 한 명은 자신의 직업을 정확히 밝히지는 않았다. 2-30대 정도의 남성들로 구성된 깊지는 않은 관계의 그들은 매주 그렇게 하듯 열띤 경기를 펼쳤다.

*

재영은 농구를 잘한다.

'김재영'.

31살의 사내였고, 동대문구의 주민이기도 했다. 그의 '안가 Safe-house'는 계문동에 있었다. 휘령동과 맞닿은 곳이었고 걸어서도 금방 오갈 수 있다.

농구를 하고자 한다면 농구장이 있는 곳은 많았는데, 그가 선택한 장소는 휘령동의 어느 작은 공원에 있는 운동장이었다.

코트의 재질이 단단하고 페인트 칠이 잘 되어있다. 농구 코트는 무르고 푹신한 면이 있고, 뛰기에 좋은 게 아무래도 낙상이나 점프시 무릎을 보호할 수 있기는 했지만. 그는 페인트 칠로 코트 라인이 깔끔하게 그려져 있으며 골대의 그물이 늘 새 것으로 잘 갈아져 나오는 그곳을 좋아했다.

다른 동네 무료 시설들은 늘 시설물들이 낡은 채이거나 금방 훼손되었다.

특히 농구장의 골대 그물같은 경우엔, 끊어지기 쉬운 것이라 새 것으로 교체가 되어도 오래가지 못하는 데가 많았는데 휘령2동 '계문 공원'에는 감독자가 신경을 쓰는지 골대 그물이 언제나 잘 걸려 있다.

김재영에게 농구장 자체는 익숙한 것이었다.

그는 한국인이었으나, 필리핀 태생이었고 고아였다.

자신의 연원에 대해서는 잘 알지 못한다. 아마 버려졌을 것이다. 최초의 기억은 쓰레기장이었으니.

허물어지는 임시 건물과 온갖 잡동사니가 쌓여있는 쓰레기 더미들. 그 가운데 흙바닥 도로가 나 있고, 사람들이 시꺼먼 꼴을 한 채 나름의 행복을 찾으며 웃기도 하고 화를 내기도 한다.

치안이 그리 좋다고 하기도 뭐했고. 장점이 있지도 않았다.
그는 그 가운데서 어느 부부의 연민에 따라 거두어져 간신히 죽지 않을만큼만, 밥을 얻어먹으며 생존했다.

제 자식이라 할 지라도 챙기기 어려운 상황에서 알지도 못하는 이국인 아이를 챙기는 건 어려운 일이었으나, 어쨌든 그는 살아남았다.

그 필리핀의 쓰레기장 마을 한 구석에는 아이들이 놀고는 하는 농구 골대가 하나 있었는데, 제대로 된 라인도 없었으나 적당히 코트처럼 빈 구석을 만들어 거기서 경기를 늘 했다.

어리고 왜소했던 그가 농구 경기에 적극적으로 참여할 때는 적었으나, 모든 아이들이 시간이 나면 늘 거기서 놀고는 했던 터라 그 역시 자연스레 같이 있었다.

당시에 '농구'를 했던 건 아니었다. 그러나 기억만은 남아있다.

재영은 자신의 기억을 소중하게 생각했다. 정말로 무언가를 소중히 하는 마음이 있는 지는 그 자신도 알 수 없었지만. 어쨌든 무언가 기억이 있다는 게 중요하다.
누군가의 손에 거두어져 한국에 온 뒤로, 새 삶을 살았다. 완벽하게 바뀐 환경에서 많은 것들을 익히고 배웠다.
물론 그것들이 건전하거나 올바른 종류는 아니었으나.

자신이 원래 있던 곳보다 훨씬 좋은 환경과 풍족한 시간 속에서, 그는 예전의 흔적을 더듬어 자연스레 농구를 시작했다.

자주 접하고 반복을 하다보니 늘었고, 그 이후로도 종종 끊이지 않고 하게 되었다.

10대 초반 즈음 한국에 와서 시작한 농구는 아직도 그의 유일한 취미이자 쓸만한 도구였다.

적당한 취미를 갖고 있는 건 신뢰를 사기에 좋은 점이었다. 그 취미에 투자한 시간만큼의 인생이 적어도 건전한 시간이었다는 걸 인정받는 것이었으니. 모르는 사람들과 친해질 때도 소재로 삼기에 좋다.
처음 보는 이라 할 지라도 맞는 분야가 있어 이야기를 하다 보면, 금세 오래 지낸 사람인 '체'를 할 수 있다.

실제로 깊은 교류를 하는 건 사실 중요한 일은 아니다. 어차피 그는 그런 걸 신경쓰고 살지는 않으니까.
그러나 외부에서 누군가 그를 바라봤을 때, 다른 이들과 적당하고 또 자연스런 관계를 맺는 모습을 보여주는 건 아주 중요했다.

쓸 데 없는 의심을 산다거나 눈에 띄는 건 피할 수록 좋다. 너무 염두에 두고 있다가 도리어 두드러지는 멍청한 경우가 없는 건 아니었으니, 그 스스로도 메쏘드 연기를 하듯이 적당한 지점을 찾는 게 아주 중요하다.

김재영은 자신이 그걸 아주아주, 잘 한다고 생각했다.

어쨌건 지금까지 한 번도 걸리지 않았으니까.

31살이라는 그의 나이는 그의 또다른 기록이기도 했다.

성립 불가능한 삶을 살아가면서 한 번도 다른 누군가에게 자신의 비밀을 들키지 않았다. 이 치밀하고 오밀조밀하게 조직되어 있는 도시 사회에서 평범한 '김재영'으로서의 삶과 무기질적인 눈을 한 범죄자로서의 삶이 양립을 하고 있는 것이다. 이십여 년에 가까운 세월 동안.

그 기록을 유지하는 건 중요한 삶의 목표이자 의지이다.

무언가를 느낄 수 없을 때는, 그런 남다른 목적이 있는 게 아주 좋았다. 동기부여가 잘 된다. 그런 요소들로 자신의 특별함을 채워나가는 것이다.

심장을 찾아 떠난 '오즈의 마법사' 속 양철 로봇의 이야기라면 차라리 귀여운 비유일 지 모르겠지만.
그는 사실 심장을 원하지조차 않았다.
대부분의 것들을 부숴버리기 원하는데, 그 파괴 속에서 도리어 지루함을 느껴 다른 방식의 파괴를 하고 있는 것 뿐이다.
때로 더욱 큰 쾌락을 가져다주는 '망가뜨림'은 공을 들여 잘 정돈한 물건을 없애면서 생기기도 했으니까.

그런 의미에서 그는 게임을 하고 있다. 파괴적 행동 속에서 그 죄업으로 쌓고 있는 탑이야말로 그가 '인생'이라는 절대적 가치를 가장 효율적으로 부수는 방법이다.

그는 부수기 위해 정리한다.

그의 본질은 누군가의 절망을 원한다는 것이었다.

*

"여! 패스!"

짧게 호흡을 끊어 뱉듯이 외쳤다. 누군가의 말이었다. '누군가'. 재영은 그를 처다보았다. 이름은 알고 있다 사실. 그러나 그 의미나 타인의 존재가 자신에게 아무런 감흥도 일으키지 못한다.

얘기를 한다고 하면 '심형수 씨', 라고 부를테지만. 저 인간에 대해서 딱히 생각을 해본 적은 없다.

만약 자신의 파괴 행위의 피험체로서 상상한다면 온갖 종류의 생각을 하겠지만.

그러나 재영은 파괴자로서의 룰을 잘 숙지하고 지켰다.

그가 본능적으로 깨닫고 있는 것이기도 했고, 그를 가르쳐 준 선생의 지침이기도 하다.

철저하게 일상과 파괴를 분리한다. '인간 김재영'을 구성하는 요소 근처에는 결벽증 적으로 다른 일을 결부시키지 않는 것이다. 설령 아무리 완벽한 때와 상황이 갖춰진다 하더라도.

그런 식으로 손을 대기 시작하면 결국 어디에도 그가 숨을 곳이 없어지기 때문에.

그래, 우습지만 그런 비유와 같았다. 농사꾼이 굶어 죽을 위험 속에서도 다음 해에 파종을 하는 종자씨의 곡식에는 손을 대지 않는다는 말이다.

더 오래, 더 많이 죽이기 위해 그에게는 안전한 숨을 곳이 필요했고, 그 숨을 곳은 사회에서 만나게 된 사람과의 관계로 이루어진 '인간人間의 벽' 내부였다.

그의 파괴 행위를 도와주는 구성 요소를 그의 손으로 해칠 수는 없었다. 본능적인 살인귀로서는 사실 어려운 일이었지만, 살인을 위해 살인을 참아야 할 때가 있는 것이다.

그런 점에서 그는 엘리트였다. 살인을 수준을 나눌 수 있는 종류로 보고 역겨운 비유를 한다면 말이다.

재영이 안쪽으로 파고들어 가는 시점이었다. 상황은 3대 4. 하프코트. 3점 라인에서 첫 주자가 공을 받아 게임을 시작한다. 재영이 공을 받았고, 그의 앞에는 두 명이 마크하며 붙었다. 약간 왼쪽으로 쏠린듯해서, 가운데로 파고드는 척을 하다가 그대로 크로스 오버Cross over로 돌진 방향을 바꿔서 오른 쪽으로 빠졌다.

두 명의 수비자는 자신들 사이에 있는 빈 공간을 가리려 서로 붙다가 충돌해서 잠깐 시간이 뜬다. 머리로는 쉽지만, 어쨌든 신체 능력과 기술이 있어야 가능한 선택지였다.

재영은 왼쪽으로 치려던 드리블을 오른쪽으로 마저 치며 재빠르게 돌진했고, 그 드리블을 아무도 막지 못했다. 대신 두 명을 제치고 골대까지 직진하는데 옆에서 '심형수'를 막아내던 조금 왜소한

키의 사내 하나가 그에게 다가와 앞을 가렸다. 그보단 7, 8cm 정도가 작다. 그냥 무시하고 돌파를 하던, 혹은 멈춰서 점프 슛을 쏘던 큰 문제까진 아닐 것 같았다.

피지컬의 문제도 있지만, 신체적으로 재영이 더 키가 크면서 기술적으로도 월등하기에 가능한 선택지인데.

형수의 패스를 요구하는 외침을 듣고 재영은 잠깐 고민했다. 그리고, 점프 슛을 쏘려는 척을 하다 옆으로 공을 돌린다. 마크가 비어서 프리 롤Free role이 된 형수에게 오른 쪽으로 공을 빼서 던진다.

슛 모션에서 그대로 뛰지 않고 체스트 패스로 훅 날렸고, 직선으로 빠르게 날아드는 공을 잘 받아 챈 형수가 그대로 점프 슛을 한다.

거리는 바깥에서 보면, 오른쪽 외곽 쪽이었고 3점 라인에서 한 두 걸음 들어온 자리이다. 형수의 시점에서 그는 왼쪽으로 몸을 틀며 뛰었고, 곧 슛을 쏘았다.

깔끔한 자세였다. 마지막에 꺾어지는 손가락과 손목의 감각이 중요하다. 그것을 유지해야 골이 들어가냐 아니냐, 앞 선 자세가 얼마나 흐트러졌어도 회복할 수 있는 요소가 되었다.

재영의 눈으로도 형수의 슛은 큰 문제는 없었다. 다만 영점 조절이 조금 잘못되었는지 림에 부딪힌 뒤 그대로 퉁, 튕겨나왔다. 재영은 앞에 있는 작은 사내를 제치며 앞으로 나섰다. 그대로 뛴다. 떨어져 오는 공을 공중에서 잡고, 그대로 팁 인Tip-in을 한다.

내려오기 전에 공중에서 그대로 공을 밀어 골대 안 쪽으로 넣는 행위다. 재영의 점프 실력은 수준급이다. 그리 힘을 준 것 같지도 않았는데 골대 림 약간 아래 쪽이었고, 체공 시간도 길다.

다른 사내들이 속으로 감탄했다. 운동 신경이 뛰어난 이들은 소수였고, 어떤 분야든 상위자들은 자신의 체급과 수준에 맞는 이들과 놀게 마련이다.

재영은 크게 본 실력을 드러내고 있지는 않았지만 확실하게 뛰어난 선수였다.

"예아-!"

"나이스 플레이!"

그의 팀이 소리쳤다. 재영은 눈을 휘게 하면서 웃었다.

***

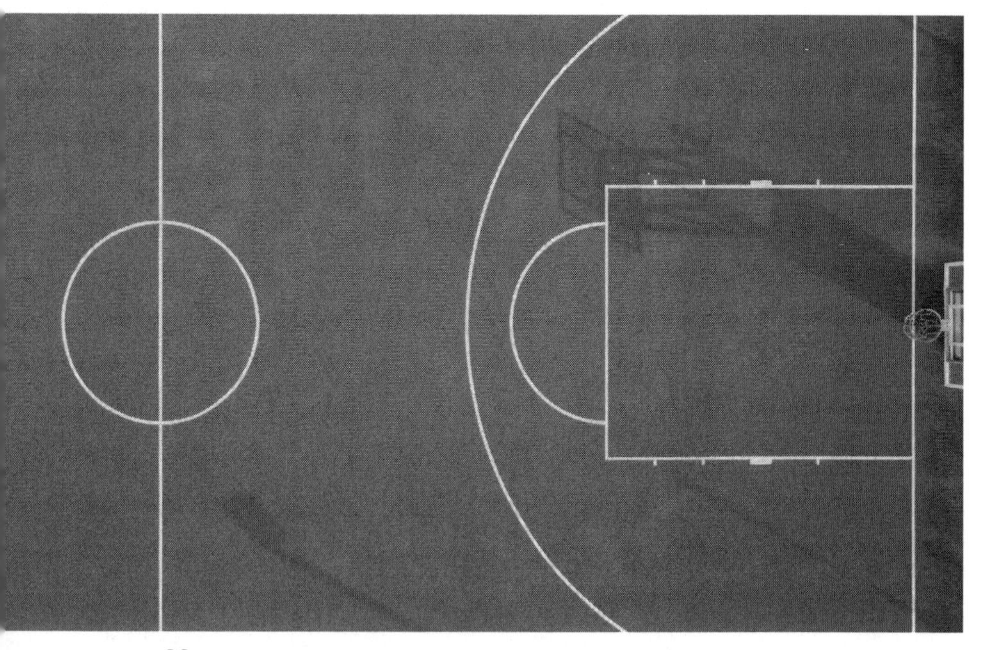

7. 수색

어두운 질감.

그런 것을 때로는 느낀다. 윤계식은 말이다. 그건 상상력의 일종이었다. 범인의 행각을 추리하다 보면 그 심리를 자신의 것으로 연기해야 할 때가 있었다. 그의 감각과 감정을 이해하고, 범인이 되어서 현장을 추리해야 한다.

본능과 지식, 이성과 감각, 온갖 자신의 능력들이 섞여서 사용되는 그 때 비로소 무언가 영감이 찾아오곤 한다.

발견 또한 영감의 발현과 비슷하게 다가온다.

계식이 느낀 '어두운 질감'이란 범인의 내면을 상상하다 보면 떠올리게 되는 이미지였다. 질척하고, 빛이 적은 시야 속에서 더러운 오물과 같이 악취가 나고 점성이 있는 물질을 떠올린다. 자신의 죄악을 어둔 곳에 감추어두며 계속해서 범행을 저지르는 악인의 심상이다.

그런 욕망을 아무리 잘 갈무리 하며 다닌다고 해도 어딘가에는 흔적이 있을 것이다.

계식은 박주영의 전화를 받고, 집에서 있다가 뛰쳐 나오다시피 나왔다.

많은 걸 챙기지도 않고 그는 바로 대전에서 서울로 향했다.

약간의 실마리라도 있다면 제 눈으로 보고자 했다.

실종 당시 현장은 박주영에게 정확한 위치를 들었다. 아직 수사에서 정확한 증거가 발견되거나, 진전이 있지 않아 다른 곳과 별반 다르지 않게 관리되고 있었다. 서울에서 어떤 여성이 마지막으로 보이고 사라졌다고 예측되는 지점은 말이다.

어느 골목이었다. 휘령동은 그도 잘 알고 있었다. 서울 북부였고, 땅값이 비교적 싸다. 비교적 말이다. 뭐 대단한 사업을 하는 양반들이라면 큰 차이겠고, 간신히 살 집을 구하고 있다면 그럼에도 크게 체감할 수는 없는 가격이었다.
최근에는 부동산 가격이 많이 올랐다. 집 값이나 전세값또한 마찬가지이고. 살기 참 각박한 세상이다.

그런 각박한 세상에서 각박함을 더 하는 존재들에 대해 탐구하고 있는 중이다 지금은.

시간은 아침이었다.

전 날 느즈막히 출발한 그는 그 날 밤에 서울에 도착할 수 있었고, 스마트폰 어플로 적당한 숙소를 찾아 모텔 하나를 잡았다.

그리 오래 있을 일정은 아니었고, 길어지면 생활용품 따위야 어디 마트에서 싸구려라도 사면 된다.

패스트 푸드점의 아침 세트로 식사를 떼운 그는 사건 현장에 와 있었다.

말했듯 별다른 통제는 없다. 언론에 아직 드러나 있는 사건도 아니었고, 사실 수사 본부 내적으로도 살인 사건이라고 확신하고 있지는 못했다. 심증은 있지만, 물증은 없는 상태.

김연수가 둘이라고 하면 여러모로 말이 되는 것들이 많이 있었다. 서울 쪽에서 일어난 사건과, 지방에서 일어난 건들이 별개라고 한다면.

살인의 순간은 그리 오래 걸리지 않을 지도 모른다.

그러나 그것이 잡히지 않기 위한 완전 범죄가 된다면 이야기가 다르다. 사건의 이전에 준비해야 하는 경로와, 도구들이 있을 것이며 그 모든 걸 총괄하는 계획을 세워야 한다.

범행에 필요한 물자에는 소도구도 있을 것이고 자신의 몸을 숨긴다거나 할 만한 안가Safe house의 존재도 필요할 테다.

첨단화된 도시에서 누군가를 죽이고 인적도 없이 사라지는 게 쉽지 않다. DNA를 남기지 않기 위해서 자신의 체모 따위를 관리하기도 하고, 범행에 사용하는 살인 도구 역시 피 한 방울 어딘가에 흘리지 않고 숨겨가야 했다.

그런 복잡한 일이 된다면, 며칠 연속으로 수도권과 지방에서 동시에 일이 일어나는 건 불가능에 가깝다. 김연수의 별명대로 마술을 부렸다고 한다면, 혹시 모르지만 그보다는 그냥 두 명의 철저한 계획자가 있어서 따로 일을 치고 있다고 생각하는 게 더 편하다.

사실 그것 역시 마술의 트릭 일종일 테다. 마술이란 늘 말했듯 까보면 지루한 트릭이 있을 뿐이다. 그것을 위해서 노력을 감내하는 기술자들의 기교가 있기도 하지만, 현실에서 불가능한 건 장막 너머의 트릭 장치 속에서도 일어날 수 없는 일이다.

'살인'. 조금 바꿔 말하면 건장한 장정을 제압도 없이 무력화시키고 죽일 수 있을 정도의 전투 기술. 그런 일의 프로이며 용의주도한 놈이 최소한 둘.

그런 인간 둘이 손을 잡은 게 트릭이라면 트릭일 것이다. 세상은 만화 속의 무엇이 아니었고, 실제로 일을 벌이기 위해선 대가가 필요하다. 자신의 삶을 쓰레기 짓을 위해 수많은 단련을 해나간 미치광이가 둘이나 있다니. 머리가 어질거리는 기분이었다.

계식은 아침인데도 어딘가 을씨년스러워 보이는 골목 부근에 서서, 여기저기를 눈으로 훑었다.

골목은 길다. 한 3, 40m정도. 양 옆으로 폐 건물들이 늘어서 있었다. 입주자가 없었던 지 꽤 오래되어 보이는 상가 건물들이다. 한 쪽은 단독 주택처럼 담장이 있고 그 너머에 2층 집이 있지만 아무도 살지 않은지 마찬가지로 한참이나 된 건물이었고. 그런 건물들 사이에, 앞쪽으로는 출입구가 있는 오래된 가정집도 하나 있다. 연립 주택이었는데… 뒤로도 작은 창문이 한 두 개가 나있다.

저기에 있는 사람들이 아무도 보지 못했을까.

범행 시각은 아마 늦은 밤, 혹은 새벽이라고 한다. 실종 시간 말이다. 모두가 잠든 틈에 순식간에 일이 벌어졌다면 목격자가 없을 수 있다.

계식은 주영으로부터 들은 이야기들의 합리성을 자리에 서서 하나 둘 짚어나갔다. 목격자도 범행 도구도, 어떤 단서도 없는 실종.

양 옆은 담장이나 폐건물의 외벽으로 막혀 있다. 사람 서넛 정도가 지나갈 만한 길. 차도 소형 차종이 아니라면 들어오지 못할 것 같다. 가로등도 골목을 지나야 있고, 하수도로 통하는 구멍이나 하나 있을 뿐이다.

빗물이 빠지는 용도로 설치된 작은 구멍이었고, 도저히 사람이 들어갈만해 보이지는 않았다.

계식은 자연스럽게 시체 훼손을 떠올렸다. 그러나 이 장소에서 그런 일을 벌였다면 분명 흔적이 남았을 것이다.

원 터치로 켜지는 거대한 비닐 텐트라도 구해서, 순식간에 여자를 뒤에서 제압한 뒤 죽이고 그 안에 넣었나? 그리고 그 시신을 훼손했나?

그렇다고 하더라도 약간의 DNA는 현장에 흐를 것이다. 그런 역사를 순식간에 해낼 수는 없었다. 정말 십 수 명이 작정을 하고 달라 붙어서, 갖가지 첨단 도구를 가져와 일처리 해내는 게 아니고서야.

그리고 여자가 사라졌다고 의심되는 순간에, 이 골목으로 통하는 길목에 들어선 인간의 수를 모두 합쳐도 그 정도는 되지 않았다. 세, 네 명이 더 있을 뿐이었다.
그저 흐릿한 모습으로 비쳐진 모습들이었고 모두가 골목으로 들어섰는 지는 당연히 알 수 없다. 인근에 CCTV가 없었다. 가능성이 있을 뿐이지.
이 쪽으로 들어섰을 수도 있고 다른 쪽으로 빠졌을 수도 있다.

'여자'가 실종된 것은 이 부근이 마지막이었다. 그 행적 말이다. 그 이후엔 행동 경로에 있는 모든 CCTV를 파악했지만 아무 데도 나타나지 않았다. 정황상 이곳에서 사라졌다고 추측할 뿐이다.

여자가 육신의 탈을 벗고 유령이 되었다든가, 혹은 누군가에게 살해당한 것이다. 죽지 않았더라도, 적어도 용의주도하며 계획적인 범죄자에게 신변을 제압당하고 옮겨진 것이거나.
첫 번째는 가능성이 없었으니 두 번째와 세 번째가 맞을 테다.

갑작스럽게 자신의 처지를 다 버리고 사라지기라도 해야 하는 이유가 여자에게 있지는 않았다. 그 스스로 간첩이라도 되지 않는 이상에야.
수사의 흐름 상 그와 관련된 정보는 터럭만큼도 나오지 않았다.

계식은 천천히 골목길 주변을 더듬었다.

감각을 사용하는 건 기초적인 수사다. 마땅찮은 단서가 없을 때 뭐라도 두드려 보는 것도 나쁘지 않은 일이다.

그는 골목을 벗어나 그 근처로 이어지는 길목들을 살펴보고 건물들의 위치를 확인했고, 다시 골목으로 들어와서 골목을 이루고 있는 양쪽 담벼락, 건물의 외벽 따위를 손으로 쓸었다. 천천히 걸으면서 보폭을 확인했다.

만약 여자가 들어와서 걸었다면 어디쯤 까지 갔을까.

간단하게 상상한다. 여자를 덮친 범인은 골목 깊은 곳까지 들어가길 기다렸을 것이다.

여자를 여기서 처리했다면, 그녀의 행동을 보고 있었겠지. 그러나 그녀가 이 부근으로 CCTV 구역에서 사라진 이후에 바로 들어온 이는 아무도 없다고 한다.

그는 골목의 중간 즈음에서 멈추었다. 짧은 보폭으로 천천히 걸었는데, 사실 피해자가 여성이라고 한다면 이런 길을 조금 빨리 걸어가려고 했을 지도 모른다.

그리고 그는 주변을 다시 살폈다. 오래된 폐 주택. 상가 건물. 이쪽으로 나 있는 창문 따위가 많지는 않았다. 아직 사람이 살고 있는 연립 주택에만 몇 개, 환풍구로 보이는 작은 창이 있을 뿐이다.

그는 담벼락 근처로 가서 사람이 살지 않는 폐가를 보았다. 뒷문이 있기는 하다. 담벼락 안쪽에 창문이 하나 있다. 계식의 키로도 조금 닿지 않아 발꿈치를 들어야 했고, 그러고도 어려워 주변에 있던 벽돌 하나를 주워 와서 그 위에 섰다.

그러자 내부가 조금 더 잘 보였다. 담벼락 아래에서 주택까지는 전혀 정돈이 되지 않는 잡초들 따위가 무성하게 자라 있었다. 그 위로 한 단의 계단이 있고 폐가의 뒷문이 있다. 오래도록 사용되지 않은 것처럼, 먼지 투성이에 뭔지 모를 오물 따위가 묻어 있었다. 그는 집을 잠시간 처다보았다.

폐가의 정문은 역시 담벼락으로 막혀 있었다. CCTV를 피해 골목으로 직접 들어오지 않고, 건물을 이용할 방법이 있는가, 에 대한 상념이 이어졌다.

그는 다시 다른 곳으로 향한다. 이번에는 반대 쪽 벽을 형성하고 있는 오래된 상가 건물의 외벽이다. 뒷문은 없다. 그는 외벽을 훑듯이 시선으로 더듬거리며 주욱 걸었다. 그 다음, 옆 3층짜리 건물과 약간의 틈이 있었다. 사람 하나가 간신히 지나는 갈 수 있을 것 같다. 아침이라 새어 들어오는 빛살에 그 구석의 구조가 보였다.

시선을 조금 비틀자 폐건물쪽에서 작은 창문이 하나 있는 것 같았다. 철창 따위로 막혀 있는지는 잘 보이지 않았다. 그러나 하고자 한다면, 사람이 창문 틈새로 넘어올 수는 있을 것 같다.

그 외에는 여기저기를 살펴봤지만 골목 쪽으로 당장 들어올 수 있으리라 생각되는 곳이 없다. 연립 주택도 뒷문은 없고. 박주영의 정보로는 모두 사람이 살고 있는 가구이며, 당시 비어 있지도 않았다고 한다.

저 세대에 살고 있는 구성원들 중 하나가 범인이 아니고서야 영 힘든 일이다. 그렇다고 하더라도 뒤쪽으론 나올만한 구멍도 딱히 없었고.

그는 아침 나절의 시간을 그렇게 보내면서 한참을 있었다.

무언가 특징처럼 보이는 그 흔한 머리카락 따위도 없다. 길바닥이니 아마 떨어져 있다고 해도 바람에 날려가 버렸을 것 같지만.

그는 걸으면서 발에 채이는 작은 돌자갈 하나를 툭 건드렸고, 그의 운동화에 맞은 것이 마침 골목 벽 근처에 나있던 하수구 구멍으로 빠져 들어갔다.

그는 잠시 그 구멍을 노려봤다. 지나가면서.

아무리 생각해도, 사람이 지날 수 있는 틈은 아니었다. 어린아이라 해도 힘들지 않을까. 유년기의 아이라면 혹시 모르겠으나…….

계식은 혼자만의 수사를 일단 마무리하며 골목을 벗어났다.

*

8. 몰래 카메라

골목에는 몰래 카메라가 있었다.

누군가의 음험한 취미를 위해서 설치해둔 물건은 아니었다. 아니, 그것보다 조금 더 질이 나빴다.

인적이 없고 주변으로 CCTV가 많지 않은 도심 속 어느 사각지대.

한 동네에서 다른 곳으로 이동하기 위해 사람들이 종종 지나다니곤 하는 곳이었고, 그 골목을 이루고 있는 양 옆의 건물들은 몇 개가 오래도록 쓰이지 않은 폐건물이나 폐가였기에 다소 을씨년스런 분위기도 있다.

오래된 연립 주택이 하나 있어 창문 틈으로 바라볼 수는 있지만 그들의 시선이 언제나 골목에 머문다고는 볼 수 없었다. 특히 새벽녘과 같은 때는.

CCTV는 소형의, 첨단 모델로 그렇게 크지 않았다. 더군다나 애를 써서 설치해둔 것이었기에 모습이 드러나지도 않는다. 담벼락 돌벽의 틈새 사이, 검은 색으로 외장을 하고 렌즈 또한 그리 크지 않았다. 선명한 색채의 영상을 전달하는 기계는 아니었고, 흑백의 컨텐츠를 이어진 곳으로 송출하는 기계다.

낮은 곳에 위치해서 사람의 얼굴까지는 제대로 보이지도 않는

각도의 카메라다. 다만 초입부부터 시작해서 사람이 골목에 지나다니는지, 또 어디즈음을 걸어가고 있는 지는 분명하게 파악할 수 있었다.

얇은 회선을 얕은 흙을 덮어 매설한 채 다른 건물로 이어지게 만들어두었다.

CCTV는 폐건물 중 하나, 오랜 세월 사람이 없이 방치된 폐가의 내부로 그 선이 이어져 있다.

폐가는 특수하게 리모델링 된 건물이었다.

그 외장도 내장도 아무 데도 고친 곳이 없었지만, 정확한 위치의 마루 바닥을 뜯어보면 콘크리트 따위가 나오는 게 아니라 뻥 뚫린 구멍이 하나 있다.

지하 공간으로 이어지는 통로가 있었고, 애를쓰며 그 통로를 통해 들어가면 지하수도를 이용해 만든 샛길이 하나 있다.
제대로 된 샛길이라고 부를 만한 것은 아니었다. 오물에 대한 대비가 되어 있지 않다면 멀쩡하게 사람이 다닐 수 있는 길은 아니다. 걸을 수 있는 난간의 폭도 그리 넓지는 않았고.

지하수도의 수위가 높아질 때는 더욱 이용하기 힘들다.

'건물'은 수십 년 전부터 방치가 되어 있었다. 어느 지방에 거주하고 있는 재력가의 명의로 된 물건이었는데, 그는 신원이 확실한 사람이었고 말이다. 가지고 있는 재산을 놀리고 있는 셈이었지만 그는 다른 방면으로도 재력을 확충시킬 방법이 아주 많았다.

서울에 있는 폐가 하나는 그의 애물단지 중 하나였고.

그런 신원이 확실한 재력가로부터 건물을 임대받아 사용하고 있는 것이 어느 노인이었다. 한국계를 닮은 필리핀 인.

혼혈의 피가 섞였을 지도 모른다. 아니면 그저 동남아 인종 중에서 한국인을 유독 닮았을 수도 있고. 그 노인, 늙은 사내가 미남인 것도 아니었다. 체구가 작지만 피부가 동남아 인보다는 한국계라고 해도 이상하지 않을 정도로 흰 편이었고 이목구비 역시 동양적인 분위기가 있었다.

그 노인은 오래 전에 재력가와 거래를 했고, 그뿐만이 아닌 한국의 여러 '공실'들을 거래해 자신의 것으로 갖고 있는 사내였다.

그가 가진 재산 자체가 막대한 수준은 아니었다. 고작해야 처치가 불가능하고 곤란한 지경에 와 있는 스러져가는 건물들, 지방의 한적한 곳에 있는 용처도 애매한 대지들.

그러나 다른 방면의 목표로만 사용한다면 또 돈이 나올 구석이 되는 게 사실이다.

노인, 브로커, 필리핀 인. 그러나 한국인을 닮은 그는 수십 년 전부터 한국인들과 거래를 하고 또 자신의 태생인 동남아 인근에서 활동을 해왔다.

그는 뒷세계라고 불리는 다양한 조직들과 연이 닿아 있었고, 어릴 때부터 남달랐던 손재주나 배짱을 이용해서 갖가지 물건을 취급해왔다.

개인적으로 비밀스런 팀조차 꾸리고 있는 조직의 수장이기도 했고, 드러나지 않는 그의 재산을 모두 본다면 나름대로 막대한 규모일 것이다. 어디까지나 그가 한국에 미치는 영향력 자체가 별 것 없다는 말이었다.

그의 본신이나 본거지는 동남아 지역에 적을 두고 있었으니.

영어와 한국어가 능통한 노인은 거래 대상에 차별이 없었고, 지나치게 차별 없는 그 거래주의에는 간혹 미치광이같은 놈들이 걸려들고는 했다.

노인은 몹쓸 짓을 많이 했다. 정말로. 어떤 개같은 종자들의 개같은 짓거리를 도우는 일을 더러 해왔으니 말이다. 직접적으로 노인이 손을 대지 않았어도, 그로 인해서 벌어진 희생과 무의미하게 흘려진 피들이 너무 많았다.
아마 노인은 곱게 죽지는 못할 테였다. 그 자신은 아직까진 크게 신경쓰고 있지 않았지만 말이다.

나름대로 유명한 양반이었고, 아직까지 한국 수사 기관 계열에 그 종적이 잡히지 않은 브로커였다.

그런 노인과 연이 건너건너 닿아 있었기에, '청년'은 아무도 살지 않는 폐가의 내부를 쉽게 드나들 수 있었다. 현관을 전혀 이용하지 않고도 말이다.

지하굴과 하수도를 연결해두었고, 그 하수도를 따라 걸을 수 있는 긴 길을 걷다 보면 행정동이 바뀌는 지점이 있다. 그 자리가 다시 CCTV가 근처에 없는 사각지대였다. 차 하나를 담벼락 근처 길에 세워두었고, 승합차가 가리고 있는 그 지면에 하수도로부터의 탈출구가 있다.

차는 물론 청년의 소유다. 이 역시 브로커 노인처럼 연이 닿은 누군가를 이용해서 구하는 물건이었고, 임시로 빌리고 있는 누군가의 명의다, 서류 상으로는.

청년은 실제 태생이나 신분과는 관계 없이 한국에서 여러 위조 신분을 거치면서 살아왔는데, 지금 사용하고 있는 건 두 명이었다. 그와 나이대가 비슷한 둘.

그들이 실제로 어떻게 되었는 가는 알지 못한다. 국가 전산망에 침입할 수 있는 전설적인 해커가 있어서 뭐 없던 걸 만들어내었는지도 모르고. 청년이 알고 있는 건 그 신분을 이용해서 잠시간의 추적을 유용하게 피할 수 있으며, 전산을 이용하는 어떤 사회 시스템도 무리 없이 써먹을 수 있다는 것 뿐이었다.

청년은 선팅이 되어 있는 은회색의 승합차를 몰았고, 그 차 밑바닥 시트를 개조해 만들어둔 수납공간에 다양한 도구들을 적재하고 빼서 써먹곤 했다.

그 날도 그렇게 움직였다. 동네 이모저모를 구경하고 살피며 돌아다니다가, 적당한 상대를 물색했다. 어느 정도 준비 기간을 마치고 대상이 덫에 걸려들기를 기다렸다.

애초에 그 길을 지나가는 이들이 한정되어 있기에 가능한 일이다. 한정된 대상들 중에서 자신이 고르면 되는 일이다.

그는 손이 근질근질한 것을 느꼈고, 주기적으로 벌여야 한다고 생각하는 일을 벌였다. 적당한 여성이 그 길을 종종 지나가는 것을 알았다.

단번에 시작하진 않았고 몇날 며칠을 보면서 행동 패턴을 파악했다. '미행'은 아주 기본적인 소양이다. 누군가의 뒤를 쫓는 것이나, 반대로 자신을 쫓는 이들을 알아채고 따돌리는 것이나. 청년은 많은 것을 배우고 익힌 놈이었고 그것들을 적극적으로 사용했다.

그에게 다양한 기술들을 알려준 이의 의지에 따라서 말이다.

기술을 활용하기 위해서는 '육신'이 필요했다. 타인의 육신에 대고 실전적 연습을 한다는 말도 물론 일맥상통하기는 하지만. 자신의 육신을 가다듬는 일 말이다. 녹슬지 않게 하기 위해 꾸준하게 운동을 해왔다.

그가 취미 겸, 다른 사람들과 관계를 쌓을 겸 즐기고 있는 농구는 좋은 운동이었지만 그것만으로는 부족하다. 조금 더 전문적이고 본격적인 트레이닝이 필요했다. 그는 온갖 종류의 맨손 운동이나 기구 운동에 익숙해질 정도로 자신의 몸을 혹사시켰고, 다양한 부위의 근육들을 단련했다.

일견 마른듯 보이는 체구 속에는 탄탄한 근육이 숨어 있었다. 세세하게 갈라진 근육이었고, 그의 몸을 재빠르게 움직이게 하고 또 어지간한 물체도 손쉽게 지고 옮길 수 있게 해주는 힘이었다.
잘 크기 위해서는 잘 먹는 것도 중요하다. 그는 한국에 와서 누군가의 손에 길러지고 또 훈련 받으면서 이전에 비해 상상할 수 없을 정도로 잘 먹어왔다. 그 에너지와 영양소들을 그대로 자신의 몸으로 바꾸어내기 위해서 체계적이고 지독한 훈련을 했고.

커서, 그의 교육에서 벗어난 이후로도 그 과정은 여전했다. 이미 인이 박혀 버린 것이나 마찬가지인 일상이었으므로.
그는 평소에는 훈련을 했고, 때로 어딘가에 오래 머물게 된다면 가끔 일을 하기도 했다. 막노동 따위의 일은 아주 좋다. 그가 평소에 단련한 몸을 써먹을 수도 있고 쉽게 돈을 벌 수 있으니까. 그리고 그 인근에 스며들기에도 좋고.

고된 일 터에서의 고강도 노동은 주변 사람들과의 관계성이 중요하다. 팀 워크라는 것이다. 그런 일을 치러내고 나면 어느새 말을 터놓는 아저씨들 두 셋이 금방 생기게 된다.

청년은 기술로서의 화술을 익히고 있었고, 겉핥기 식의 신변 잡기를 나누는 것은 아무런 문제 없이 해낸다.

그런 식의 단기 알바를 하던가, 혹은 갖고 있는 기술로 짬짬이 프리랜서 행위를 하기도 했다. '그림'은 그가 익힌 몇 가지 기술 중에 하나였다.

예술 종류의 다양한 잡기들은 오래 익혀두면 상대의 신뢰를 사기에 좋거나 농구와 마찬가지로 자신의 지난 삶을 설명하기에 유용하다.

청년을 어릴 적부터 가르쳐 온 어떤 사내는 손에 맞는 잡기를 아무것이나 골라서, 가능하다면 익히게 했고 청년은 그림 정도는 할 수 있었다.

업계에서 대단한 실력 정도는 아니었으나 견본이 있다면 쓸만한 그림을 흉내낼 수 있었고, 프로의 것들 역시 비슷하게 할 수 있다.

사내는 일감을 받아서 일러스트레이터로서의 시간을 간혹 가지기도 한다.

그렇게 일을 하거나, 일상을 보내고. 고강도의 운동을 한다. 그러다 시간이 나면 저지르는 것이다.

시간도 나고, 상대 또한 적절하게 나타났을 때.

생활비를 벌고 다양한 도구를 구비하는 데 드는 돈은 이미 충분히 많았다. 따로 사실 일을 해서 충당해야 할 이유까진 없다. 그저 어떤 동네를 가던, 일상 생활이라는 것을 만들기 위해서 하고 있을 뿐이지.

그가 가장 잘 할 수 있는 행위는 누군가를 파괴하는 것이다.

그리고 그건 할 수 있는 인간이 생각보다 그리 많지 않은 것이고.

한국에서는 무리한 경우가 있지만. 조금 더 치안 조직이 헐거운 타국을 간다면 그런 행위로 돈을 버는 게 비현실적이지만도 않다.

그는 어린 시절부터 누군가에 의해 훈련을 받았고, 깨나 크고 난 다음부터는 직접 제 몫을 하기도 했다.

살인을 위해 하는 '살인'같은 종류였다.

돈과 살의가 충만한 누군가의 의뢰에 따라 적절한 대상을 괴롭게든 조용하게든 죽여주고 나면 쓸만한 돈을 번다. 들키지 않을 정도로, 그 주변지의 알력 관계를 건드리지 않을 정도로만 종종 일을 하면서 모아 온 돈의 액수가 깨나 된다.

다시 그 돈으로 여러 곳의 폐가나 다양한 장비 따위를 구비하면서 한국에서 일을 저지르는 셈이다.

그가 한국에서 저지른 살인보다도, 살면서 저지른 일의 총 횟수는 훨씬 많다.
청년의 삶을 견인하듯 이끌어 온 중년도 그렇다. 그러나 중년의 목표 의식은 확고한 모양이었다. 청년에게 굳이 따지자면 선생, 후견인과도 비슷한 그 중년은 불가능을 즐기는 면이 있었다.

청년이 자신의 삶의 의미를 아무데서도 찾지 못해 치밀하게 계획적인 파괴 행위를 즐기면서 헛된 답을 구하고 있는 것처럼. 중년의 삶의 목적과 의미는 아마 그런 데에 있는 모양이다.
하필이면, 치안도가 굉장히 높고 불가능에 가까워 보이는 선진국에서 연쇄 살인을 저지르는 것. 들키지 않고, 흔적을 남기지도 않으면서 그 스스로가 얼마나 유명해질 수 있는가 시험하는 것.

중년에겐 '한국에서의 살인'이 일종의 인생의 목표이자 장대한 게임이었다.

청년은 그 게임의 플레이를 도와주는 2P(player)유저다. 한 게임 화면에 들어가 같이 장애물을 넘고 목표로 향해 달려가는 말이다.
말했듯 청년 스스로는 딱히 그 게임에 공감하지 않았지만, 어쨌든 딱히 부정하지도 않았으므로 얼마든지 도와주고 있었다. 근 몇 년, 중년의 기준에서 보아도 청년이 완숙하게 다양한 기술을 익힌 시점부터 그는 거의 자유나 마찬가지였다.

중년의 일은 그에게 명령, 혹은 부탁의 어조로 전해졌고 청년은 만일 싫다면 거절할 수도 있는 법이다.
다만 그러지 않고 아직까지 계속해서 거들고 있다.
청년이 그의 도우미가 되어주지 않는다면 중년은 결국 다른 조력자를 찾으리라. 그를 길러내 준 이에게 어떤 고마움이 있는 것도 아니었으나, 청년은 그저 아무 이유 없이 사는 것처럼 별다른 이유 없이 그의 부탁을 승락하며 하루를 보내고 있는 중이다.

휘령동의 골목길에서 어떤 여자를 골라 죽인 것은 중년의 부탁은 아니었다. 개인적인 일이었지.

그는 새벽녘에 그 길을 지나가는 여자를 파악했고, 어느 날 시점을 잡아 골목 근처 폐가에 숨어들어 있었다. CCTV의 화면으로 여자의 거리와 위치를 정확하게 잡았고, 오래된 문을 미리 열어두었다가 밀며 뛰쳐나와 순식간에 담장을 넘었다.

어지간한 사람의 키보다 높은 담장이었지만, 벽돌로 이루어져 있었고 내측에서 보면 마치 계단처럼 튀어나온 자리가 있다.

청년이 임의로 빼 둔 자리였고, 안쪽에서 빼면 바깥 쪽에서도 더 밀어넣어 밟을 자리를 만들 수 있었다.

두꺼운 담벼락을 조직하는 벽돌을 중간 지점에서 갈라 두 개를 넣은 셈이었고, 정확한 위치를 안다면 쑥 밀어 발을 딛는 것만으로도 담벼락을 타오를 수 있다.

평소에 극한에 가깝게 단련하고 있는 육신, 그리고 장신은 기술적으로도 완벽에 가까운 능력을 갖고 있었다. 여자가 채 돌아보고 비명을 지르기도 전에 이미 그 목덜미에 두꺼운 주사기 하나가 꽂혔고, 여자는 1, 2초를 유지하지 못하고 곧바로 정신을 잃었다.

이후의 상태나 후유증을 전혀 고려하지 않는 수준의 물약이었고 투여량이었으며, 투여 방법이었다.

쓰러지는 여성을 아주 능숙한 동작으로 어깨에 걸치며 담벼락을 다시 넘기까지 30초도 걸리지 않았다. 수많은 반복 훈련으로 그와 같은 행위를 해본 것처럼 말이다.

정확히 그 자리에서 그녀를 대상으로는 아니었지만, 어딘가에서 그는 비슷한 상황을 상정하고 그보다 심한 무게와 난조건 속에서도 사람같은 물체를 옮기는 일을 연습했다.

실제가 조금 더 쉬웠고, 당시에 비해 근력도 더 붙은 상태였다.

유일하게 골목에서 사람이 있는 연립 주택은 끄트머리에 있다. '그녀'가 들어온 곳을 진입구라 치면 출입구 쪽에 붙어 있는 위치다. 그러다보니 골목 쪽으로 난 주택의 그 작은 창으로는 잘 보이지 않는 사각이 있었고, 시간 또한 야심한 밤이라 아무도 주시하지 않는다.

'청년'은 일을 할 때 배운 노하우대로, 그리고 갖고 있는 다양한 도구들의 유용성을 이용해서 처리한다. 체모는 대부분 제거해서 떨어질 것이 없었다. 손에는 인피와 똑같은 질감을 내는 투명한 비닐 장갑 같은 것을 낀다. 장갑은 팔목까지 오는 긴 길이였고 그 내부가 그대로 보인다. 밝은 조명 아래서 잘 관찰하지 않는다면 이상함을 느끼기 어렵다.

질감 역시 사람의 그것과 얼추 비슷했고, 안쪽에서도 힘을 쓰기 편하도록 미끄러지지 않는 재질이다.

신발도 밑창이 훨씬 큰 것을, 안쪽의 남는 부피를 내부 소재로 채워서 신고 있었다. 약간의 불편함이 있지만 익숙해지면 딱 맞는 것을 신을 때와 별 다름이 없다.

유격장의 시설물을 달인처럼 숙련된 조교가 넘나들듯이 정확한 동선으로 사내는 움직여 사람 하나를 채왔다.

뒤에서 목이 졸리면서 순식간에 즉효성 약물까지 투입당한 여성 한 명은 아무런 저항도 하지 못한 채 의식을 잃었었고.

마치 허공에 계단이라도 있는 것처럼 담벼락을 넘어 청년은 다시 폐 건물의 안으로 들어섰고, 이후 혹시나 남은 흔적이 있는가 살피며 흐트러진 벽돌칸을 정리한다.

어둔 밤 새벽. 달빛도 잘 들지 않고 가로등도 멀리서만 비추는 골목. 한 명이 순식간에 사라졌다. 고층 건물은 아주 멀리에나 있었고, 골목 근처가 폐 빌딩 따위에 가려져 있었기에 폐가의 정원까지 눈이 닿는 시야각도 아주 제한적이었다.

청년은 그렇게 데려 온 누군가의 몸뚱이를 낡은 주택 아래 비밀 통로를 사용해 옮겼다.

주택에는 그가 사용하기에 편한 다양한 장비들이 있으며, 개중에는 사람의 몸을 덮을 만한 아주 큰 더플백 따위도 있다.
아래 작은 바퀴가 달린 질긴 가죽 가방을 이용해 청년은 일을 마쳤다.

그게 그 날의 일어났던 실종의 실제였다.

*

9. 8월 어느 날. 12일. 12일.

시신의 처리를 위해서 몇 가지 간단한 도구들을 이용한다. 분리된 것을 조립할 필요가 있었다. '노인'은 갖가지 물건들을 그들에게 제공할 수 있는 수완이 좋은 인간이었다. 동남아에 본적을 두고 있는 그를 이용하는 고객은 전 세계에 뻗어 있었고, 나름대로 유명한 양반이다.

아마 어떤 나라에서는 비밀리에 이미 그 뒤를 쫓고 있을 지도 모를 정도로.

어느 부두를 통해서 들여오는 특수한 물품은 승합차 따위를 사용해 실어온다. 남한 각 지방에 존재하는 여러 장소에 시신 따위를 처리할 수 있는 안가가 있다.

'시신'을 처리하는 건 주로 청년의 경우였다. '김재영' 말이다. 그와 같이 일하고 있는 중년의 경우엔 시신을 잘 처리하지 않는다. 그는 죽인 자의 몸을 훼손시키지 않고 그저 범죄 현장에 그대로 두는 것을 즐기는 편이었다.

그것 역시 그의 게임 중 일부라고 한다. 자신이 한 흔적을 대놓고 남겨두었으나, 그것에 쓰인 어떤 도구도 자신의 DNA도 증거도 흘리지 않는다. 그를 쫓는 이들은 그 작태에 더욱 이성을 잃고 분노할 것이다.
타인의 극단적 반응에서 자신의 죽은 마음 속 무언가를 찾아보려고 하는 건 싸이코패스들에게 흔히 있는 행태였다.

자신이 통증을 느끼지 못하고 감정을 느끼지 못하니, 자신과 비슷해 보이는 '다른 사람'에게서 그것을 찾으려고 한다. 타인의 극단적 감정 반응에서 자신 역시 그런 감각과 감정을 느낄 수 있나 시험하는 일이다.

재영과 중년은 여태까지 무언가를 느껴본 적은 없었다. 무기질적이고 차가운 심정과 냉담한 감각. 그것이 그들을 움직이는 내면에 있는 감성의 전부다.

그들은 반응하거나 동감하지 않는다. 무수한 살인을 저질러왔음에도.

눈 앞에서 어떤 이들이 비명을 지르거나 죽기 직전, 살해 당하기 직전 끔찍한 몰골과 눈빛을 보여줄 때조차 그러했다.

타인이 느끼는 끔찍한 고통 속에서 그는 반사적으로 눈살을 찌푸리거나 하기는 했지만, 심금의 구석구석을 살펴보아도 아무것도 느껴지지 않는다는 사실만 더 잔혹하게 깨달을 뿐이었다.

김재영은 그 사실이 전혀 잔혹하게 느껴지지 않았지만. 절대적으로 그 사실은 잔혹한 이야기였다.

어쨌든 재영은 사회를 활보하는 어떤 생목숨을 데려와서, 죽은 것으로 바꾼다. 영혼이 떠나간 고기 덩어리는 처치하기 곤란한 짐덩이가 된다.

지하실에서 대부분의 처리가 이루어진다.

먼저는 그 육신에 흐르던 액체를, 겉에 구멍을 내서 전부 빼낸다. 그리고 튀지 않도록 주의를 기울이며 분해하고, 거대한 솥과 가스통, 연소 장치를 이용해서 물을 넣고 열 처리를 한다.

솥에는 길쭉한 구멍이 하나 있어 무거운 뚜껑을 덮으면 그 구멍으로부터 수증기가 나온다. 잘 녹지 않고 튼튼한, 특수한 재질의 호스를 이용해 그 구멍을 이어 지하실의 하수도 아래에 깊숙히 처박는다.

아주 오래도록 열을 가해서, 대부분의 것들이 물러지도록 바꾼다. 그 과정에서 '노인'에게 받는 몇 가지 화학적 용액을 넣어 인체를 이루던 여러 종류의 분자 구조들이 풀어지기 쉽게 한다.

처리가 끝나면, 다시금 수분을 모두 제거한 뒤 남은 물질만 모아서 챙긴다.

방수용의 거대한 비닐백에 잘 옮긴 뒤에 아무렇지 않게 그의 안가 내부 주차장에 있는 차량에 적재한다. 그리고 다음에 비밀 통로를 이용하기 위해 갈 때에, 그것을 옮겨 하수도 속에 대충 흘려보낸다.

고생스러운 일이기는 했지만, 어쨌든 그는 모두 감내하고 있었다. 더 길게 '살기' 위해서 하는 짓이다. 재영의 삶이라는 건 유지되어선 안되는 것이었지만.

어두운 방 안에서 물을 끓이고, 고체 형태의 무언가가 물러질 정도로 오랜 시간을 보내고, 여러 기구들을 끼워 맞추어서 그 잔여물들을 하나하나 빼내며 배출시키고.

'혼자'서 그 모든 것들을 감내하는 재영의 마음에 아마 인간적인 무엇이 남아 있다면 그것은 괴로움이라는 반응으로 나타나야 할 테였다.

싸이코패스는 자신의 마음에도 몹쓸 짓을 하고 있었다.

다행인지 불행인지 알 수는 없지만. 재영은 아무런 통감도 느끼지 못했지만 말이다.

*

9월 12일 화요일 오전, 휘령동 주택가 근처의 어느 골목.

윤계식은 여전히 대전으로 내려가지 않은 채였다.

며칠이 지났지만 그의 겉차림은 여전하다. 아무데서나 입을 수 있는 질긴 재질의 작업용 바지. 바람을 막아주고 쌀쌀한 날씨에도 견딜 수 있는 주황색의 방수 재킷. 안에 입은 티셔츠는 몇 번을 갈아 입었다. 속옷류는 마트에서 금방 살 수 있었다.
임시로 묵고 있는 모텔에서 적당히 손빨래라도 하면 며칠은 거뜬하다. 아예 좀 더 길어진다면 세탁방이라도 이용하는 게 좋았게겠지만.

그는 매일 아침, '사건 현장'으로 의심되는 공간에 나와서 깊은 주의를 기울이며 살폈다. 바깥에서 골목으로 접어드는 길목이 어떻게 형성되어 있는가, 이 주변에 인적이 드물어지는 지점이 어디부터인가.

얼마나 많은 사람들이 지나다니고, 그들은 어디를 향해 가기에 이 골목길을 이용하는가.

오전이든 오후든 그리 다양한 사람을 보지는 못했다. 그가 한참이나 그 주변을 서성거리면서 의심스러울 정도로 많은 시간을 보내고 있음에도, 그에게 의뭉스런 눈빛 한 번 보낼 주민조차 잘 마주칠 수 없었다.

그는 골목의 바깥 지형을 살피며 생각을 굴리다가, 다시금 골목 안쪽으로 들어와 그 담벼락 따위를 손으로 쓸었다. 벽돌로 지어진 곳이 폐가와 이어진 부근이다. 그 외에 폐 빌딩 따위의 외벽으로 골목이 형성되었거나, 연립 주택의 담벼락으로 만들어진 부분은 일반적인 콘크리트 재질이었고.

같은 자리를 얼마나 맴돌았는지 알 수 없었다. 눈을 감아도 골목 내부의 형상이 보일 것 같았다.

늙은 형사는 걷는 것만큼은 아직도 현역 시절 이상으로 할 자신이 있었다. 전보다 무게감이 실린 육체엔 근육량이 부족하다. 순발력도 떨어지고 장기적인 근력도 훨씬 못할 것이다. 단발적인 파워라면 아직까지도 예전의 흉내를 낼 수는 있었지만.
높은 템포의 운동을 계속해서 해낼 수는 없었다.

그러나 걷는 건 사람에게 있어 가장 익숙한 일이다. 생각을 하고 말을 하는 것. 일상적인 일들은 나이를 좀 먹어서야 그나마 사람답게 구실을 하고 익숙해지는 면이 있었다. 걷기 역시 그렇다.
어릴 때는 금세 싫증을 내기도 하고 하염없는 기다림의 이유를 도무지 이해하지 못하기도 한다. 그러나 나이를 먹어서는, 도리어 시간의 지나감을 아무렇지 않게 버틸 수 있게 되었다.

이렇게 별다른 기약도 없이 무언가를 기다리듯, 한 자리에서 서성이는 일 같은 것 말이다. 젊은 날의 혈기왕성함은 자신의 발로 어디론가 뛰쳐나가기를 원하지 언제 다가올 지 모르는 변화를 조용히 순응하기 원하지 않는다.

그의 다리는 예전보다 약간 얇아졌지만, 그래서 달리기에는 조금 솜씨가 떨어졌으나 걷는 데엔 큰 무리가 없었다. 그리고 정신력은 집중력이 약간 흐려졌으나, '기다리는' 일에는 도가 튼 것 같았다.
높은 강도가 아닌 일이라면 정말로 하염 없이 할 수도 있었다.

그래, 그는 아주 오랜 시간을 기다렸다.

'김연수金演水'. 연

연수동 동네의 한자를 그대로 가져다 써서 그의 별명이 된다. 그는 그 살인귀를 아주 오래도록 기다려왔다.

결국은 붙잡지 못하고, 그 꽁무니 한 번 본 적이 없었지만. 그렇게 형사 생활이 끝났음에도 불구하고 사실 그의 수사는 끝난 적이 한 번도 없었다.

그는 김연수란 놈이 아마 살아있지 않을까 생각했다.

십 수 명의 사람들을 별다른 도구도 없이 손쉽게 죽이고 이 땅에서 신출귀몰하게 움직이며 도피를 해온 놈. 그 정도의 정력과 집념을 가진 인간이 쉽게 죽을 리 없다.
사람의 삶이라는 게 어이없게 끝나기도 하지만, 반대로 질기기도 더럽게 질길 때가 있었다.
별다른 근거는 없다. 그냥 본능적인 직감에 가까웠지.

어느 곳에서 아무런 사연도 없이 사고사 따위를 당해서 세상에 사라져 버린 것이라고 해도 그로서는 기꺼운 일이었다.

그러나 그렇지 않다면, 윤계식은 김연수의 대적자로서 이 땅에 얼마든지 존재할 의사가 있었다. 그의 목숨이 다 하는 날까지 말이다.

그것이 형사로서의 의지였고 '그'만의 사명감이었다.

형사는 고작해야 직업이었지만, 그는 그 직업에 자신의 삶을 바쳐 일을 했다. 아내가 하나 있었지만 자식도 보지 못하고 변변찮은 결혼 생활을 이어나가다가 이혼을 했다.

그럴 정도로 그는 형사 일에 매진했다.

다른 누군가와 바람을 핀 적도 없었고, 더러운 일에 손을 댄 적도 없었다. 그는 그저 자신의 일에 충실했다.

그토록 생업이자 직업에 몰두하면서, 어느 순간부터 '형사'로서의 일은 그 자신에게 딱 달라붙어 버린 무언가가 된 지도 모르겠다.

이미 하나가 되어서 버릴 수 없는 무엇이 돼버린 말이다.

날 때부터 형사는 아니었지만 이제 '형사'가 아닌 윤계식은 상상할 수 없었다. 그로부터 경찰증서를 뺏어 없앤다거나 해도. 지금은 이미 은퇴를 한 뒤라 조직의 전산망에서도 그를 형사 신분으로 기록하고 있진 않았지만 그렇다 해도.

윤계식은 죽을 때까지 형사일 것이다. 아마 죽어서 하나님 앞에 간다고 해도, 그는 그 앞에서 '형사' 일을 하다 왔노라고 말할 것이다.

그는 그만큼 그 일에 진심이었고 또 충실했다.

이런 일들이 곧 그 형사 일에 포함되는 부분들이었다.

하염없이 반복하는 일이었다. 윤계식은 그 골목에 있는 작은 돌 조각이 어떻게 흐트러져 있고, 또 개미가 어느 길로 나타났다가 지나가는 지까지 파악할 정도로 살펴보았다.

발로 차고, 누르고, 더듬고.

그렇게 반복하다가 얇은 장갑을 낀 손으로 벽을 한 번 더 만졌을 때였다.

툭,

하고 벽돌 담벼락의 어느 한 부분이 조금 밀렸다.

저항감이 꽤 있었다. 그렇게 유의미한 변화라고 생각되지도 않았고. 그는 조금 더 힘을 주었다. 빽빽하게 굳은 돌이 덜그럭거리면서 조금 더 들어갔다. 손가락 반 마디 정도?

오래된 건물의, 오래된 담벼락이니 충분히 그럴 수 있었다. 그는 별로 이상하게 느끼지는 않았다. 그러나 그것과는 별개로, 어떤 매뉴얼에 근거하듯 폐가의 담벼락 전체를 손으로 더듬으며 누르거나 비틀어보기는 했다.
벽돌이 더 이상 움직이는 부분들은 없었다. 그는 그 날도 아침부터 골목을 살피다가, 점심 무렵이 되어서야 그 자리를 벗어났다.

*

김재영은 바빴다.

8일에 받았던 메시지 때문이었다. 메신져의 내용은 그의 행동을 촉구하고 있었고, 거절할 것이라면 모를까 일단 들어줄 마음이라면 제 때에 움직여야 했다.

정확한 일시는 나와 있지 않았으나 그럴 때는 보통 3일에서 늦어도 5일 정도 후엔 그 자리에 가 있는 것이 좋다. 정확한 타이밍이 필요한 일이라면 상대는 반드시 일시를 정보에 포함해서 보내곤 한다.

그렇지 않다는 건 실행까지 여유가 있다는 것이었고, 그는 천천히 뒤처리를 모두 끝마친 뒤에 짐을 싸고 속초로 떠날 생각을 했다.

벌써 4일이 지났으니 시간이 가깝다. 하루 만에도 대한민국 어디로나 갈 수는 있었지만 아슬아슬하게 움직이는 것보다는 여유를 두는 게 좋다는 건 상식이었다. 심지어 살인귀들 끼리도 상식이었다.

김재영은 동대문구 어느 곳에 있는 자택에서 집기들을 정리하고, 쓸 데 없는 유기물들이 바깥 상온에 노출되어서 썩지 않도록 집안을 정리했다.

그가 있는 '안가'는 곧 자택이었고, 이전에 사람을 데려올 때 쓰던 폐가와는 물론 다른 곳이었다. 폐가를 통해 가져 온 것을 차에 실어 이곳까지 조용히 옮겨오곤 하는 과정이 필요하다.

또 그가 머물고 있는 낡은 단독 주택은 어느 브로커를 통해 개조를 한 곳이었고, '지하실'로 통하는 비밀 통로를 열어 숨겨진 공간에 다다른다. 모든 파괴적이며 비윤리적인 행위는 그 지하실에 둔다. 위로까지 가져오는 일은 없었다. 그것이 그의 결벽증이었다.

집 안에 썩지 않도록 처리하는 유기물들이란, 평범하게 사 온 먹을 것들 따위였다. 바나나같은 과일류는 그냥 식탁에 두고 오래 먹는 경우가 있었다.

이번처럼 메세지를 받고 움직이는 일은 그 이후의 상황이나 일정이 어떻게 될 지 알 수가 없어서, 제 때 제 때 그런 물건들을 치워두는 게 중요했다.

그는 집 안을 깔끔하게 청소하고, 지방에서 지내며 자신이 사용할 생활용품이나 옷가지 따위를 분주히 챙기고, 미리 예약해 둔 기차 시간에 맞추어서 집을 나섰다.

12일 오후, 점심 무렵이었다.

*

10. 수산물 시장

박주영과 김민식은 여전히 현장을 돌며 탐문이든 조사든 기약 없는 수사를 진행하고 있었다. 한국에서 벌어지고 있는 거대한 '연쇄 살인'은 그들을 끊임없이 움직이게 했고 쉬지 못하게 만든다.

형사로서 당연히 해야 하는 일이었지만 때로는, 찢어 죽이고 싶은 생각이 드는 게 사실이었다. 아마 싸이코패스 살인마를 붙잡는다고 해도 그렇게 하지는 못할 테다.

적법한 절차에 따라 형량을 받을 수 있도록 신변을 제압하고 구속 가능한 건물로 인도해야 할테지.

김민식이 입을 열었다.

"후, 이 짓거리를 언제까지……."

그들은 속초에 와 있었다. 대전에서 벌어진 살인 사건의 흔적을 찾기 위해서 현장 주위를 떠돌다가, 대강 해당 상황이 마무리되자 다시 다른 곳으로 옮겨온 참이다.

수도권 동작 경찰서 소속의 강력계 형사였던 둘은 경기권에서 연속 살인으로 예상되는 사건이 벌어지자 수사 본부를 꾸리면서 차출되었다.

각지에서 모인 경찰 인력들 중에는 솔직히 엘리트도 있었고, 필요해서 모인 자도 있었으나 기존 조직에서 남는 인원으로 있던 자들도 모였다.

잉여 인력. 그다지 전체 전력 증가에 크게 영향을 주지 않는 자들.

기존 조직들도 일선에서 유능한 자가 계속 필요하니 뭐 어쩔 수는 없으리라.

민식과 주영이 그런 경우 중 어디인가, 하는 문제는 그들 스스로는 깊이 생각하지 않기로 했다.

어쨌든 둘은 속초 해변가에 접한 어느 시장에 와 있었다.

이쪽 상황 역시 마찬가지였다. 강원 속초 지방의 여러 경찰서에서 인원을 차출 받아 수색팀을 꾸리고 거수자가 있는지 찾으라는 명령이다.
그야말로 시장통에서 바늘귀 찾기였다. 서울에서 김서방 찾기였고.

그들이 가지고 있는 정보는 거의 미약하다. '동대문구 휘령동 여성 실종' 건의 범인을 거수자로 지정하고 찾는다고 한다면, 아마 상대는 건장한 체력을 가진 남성일 확률이 높았다.
인적이 드문 골목이라곤 하지만 여성이 제대로 된 반항이나 흔적을 남기지도 못하고 그대로 사라졌다면, 아마 특수한 도구를 사용한 범행일 가능성이 높았다.

그리고 그런 도구를 쓴다고 하더라도, 물리적으로 사람의 몸뚱이를 재빠르게 숨기기 위해선 강한 완력이 필요했다. 일반적인 수준보다도 더 강한 말이다.

특별하게 단련을 하거나 운동을 하고 있을 테니, 어느 정도 티는 날 것이다. 체구가 장대하던가, 혹은 말라 보이더라도 키가 커서 큰육을 감추고 있다던가.

잡히지 않는 연쇄 살인마들은 보통 치밀한 면모를 갖추고 있었다. 그렇게 눈에 띄지 않는 평범한 차림을 할 가능성이 높았다. '나 여행왔소'라는 티를 팍팍 풍기면서, 어수선하게 돌아다니지 않을 것이다. 아마도.

자신에게 필요한 정보를 얻기 위해서 만약 이 부근에서 일을 저지른다면, 그저 주변과 동화되기 좋은 일상적인 차림새로 조용히 배회할 가능성이 높으리라. 오래도록 시간을 보내면서 충분히 만족할 만큼의 정보를 얻고 나면 그제서야 실행을 할 것이다.

주변 지형지물, 혹은 피해자가 될 대상의 동선 따위를 체크하고 자신이 무슨 도구를 쓴다면 그것들을 세팅setting하는 시간도 필요할 테고.

같은 곳에 별다른 목적 없이 지나치게 오래 있고 또 배회하는 자. 주변 거주민들이나 가장 흔한 옷차림과 비슷하게 자신을 꾸몄지만 다른 이들과 대화 등의 교류는 많지 않은 자.
건장한 체격을 가진, 운동을 많이 한 젊은 남성.
조용하게 다니며 소란을 일으키지 않고, 조심스러운 태도에 혼자서 서성거리는 인간.

둘이 배치된 곳은 시장 근처였고, 별다른 기약도 없이 희미한 심증과 단서만으로 사람들을 지켜보고 있는 중이었다.
근처에 값싼 숙소를 예약하고 가을 바다를 구경하기도 하고, 시장에 있는 온갖 먹거리들을 돌아가면서 먹고는 있지만 지겨운 일이다.

몇 날 며칠 째 시야가 트인 곳 벤치 따위에 퍼져 앉아서 사람들 구경만 하고 있는 일은 말이다.

사람들은 시끄러웠다. 속초는 과연 관광지답게 수많은 사람들이 시끌벅적 움직인다. '강원도'지방은 도급 행정구 답게 아주 넓었고, 그건 전남 역시 마찬가지일 것이다. 최남단이나 최북단. 그것만으로 범행 장소를 특정하기에는 아주 러프한 정보였다.

그러나 그 말이 오래도록 강력계 범행 추리를 해 온 과장님의 어떤 지점에 닿았는지.

아마 은퇴한 그 선배가 활동하고 있었을 무렵에도 활동을 했을, 과장님은 광범위한 수색을 명령했다.

당장 경찰 조직의 인력이 한정되어 있으니 무한정 사람을 빼내어서 본격적인 수색을 하는 건 조금 힘들었다. 확실한 일도 아니었고, 당초 예상하고 있던 범행 지점 따위에 대한 인력도 필요했다.

이 추가적인 방어는 어디까지나 직감에 의존한 한 수 같은 것이었다. 확률에 따른 일도 아니었고. 전체 범위를 본다기보다, 그저 지방 경찰서에 연락해 가능한 잉여 인원을 얻었고, '김연수 연쇄살인 수사 본부'로 조직된 임시 조직에서 몇 명 현장 인원을 파견해서 함께하고 있다.

강원 지방의 명소나 여행지 따위, 혹은 인적이 드문 곳 중에서 범행이 일어나기 좋아 보이는 입지 조건의 장소들 몇 개를 골라 이렇게 죽치고 앉아 있는 것이다.

범인이 언제, 일을 칠 지도 모르고 그게 강원도라고 특정지을 수도 사실은 없다. 그럼에도 강원도에서 몇 군데를 골라 이러고 있으니… 두 젊은 형사, 20대의 마지막 해를 보내고 있는 이들은 자신들이 하는 일에 의문이 들 지경이었다.

그럼에도 불구하고 조직의 말단은 하라면 하는 것이 룰이기는 하다. 그것이 영 부당하고 도덕적으로도 맞지 않는 종류가 아니라면 말이다.

박주영은 시장 입구 근처에, 안쪽으로 들어가는 인파와 바깥쪽에 몰리는 인파가 두루 보이는 지점의 벤치에 앉아 있었다. 김민식 역시 마찬가지다. 마주보고 앉은 두 사람은 각자 박주영이 내부쪽 통로와 인파들을, 김민식이 외부쪽 인파들을 보고 있다.

대낮부터 시작된 자체적인 시각적 수색은 이제 어느덧 어스름히 해가 저물고 있는 시간까지 계속되고 있었다.
나무 테이블과 벤치가 함께 있어 시장에서 사 온 먹거리들을 먹을 수 있도록 해둔 곳이다. 빗물이 오면 그대로 묻고, 또 마르고 하면서 청소하는 사람이 많지는 않은지 그렇게 깨끗해 보이지는 않았다.

다만 나무의 질감 자체는 앉아 있기도 편하고 기분 나쁘지도 않았다. 그렇지 않았다면 몇 시간씩 며칠을 계속해서 앉아 있지 못했으리라.

두 사람의 앞에는 떡볶이나 튀김, 전 따위가 조금 있었고 또 캔이나 병으로 된 음료수가 있었다. 바깥에서 노숙이나 다름 없을 정도로 시간을 보내면서 몇 끼니 째를 때우고 있다. 다행히 시장 근처라서 좋기는 하다. 먹거리의 종류가 한정되어 있었다면 예전에 물려서 고역이었으리라.

딱히 잠복 근무처럼 그들의 동선과 행색을 숨기지는 않아도 되었다. 그들이 수색하고 있는 건 이 지방에 '머무르고' 있는 범인이 아니라, 외지에서 막 도착한 범인이었으니까. 그들이 몇 날을 그 자리에 있던 어차피 처음 온 놈은 한 번 보고 말 것이다. 그 시점에 그들이 과연 범인을 알아챌 수 있느냐가 중요한 지점이었다.

남한 땅이 좁다지만, 이렇게 직접 발로 뛰면서 사람 한 둘을 잡기에는 지나치게 넓기도 하다. 십여 만 명이 넘는 경찰 인력과, 다양한 기관으로부터 협조를 받고는 있다고 하는데…. 그래도 김연수 그 새끼는 영 종적을 드러내질 않는다.

무슨 마술이라도 부리는 건지….

박주영은 툴툴대면서 오징어 다리 튀김 하나를 손으로 집어 씹었다. 김민식도 부지런히 꼬치 구이를 먹고 남은 나무대로 떡볶이를 찍어 먹고 있었다. 그러다 입맛에 조금 매운지 사 둔 식혜 음료를 벌컥 마신다.

가로등 불빛이 슬슬 켜지기 시작하고, 저녁의 보라빛 하늘이 속초 시장 위에 드리운다. 사람들이 점차 많아지기 시작한다. 관광객들이 본격적으로 몰리기 시작하는 시점은 대강의 여행을 끝마치고, 숙소 근처로 돌아가기 전 무렵이다.

시장에서 사는 물건들을 들고 많은 관광지를 돌아다니기엔 버거울 테니 말이다.

저녁에서 시장이 닫히는 밤 10시 반까지가 가장 활성화된다. 그 때 시장의 상인들도 가장 활기를 띄면서 고객을 상대하고, 목이 터져라 외치면서 물건을 팔아댄다.

점심도 저녁도 대강의 주전부리로 떼우고 있었다. 그래도 한 끼 정도는 제대로 식당에 들어가서 먹을까… 하고 주영이 고민하던 차였다.

그는 아무런 생각도 의도도 없이 안쪽으로 들어가는 인파들을 바라보고 있었다.

그리고 혼자 여행을 온 듯한 남성을 발견해서 저도 모르게 문득 시선이 그 뒤를 좇는다.

베이지 색 바람막이를 입었다. 아래는 물빠진 청바지. 다리가 긴지 길게 뻗었고 살펴보면 키 또한 훤칠하니 크다. 박주영은 시선 바로 앞에 있는, 떡볶이와 식혜를 번갈아 처먹는 김민식을 생각했다. 작지 않은 편, 도리어 큰 편인 그와 비교해도 저 쪽이 작지 않았다. 미세한 감각을 수치로 표현한다면 약간 더 클 지 모른다.

그런 사내는 시선이나 행동거지가 정돈되어있다. 그것이 꼭 올바른 느낌을 가져다주는 사실은 아니었다. 범죄자들도 늘 정돈된 행동거지를 하려고 한다. 그 속내에 자연스러움이라는 게 잘 묻어나지 않아서 그렇지. 불안증에 가볍게나 지독하게나 시달리기 좋은 범법자들은 그런 긴장감과 반대급부로 자연스러움을 가장하려고 하다 보니, 기계적으로 굴 때가 있었다.

말이 그렇게 많지 않다. 극단적인 긴장 상태에서 입을 열면 아주 많아지거나, 혹은 내용을 제어하기 힘들 수도 있을 테니. 자신의 신변과 여러 정보들을 지켜내야 하는 그것들은 말 수가 영 적다.

상대는 모자 하나를 푹 눌러 썼다. 약간 눈에 띄기는 한다만 그저 사정이 있어 혼자 여행을 온 사내라면 흔하게 할 수 있는 차림새였다.

박주영 역시 상대가 딱히 의심스럽다거나 한 건 아니었다. 단순히 머릿속으로 그려내고 있던 여러 가지 조건들에 딱 부합하는 대상이 나타나 자기도 모르게 눈이 간 것이 먼저였다.

그가 앉은 자리는 입구 근처 통로에 접해 들어가는 시점에서 오른 쪽 벤치였고, 사내는 길목을 따라 주욱 걸어 들어가 약 20m 정도 거리에 있었다.

눈썰미가 좋은 박주영은 충분히 자세히 볼 수 있었다.

펑퍼짐한 옷을 입어 마른 듯 보이지만 슬쩍 드러나는 양 팔 하박 부분은 그리 약해보이지 않는다. 걷는 동작 역시 운동을 한 사람들은 운동 신경이 있는 인간을 알아볼 때가 있다. 일부러 그러지 않는다면, 걸을 때도 일단 무게 중심이 잡혀 있는 편이 많았다.

그건 일종의 버릇이었고 쉽게 고쳐지는 게 아니었으니까.

사내는 시장을 구경 왔음에도 물건들을 많이 구경하지는 않았다. 그보다는 다른 쪽에 관심이라도 있는 건지, 고개를 많이 돌리지도 않고 천천히, 주변 인파들의 걸음에 박자를 맞추며 들어갔다.

한 손은 바지 주머니에 푹 찔러넣고, 다른 한 손은 스마트폰을 들고 있다.

주영은 그가 사라지도록 뒤를 계속 처다보았다.

점점 멀어지는 장정의 뒷모습을 실마리라도 되는 양 말이다.

그리고 사내가 고개를 돌렸다.

모자를 눌러쓴 검은 머리칼 아래에 두 눈이 번뜩였다.

주영과 재영은 순간 서로를 바라보았고,

일순간 압도된 것은 주영 쪽이었다.

*

소설이라는 건 보통을 우연을 가장하기 마련이다.

작자의 의도에 따라 결코 만날 수 없는 두 사람이 마주하기도 하고, 확률론과는 정반대의 이야기들이 연속적으로 벌어지는 것.
그것이 곧 소설이었다.
그러나 아이러니하게도, 가장 '소설적'인 이야기는 가장 현실을 닮아 있는 모양새였다.

사람이 만들어내는 그 창작물은 결론적으로 말해, 어디선가 본 것을 베껴오는 수 밖에 없는 저열한 열화품이었으니 말이다.
사람이 눈에 담는 '원본'은 누군가의 삶이다.

때로 독자들이나, 사회를 살아가는 경험 많은 이들을 말하곤 한다.

현실이 더 지독하고, 더 아이러니하며 소설적이다.

지독한 원류가 되는 사람의 의도들 따위는 작가가 정제한 이야기보다 더 끔찍한 스토리를 담기도 하며, 아주 이따금씩은 기적이라는 단어의 의미를 곱씹어볼만큼 놀라운 일들이 벌어지기도 한다.

당신이 세상을 알아갈수록, 어떤 절망을 느끼게 될 것이다. 그리고 그 반대급부로, 그 어둔 색감을 전부 이겨낼 수 있는 희망적인 기쁨 또한 알 게 될 것이다. 삶의 깊이감이란 그런 것이었다.
결국 삶을 살아가고 또 버티어내려면 누구에게나 긍정성이 필요하다.

비극이 있다면 희극이 있고, 누군가 당신을 죽이려는 원수가 있다면 반대로 당신을 살리기 위해 몸도 던져주는 친구조차 있는 것이다.

그런 기적적인 우연과 비극적인 아이러니 사이에서 재영과 주영은 시선을 교차시켰다.

'김재영'은 눈빛이 싸늘하다. 그리고 알 수 없는 동물적인 감각에 근거해 행동할 때가 있었다. 이미 인륜이건 천륜이건 벗어던진 그에게 있어서 삶이라는 건 어떤 형식화된 예의로 이루어진 게 아니었다.
그의 삶은 본질적으로 되는대로였고, 제멋대로였다. 그런 기준에서 지나치도록 중요하게 작용하는 게 본인의 '직감'이다. 본능적인 야성에도 가까웠다.

그런 야성은 애초부터 있던 것이 십 대 시절을 겪으면서 더 개발되었고, 20대에 실전적인 경험을 거치면서 최고조에 이르렀다.
그의 나이는 20대를 이제 막 끝낸 무렵이었다. 앞 자리가 바뀌고 한 해가 더 지나갔다.

재영은 어딘가 속으로 자신이 전성기를 달리고 있다고 생각했다. 그래서였을 지도 모른다. 아무런 전조도 없이 자신을 누군가 바라보고 있다고 문득 생각이 들어 마주본 것은 말이다.

뒤통수에 눈이 달리지 않는 이상 그럴 수는 없지만 주영은 재영의 눈을 잠시 쳐다보며 그에 대해 파악하려 했다.
형사적인 습관이었고 후천적인 본능이었다. 직업 의식이기도 하다. 오래도록 잘 쓰지 않은듯 굳어 있는 얼굴 표정은 무감각한 분위기다. 날카로운 기세 따위는 주변을 적아로 구분하고 방해가 되는 이들을 멀리하려는 눈초리로도 보인다.
오래도록 노려 보지는 못하고 주영은 먼저 눈을 피했다.

수사 중이라고는 하지만 지나가는 평범한 시민일 수도 있는데, 지나치게 노려 보아서 딱히 좋을 건 없었다. 성격이 좋지 않은 인간이라면 불필요한 시비로 이어질 수도 있으리라. 어디까지나 평범하게. 이 흐름과 상황에 섞여서 상대가 알아채지 못할 때 뒤를 쫓는 것이 가장 좋은 방식이다.

주영이 눈을 돌리자 지나가던 사내 역시 더 이상 노려보지 않고 제 길을 갔다.

사내가 멀어지는 와중에 주영이 입을 열었다. 민식은 여전히 별반 생각 없이 음식들을 흡입하고 있다.

"야."

주영의 말에 떡볶이를 밀어 넣던 손이 멈추고 그를 처다보았다. '왜?'라는 눈빛이다. 주영이 말했다.

"느낌 쎄한 놈 하나 있는데. 뭔지는 모르겠다. 여기 일단 있어볼래? 나는 좀 따라갔다가 온다."
"어…… 뭐라고?"

민식은 바로 이해하지는 못했다. 어느 사이에 무슨 일이 있었단 말인가. 아무런 소요도 없이 벌어진 변화였다. 그런 민식을 굳이 제대로 이해시키려고 하지 않았다, 주영은.

"저기 안쪽 길에 베이지 색 잠바. 청바지, 키 크고 마른 놈. 그냥 수상한데. 글쎄, 나도 잘은 모르겠긴 한데……. 그런데 죽치고 있어봐야 뭐가 나올 것 같지도 않고. 움직여볼 수 있는 만큼은 해봐야지.
뭐 하는 놈인가 보고 온다."

주영은 벤치에서 일어섰다. 그가 먹던 식혜 캔을 들고서다. 주영은 움직이면서 걸친 검은 색 점퍼 위로 가슴팍을 툭툭 두드렸다. 무전기가 있는 위치다. 일 있으면 얘기할테니 대기하고 있으라는 뜻이었다.

민식은 주영의 말에 안쪽으로 시선을 잠깐 돌렸다. 키가 큰 사내가 사라지는 것을 보았다. 그 외에는 인파에 섞여서 제대로 보지 못한다. 상대가 건장한 장정이라면 혼자서 움직이는 것보단 둘이 가는 게 낫긴 하다.

그러나 주영은 확실하지도 않고, 그저 잠깐 따라가보고 오는 것이라며 그를 제지했고 금세 사라졌다.

사복 경찰, 형사들은 기본적으로 제압용의 도구들을 구비하고 다닌다. 지금은 심증에 의한 어설픈 수색 중이라고 하더라도 일단은 작전 중이었다. 그들은 연쇄 살인마로 인해 조직된 임시 수사 본부의 일원들이었고. 어지간해선 주영에게 큰 위험은 없으리라.

민식은 그렇게 생각하곤 자리에 앉아서 주변을 계속 둘러보았다. 먹던 떡볶이를 마저 먹으면서.

완연하게 해가 지고 어두워져 가는 저녁의 시장 거리. 사람들이 웅성거리면서 지나다니고, 상인들의 물건 파는 소리가 뒤섞인다.

가게의 불빛이나 가로등의 그것이 눈을 찌르듯이 퍼져 나가며 사람들을 살피는 민식의 시야를 어지럽히고 있었다.

***

11. 미행

가을.

밤의 정취가 그리 나쁘지 않은 순간이었다. 강원도, 속초는 서울보다는 약간 날씨가 쌀쌀한 면이 있다. 그래도 조금 더 북부로 올라온 티를 내기라도 하는 것처럼.

시장 내부엔 많은 인파가 모여 있었고 또 붐비는 사람들의 열기로 한기를 많이 느끼진 않았지만 이따금씩 찬 바람이 그 사이로 불기는 한다.

그 공기를 콧속으로 머금으며 주영은 잰 걸음을 달렸다.

인파가 매섭다. 사람들의 방향이 여기저기로 뻗어나가면서 사람 하나를 정확하게 쫓는 것은 심혈을 기울여야 하는 작업이 되고 만다.

먼저 앞서 나간 사내는 다행스럽게도 키가 조금 컸다.

별다른 물증도, 심증조차도 사실은 정확하지 않은 것이지만. 애초에 그가 맡고 있는 수색 임무가 기약도 없이 어정쩡한 장소에서 '거수자'로 추정되는 인물을 쫓으라는 것 정도였다. 이 정도면 인력 낭비가 아닌가 싶을 정도였지만.

애초에 머리를 굴리고 있는 양반들은 수도권의 본부 데스크 Desk에서 모여서 지능들을 뽐내고 있을 것이다. 그와 같은 말단들은 그저 조금이라도 의미가 있어 보이는 단서들을 모아 그들에게 가져다주면 될 뿐이다.

그러다가 어떤 결론이 나고, 지침이 내려오면 다시 그대로 움직인다.

이 남한 땅을 보이지 않게 들썩이고 있는 살인귀에 대한 추적은 그런 일이었다. 형사로서의 직업이란 게 그럴 지도 모른다. 아무런 전조도 기약도 없는 여정을 계속 해나가는 것 말이다. 희미하게, 또 뿌옇게 안개가 자리한 초행 길을 겁도 없이 담대하게 나아가는 일.

그것이 주영이 형사로서 느끼는 직업적인 나날들이었다. 공채에 합격해서 순경으로 들어오고, 그 뒤로 몇 년 간 더 구르면서 경험을 익혔다. 애초에 마음 속 어딘가에서 형사로서 일을 하고 싶다는 생각을 하고 있었고, 몸이던 지식이던 어떻게든 익히고 단련하고 배워 나가면서 커나갔다.

23에 들어와서 지금이 29이었으니. 두 번 승급해 경사를 달고 있는데 빠르게 올라가고 있는 지는 잘 모르겠다. 자신이 잘 하고 있는지도. 그러나 눈 앞의 무언가에 집중하는 일만큼은 언제나 뚜렷한 목적이었고, 다른 고민을 집어넣을 겨를이 없는 현실이다.

주영은 지난 날을 머릿속으로 그리면서 사내를 쫓았다.

확신이 없는 일을 한다는 건 사실 늘 그렇다. 그러나 불확실한 실마리라도, 약간의 가능성이라도 있다면 할 수 밖에 없지 않은가.

커플들, 웅성거리는 사람들, 가족들, 어린아이 무리, 혹은 조금

앳되어 보이는 청소년기의 학생들. 대학생들이나, 시장으로 마실이라도 나온 건지 천천히 걷는 노년기의 사람들.

사람들을 끌어모으고 또 물건을 홍보하는 몇몇 상인들. 자신의 가게 앞에 나와서까지 이야기하는 양반도 있고 점포 내에서 부지런히 홍보하거나 또 물건을 담는 사람들도 있다.

거슬리도록 그의 앞을 가로막는 사람들을 천천히 제치면서 주영은 걸어나갔다. 부딪히지 않도록 조심하면서 빠르게 걷는다. 그러나 너무 티를 내서도 안되고, 소음을 유발해서도 안된다. 어디까지나 다가가는 눈 앞의 사내와 일정한 거리를 유지하면서 말이다.

결국 정보를 얻기 위한 추적이었다. 사내가 어디로 가는지, 무엇을 하는 인간인지 보면 된다. 미행이나 본격적인 수색이 아니라고 하더라도, 어차피 시장 내부를 둘러 다니면서 사람들을 관찰하는 것 정도는 충분히 할 수 있는 일이었다.

기약도 없는 긴 시간 동안 움직일 수는 없으니 입구 근처에 터를 잡고 사람들을 관찰했을 뿐이다.

일단 목적은 눈 앞의 키 큰 사내, 눈빛이 매서운 저 인간이지만 굳이 저 인간만이 아니라고 하더라도. 수상해 보이는 다른 인간이 있다면 그를 쫓아도 좋고.

이 대한민국 땅에서 정확한 근거 없이 살인마 한둘을 쫓는데 그 인간이 하필 이곳에 나타나, 이 시간에 마주칠 확률은 과연 얼마나 될까.

주영은 자신의 미행이나 머릿속에 갑자기 든 막연한 직감이 얼마나 확률적으로 희박한 일인가를 되새기면서 계속 걸었다.

시장은 입구를 따라 안쪽으로 들어오면 여러 갈래로 이어지는 길목이다. 그리고 길 또한 조금 더 넓어지고.

상대는 그 길을 별다른 걸음의 이유 없이 걷는지 느긋하게 걸었다. 소리도 없이 그를 쳐다보던 것을 알아채고 뒤로 고개를 돌린 놈이니 그 직감은 범상치 않을 것이다.

주영은 자신이 그를 쫓는다는 사실을 그 스스로도 크게 티를 내지 않으려 했다. 사내가 그를 다시 뒤돌아보지 않음에도, 그를 주시하면서 쫓기보단 그 언저리 어딘가로 시선을 두면서 자신의 길을 가는 양 천천히 걷는다.

사내는 입구로 들어와 오른 쪽으로 방향을 돌려 시장 안쪽으로 들어갔고, 긴 길목을 지나면서 수산물 코너를 지났다.

그 자리에서 왼쪽으로 다시 직각 방향에 '수산물 센터'로 들어가는 길이 있다. 수산물 센터의 입구 근처 길목에 몇 개의 생선 파는 점포들이 있었고.

주영이 쫓는 그는 생선들의 자태에 잠깐 눈을 두는가 싶더니, 방향을 돌려 센터 건물 내부로 들어섰다. 낡은 티가 나는 입구와 계단을 지나서 지하로 들어가는 길이었다. 센터는 몇 층짜리로 지어진 큰 건물이었고, 그 내부에서도 다양한 점포 사이에 샛길이 있어 다른 방향으로 얼마든지 나갈 수 있었다.

주영은 그 뒤로 거리를 일정 이상 벌리지 않으려 속도를 유지했고, 한 십 여 미터 뒤로 위치하며 그를 따라 센터에 들어간다.

*

센터의 내부는 비릿한 활어들의 냄새가 퍼져 있었다.

바닷 고기를 좋아하는 사람들한테는 향기로운 것이리라.

아래로 떨어지는 철제 계단은 내려가면서 쿵쿵, 소리를 내게 되어 있다. 주영은 사내가 센터 내부로 사라지는 것을 보았고, 그 걸음 속도를 머릿속으로 계산하면서 천천히 따랐다. 인파의 흐름에 맞추어서 입구에 다다랐고 그 안 쪽을 보았을 때 이미 사내는 센터 안으로 들어갔는지 아무도 없었다.

그는 일부러 소리를 죽인다거나, 특이한 티를 내지는 않았고 일상적인 박자로 쿵쿵, 계단의 소리를 내며 내려갔다. 다 내려가면 지하 1층 수산물 센터의 입구다. 위에는 낡은 형광 간판이 있었고, 그 아래의 때묻은 유리문을 밀면서 주영이 들어섰다.

유리문을 들어가면 곧바로 활어회를 취급하는 점포들이 줄지어 늘어서 있었다. 곧바로 작은 유리 수조에서 생선을 잡아다 회치는 곳이고, 사각형의 통로를 빙 돌면서 원하는 곳에 앉는 식이다.

그가 들어서며 어정쩡하게 있자 근처에 있던 사장님이 눈치를 주며 말을 걸었다.

“혼자 오셨나?”
“아, 예. 잠깐 좀 둘러보려고요.”
“둘러볼 거 뭐 있나. 입구에 있는 데가 제일 좋은 데인데. 지금 앉으면 두 장에 배터지게 먹게 줄게. 광어, 우럭 뭐 좋아하나?”
“오.”

이 만원에 배터지게라면 그리 나빠 보이지는 않았다. 그 말에 혹하는 척 하면서 주영은 고개를 숙였고, 둘러보겠다는 제스쳐로 알았는지 아저씨는 더 이상 말을 걸지는 않았다.

그는 횟집 아저씨를 멀리하며 주변을 살폈다. 천천히 걷는다. 사내의 모습은 보이지 않았다. 그 짧은 순간. 그러니까 사람이 열 몇 걸음을 걷는 동안, 아무리 길게 잡아도 1분도 안될 사이에 이 센터 1층을 빠져나가는 것도 어색한 일이다.

천천히 걷던 양반이 갑자기 전력 질주를 했을 리도 만무하고.

서 있지 않으면 곧바로 어디 가게에 앉았는가, 싶어서 주영은 횟집들을 구경하는 듯 시선을 이리저리 바꾸면서 사람들의 인상착의를 살폈고, 얼마 지나지 않아서 이 부근에 그가 전혀 없다는 사실을 깨달았다. 전체를 돌아본 건 아니지만, 그런 것 같았다.

주영은 문득 생각이 바뀌어 다시 걸음을 뒤로 했다.

뒤로 했고,

2.

주영이 유리문을 밀고 센터 내부로 들어갔다.

어두운 횟집 센터 건물 지하 1층의 유리문 옆으로는 공간이 있었다. 조명도 없이 어두운 구석이다. 보통 센터에서 나오는 잡동사니나, 혹은 쓰레기 따위를 모아두는 곳이었다. 시간이 이미 밤이고 또 조명이 새어들지도 않아서 사람이 가만히 서 있으면 의식하지 않고는 눈치챌 수 없을 정도의 어두움이었다.

그 자리에 깊숙이, 벽에 딱 달라붙어 철제 난간에서 누군가 내려오는 소리를 듣고 있던 '재영'은 아무렇지도 않다는 듯 자연스런 박자로 걸어 나왔다.

불똥이라도 튀면 불붙을 물건들이 많아 담배를 피우기에는 적합하지 않은 공간이었고 또 실제로 그런 자도 없었지만. 마치 잠깐 담배라도 피우기 위해서 구석을 찾은 것처럼, 또 뭔가 볼 일이 있어 서 있었던 사람철머 재영은 아무것도 하지 않고 있다가 나서서 철제 계단으로 다시 올라갔다.

캉, 캉 캉. 하고 걸을 때마다 낡아 빠진 계단이 소음을 냈다.

*

주영은 사내를 놓쳤다. 한기와도 같은 직감이 찾아와서 다시 수산물 센터 바깥으로 나가보았지만, 여전히 쫓고 있던 남자의 흔적은 없었다.
일부러 따돌린 것이라고 그는 생각했고, 도리어 심증을 조금 더 심화시킬 수 있었다.

어지간히 이상한 놈이었다. 이 시기에 그런 이상한 인간을 만나자, 자기도 모르게 자연스레 연쇄살인마, 라는 키워드를 그것에 끼워 맞추려 연상을 해볼 수 밖에 없었고 말이다.

어찌 되었든, 평범한 인간은 아니었고 또 수상한 사내였다. 어떤 종류이든 뒤가 구린 일이 그의 생활에 닿아 있을 확률이 높았다.
대체 어떤 인간이 미행을 파악하기도 하고, 자연스럽게 또 그것을 따돌린다는 말인가. 보통은 귀찮아서라도 그렇게 하지 못한다. 설령 낌새를 느꼈다고 하더라도 '아니겠지'라는 말로 자신을 위로하지.

그게 자연스럽고 또 그럴 수 있다, 라는 쪽으로 생각이 간다는 건 자신의 평소 생활에 문제가 있다는 말이 된다.
살다가 누군가 미행으로 따라붙을 정도의 일이라면, 일반적인 종류는 아닐 것이 분명했다.

그는 별 소득 없이 결국 시장의 입구 근처에 있는 어느 벤치로 돌아갔다. 김민식은 어느새 떡볶이를 다 먹고 혼자서 음식들을 거덜낸 뒤였다.
체격도 마른 놈이 먹기는 더럽게 잘 처먹는다. 친구였고, 동시에 동기인 형사다. 그가 진급은 조금 빨랐지만 둘이 있을 때 격식을 따지자니 그건 너무한 처사였다. 경찰 공무원이 되었을 때부터 함께였고 또 호흡을 맞춰왔다.

어느새 어릴 적부터 알았던 친구와도 비슷한 냄새가 풍기기 시작한 놈의 등께를 툭, 치면서 그가 말했다.
민식은 마침 바깥 쪽을 멍하니 바라보고 있었던 순간이다.

"혼자 다 처먹었니."
"…그러게 빨리 왔었어야지."

민식은 툭, 치는 손길에도 전혀 놀라지 않고 답했다. 알고 있기라도 했다는 양 말이다. 今 다가간 주영의 낌새를 눈치챈 건 아니었고 그냥 박주영 경사警査겠거니, 하고 대답한 모양이다.

무전기를 쓸 일은 없었다. 다행이기도 하고 불행이기도 하다. 쫓은 이상한 낌새의 사내가 실제 거수자이고 또 위험한 속내를 감춘 놈이어서 상황이 진전되었더라면 형사 개인으로선 고되겠지만 수사 전체로 보자면 어떤 근거라도 잡는다면 좋은 일이다.

자신의 검은색 재킷 품에 두어 금방 빼놓을 수 있게 해둔 무전기를 의식하면서 김민식은 등 뒤의 박주영을 슬쩍 쳐다보았다. 허리춤에는 경찰들이 쓰는 제식 권총이 있었다. 실탄도 같이 들어있는 상태였고.

그 외에 수갑이나 와이어, 접이식 단봉이 있었다. 와이어는 민식이, 단봉은 주영이 들고 있는 상태다. 정해져 있는 제식 장비까지는 아니었지만 가끔 필요에 의해, 어떤 사태가 일어날 지 모르니까 개인적으로 구비해서 다니는 물품들도 조금쯤은 있는 편이다.
유난 떠는 사람이라고 볼 수도 있겠지만, 둘은 그런 편이었다.

주영은 자리에 털썩 앉았다. 가져갔던 식혜는 그대로 먹지도 않고 돌아왔다. 적당한 물건이 들려 있으면 의외로 자연스러운 법이다. 의도를 갖고 뒤를 쫓는 사람이라기보단, 시장에 집중하고 있는 행색으로 보이지 않는가. 간단한 도구는 간단한 연기에 도움을 준다.
형사는 그런 일을 하는 직종은 아니었지만, 실전에선 연기마저 배워두면 써먹을 만하다. 그건 직종의 문제라기보단 삶의 문제였다. 사람을 상대하는 이상, 사람의 속을 보고 혹은 자신의 내면을 감추는 건 기본적인 기술이었다.

그런 기술로 처다봤을 때, 그는 방금 자신이 놓친 어떤 사내의 내면에서 많은 정보를 얻을 순 없었다. 사람의 눈인가 싶을 정도로, 텅 빈 눈알이라고 느껴지긴 한다. 일말의 정도 없어 보이는 눈동자였다. 정신적으로 극단적인 스트레스를 받는 사람이 앞에 있는 대상을 제대로 인식하지 못하고 있을 땐 그런 눈빛이 보일 것도 같다.

의식이 분명한 사람이 그런 눈으로 타인을 바라보는 일은 어지간한 원수라고 해도 영 쉽지는 않다. 본능적인 반응이라는 게 있으니까.

사람들은 호감을 표시하는 반응과 반응을 주고 받으며 다양하게 커뮤니케이션을 하고, 또 그것이 익숙한 것이다. 내가 타인에게 공격적 의사가 없음을 드러내고, 타인 또한 그렇게 건네주며 교류한다.

직접적인 말과 대놓고 짓는 표정보다도 그런 미세한 기류가 사람간의 대화를 원활하게 만드는 요소이다.

원수를 바라본다면 차라리 분노가 일 것이고, 지독한 정신병으로 주변을 분간하지 못하는 경우라면 더 불안정했을 것이다.

그가 바라본 남자는 다소 이질적이었다. 이 사회에 섞이기를 거부하는 인간인 것 마냥.

뭐 그런 인간들이 어디 그 남자 뿐이겠냐만은. 그런 종자들 중에서도 내면에 숨어있는 지독한 심정이 조금 더 상상되는 그런, 깊은 어둠이었다. 그 남자의 눈빛 속에 있던 건.

주영은 먹다 남은 식혜를 밀어두며 말했다.

"이상한 새끼가 하나 있던데. 미행을 눈치 까고 따돌렸어."
"아까 그 놈? 나도 뒤통수는 봤는데. 이 쪽으로는 다시 안 지나갔어. 근데 따돌렸다고?"

둘은 특별하게 목소리를 낮추지는 않았다. 어색한 행동거지가 더 눈에 띄는 법이다. 일상적인 흐름과 음량, 박자로 주변에 섞여 말을 나눈다.
너무 튀는 단어들을 섞어 말하면 주변을 지난다니던 사람들의 이목이 은근히 쏠리게 마련이다. 적절한 요령이 필요했다.

"어. 말도 안 되던데. 무슨 영화에서 나오는 스파이인 줄 알았네. 거리 잡고 가다가 모퉁이 돌아서 안쪽 센터로 들어갔어.
기다린 뒤에 센터에 따라가기까지 30초, 정도 걸렸나? 그보다 안될 지도 모르겠는데.
…그 사이에 사라졌더군.
다시 나오니까 밖에도 없고. 정확히 타이밍 잡아서 일부러 그런 거야."
"……뭐 하는 새끼야 그게."

민식이 어이가 없다는 듯 이야기했다. 현실의 삶이란 영화랑은 조금 달랐다. 망상벽에 빠져서 그런 상황을 상상하는 사람들은 있지만 현실로 옮기기까진 큰 간극이 있었다. 훈련된 동작이라고 밖에 볼 수 없는 재빠른 움직임이었다, 상대의 따돌리기는 말이다.

"…여기 순찰하는 사복 경찰이 또 없지?"
"…없지. 과장님이 임의로 배정한 거고 우리한테 안 알렸을 리가 있나. 게다가……"

주영이 불안하다는 듯 반 쯤 남은 식혜 캔을 손톱 끝으로 토톡 치며 말했다.

"눈빛이 완전 맛탱이 간 놈이던데. 형사 생활하면서 본 놈 중에 가장 섬뜩했어."

"……."

민식은 그 말에 대꾸를 하지는 않았다. 자신이 본 뒤통수와 주영의 말을 조합해서 가상의 몽타주를 그려냈다. ……. 그 역시 주영의 결론과 비슷하게 연상이 되는 건 사람의 본능이었다. 그들은 전국적으로 경찰들을 괴롭히는 연쇄 살인마를 쫓아서 움직이는 중이었고, 하필 누군가의 말대로 찾아온 강원도 어느 지방의 수색 과정에서 괴인을 만났으니 그 살인마와의 연결 고리를 그려보는 것이다.

그럴 가능성은 무척이나 희박했지만, 두 젊은 형사는 골똘히 또 진지하게 그런 가능성에 대해서 그려보았다.

12. 뱀파이어Vampire

김재영은 차를 가져오지는 않았다. 여차할 때는 맨 몸도 그다지 나쁜 선택지는 아니다. 장거리 도주를 위해서라면 차가 있는 편이 무조건 좋았지만. 지금 쓰고 있는 차들은 서울 근교에서 지내면서 너무 유용하게 써먹고 있는 물건들이다.

번호판과 연동된 신분은 모두 거짓 신분이었지만, 그는 그 신분으로 만들어 낸 지금의 생활에 아주 만족하면서 서울에서 잘 지내고 있었다는 이야기다.

고작 한 건의, 혹은 몇 건이 될지도 모르긴 했지만. 어쨌든 그에게 부탁 혹은 명령한 중년의 일을 돕다가 송두리째 날려버리기엔 조금 아쉬웠다.

그도 그만의 생활이 있는 법이다. '생활'이 타인의 죽음으로 꾸며져 있는 것이긴 했다만 말이다.

그는 살인마답게 생각한다. 싸이코패스처럼 말이다. 그것을 그가 의식적으로 하는 건 아니었다. 그건 그의 내면이었으니까. 싸이코패스를 잡기 위해 동분서주하는 형사들마냥 메쏘드 연기를 하는 것은 아니었고, 김재영은 원래 그런 놈이다.

그런 내면을 감추기 위해서 오히려 조금 더 신경을 써야 했다. 굳은 표정으로 호의를 심어주지 못하면, 사람들은 불쾌감을 느끼며 그들의 인상 속에 자신의 모습이 남아버리고 만다. 그저 평범하고 또 무탈하게. 지나가는 것이 최적이며 그 일반인들의 '평범'이라는 기준을 맞추는 일이 재영의 가장 오랜 또 어려운 과제였다.

속초로 와서 시장을 거닐 때는 그렇게 주의를 기울이지 않았다. 강원도 지방으로 온 일은 서울에서 거주하는 프리랜서 일러스트레이터, 계문 공원 농구 모임의 일원, 혼자 사는 그저 쓸쓸한 자취남이 아니라 다른 신분으로 온 일이었으니까.

그의 본적과 생활의 터전은 충실하게 잘 꾸며내고 있었다. 일종의 여행이라 해도 좋을 시간이었고, 그는 혼자서 고독을 씹으며 여행을 즐기는 사연 있는 누군가가 그러하듯이, 자기 내면으로 깊이 침참하는 정서를 가지며 걸어댔다.

그 정서가 지나치게 흉흉한 것이기는 했다만. 누군가와 관계를 맺거나 이야기를 한다거나, 할 일이 없었기에 상관은 없었다. 숙소를 잡는 것도 적당한 무인 모텔을 어플로 예약하고 결제하면 될 일이다. 관광지에서 그리 멀지 않은 곳이었고, 걸어서 충분히 갈 수 있었다.

정 뭐하면 대중 교통 정도만 이용해도 좋다.

아직까지 중년의 세세한 지시는 더 떨어지지 않고 있었기에 시간이 남았다. 그는 자신이 '그'의 일정에 비해 일찍 왔다고 생각했기에 속초 해변가 시장을 들렀다.

러프하게 짜여진 계획에서 자신이 능동적으로 정보를 수집하는 건 좋은 일이었다. 어쨌거나 머리에 든 지식이든 도구든 육체적 힘과 기술이든. 많은 걸 가지고 있으면 다변적인 상황에서 생존률이 올라간다.

재영 역시 게임Game을 하고 있는 건 마찬가지였다. 현대 사회를 무대로, 그를 주인공으로 삼은 게임이다.

그가 주인공이라는 점에서 지독한 교만함을 담고 있었다.

사람은 누구나 자신만의 삶을 살아가고, 한 명의 주인공이 다른 사람의 삶을 죽여내서는 안되는 현실인 법이니까 말이다.

또 게임을 한다고 모든 어린이들이 미치광이 살인마가 되는 것도 아니었다. 그저 게임은 게임일 뿐이다. 고작해야 컴퓨터 그래픽으로 만들어진 종합 예술과 프로그래밍이 섞인 어떤 매체.

그러나 그 안에 담겨 있는 사상이 괴악한 것이라면 그건 충분히 영향을 미친다. 한 가지 잔소리를 계속해서 들어온 인간이 부모의 말과 행동적 언어로 인해 가슴 속에 무언가를 새기며 커나가는 것처럼 말이다.

선생의 잔소리처럼. 어린 시절 듣게 되는 무수한 이야기들은 사람의 인격 형성에 영향을 미친다. 게임 자체보다는, 그것을 만든 이들의 사상을 살펴야 하는 문제이다.

재영은 게임으로 표현 가능한 가장 쓰레기같은 무언가를 자신의 삶으로 직접 그려내고 있는 게이머였다. 현실엔 있어서 안 될 종류의 인간.

어쨌든 당장의 시점에서 재영은 살아남아있고, 제멋대로의 그 게임을 즐기는 플레이어였다. 그는 심지어 그 게임을 잘한다.

밀집해 있고, 첨단화 된 전산망의 도시 속 삶에서 사냥감을 선택해 물어 죽이고, 그 흔적을 조금도 남기지 않는 행위.

그래, 어떤.

이야기 속의 뱀파이어Vampire가 아마 그런 그의 삶에 대한 비유일 지 몰랐다. 인간으로 이루어진 거대한 숲 속에서 자신의 정체를 숨긴 채, 그럴 기회가 드러나면 적나라한 악의로 사람의 목숨을 빼앗는 그 괴물 말이다.

사람들이 그려내는 이야기라는 건 본질적으로 현실에 대한 우화일 경우가 많았다. 사람은 진실로 새 것을 창조해내지 못한다는 비유에서 보면, 그런 옛날 이야기들은 옛날 인간들의 삶을 그대로 담고 있는 경우가 많았다.

뱀파이어는 없어도, 마치 그런 것처럼 자신의 탐심과 살의를 숨기며 살아가다가 제멋대로 일을 저지르고 마는 괴인들은 있었을 법하다.

조금 더 법이 허술하고, 미개했으며 사회 제도와 과학 기술도 없는, 그리고 밤의 어둠이 더욱 깊었을 시대에는 그런 괴인들이 활동하기 더 쉬웠겠지.

뱀파이어는 그런 살인마, 강도들에 대한 이야기였다.

재영은 현존하는 뱀파이어이기도 했고.

그들의 살의가 어디로부터 비롯되는가, 하는 문제는 신학적이나 혹은 과학적 논의를 다방면에서 거쳐야 할 지 모른다. 뇌의 어디한 구석이 고장이 났는가? 유년기의 성장 과정에서 남들과는 다른 것들을 받아들이고 문제가 생겼는가? 혹은, 개신교에서 말하는 원죄 그 자체가 사람의 본질인데, 그들은 그저 '악한 쪽'을 자의로 선택하고야 만 것인가.

가장 포괄적이며 또 과학적으로도 수용할 수 있는 보수적인 답변은 아마 신학의 그것일 것이다.

인간은 자유의지를 갖고 있으며 어떤 선택이든 할 수 있다. 악한 쪽에 마음을 두고 악한 짓을 저질러버리는 인간이 있고, 그렇지 않은 쪽을 선택하는 인간이 있다. 재영은 아주 잘못된 쪽으로 제 인생을 다 기울여버린 인간일 뿐이다.

그렇게 지독한 종류의 인간도 있다. 그의 마지막은 그의 삶처럼 끝날 것이다, 아마도.

재영은 12일 낮에 서울에서 출발해 그 날 저녁이 조금 되기 전에 속초에 도착했다. 숙소까지 대중교통을 이용해서 이동해서 체크인을 하고, 짐을 풀고 별다른 계획이 없자 주변을 둘러볼 겸 시장으로 향했다.

사람들이 어떻게 살고 있는가 행태를 알아보기 위해 적당한 부근이었다. 그는 여행객으로서 충실한 모습으로 혼자 터벅터벅 걸어서 주변을 다녔고, 이상한 놈 하나를 만난 뒤 다시 돌아와 숙소에서 쉬고 있는 중이었다.

자신을 대놓고 노리고 뒤로 따라 붙던 놈이다. 체격은 그보다는 조금 작은데 눈빛이 날카로웠다. 그가 별다른 생각을 않고 지어보이는 무표정이 다른 사람의 눈을 피하게 하는 종류라는 걸 인지하는만큼, 몇 초간 그를 쳐다보았던 인간은 깡이 센 편이다.

그리고 일반적인 논리로 추리할 때 그가 살인범이니, 그런 그에게 위화감을 느끼고 정보를 얻기 위해서든 무엇이든 따라붙던 그 인간은 아마 형사 류의 인종이 아닐까 싶었다.

불편한 일이고, 달갑지 않은 일이었으며, 또 희귀한 경우였다.

살인마는 자신이 살인마인 걸 티내고 다니지 않는다. 도리어 최선을 다해 숨기고 다니지. 현대 도시에 형성되는 인파의 장막은 살인귀를 완전하게 감추어 주었다. 손에 피를 묻히고 다니지만 않는다면, 그를 알아챌 수 있는 증거는 거의 없다. 그는 꼬리를 드러내고 다니지 않았고 먹은 희생물의 시신과 핏자국, DNA를 어딘가에 흘리지도 않으니까.

단순히 직감만으로 형사가 움직였다는 이야기였다. 젊은 남자는 꽤나 위협적이었다. 그는 감이 좋은 인간을 싫어한다. 그 또한 그런 부류였으므로. 일종의 동질감을 느낄지도 모른다. 살인마와 형사는 전혀 다른 부류였지만, 그러니까…… 자신의 적수가 될 만한 존재로 인식하는 것이다.

다른 인간들은 그러고 싶어도 그럴 만한 능력이 없었다. 전략을 굴리는 머리로도 그러했고, 설령 여러 머리를 모아 그를 앞질러 찾아왔다고 하더라도 정확하게 굴을 파서 그를 밀어 쳐넣지 않는다면 아마 그는 잡히지 않을 것이다.

한 둘 정도 임기응변으로 그의 앞을 막아서봤자, 그는 강행 돌파할 수 있었다. '노인'을 통해서 총기를 쓰지 못하는 것도 아니었다. 가능했다. 다만 화약류를 쓴 다음의 뒷처리가 감당이 되지 않아서 최후의 수단으로 남겨두었을 뿐이지.

따로 받아둔 것도 현재는 없었다. 그러나 얇은 방탄 패드 정도는 구할 수 있었고, 그런 걸 외투 아래에 받쳐 입는 건 얼마든지 가능하다.

그 정도만으로도 사내는 이 도시 속에서 얼마든지 묘기를 섞은 장애물 달리기를 할 자신이 있었다. 누군가의 추적을 피해서 말이다. 거리가 좁혀지기라도 한다면 총이나 경찰용의 제압 도구를 쓸 새도 없을 것이다. 어지간한 사람은 그의 앞에서 대응하지 못한다.

정말로 오랜 시간 고련을 쌓아 온 무술 계열의 고수가 아니라면. 또 현업으로 이미 활약하면서 업계 탑Top의 위치인 격투기 선수 따위라면 모를까.

아마 반응하기조차 쉽지 않을 것이다.

거기다 그런 종류의 사람이라고 하더라도, 사람을 죽고 죽이는 일에서는 또 한 발 물러서게 되는 것이 어쩔 수 없는 심리였다.

적절한 신체를 가진 놈은 살인귀의 정신으로 제압한다. 칼을 들이대고 살심을 나타내면 틈이 난다. 단순히 도구만 갖고 그에게 다가오는, 직업 정신이 투철한 형사들은 육체적 이점으로 돌파한다. 혹은 애초에 근처에도 가지 않던가.

만일 모든 게 어그러져서 그의 정체가 드러난다고 하더라도, 김재영은 그다지 아쉬워하거나 싫어하진 않을 것이었다.

그저 오랜 시간 기록을 세워가며 즐기던 게임, '중년'의 사내를 따라 자신만의 것을 만들어 플레이하던 그 놀이가 끝날 뿐이었다.

어차피 인생에는 목적도 의미도 감동도 없었다. 자신의 것이 그러니 타인의 것도 그럴 것이다, 라는 무척이나 오도된 논리로 자신의 행동을 정당화시킨 그이다. 적어도 그 스스로 체감하는 그의 삶은 그러했다.

즐기던 2D 그래픽의 횡스크롤 게임에서 죽었을 때처럼, Game Over 표시가 뜨면서 마무리 될 뿐이다.

그 끝에 재판을 받고, 감옥에 가서 아마 종신형을 산다거나 할 수 있을 것이다. 경우가 심하다면, 사법 상 실제로 집행이 오래도록 되지 않은 사형을 당할 수도 있겠지.

재영은 애초에 마지막에 대해서 느끼지도 알지도 생각하지도 않았다.

그가 아침에 눈을 뜨면 내면적으로 시꺼먼 어둠 속에서 자신의 삶을 시작하듯이. 다시 그 구렁텅이로 기어 들어간다, 그 뿐이었다.

어쨌거나 재영은 상념을 멈추고, 허름한 모텔 방에서 사 온 음식들을 풀었다. 결국 시장에선 아무것도 사오질 못했다. 숙소로 다시 돌아와 근처 편의점에서 먹을만한 것들을 조금 쟁여왔을 뿐이다.

살인귀도 식사는 해야 움직인다. 다른 인간들과 똑같이, 그리고 많이 먹을 수록 잘 죽인다.

의도에 따라서 한 가지 행위는 의미를 갖게 되었다.

살인귀의 살인을 위한 영양 섭취는 그 순간 세상에서 가장 끔찍한 무엇이었다.

모텔 방에서 자신이 있는 곳에서 가장 먼 쪽에 불 하나만을 켜두고, TV 소리로 정적을 배제하면서 그는 그렇게 편의점 도시락의 내용물을 무감하게 씹어삼켰다.

12일의 밤이 그렇게 지나갔다.

*

13. 준비

9월 13일 수요일, 낮 12시 30분.

속초 시내 어느 모텔.

김재영은 그 때 즈음 일어났다.

연쇄살인마가 과연 부지런할 것인가, 에 대한 문제는 조금 애매한 것이었다. 뭐, 아마 부지런할 것이다.

'연쇄살인'이라는 끔찍한 죄악에 대한 불쾌함을 넘어서, 그것을 일단 수치적인 노동량으로 환산한다면 그건 아주 고강도의 작업이라고 봐야 할 테였다.

어느 정도냐면, 프로젝트별로 업무의 환경이 달라지는 전문직종의 그것과 아마 비슷할 것이다.

정기적이고 일상적인 업무의 연속보다는, 커다란 의뢰를 수주받아 그에 따라 전 인원들이 매달리고 또 목표 달성을 위해 총력을 기울여야 하는 그런 종류의 일 말이다.

예술 계통의 일도 솜씨가 좋은 인간이 어느 조직에 소속되어 일을 한다면 그럴지 모른다.

뭐 어쨌든, 자신의 가진 바 모든 종류의 힘을 쏟아부어야 하는 총체적인 일이었다.

그 노력을 기울여서 악업에 자신의 시간을 바친다는 게 참 무의

하기는 했으나.

그런 노동량은 '하루'의 것으로 환산하기 보다는 그 해당하는 일의 성패까지를 하나로 보아 전체 기간을 계산하는 게 옳을 테였다.

하루의 과업을 마친다고 일이 끝나는 게 아니라, 프로젝트의 결론이 나야만 진정으로 일이 끝나는 종류니까.

때문에 단순히 늦게까지 퍼질러 자다 일어났다고 게으른 놈이라고 평가를 내리기엔 어폐가 있었다.

재영은 필요할 때는 한계 이상으로 제 몸을 굴려서 다른 이를 죽이고 또 그 흔적을 지우는데 사용하니까.

필요 이상으로 과한 노동을 단기간에 저지르고, 다른 때엔 또 적절하게 쉼이 필요하다.

악업으로 제 삶의 적공을 쌓아가는 살인마 또한 물리적인 법칙에서 벗어나지는 못했다. 낮에 해가 떠서 그 빛을 받고, 밤에는 몸을 쉬게 하고. 밥을 먹고 움직이고, 또 얼마간은 소화 시키는 시간이 필요한 그런 류의 법칙들.

달리 말하면 살인마도 고작해야 인간이었고, 형사들 또한 고작해야 그런 인간을 쫓는 것이었다. 그가 얼마나 용의주도하며 계획적인 놈이든 가능성은 있었다.

당장에라도 누군가 그의 모텔방을 열고 들이닥쳐서 그에게 오랏줄을 묶을 말이다.

그런 불안감은 범죄를 저지르는 인간의 심리를 좀먹는다. 설령 무감한 싸이코패스라고 하더라도, 소리를 들으면 귀가 반응을 하고 고막이 떨리듯이. 아무것도 느껴지지 않는 검은 마음 속이라 하더라도 인간에게 본질적으로 존재하는 그 심정은 심리적인 피로감을 유발시킨다.

싸이코패스는 그 피로감에 어떤 의미를 부여하지는 않지만, 그것으로 인해 정신력이나 주의력의 일부를 빼앗기게 되고 쉴 때도 의식적으로 깊은 휴식 속으로 들어가기 위한 준비나 노력이 필요하다.

'중년'의 경우에는 실제로 생활이 오래 지속되며 약을 쓰기도 한다고 들었다. 마약 류는 아니었고, 단순한 수면제였다. 그 또한 오남용이 일어나면 어떨까 싶긴 하다. 일단 재영은 아직 그런 수준은 아니었다.

이따금씩 이렇게, 필름이 끊긴 듯이 오래도록 자고 기절한 사람처럼 벌떡 일어나고 마는 게 그의 일상이었다 대신.

아직 '일'은 벌어지지도, 그가 벌이지도 않았으므로 이런 휴식을 취하는 건 적절하다.

앞으로의 일을 생각해보면 끝없이 달아오르게 해야 할 테다. 근육을 혹사 이상으로 써먹을 것이고, 단련했던 모든 종류의 기술을 사용 가능하게 만들어야 한다.

재영은 습관처럼 일단 운동을 시작했다. 누군가를 죽이고, 저 스스로가 도망가고, 다시 다음 살인을 하기 위한 운동들이다. 일정한 근력을 유지하는 건 중요하다. 무술 계열의 전문가들을 맞상대해서 이길 정도의 기술이라는 건, 결국 물리적인 근력이 없다면 불가능한 일이 되어버린다.

물론 다양한 무기술 역시 그는 익히고 있었으므로 상대가 맨손이라면 다소 불리한 상황에서도 승산을 점쳐볼 수 있겠지만.
근육은 많을수록 좋다. 지나치게 비대한 근육이 운동을 방해할 수 있겠으나, 그 정도가 되려면 애초에 생활 패턴이 달라지는 일이다. 그가 익힌 기술들과 훈련의 성과를 유지하기 위해 짬짬이 하는 정도로는 체형이 변하진 않았다.

간단하게 푸시 업, 스쿼트, 버피, 그 와중에 몇 가지 다양한 요가 동작 같은 걸 섞어 제 몸을 충분히 풀고 달아오르게 한 뒤에야 그는 쉬었다.

점심 때가 되어서야 눈을 뜨고 한 두 시간 정도를 미친 듯이 움직였다.

말도 없이 습관적으로 벌인 일이었고, 벗어 둔 티셔츠는 작은 모텔 방의 침대 위에 자리한다. 속옷과 잠옷 대신의 반바지만 입고 운동을 하고 나니 방 내부가 열기와 습기가 올라간 느낌이다.

모텔방은 한낮의 햇빛이 내부로 버젓이 들이닥치고 있었다. 그의 심성이 어쨌든 햇빛은 인간에게 필요한 요소였다. 그는 잠을 깨우는 햇살 아래서 중요한 일과를 마쳤고, 반쯤 가려졌던 창문의 커튼을 마저 치웠다.

방의 구조는 단순하다. 현관에서 침실로 이어지는 몇 걸음의 복도가 있고, 그 복도에 화장실로 통하는 문이 있다. 복도를 지나 정사각형의 룸이 있었고, 한 쪽에 침대가 있다. 조금 불편함을 감수한다면 두 명 까지도 어찌어찌 잘 수 있어 보이는 크기이다.
오래된 모텔의 집기들은 어딘지 때가 묻어 있었고, 그건 세월의 흔적이라 먼지처럼 잘 치울 수 있는 게 아니었다. 변색된 누런 벽지나, 여러 물건들이 정답다.

그런 정다움이나 흔적에는 아무런 관심을 두지 않고 재영은 한 번 더 간단한 스트레칭으로 육신의 졸음을 쫓아내며 화장실로 자리를 옮겼다.

벽지는 으레 모텔들이 그러하듯 붉은 톤이 섞인 원색적인 톤이었다. 가구들은 베이지 색이었던 것 같지만 세월이 지나 더 누래지고 짙어진 색깔이다 하나같이.

침대에 누우면 마주 볼 수 있는 자리에 작은 TV가 있었고, TV가 올라간 장식대 옆으로 작은 냉장고가 있다.

냉장고가 있는 쪽 반대편, TV의 왼쪽에는 화장대처럼 생긴 데스크가 있고 거울이 있다. 침대의 옆 빈 공간에는 앉을 수도 체구가 작다면 누울 수도 있는 크기의 연두색 소파가 있고, 그 사이에 원형의 탁자가 하나 있었다.

재영은 씻기 위해 화장실로 들어가 물을 틀었다.

오래된 타일의 화장실. 샤워실과 겸용이다. 꽤나 센 수압으로 샤워기에서 찬 물이 우수수, 쏟아져 그의 몸을 때렸다.
그는 어지간하면 움츠러들만도 할 텐데, 격한 운동으로 달아오른 열기가 중화하는 지 혹은 원래 자극에 잘 반응하지 않는지 움찔도 하지 않고 그대로 서 있었다.

샤워를 절반쯤 하고 나서야 모텔의 샤워기에서 온수가 틀어져 나왔다.

*

샤워를 하고 나오자 핸드폰에 메세지가 하나 와 있었다. 속옷과 바지만 걸쳐 입은 채 그가 확인했다.

-미안하다. 좀 늦어질 것 같은데, 속초에 먼저 가 있어라.
같이 먹고 싶은 거 생각도 좀 하고, 메뉴는 적당히 네가 골라 놔.
나는 어머니 댁에 일이 생겨서 전남에 들렀다가 움직여야 할 것 같다.
모레 오전 10시쯤 해서 출발할 것 같아. 도착할 때 맞춰서 터미널에서 보자. 난 일 잘 보고 움직일테니 너도 뭐 혼자서 구경 잘 하고. 변경되면 다시 톡talk 줄게.

톡talk, 은 지금에 와서 대부분의 국민들이 사용하고 있는 메시지 어플이었다. 메세지만이 아니라 음성이던 영상이던 전화도 가능하고, 다양한 기능을 포함하고 있는 편리한 놈이다.

그러나 인터넷 상에 굳이 직접적인 단어나 내용 표현으로 흔적을 남기는 건 그다지 좋은 생각이 아니었다. 어디까지나 그들은 '완전'한 행위를 추구하는 인간들이었으니까.
설령 편지 따위를 써서 직접 배달을 하고 정해진 장소에서 가져가는 식을 취한다 해도 비밀스럽고 우회적인 비유를 쓸 인간들이었다.

메시지의 발신자는 당연스럽게도 '중년' 사내였다. 그가 개인적으로 이야기를 나누는 자들은 그리 많지 않았다. 아니, 지금은 서울에 거주하면서 여러 인간관계를 만들어둔 터라 간혹 그들의 연락이 오기는 한다. 그래도 그 연락들은 전부를 모아도 24시간의 24분의 1을 채우지도 못한다.

해봐야 며칠에 한 번 잠깐씩. 모임 시간이나 그 외 특별한 일이 있다면 그 순간 만나는 게 전부였다.

하루를 거대하고 투명한 물이라고 친다면 그 색에 아주 조금의 변색될 물감이 들어와 티도 안 날 만큼 얼룩이 진 정도이리라.

그 투명성이 재영의 '비밀스러운' 정도였고 그는 그 비밀스런 시간들을 오롯이 자신의 일에 쏟았다.

극악무도한 짓거리 말이다.

시기적으로 중년의 사내의 연락일 확률이 대부분이다. 재영은 이야기를 빠르게 읽었고 단번에 이해했다. 별 것 아닌 일이었다.

말했듯 그가 할 일만 생각하면 된다. 그가 어떤 일을 하기에 필요한 정보가 있다면 그가 쥐어준다. 친절하게.

위치는 이전에 재영이 파악한 바 대로 춘천보다는 조금 더 북쪽인 속초가 좋은 모양이었다. 인파가 몰리는 관광지, 그러니까 번화한 도시는 일을 저지르고 직후에 수습하기가 어렵지만 그 과정을 해낸다면 숨기에도 최적인 곳이었다.

나무는 숲에, 사람은 인파 속에 숨어들기가 가장 적절한 위치다.

'같이 먹고 싶은 거' 따위의 이야기는 그냥 지나가는 말이었다. 어차피 중년 사내는 이곳에 오지 않는다. 그들은 먼 곳에서 서로의 일을 하고 있을 뿐이다. 시기적으로 정확함을 요구하기는 한다. 마치 한 마음으로 일하는 것처럼 타이밍을 재고 움직여야 했다.

둘은 각자의 게임에 도움을 주는 협동 플레이어들이었다.

목숨을 공유하는 공동체냐, 하는 문제에 있어서는 조금 애매했다. 재영이 어린 날에는 분명 그랬지만, 이미 커서 제 스스로 한국 사회를 활보할 수 있을 정도의 제반 상황이 갖춰진 다음부터 그들의 생활은 따로였다.

아마 한 쪽이 잡히거나 목숨을 잃는다고 해도 다른 쪽의 게임 오버로 가지는 않을 것이다. 연락과 교류의 흔적을 채 지워낼 새조차 없이 제압당한다면 모를까.

그런데 과연 그게 쉬운 일일까. 청년은 31살의 나이였고 혹독한 트레이닝을 거쳤다. 싸이코 패스였고, 살인을 위한 기술을 사람에게 쓰는 데 아무런 거리낌이 없는 마음을 가진 괴물이었다.

그럼에도 중년과 마주한 채로 서로 달려드는 장면을 상상하면 아무래도 자신이 살아남는 결과가 나오지 않았다.

기술은 그쪽이 훨씬 더 노련했고, 육체적인 근력 역시 단기 결전에서라면 별로 떨어지지도 않았다. 재영이 이기려면 조금 장기전으로 가야 하리라. 다양한 도구를 이용해서 그의 심신의 체력을 갉아먹고 가장 약해져 있을 때 틈을 노려서 잡아야겠지.

사냥과 마찬가지였다.

그런데 어차피 그 일은, 그러니까 계획적인 살인은 재영이 모두 중년에게 배운 일이다. 재영의 수법도 대개는 중년으로부터 근원한 것들이었고.

재영은 떠오른 상념을 다시 수정했다. '못 이기겠는데?' 아마 둘이 사이가 틀어져서 싸우게 된다면 죽는 건 재영일 것 같았다. 그만큼 사내는 강력했다.

그런 인간이니만큼, 아마 어느 누구의 위력에 당한다고 해도 찰나의 틈 정도는 날 것이다. 맥없이 제압당하는 일은 잘 상상이 가지 않는다. 설령 실탄 수준의 도구가 쓰인다고 하더라도 마찬가지다.

어차피 사격술과 교전에 능한 인간이었다. 한국에서 그런 걸 제대로 연습할 방법은 굉장히 제한적이었지만, 치안과 사회 안전망이 허술한 곳에 간다면 또 방법이 있기도 하다.

재영 역시 그렇게 배웠다. 열 살 조금 넘어서 '그'의 손에 이끌려 한국에 왔고 주거지는 이곳이었으나 이따금 훈련을 위해서 동남아나 중국 오지 따위를 경험했다.

그런 곳에도 사람은 많았고, 사람을 지키는 체제는 더욱 허술했다. 그 틈을 이용해 누군가를 죽이고 싶어하는 재력가들도 더러 있었고.

동남아를 비롯해 서방 선진국의 영향권을 제외하고는 거의 다 제 영역으로 삼고 있는 '노인'과 줄이 닿은 것도 그런 활약들 덕이 크다.

노인은 만능도 아니었고 전능과는 거리가 먼 존재였지만 뒷세계에서 필요한 대부분의 물건을 잡음 없이 구해다 줄 수 있는 프렌차이즈 대기업 같은 존재였다.

그만한 위상의 조직을 만들고 또 운영하기 위해서 그 노인이 거쳐야 했을 세월은 상상하기 어렵다.

여태 걸리지 않고 살아 있는 것이 도리어 우스운 일이었다. 아마 한 발만 삐끗해도, 곧바로 국제적인 수배자가 되어서 목이 달아날 테였다.

노인은 제 주제를 정확하게 알고 일정선 이상으로 국제 사회 어딘가에 위력을 끼치지 않는 재주가 가장 탁월했다.
누군가의 안마당을 건드려서 자신의 수명을 마감하지 않고, 그 나이까지 장수한 것이 그 노인의 가장 큰 능력이자 장점이었다.

재영이 알기로,

한국에서 태어난 어느 미치광이는 자연스럽게 타인의 목숨을 빼앗는 일에 몰두했다. 집중했고, 그는 그것을 위해서 자신의 자유 시간을 써왔다고 했다.
그 일이 현실로 다가오기 훨씬 전부터 자체적인 연습과 훈련을 거쳐온 것이다. 어릴 적부터 지능이 높고 용의주도했던 그는 주변 이들에게 어떠한 티도 내지 않고 스스로의 속내를 감췄고, 아주 성공적으로 유소년, 청소년기를 보냈다.

'성공적'이라는 말은 뭐 당연히 유익한 뜻은 아니었다. 악업을 위한 기초를 잘 쌓았을 뿐이다.

스무살이 넘어서 가정이라는 틀에서 벗어난 괴물은 일을 시작했다.

악마도 가정이 있었다. 그리 평화롭지는 않았으나. 거의 깨어진 그 틈바구니 사이에서 자라난 그는 한국 현대 사회의 복지 체제나 뭐 그런 것들에 도움을 얻기도 하고, 주변 이들의 긍휼을 먹고 자라나기도 했다.

집 안에 쌀이 없고 생활비가 부족할 때 여러 자재나 십시일반 식재들을 가져다 주었다는 이야기다. 동네 주민들이.

불화한 가정 속에서 어찌저찌 살아낸 그는 20살이 넘어서 가정으로부터 거의 벗어났고, 제한이 사라진 괴물은 예로부터 계획했던 일들을 하나, 둘 실행해 나가기 시작했다.

어린 괴물, 악마같은 인간은 꿈을 꾸었다.

여러 매체들에서 보여주는 장면들을 재료로 삼은 꿈이었다. 흔하게 이 사회의 어둔 면을 다루고 있고, 또 소설적인 재미와 상상력을 더한 여러 범죄 장르 컨텐츠들이었다.

그 실제의 기법 따위는 실효성이 있는지 재단하기 어려웠지만, 어쨌든 그 마지막에 싸이코패스가 도달하는 지점들은 대개 비슷했다.

괴물은 그것이 자신의 현실이 되어야 한다고 생각했고, 자신의 꿈을 이루어냈다.

남한 제일의 개새끼가 되었고, 수많은 형사들이 밤잠을 설치게 했다.

그는 제 노하우를 가지고 한국만이 아니라 여러 곳을 떠돌았으며, 다시금 철저한 준비를 마쳤다. 스스로가 일으켰던 그의 유명세가 거의 사라질 무렵.

이전에 그의 행각을 기억했던 추적자들이 힘을 잃었을 무렵.

그 개새끼는 다시금 '게임Game'을 하고 싶어했다.

참으로 장대한 계획이자 구성이었다. 예전에 했던 그 스릴 넘치는 게임을 잊지 못한 '중년'은 아마 다음 기회는 없다고 생각하고 있었다. 노년이 되면 필연적으로 동반되는 체력이 이미 사라지고 난 뒤니까.
그 정도로 희망적으로 생각하진 않았다. 고작 두 번째 게임인, 중년의 시기에 맞이하는 현실에서도 조력자를 필요로 해서 '청년', 김재영을 길러내고 동참시키고 있지 않은가.

중년이 노년의 시기를 맞을 수 있을지 없을지, 혹은 어떤 모습일지는 알 수 없었지만 아마 직접 제 몸으로 뛰는 게임 플레이는 이것이 마지막일 확률이 높았다.

그 게임에 동참하기 위한 텍스트다.

본래의 이야기로 돌아와 말하자면

'같이 먹고 싶은 것'은 없는 말이다. 그냥 재영이 먹고 싶은 걸 고르면 된다. 속초에서 같이 먹지는 않는다. 재영 혼자만 먹으면 된다.
'먹는다'라는 건 필수적인 행동이었고, 살인귀에게 있어 그들의 성질을 결정하는 행위란 곧 살인이었다.

그들은 짐승이었으며, 배울 걸 다 배운 현대인들이면서도 사람을 잡아먹는 병신들이었다. 살아있는 타인을 자신의 유희를 위해서 해치우는, 그러면서 아무것도 느끼지 못하는 본질적인 감정 기능 장애자들 말이다.

'메뉴'는 곧 먹을 것을 말하는 것이니, 적당한 피해자를 고르는 일을 뜻한다.

정해진 대상이나 조건은 없고, 재영이 처리하기 쉬운 장소와 때, 그리고 대상을 골라서 일을 하라고 하고 있다. 재영은 자의로 게임을 할 생각에 심박이 빨라지고 조금 고조되는 걸 느꼈다. 구제불능의 개새끼였다.

'나는 어머니 댁에…'부분은 당연히 헛소리였다. 중년에게는 이미 부모가 없다. 그가 젊은 시절에 아마 잃어버린 것으로 알고 있고, 살아있던 쪽도 아마 시간이 지나면서 죽은 것으로 들었다. 현존하는 그의 생모, 생부는 존재하지 않는 이야기다.

어쨌든 그가 전남에서 일을 벌이리라는 말이었다. '모레 오전 10시'에 출발할테니 터미널에서 기다려라, 는 이야기는

어차피 그는 오지 않으니 기다릴 일은 없었다. 대신 시간 정보만 얻으면 된다. 오전 10시에 전남 지역에서 출발해 속초에 다다르기까지 시간이 깨나 걸릴 것이다.

재영은 핸드폰으로 어플을 켜서 대강 시간을 검색해보았다.

전남 적당한 랜드 마크를 찍고 속초까지 걸리는 시간을 알아보니, 대중교통을 이용했을 때 터미널까지 6-7시간 정도가 찍혀 나왔다. 모레 오전 10시에 출발이면 단순하게 생각해 오후 5, 6시 즈음이 적기이다.

실제로 '중년'이 언제 일을 저지를까에 대한 건 그가 몰라도 되는 정보였다. 어쨌건 그가 그 정확한 시기에 일을 벌이기만 하면 된다. 그게 한 명의 행위로 보이도록 알리바이를 생각하는 최소한

의 조건일 테다.

중년 사내는 김재영을 그가 고르고 길러냈기에, 이미 그 자신의 일부라고 생각하고 있었다. 고로 김재영지 저지르는 범행은 중년이 행한 것과 다름 없다. 그 내면적으로 게임에서 점수를 획득하는 합당한 방식이었다.

그러나 웬만하면, 그들을 쫓는 경찰들에게는 '한 명'으로 보이기를 원하고 있었다. 그것이 아마 중년의 게임에서 더 높은 포인트를 얻는 추가적 요소인가 보다.

신원 미상의 어떤 연쇄 살인마. 전설적이고 입지전적인 그런 인물로서 경찰 인력들에게 비춰지기를 바라고 있었다. 중년의 살인마는 유명세를 원한다. 대한민국 모든 국민들이 안다거나, 언론에서 다루어지고 그런 것도 좋지만 직접적으로 그를 쫓는 이들에게 퍼지는 유명세 말이다.

그것만으로도 아마 중년은 만족할 수 있는 것 같았다. 가장 실력이 뛰어나고, 자신의 일에 몰두하고 있는 이들에게 삶의 일부로서 생각된다는 게.

중년은 삶의 의미를 청년과 마찬가지로 느낄 수 없었으나 그럼에도, 자신의 일에 몰두하는 이들의 삶이 어떤 가치가 있지 않을까 하는 생각은 하고 있었다. 그렇기에 그런 결론이 난 것이다.

직업적으로 가장 뛰어난 지점에 있는 엘리트들에게 자신의 이름을 각인시키는 것. 그들의 삶에 지울 수 없는 낙인으로 자신의 존재를 찍어버리는 일.

얼마나 삶을 진심으로 살아가는 이들에게 자신의 영향력을 미치느냐가 중년이 생각하는 게임의 공략 포인트였다.

그것만으로 삶을 살기엔 참으로 얄팍하고 별 것 없는 요소였지만, 애초에 어둠 속에 있었던 중년이나 청년에겐 그것만으로도 잠시간 집중해서 일들을 처리할 수 있는 단기 목적이 되어주었다.

그들이 일하지 않을수록 세상은 좀 더 평화로워지겠다만.

그 다음 문장은 대강 열린 결말이었다. 각자 개인으로서 뒤처리까지 완벽하게 수습을 해내고, 알아서 다시 숨는다. 흔적을 드러내지 않는 게 중요했다. 재영은 침대에 걸터앉아 자신의 콧잔등을 두드렸다.

방법을 조금 생각해봐야 할 것 같았다. 그 자신의 존재를 감추고 타인의 생명을 지워버리려면 머리를 많이 써야 한다. 몸 역시 그러하고. 그는 챙겨 온 여행용의 더플백에 든 각종 기구들을 되뇌이면서 형식을 구상했다.

늘, 형식대로는 제대로 되어먹지 않는 것이 인생인 법이었다.

*

14. 직감

"예 선배님."

둘은 아직도 속초였다. 그러니까 박주영과 김민식 말이다.

사소한 일 모두를 팀에 보고하는 것도 번거로운 일이기는 했지만, 지나가듯이 이야기는 했다. 과장님에게까지는 아니었고, 그들 위에서 정보를 모으고 행동을 총괄하는 팀장님에게 말이다. '김현식 경위'에게 올라간 거수자에 대한 보고는 큰 반응은 없었다.

이상한 놈들이야 어딜 가든 있는 법이기는 하고, 시기가 조금 수상하기는 했다만 말이다.

미행을 알아채고 따돌렸다는 이야기를 할 즈음에는 수사본의 수색팀 7팀장인 김 경위도 고개를 갸웃거리기는 했다. 특이한 반응이었다. 보통 일반인이 그렇게 대응을 할 리는 없다. 어떤 식으로든 특별한 경험과 삶에 닿아있는 인간일 것이다.

거기다가 큰 신뢰성은 없지만, '박주영의 감각'으로 보았을 때 아주 위험한 분위기를 풍기고 눈빛이 예사롭지 않다는 것도 터럭만큼은 걸린다.

사람이 봤을 때 불쾌감에 가까운 느낌이 든다면 그것 역시 유의미하기는 하다. 괜한 공격적인 태도나 지독한 무관심은 타인에게 불쾌감을 주게 마련이니까. 직접적인 행동과 큰 표정으로 드러나지 않는다고 하더라도.

사람이란 건 자기 보호 본능이 있기에 얼마간은 느낀다.

사기꾼들은 그런 자신들의 태도를 화려한 언변과 현란한 잡기로 감춰버리고, 이내 뒤에서 칼을 찌르곤 한다지만.

그런 눈가림이 없는 상태에서 그런 본능적인 판단은 조금 더 분명하고 원색적으로 드러나게 마련이었다. 김 경위가 알기로도, 박주영 경사는 나름대로 유능하고 빠릿빠릿한 편으로 헛소리를 쉽게 하는 인간은 아니었으니까.

주변 지구대에서 순찰 인원을 한 명 더 받기로 했다. 좀 더 적극적으로 수색에 임하고 변동 사항 있으면 보고 하라는 지시였다.
다시금 기약 없는 기다림을 하는 처지였으나, 어쩔 수 없다. 본부에서 특별한 방향성을 잡는다면 그쪽으로 그들도 자리를 옮기겠으나 현재는 이런 식으로라도 하는 수밖에.

박주영과 김민식은 여전히 비슷한 자리에서 시장 근처를 맴돌고 사람들을 지켜봤고, 지금 박주영이 전화 너머로 '예 선배님'이라고 말을 건넨 대상은 김 경위가 아니었다.

김 경위를 부를 때는 '팀장님'이라고 꼬박꼬박 직급을 부른다. 그가 말하는 선배님은 경찰 조직에선 조금 벗어난 인물로, 윤계식이 그 상대였다.

"예 뭐. 딱히 별 일은 없습니다. 이상한 놈 하나를 본 적은 있긴 한데요.

……

예? 자세히 말해달라고요? 뭐… 그럴 리는 없잖습니까. 정말로 아무 단서도 없이 속초 해변가 시장에서 죽치고 있었는데 이 자리에 놈이 나타날 리는…….
아 예. 아무튼 그때 같이 뵌 김민식 형사보다 키가 조금 더 크고 마른 체형, 베이지 색 바람막이에 아래는 물빠진 청바지. 검은색 브랜드 운동화. 특징없는 검은 일반 머리에 눈빛이 사납고 잘생겼습니다. 이목구비가 뚜렷하고… 예.

미행을 따돌릴 때는 놀라긴 했습니다. 무슨 국제 범죄 조직 구성원이라도 쫓는 줄 알았습니다. 정신이 나간 이상한 놈이거나… 아무튼 범상치는 않았어요."

김민식은 조금 떨어진 자리에 있었다. 그러니까, 그들이 늘상 퍼질러 앉아 있던 입구 근처의 벤치에서 그리 움직이지 않은 위치다. 그가 양 방향으로 오고가는 이들을 주시하고 있고 박주영은 시장 안쪽으로 들어와서 이곳 저곳을 돌아다니는 중이다.
이따금씩 먹을 거리를 사면서 시간을 떼우기도 했다.
구매하는 그 순간에도 사람들에 대한 관찰은 늦추지 않았고.

지금은 인파가 몰리는 통로에서 조금 떨어져 앉을 수 있는 안쪽의 벤치였다. 그는 그 끄트머리에 걸터 앉으면서 전화 통화를 하는 중이다. 발매 후 조금은 시간이 지난 모델의 스마트폰이었고, 검은 색에 손바닥에 딱 들어오는 중간형 크기이다.

겉에 메탈 소재의 케이스와 모서리 장식이 있어서 정말 우습지만, 여의치 않으면 흉기의 칼날을 막거나 상대를 찍어버릴 수도 있는 물건이었다.
주영과 민식은 그런 식으로 자신들의 장비들을 조금쯤 다르게 하는 데 약간의 취미가 있었다. 실제로 쓰는 일은 생각보다 그리 많지 않지만 말이다.

흉흉한 일에 대비해 만들어진 튼튼한 외장의 스마트폰 너머로 계식의 말소리가 흘러나왔다.

-"어… 직감은 중요하지. 형사로서 그런 부류가 발달하지 않는다면 결국 다 때려 치워야 할 정도로 말야. 어떤 논리나, 동료들의

손이 자네를 도와줄 수 없는 순간에 결국 그 개인의 직감이 당락을 결정하네.

이승과 저승을 가르는 당락 말야.

뭐 그런 이상한 놈을 봤다고 김연수 새끼를 연상짓는 건 비약이긴 하네만…. 또 혹시 모르지. 정말로 낌새가 흉흉한 놈이었다고 하면 은근히 접촉할 수 있는 만큼 해보게. 다음에 다시 마주쳤을 때.

적어도 그 마을 인근의 동태라도 알 수 있게 돼지 않겠는가. 뭐라도 해봐야지."

맞는 말이었다. 정말 뭐라도 해봐야 했다.

수사본부의 몸통 부위가 온갖 기관들과 협조를 하면서 과학 수사를 하고 있는 처지에, 말단에 불과한 그가 뭐라도 해보는 일이 과연 얼마나 의미를 가질 지는 알 수 없었지만.

어제 이후로 그 놈이 다시 시장에 나타나지는 않았다. 시장에 온 의미도 제대로 알 수 없는 놈이었다, 애초에. 이 인근 사람은 아닌 것 같았고… 여행객같은 행색과 분위기였는데.

뭐 살인은 아니더라도 비밀스런 모임이라도 가지기 위해 지방으로 일부러 내려온 처지일까. 인터넷 상에서 여러 쓰레기같은 종자들이 모여서 범법 기준을 넘나드는 짓거리를 하는 모임 따위 말이다.

성범죄와 관련된 것일 수도 있고, 도박이나 불법 마약류와 연관이 되어 있을 수도 있었다. 주영은 입술을 안으로 말아 넣으며 골몰했다.

"…예 그래야지요. 아무튼 대단한 일은 없었습니다. 그런데 선배님은… 설마 대전에서 서울까지 올라오신 겁니까? 그 휘령동 건 때문에요?"

-"그렇지. 자네에게 말 듣고 내 눈으로 보고 싶어서 바로 올라왔네. 정확히 그 지점에서 죽치고서 뭐라도 나올가 싶어서 더듬어 댔지. 실제 손으로."

계식의 말은 사실이었다. 그는 자신의 후각, 청각, 시각과 촉각까지 이용해서 해당하는 장소의 모든 정보를 얻고자 했다. 원시적인 방법이었으나 때로 그런 원시적인 일이 돌파가 불가능해 보이는 난관을 깨는 단초가 되기도 한다.

세상이란 건 그렇게 눈에 보이는 것들로만 이루어져 있지도 않았고, 잘난 안경잡이들의 이론대로 꼭 굴러가는 것도 아니었다.

안경잡이, 가 데스크를 구성하는 석학들을 단순히 비하하는 의미는 아니었다. 이론을 파는 부류 중에서도 초일류라 하는 사람들은 늘 세상의 '신비'로운 지점을 이해하고 있는 이들이다. 그들은 펜으로 종이에 써내려가는 정보가 절대로 세상을 다 담아낼 수 없다는 걸 누구보다 뼈저리게 이해한다.

그런 수준의 연구자들이 내놓는 결과들이야말로 실제 현장에서 유익함을 주는 것들이었다.

현장직들 중에서도 수준이 갈리고 열등한 부류와 초일류가 있듯이, 책상머리에 앉은 자들도 수준 차이가 있을 뿐이었다. 단지 그뿐인 이야기다.

어쨌든 계식은 그 스스로에 대해 깊이 생각하지 않지만 그의 경력 중에는 도저히 알아챌 수 없어 보이는 사건들을 활약하여 해결

한 사례들이 더러 있었다.

윤계식은 분명 조직에서 이름 난 형사였고, 또 사냥개였다.

다양한 노하우와 직감, 뛰어난 신체 능력과 무엇보다 가장 집요한 끈기로 인해 김연수의 추적자로서 자신의 직무를 감당해왔다.

수준을 굳이 나눈다면 계식은 일류 쪽으로 갈릴 인간이다.

주영이 그런 편인지는 아직 알 수 없었다. 계식은 주영이 그래도 말이 깨나 통하는 후배라고 생각한다. 아무런 연줄도 연고도, 배경도 없는 은퇴자의 말에 귀를 기울이고 있으니.

그건 곧 물리적인 요소 이외의 내용에 집중하며, 계식의 정보가 그 자체로 깊이 있는 이야기를 포함하고 있다는 걸 깨달은 인간의 반응이었다.

계식으로서도 말귀를 못알아먹는 누군가와 협동을 하는 건 피곤스런 일이었다. 주영은 적어도 아, 하면 어, 하고 받을 줄은 알았다.

-"대단찮은 건 못 찾았네."

"아, 그러십니까. 거기도 뭐… 정확한 건 아니지만 일단 의심 가는 사건이다보니 저희쪽 인원들이 많이 가서 탐문도 하고 직접 살피고 다 했습니다. 별 건 없었는데… 아무래도 혼자시다 보니 뭐 더 그랬을 겁니다.

심증만 있는 상태라서… 그 자리가 아닌 인근 지역에 다른 흔적이 있는가 파고 있을 겁니다 아마."

"……."

주영은 말을 하다가 잠깐 생각을 했다. 대단찮은 걸 못 찾았다는 말은 이상하다.

"근데 방금 뭐라고 하셨습니까? 대단찮은 걸 못 찾았다고요? 대단한 건 찾으셨습니까? ……선배님?"

계식은 피식, 웃더니 스마트폰 너머로 말했다.

-"……음 확실히 이상해 보이는 게 있더군. 여기 골목 있잖은가. 들어가서 금방 폐가가 왼쪽으로 하나 있고, 그 폐가 담벼락이 골목의 벽을 만들고 있지. 내가 이 골목을 몇 시간이고 배회하면서 일일이 만져봤는데, 벽돌이 조금 허술하더군?"

"……그게 무슨 대단한 겁니까. 저도 가 봤는데 거기. 딱 봐도 허술한게 어울리는 폐가 아니었습니까 그건."

-"어, 근데. 뭐라도 만져서 움직이니 나도 조금 더 더듬었네. 벽돌 하나가 조금 더 들어가는 것 말고는 없었어. 그런데 폐가 안쪽에도 과연 뭐가 있나 싶어서 수색했네."

"……들어가셨습니까? 사유지일텐데."

형사라고 수색중에 무엇이든 마음대로 해도 되는 건 아니었다. 폐가 건물의 주인은 주영도 알고 있었다. 충청도 어느 지방에 거주하고 있는 부유한 장년인이었다. 신원이 확실한 인물이었고, 자신의 다른 재산을 굴리는 것만 해도 심력의 대부분을 쏟고 있어서 재개발 지역도 아닌 곳에 있는 주택 하나는 거의 버려두다시피 한 상태였다.

아주 옛날에 세를 내어주어서 누군가 살게 했었다는데, 거주민이 나간 뒤로 온전하게 방치 상태였다.

협조를 얻어서 수색을 해볼까도 했으나 신원이 확실했던 부자는 은근히, 그러나 확실하게 거절의 기색을 내비쳤고 당시의 인원들도 일부러 긁어 부스럼을 만들지는 않았다.

뭐라도 건덕지가 있었다면 모르는 체 하고 저질러 보기라도 해 봤을 텐데. 아무리 샅샅이 주변을 뒤져도 이상한 물건도 낌새도 없었다.

-"…음. 뭐 그렇지. 잘못 되어도 뭐 큰 일 나겠나. 어느 아저씨가 그냥 노상에서 술취해서 이상한 짓 한 것 뿐이야. 목격자도 따로 없네."

"아 예. 그런 설정이군요."

-"그랬지. 그런데 안에 들어가니 뭐… 조금 쌔한 기분이 들더군. 바깥에서 벽돌이 움직이던 칸을 정확히 기억하고 건드려봤는데, 안쪽에서 튀어나온 부분을 잘 돌려서 빼니 쑥하고 빠지던걸.

게다가 일부러 그렇게 한 것처럼 돌이 반으로 잘려 있어서, 빈 공간을 만들자 바깥 면의 돌도 자연스레 움직였네. 부드러울 정도로 쉽게."

"……음?"

주영이 작게 소리로 반문했다. 이상하기는 했다. 누군가 벽돌 담벼락에 장난이라도 쳐두었나.

장난이라고 하기에는 물론 지나치게 공을 들인 방식이다. 누가 하릴없이 그 폐가의 담벼락에서 그러고 앉았나.

해변가 시장은 낮에도 여전히 사람들이 있었다. 9월 14일, 목요일이다. 딱히 휴일도 아니었고 특별한 공휴일 기간 근처도 아니었지만 그래도 찾는 관광객들이 있고 또 인근 주민들의 방문이 있었다.

점심이 조금 지난 3시 무렵.

슬슬 쌀쌀해지는 가을 바람과 오후의 햇살을 동시에 받으면서 주영은 벤치에 앉아 있다. 그의 손에는 컵과 그 안의 꼬치가 들려 있었다. 돼지 고기랑 야채를 다져서 완자처럼 만든 뒤에 튀긴 것이다.

특제 먹물 소스가 발려져 있었다. 크림과 레몬이 조금 섞인 것 같았는데, 풍미가 먹음직스럽고 그의 입에 잘 맞아서 퍼질러 앉아 있는 동안 자주 사먹은 메뉴였다.

해변가 시장의 음식 메뉴들만 다 익히고 선호도대로 순위 나열이라도 할 수 있을 듯한 수색의 과정이었다.

그가 그 꼬치에는 전혀 신경쓰지 못하고 계식의 말에 집중했다.

-"어린애가 했다기엔 너무 공들인 일이고 또 솜씨가 정교했네. 다른 부위를 찾아보니까 그렇게 안쪽에서 움직일 수 있는 벽돌이 더 있더군. 음, 계단 모양이라고 말하면 알겠나? 그렇게 빼서 두니까 딱 사람이 밟고 올라갈 수 있을만한 보폭으로 홈이랑 툭 튀어나오는 부분이 생기네.

담벼락이 폭이 넓기도 하고. 조금 연습하면 실제로 써먹을만 하겠더군. 빠르게 오를 수 있냐, 고 묻는다면 상당히 연습이 필요할 것 같긴 했어. 기예를 익혔다면 가능할 지도 모르지."

"……흐음."

박주영의 태도에 계식이 알아낸 것들을 천천히 풀었다.

-“고의성이 진하게 느껴지는 인위적 물건에는 명확한 목적이 붙어 있지. 어쨌든 나는 이상함을 느꼈고, 안으로 또 들어갔네.”

“어…… 건물 내부요?”

-“뭐 어쩌겠나. 그저 민간인 주정뱅이가 벌인 일이야. 난 형사도 아니고.”

“그건 좀 편리하군요.”

-“그렇지.”

계식이 잠깐 침을 삼키고 말했다.

-“문고리를 잡아 돌리는데 당연히 잠겨 있었고, 먼지 투성이라 영 껄끄럽더군. 약간의 노하우를 발휘해서 따보려고 하니 영 먹히지 않더라고. 그냥 완력으로 깠네.”

“……완력으로요?”

-“돌 하나랑 팔심만 있으면 대강 가능해. 문고리가 박살나긴 했는데. 변상하라고 하면 해야지.”

“……선배님?”

-“그럼에도 불구하고 목격자는 없으니 안심하게. 주민들이 영 각박한 모양이야. 아니면 의외로 소리가 골목 속에서 머물면서 바깥까지 잘 안빠지던가 생각보다 더.”

“……그것 참 대단하신 발견이군요.”

-“벌써 놀라지 말게.”

주영은 들고 있던 컵 꼬치구이를 벤치에 적당히 내려놓았다. 걸터앉은 다리를 꼬고 앉으면서 스마트폰의 음량을 조금 키웠다.

“예.”

-“내부엔 확실히 사람이 움직이던 흔적이 있더군.”
“흔적이요.”
-“어. 문고리랑 다르게 말야. 꽤나 자주 누군가 그 안에서 활동을 했는지, 길목대로 먼지가 확연하게 옅었네. 발자국을 남기고 그 경로를 따라서 빗자루로 몇 번 쓸어낸 것 같더군. 이상한 점은, 문 쪽으로 연결되어 있지 않았다는 거야. 그 사람이 지나간 흔적이. 폐가 1층 내부에서 이리저리 오가고, 또 거실 한 가운데에 머무르는 것 같은데…….”
“……그게 다입니까?”
-“…그게 전부네.”

후우. 주영은 작은 한숨을 내쉬었다.

“그것만으로는 별다른 사실 근거는 없잖습니까. 그냥 골목 근처 폐가에 사람이 오간 흔적이 있다. 선배님 말마따나 술취한 주정뱅이가 숨어들었을 수도 있고. 아니면 열쇠를 가진 주인댁과 연관 있는 사람이 잠깐 오갔을 수도 있지 않습니까. 그때로부터 시일이 많이 지났는데.”
-“아 그렇긴 하지. 그런데 보통 폐가에서 자네는 활동을 하면서 자기 발자국까지 지워두나?”
“……그건.”
-“사소한 직감이 모여서 거대한 사실을 파악하는 데 도움이 되지. 기이한 행태를 보여주는 정신병자가 이 근처에 있다는 건 적어도 확실하네. 하필 사건이 일어났으리라 추정되는 골목 근처에 그런 행태가 있다면 조금 더 연관성에 대한 무리한 추측을 해봐도 좋을 거고.”
“…….”

확실히 자연스러운 꼴은 아니었다. 폐가의 내부 상황조차도.

출입구 근처로 사람이 지나다닌 흔적이 없다는 것도 이상한 일이다. 주영은 짧은 사이 이런저런 상상을 해보았지만 적당한 해답이 나타나진 않았다.

"……그래서, 결론이 뭡니까?"

주영이 물었다.

-"……이 근처에 흉악한 살인마, 싸이코패스 새끼가 있다. 그리고 이 폐가를 이용해서 골목 어귀를 범행 장소로 이용하고 있다. 그도 아니면, 적어도 폐가에 드나들면서 자신의 흔적을 의식하면서 움직이는 용의주도한 정신병자가 있다. 아주 할 일 없고, 정력도 남아도는 심하게 미친 정신병자가."
"……마침."

주영이 입을 열었다. 계식이 받았다.

-"거기 상황이랑 비슷하구먼."
"……그러게요."

"……."
-"……."

두 사람은 별 말을 나누지 않았다. 공교로운 일이었다. 공교로운 상황이었고. 어쨌든 주영은 고개를 절레절레, 저으면서 통화를 마쳤다. 사건 의심 현장에서 특이사항을 발견한 것만 하더라도 어쨌든 기꺼운 일이었다.

그는 수색팀에게 말해놓겠다고 전하며, 그리고 감사하다는 말을 주고받으면서 계식과의 이야기를 마무리 지었다.

의심스러운 일들이 있다. 일부러 이렇게 벌어지는 게 아닌가, 싶을 정도로 의심해볼만한 상황들이다. 주영은 벤치에 놓아 두었던 컵 꼬치 구이를 다시 챙겼다. 민식과 머리를 맞대는 건 부족한 두 사람이 할 수 있는 아주 유용한 문제 해결 과정이다.

"농땡이 까고 있지는 않겠지."

별로 마음에 없는 말을 중얼거리면서 그가 입구 쪽으로 걸음을 옮겼다.

15. 지하로

툭, 툭.

계식은 자신의 발 밑을 두드렸다.

보통 이상한 놈의 행적이 아닐 수 없었다. 저 담벼락도 그러했고. 이 폐가의 내부도 주의를 기울이면 영 의문스러운 점이 한 둘이 아니다.

그는 빗자루로 쓸어낸 듯한 여러 옅은 색의 직선이 모이는 곳에 집중했다. 폐가의 내부도 빛이 새어들어오는 곳이 있었고, 낮에는 나름대로 광량을 유지했다. 먼지 투성이의 바닥. 흉물스럽게 부식되고 널브러진 여러 집기들. 2층으로 이어지는 계단이 있었으나 그 쪽은 정말로 사람이 근처에도 가지 않은 듯했다.

수북이 쌓인 먼지가 가지런해서 그것을 증거한다.

계식은 폐가의 1층 거실, 가운데 지점에 서 있었다. 오래되고 부식된 마루바닥이 그가 발을 밟을 때마다 끼익거렸는데, 한 장소에서 무언가 울리는 소리가 났다. 그 너머가 재질이 조금 다른 듯했다.

툭, 툭.

계식의 운동화 바닥이 다시 아래를 두드린다. 거의 썩어들어가고 여기저기가 부서진 바닥재였는데, 생각보다는 견고한 느낌이었다. 실제로 그가 여기저기 발자국을 내며 돌아다니고 있지만 그의 무게로 인해서 더 들어가거나 하는 구석은 없었다.

툭, 툭. 그리고 다시 툭, 툭. 계식은 정확한 지점을 찾기 위해서 계속 두드렸다. 소리가 다른 부분이 있나? 하는 의문에서였다. 여러 번 건드리고 들어보자 확실히 미세하게 '다른' 것 같았다. 착각 따위가 아니라 같은 지점에서 이질적인 질감이 느껴진다.

그건 대강 걸음으로 한 걸음, 조금 좁은 보폭으로 변의 거리를 만들어 둔 정사각형 모양의 크기였다. 폐가의 마룻바닥, 그 정확히 가운데 자리에 위치한다.

계식은 무릎을 꿇어 먼지 투성이인 그 곳을 바라보았다. 스마트폰을 꺼내서 플래시 라이트를 밝혔다. 요즘은 도구가 참 편리하다. 핸드폰 하나만 갖고 있으면 할 수 있는 일의 종류가 참 다양하니.

충전해둔 스마트폰이 불빛을 밝혔고, 낮임에도 불구하고 약간은 어두운 실내의 빛줄기가 바닥을 더듬는다.

그 사이로 떠다니는 먼지들의 입자가 반짝거리면서 보였다. 계식은 숨을 조금 적게 쉬면서, 본능적으로 호흡기를 지켰다. 쿨럭. 그러다 작게 잔기침을 하고 만다. 휴대폰을 들지 않은 남은 손으로 바닥을 슬쩍 쓴다.

그대로, 보이는 대로 먼지가 묻어나왔다. 매케할 정도의 느낌으로 손바닥 부위에 묻어나는 먼지. 얇은 장갑을 끼고 있어서 그 너머에 묻은 상태다.

계식은 바지를 신경쓰지 않고 바닥재에 무릎을 갖다 대고 꿇었다. 무게를 실으면서 바닥을 살폈다. 주위는 고요하다. 한낮의 골목에는 사람이 없다. 한밤중에는 더할 것이고. 주변 동네로부터의 소음도 그리 큰 편이 아니다. 아주 멀리서 울리는 듯한 확성기 소리나, 대형 차종이 지나다니는 소리가 간간이 지날 뿐이다.

그조차 그렇게 크게 들리진 않았다. 다른 일에 집중하거나 이야기를 하고 있다면 듣지 못할 정도이고.

계식은 주의는 분산시키면서, 바닥 탐구에 열중했다.

그가 가진 건 별 것 없다. 소지 허가를 받은 상태의 가스총과 호신용 경봉. 너클과 복부의 보호대 하나. 그 정도만 되어도 오랜 경력을 가진 형사는 대부분의 장정을 정면에서 제압할 수 있다.

한참을 만지고 있자니, 마룻바닥의 단면이 조금 분리되어 있다는 느낌을 받는다.

가장 먼저 떠올리는 생각은 '비밀통로'에 대한 상상이었다. 영화에 곧잘 등장하고는 한다. 실제로 토목 건축에서 그만한 리모델링 비용을 주어야 한다는 점에서, 현실화 하기는 상당히 어려운 작업이었다.

거기다가 단순히 자가용의 건물만이 아니라 주변 지형과도 연결되어 있는 건축물이라면, 기하급수적으로 비용과 노동량이 늘어나게 되어 있다.

어지간한 재력가나 괴짜가 아닌이상에야 그런 짓을 하기 쉽지 않다. 또 명확한 목적이 있지 않고서는 말이다.

세계 종말 따위에 대비하는 종말론자라던가, 그런 사람들이 간혹

황무지 같은 대지를 임대해서 만드는 걸 본 적이 있었다. 여긴 서울 시내, 도심 한복판이었지만.

그런 상상은 곧 현실이 되었다.

계식은 주머니에서 볼펜 하나를 꺼내어서 대충 송곳 비슷하게 여기저기를 쑤셔대며 틈이 있는가 확인했다. 덜컥거리면서 0.1cm 정도일까, 뭐 미세하게 움직이는 부근이 있었다. 그 정도면 그냥 마모나 부식이라고 해도 좋을 수준의 느낌이다. 그런데, 그가 정작 밟고 서 있는 정사각형 모양의 바닥은 다른 곳과 달리 밟아도 소리조차 나지 않으며, 낡아 보이지만 견고하게 제 상태를 지키고 잘 눌리지 않았다.

그런 차에 움직인 것이었으니 계식은 분명 다름을 인지했고, 그대로 틈을 벌려 보았다.

움직이지 않는다. 틈은 마침 그가 인식하는 네모난 범위의 변에 위치했다. 그는 마룻바닥의 틈이 어떻게 나있는지 계속 따라갔다. 길다란 널빤지를 이어놓은 구조였는데, 당연히 정사각형의 범위와는 맞지 않다.

길다란 세로 변을 따라 볼펜으로 긁으면서 틈의 홈을 파본다. 긴 마루 판자의 중간 지점에서, 볼펜으로 긁기에 느껴지는 틈이 있다. 겉으로는 나무 판자이지만 저항 없이 왼쪽으로 밀려 들어가며 정사각형을 형성한다.

툭, 하고 떨어지는 게 있다. 나무 판자 위에 무슨 테이프 종류를 붙여놓았던 모양이다. 투명한 비닐 테이프였는데, 두꺼운 것을 한 뼘 정도 길이로 잘라서 정사각형의 윗 변을 따라 주욱 이어 붙여 놓았다.
테이프가 들렸다. 테이프의 윗면과 아래에는 수북히 쌓였던 먼지가 그대로다. 접착면도 먼지가 잔뜩 쌓여서 별 효력이 없었고, 그 덕에 손가락처럼 툭 치는 손길에 바로 들린 것이다.

"……."

계식은 비닐 테이프를 일단 떼보았다.

주욱 이어진 테이프가 한 번에 투두둑, 뜯어졌다. 바닥의 낡고 오래된, 썩어들어가는 마루판자의 가운데 부분에 틈이 있었다. 분리되어 있다는 말이었다.
윗 변 가운데에 손가락 하나가 들어갈 만한 둥근 홈이 더 있다. 계식은 그 검은 구멍에 검지를 넣고 굽혔고, 걸리듯이 쉽게 잡을 수 있다는 걸 알았다.
직관적으로 생긴만큼, 자연스럽게 힘을 주어 들자 나무판자가 분리되어 위로 들려 올라갔다.

'문'이었다. 사람 하나가 넉넉하게 들어갈 수 있는 만큼의 네모난 문.

시꺼먼 지하로 통하는 문이 그 아가리를 벌렸다.

계식은 잠시 그것을 처다보다가, 핸드폰 플래시를 비추었다.

내벽은 울퉁불퉁한 콘크리트 질감의 통로였다. 빛이 끝까지 닿는가, 보았는데 제대로 확인되지 않았다. 아래로부터 어딘가로 공기가 통하기라도 하는지, 바람 부는 듯한 소리가 미약하게 들리는가 싶다.
자세히 귀를 기울여보면,

멀리 도로에서 들리는 소음 따위를 무시하고 집중하면 물소리같은 게 들리는 것도 같았다.

계식은 제법 그 깊은 통로를 한참 바라보며 잠깐 고민했다.

*

결론적으로 지하 통로에서 계식은 아무것도 찾지 못했다.

그가 아래로 들어간 것이, 박주영과의 통화를 마치고 난 다음의 일이었다.

오후 4시경.

그는 폐가를 살피다가 비밀 통로를 발견해 아래로 내려갔으나, 안쪽엔 멀리서부터 이어지는 매캐하고 불쾌한 냄새만이 가득했다. 텁텁한 공기에 숨을 쉬는 게 조금 답답했다.
그러나 완전히 밀폐된 통로는 분명 아니었고, 사람이 갈 수 있는 길로 이어졌다.

주욱 내려가, 그러니까 몇 미터는 내려간 듯싶게 만들어진 지하 통로의 바닥에 닿았다. 내려간 다음 곧바로 직진하는 외길이었고, 사람 한둘이 지날만한 통로를 불을 켜고 걸었다.

지하엔 아무런 흔적이 없다.
을씨년스럽고, 또 목적을 알 수 없다는 점에서 가장 괴상한 시설물을 거치자 어느 순간 느꼈던 불쾌한 공기나 물소리가 가까워졌음을 알았다.

저택의 지하를 활용해 만들어진 통로는 도시 지하수도의 설비로 이어졌다.

하수도 관리를 위한 공무원들이 드나들면서 일을 보는 그런 곳이었다. 수위가 낮을 때 오수가 흘러가는 인위적인 냇가가 가운데 있고, 양옆으로 인도가 나 있는 터널 같은 곳이었다.

"후……."

계식은 별 곳을 다 뒤진다고 생각하면서, 천천히 걷고 또 헤맸다.

하수도 시설은 의외로 넓게 퍼져 있었고 또 길었다. 길이 여러 방향이었고 그가 그 구조를 알기란 지난한 일이다.
서울 휘령동 근처의 하수 시설을 관리하는 공단에 연락해서 지도라도 받아오지 않는 이상 그러했다.

어쨌든,

지하 시설이 다른 곳으로 이어져 있겠다는 생각만은 분명했다.

공공 시설을 만들 때 입구를 한 곳으로 만들었을 리가 없다. 그리고 한 곳이라고 하더라도, 저 집에서 연결되는 불법적인 지하 건축물이 공식적인 통로일 리는 없으니 무조건 다른 곳으로 통한다.
아주 많을 수도 있었고.

난해한 구조의 복잡함을 느끼면서 계식은 다시 왔던 길을 천천히 더듬어, 폐가로 돌아온다.

*

16. 폐가

삐리리.

하고 무언가 알람을 울렸다. 그리 크지 않은 소리였음에도 사위가 워낙 조용해서 '재영'은 곧바로 듣고 움직임을 멈추었다.

주변은 낮 시간과 달리 어두운 조명의 공간이었다. 여전히 그는 속초 지방 어딘가였고, 이 지방에서 일을 친다면 어디가 좋을까 하고 이전에 물색해 둔 적이 있는 자리를 다시금 금방 찾을 수 있었다. 해변가에서 그리 멀지 않은 위치에 오래된 폐가가 하나 있었다.

담벼락의 개구멍을 통해 쉽사리 안팎으로 넘나들 수 있는 공간이다. 워낙 을씨년스럽고 또 외진 곳에 있어 사람들이 잘 찾지 않는다.

해변가를 따라 이루어진 관광용 가게와 시설물 라인의 끄트머리 너머에 있다. 주민들도 특별한 이유 없이는 오지 않을 것 같은 자리다.

소란스런 관광 도시의 소음으로부터도 멀고, 창이고 뭐고 나무 판자로 덧대어져 있어 폐건물의 내부는 빛이 잘 들지 않았다. 무색 무음. 재영이 좋아하는 환경이었다.

2층짜리 주택이었고, 건물 내부로 들어오는 길은 담벼락 근처에 붙은 작은 창의 나무 판자를 떼고 얇은 쇠창살을 절단해 둔 전력을 이용하는 방법이었다.

살인마는 부지런해야 한다. 그리고 들키지 않는 연쇄살인마가 되기 위해서는, 더더욱 그래야 했다.

그런 곳에서 마침,

결정을 지으려던 순간이었다.

그 순간은 그에게 중요하다. 누군가의 명운이 갈리는 순간이었는데, 재영은 제 스스로의 운명에는 주도적으로 관여할 수 없다고 생각하는 편이었다.
여태까지의 생활과 성장 환경이 그래서인지도 모르지만.

어쨌든,
그렇게 자라온 그가 타인의 명운에 관련된 결정을 내리는 심판관이 되는 그 순간은 싸이코패스인 김재영에게 '삶의 의미'란 무엇일까, 혹은 있는 것일까 알아볼 수 있는 중요한 고비이자 순간이었다.

그 순간에 어떤 기적같은 일이 벌어지지 않을까?
이 세상에 하나님이란 존재가 존재한다면, 생명을 창조하고 주관하여서 그것을 아끼는 존재가 있다면 지금 자신을 막지는 않을까?
뭐 대충 그런 류의 인식이었다.

그러나 불행히도,

재영과 또 그의 손아귀에 걸린 피해자에게 모두 불행하게도 아직까지 재영은 신의 존재에 대해서 실증적으로 느껴본 바가 없었다.

자신의 마음, 양심은 여전히 기능하지 않는 것 같다. 그는 아무 것도 느끼지 못하며 자신의 생각과 행동을 돌이킬 어떤 조짐도 내부적으로 일어나지 않는 것을 늘 안다.

그 자신의 생각과 마음은 단호하다.

그런 찰나였다.

김재영은 폐가의 구석진 자리에 묶여서 눈만 뜨고 있는 사내를 차가운 눈으로 내리깔아본다. 그는 짐승같은 눈으로 자신의 사냥감을 주시하면서 바지 주머니에 있던 핸드폰을 꺼냈다.

핸드폰에는 간단한 알람이 설정되어 있었다. 기계랑 연동되어있는 물건인데, 그가 설치한 CCTV가 있고 그 카메라에 물체의 움직임이 잡히면 울리게 되어있다.
CCTV가 설치된 곳은 '그' 말고는 아무도 드나들 사람이 없는 장소였고, 인형이 그 부근의 시야에 잡힌다면 원격으로 연동된 핸드폰 어플리케이션은 그에게 소리로 알람을 준다.

간단한 경계 도구였다. 그의 '영역'에 누군가 들어오는지를 알 수 있도록 설치해 둔.

'중년' 사내는 당연히 아닐 것이고 그 비밀로路의 존재를 아는 건 설치를 도와준 '노인' 정도일까. 아마 노인도 별로 신경을 쓰진 않을 테다. 그가 사람을 보내준 것이고 거래 내역을 기억하는 것이지 직접 한국에 와서 비밀 통로를 만들어 준 게 아닐 테니.

온전히 재영의 것이었고 만일 위급한 상황이 와서 중년이 쓰게 된다면 그 전에 연락이 먼저 올 것이다.

중년 사내는 지금 아마 전남 부근에서 일을 마치고 뒷수습을 한 뒤 적당히 잘 숨었으리라.

혹시나, 해서 재영은 휴대폰의 화면을 문질러 밀며 바꾸었다. 알람의 내용이 무엇인가 정확히 하려고.

대기화면이 넘어가자 짧은 알림창이 떠 있는 게 그의 눈에 보였다. '휘령동 지하 침입. 1명.' 그가 여기저기에서 써먹고 있는 비밀 장소들은 여럿이었다.

지금 이렇게 간편하게 사용하고 있는 장소는 딱히 '그의' 장소는 아니었지만. 어떤 곳들은 제법 자본을 들여서 이용하기 편리하도록 개조를 시켜둔 공간들이다.

그런 공간들엔 대개 CCTV 따위를 달아뒀고, 간단한 전자 기기로 멀리서도 상태를 체크할 수 있게끔 해두었다. 그것들을 보수하기 위해서 종종 국내외를 순회하며 장비를 만지는 것도 그의 비정기적인 일정 중 하나이다.

알람은 간단히, 어디에 이상이 생겼고 어떤 종류의 일인지만 전달한다. 사람 형체의 누군가가 영상을 잡는 렌즈에 걸렸다면 침입으로 뜬다. 침입자를 분간할 수 있을 정도의 대단한 인공지능 기기는 없다. 그는 바들바들 떨고 있는, 눈빛으로 말하고 있는 듯한 구석의 사내를 슬쩍 바라봤다.

약효는 충분하다. 즉효성의 신경독이었다. 신체의 전반적인 기능이 떨어지고, 또 감각이 마비된다. 의식은 살아 있다. 눈도 가리지는 않았다. 재영은 깊게 모자를 눌러쓰고 다녔지만, 얼굴이나 외형을 완전히 감추지 않았다.

눈 앞의 인물은 반드시 죽이겠다는 뜻이기도 하다.

그런 사실을 인지하고 있는지, 말도 하지 못하고 움직이지도 못하며 사지와 몸통이 두껍게 결박되어 움직이지 못하는 20대 중반 정도의 사내는 눈빛을 사정없이 흔든다.

자신의 마지막이 아무래도 다가오고 있다는 것 같다는 불길한 예감은, 영화 속이 아니라 현실의 일이었다, 그에게는.

재영은 머릿속으로 아주 짧은 순간에 상황을 복기했다. 적당한 사냥감을 고른 것이 어제의 일이었다. 하루종일 돌아다녔다. 관광지를 중심으로 해서, 인적이 드문 주민 마을까지. 신발은 사이즈가 큰 종류나 혹은 꽉 끼이도록 작은 종류를 여러 번 바꾸어 신었고, 차림새도 계속 다르게 했다.

근처 적당한 지점에 숙소를 하나 더 잡아서 옷가지나 장구류 따위를 놓아두고, 여러 군데를 돌아다니는 와중에 그렇게 한 것이다.

완벽하게 인상착의를 바꾸지는 못하겠지만, 어차피 지나가면서 보는 이들은 그 정도만 해도 충분하다. 흘겨보는 정도의 시선이라면 충분히 속이고도 남는다.

그렇게 시간을 보내며 적당한 인간을 물색했고, 눈 앞의 사내가 걸렸다. 이름은 이효준. 나이는 26세. 백수. 간신히 들어간 중소기업에서 잘리고, 삶에 대한 낙담을 풀기 위해서 친구랑 같이 강원도에 여행을 온 모양이었다.

친구는 강원도 지방에 살고 있었고, 따로 직업이 있는 모양인지 중간에 헤어져서 그 혼자 다니게 되었다.

가족 관계는 아마 본가가 남부 지방에 있는 듯했고, 서울에서는 자취를 하는 모양이었다.

교우 관계도 그리 깊지는 않은 모양이었고 잠깐 같이 다니던 친구도 어딘지 어색해 보이는 느낌이 있었다.

뭐 나쁘지 않았다. 어디에 소속되어 있지 않다면, 사라진다고 하더라도 시간이 벌릴 것이다. 누군가가 그에게 연락을 하고 낌새를 눈치채기까지.

체구는 중간에서 약간 작은 편이었다. 키는 보통이나 조금 마른 편. 184, 5정도의 키를 가진 재영에 비하면 한참이나 작다. 거기다가 그는 오랜 운동으로 근육으로 몸무게의 많은 비율을 채워넣은 상태였고.

맨 손으로 하더라도 재영은 눈 앞의 사내를 넉넉잡아 십여 초면 제압할 자신이 있었다. 소리가 나지 않게 하는 건 조금 어려웠다. 그래서 도구를 썼고, 적당한 틈을 봐서 사각 지대에서 덮쳤다.

자가용의 차가 있는 인물이었다. 백수가 되기 전에 산 것일 테다. 하얀 색의 경차였고, 그것을 몰고 다니다가 어느 해변가 외진 곳에서 혼자 바다를 바라보며 상념에 빠지는 때를 노렸다.

관광객들의 경로는 그 주변을 돌아다니다 보면 은근히 겹치게 마련이었고, 또 자주 마주치기도 한다. 재영은 몰래 뒤를 밟으면서 그에 대한 정보들을 들었고, 다음 행선지 따위를 파악했다. 대중교통을 이용해서 적당한 타이밍을 잡는 건 까다로운 일이었지만 불가능하지도 않았다. 요령과 끈기가 있다면. 무엇보다 집요한 의지가 제일 중요했다.

여러 선택지들이 있었는데, 개중에서 가지치기를 해나가며 가장 적절한 상대와 때, 환경이 골라지게 된다. 마지막에 선택된 것이 눈 앞의 이 남자였다. 이 사람 말고도 인근에서 살아가는 여자 고등학생 한 명과, 관광객으로 도시에 휴가를 내고 온 30대 직장인 여성이 하나 더 있었는데.

둘 다 정해진 시간 내에 틈이 잘 나지 않았다.

동선과 행동 범위를 알고 있다면 몇 명이건, 사실 바운더리 안에 넣어두고 뒤를 쫓는 건 어렵지 않은 일이었다. 재영은 주로 '추적기'를 사용한다. 손가락 한 마디만한 위치추적기였고, 적당한 틈을 보아 소매치기 같은 요령을 이용하면 상대의 몸에 붙이던가 넣는 건 어찌어찌 가능한 일이었다.

혹은 상대의 시선이 아예 팔린 틈을 보아서 대놓고 그의 물건에 집어넣고 가도 좋고. 식당같은 곳이 가장 괜찮은 장소였다. 그렇게 하기엔.

마침 동네에 버려진 자전거가 있기에 애매한 거리를 발로 뛰는 것보다 더 빠르게 이동할 수 있어서 운이 좋았다.

재영은 몇 명의 선택지들 중에서, 홀로 외딴 지역에 남아있고 또 뒷수습의 시간을 생각했을 때 가장 적절한 시점에 틈을 보이는 인간을 골라 다가갔고, 숨 한 두 번 쉬고 마실 시간 만에 상대를 제압했다.

외딴 해변가 위의 도로에서 혼자 고독을 씹다가, 사내가 차 문을 열고 홀로 끄트머리의 계단을 통해 내려오는 사이에 말이다. 적당히 틈을 노려 사각에서 근처에 다가갔던 그는 사내가 제 발로 방파제 아래쪽으로 이어지는 계단을 이용해 내려오자 별 힘도 들이지 않고 일을 마칠 수 있었다.

순간적으로 정신이 혼미해질 정도로 강력한 수면마취제 따위를 천에 적셔서 쓰고, 그것을 많은 양 움켜 쥐었다가 입에 쑤셔박은 뒤 큰 소리를 내지 못할 때 목덜미에 직접 주사기로 신경성 독물을 주입한다.

재영은 그 주사 과정의 스페셜리스트였다. 하도 많이 하고 있기도 하고. 순식간에 정맥 위치를 파악해 눈 깜짝할 새 이미 약물을 주입하고 있는 뒤인 경우가 대부분이다. 간혹 1, 2초 정도 더 헤맨다고 해도 접근한 다음이라면 곰 같은 거구로 반항을 해서 목을 잡기도 어려운 상황을 제외하곤 금세 초크로 기절시킬 수도 있었다.

상대가 재영보다 훨씬 더 큰 체구를 가진 괴물같은 생김새의 장정이라고 해도, 사실 얼마간 시간이 걸릴 뿐이지 결국은 제압할 자신이 있었고 말이다.

뭐, 주짓수의 아득한 베테랑이라면 또 모른다. 그 정도의 인물을 대상으로 삼기도 쉽지 않거니와 만약 그렇다면 차라리 다른 도구를 쓸 것 같다.

방파제의 벽과 계단의 난간 따위로 잘 보이지 않는 해변가 어느 구석. 사람도 없는 자리에서 재영은 순식간에 효준을 잡았다. 그리고 익숙하다는 듯, 도수 운반으로 빠르게 옮겼다. 계단 위를 올라서면 바로 주차된 그의 경차가 있었고, 그는 그때부터 부축으로 포지션을 바꾸곤 그의 차키를 훔쳐 차문을 열었다. 조수석에 태운 뒤

안전벨트를 잘 매고, 천천히 차를 몰아 온 곳이 이제, 여기였다.

해변가에서 그리 멀지도 않았고, 그리 오래지 않은 잠시 전의 이야기다.

폐가에 들어온 그는 미리 준비한 도구로 효준을 결박했고, 신경독의 해독제를 놓아주었다. 정확히 말하면 의식만 들게 하는 약물이었다. 이미 파괴적인 작용을 일으키고 있는 독극물은 효준의 체내를 돌아다니고 있었다.
재영이 품에 넣고 있는 온전한 해독제를 투여하지 않으면 그가 손을 쓰지 않아도 아마 죽을 것이다. 하루, 이틀 정도 이 자리에 있다가.

그 전에 발견되어서 대형 병원 따위로 옮겨지고 뭐 대단한 처치를 받는다면 혹시 모르겠다. 재영도 모든 약물의 근원과 모든 성분을 알고 쓰는 건 아니었다. 그저 노인이 준 것을, 중년에게 건네받은 것을 쓰는 처지다. 상당한 극독이고 어떤 효과가 있는지, 용법 따위를 들었을 뿐이다.
아마 해독하기 조금 난처할 거라 생각하지만, 제대로 된 의료시설에 들어간다면 살 가능성이 높을 것 같다. 후유증은 어쩔 수 없을 것 같고.

오후 4시경.

지금의 시간이었다. 인적이 드문 장소를 잘 골랐고, 주민들의 눈조차 얼마 없다.
시기를 잘 골라 빠르게 처리했으므로 아마 그가 인지하는 한에선 목격자가 없다. 천에 하나로, 어디 먼 곳에서 재영이 있던 위치를 지켜보던 망원경의 소유자가 있다면 혹시 모른다. 그러나 그런 인물이 있다고 해도 그가 제압용 도구를 갖춘 형사일 확률이 얼마나 될까.

민간인이고 방법이 없다면, 제대로 된 경찰 인력을 대동하고 이곳에 오기까지 시간이 있다. 그는 그 시간이면 충분히 일을 저지르고 사라질 자신이 있었다.

그는 범행을 저지를 때는 피부 전면에 비닐 따위를 싸맨다. 특수한 재질로 만들어졌고, 정확히 말하면 비닐이 아니라 다른 것이라 그리 무르지도 않으며 미끄러운 질감도 아니다. 투명한 것이라서 멀리서 보면 잘 모른다.

얼굴을 비롯해서 체모는 전부 밀었다. 동남아 쪽에서 시술을 받은 것이라 다시 자라지도 않는다. 그 위에 문신으로 색을 냈고, 필요하다면 인조 털을 붙여서 모양새를 잡는다. 지금은 그저 모자를 깊이 눌러쓴 상태이고 다른 사람과의 관계를 신경쓸 때도 아니었기에 인조 눈썹도 붙이지 않았고.

머리도 그의 것은 아니다. 질 좋은 가발을 구한 뒤로는 그것을 쓰고 다닌다. 머리형에 딱 맞게 제조된 것이고 단단하게 접착되어서 어딘가에 일부가 잘 떨어지지도 않는다. 떨어져도 그의 정보를 얻을 수는 없다. 실제 머리는 주기적으로 밀고 있었다.

"……."

재영은 숨 한 치도 함부로 내쉬지 않고 긴장감을 유지했다. 일부러 그러는 건 아니었다. 살인귀는 원래 그런다.

그 스스로가 한 치 앞도 볼 수 없는 어둠 속에서 살고 있는 처지라 그럴지도. 무감하지만 실제적으로 받고 있는 굉장한 스트레스는 어쩔 수 없는 긴장감을 육신에 부여한다.
그런 분위기는 곧 살벌한 공격성이 되어서 다시 그의 주변에 있는 인간들을 압박하기도 한다.

재영은 핸드폰으로 지하통로의 한구석에 설치된 CCTV영상을 확인했다. 그리 편리한 기능 까지는 아니었다. 사진으로 찍혀서 전송되는 것들을 볼 뿐이다.

어둔 통로 속에 누군가 들어왔다.

폐가의 마룻바닥에서 그대로 내려오면 있는 최초의 발 딛는 자리가 CCTV가 녹화하고 있는 지점이다.

위쪽에서 어둔 통로로 빛이 새어들어오는 것 같았다. 몇 장의 사진이다. 넘길수록 사진이 점차 밝아졌고, 사람의 얼굴이 나왔다.

핸드폰 플래시 라이트인지, 뭐 그런 종류를 들고 있는 것 같은 남자다. 건장한 체격. 달리기가 그리 빠를 것 같지는 않지만, 그리고 또 어둔 지하 통로라 색깔까지는 세세하게 구분할 수 없지만.
대략적인 인상착의는 눈에 담았다. 헝클어진 짧은 커트 머리. 어둠 속에서 반사되는 광량을 받았는지 빛나는 눈빛이 또렷하다. 인상이 짙은 느낌의 사내, 중년 정도의 인간이었다.
재킷이나 작업복 바지 따위를 입은 것 같았다. 손발을 비롯해 사지의 두께감이 위협적이었다.

흐릿한 화질의 사진으로 누군가의 얼굴을 기억한 재영은 다시금, 효준을 바라보았다.

그의 얼굴을 기억하고 있는 당사자다.

재영은 다른 이들의 얼굴을 기억해도 좋다.

그리고 다른 이들은, 그의 얼굴을 알 수 없었다.

물론 김재영이라는 인간이 이 한국 사회에 발을 붙이고 살아가면서 아무에게도 제 얼굴을 보이지 않고 살 수는 없었다.
그래서 그는 두 얼굴을 철저하게 나눴다. 일반적으로 사람들에게 부대껴 살아가는 프리랜서, 혼자서 낡은 단독 주택을 구해 살아가는 수더분한 청년 하나의 얼굴과

또 도저히 보여줄 수 없을만치 추악하고 냉정한 눈빛을 보이는 살인마로서의 얼굴이었다.

후자의 것을 본다면 상대는 죽은 목숨이라고 생각해야 했다. 딱히 그가 절대적인 실력을 가진 건 아니었지만. 상대를 죽이지 않으면, 결국 재영이 죽을 테니까.
재영은 그런 게임Game에서 질 생각이 전혀 없었다. 여태까지는 들키지도 않았고, 그의 얼굴을 보인 상대가 있다면 모두 남김없이 없애왔다.

효준은 의식이 살아 있다. 아마 통감은 조금 많이, 둔할 지도 모른다. 즉효성의 신경독은 사람에게서 대개의 감각과 기능을 앗아간다. 죽기까지는 시간이 많이 걸리지만, 신체 내부가 멀쩡하다고 볼 수는 없었다.

그런 사태는, 효준에게 있어 일말의 다행일지도 모른다. 적어도 고통만큼은 덜어지는 상황이니.

죽음이라는 절대적인 결말 앞에서 어떤 것도 위로나, 대안이 될 수는 없었지만 이 상황에서.

김재영은 '김연수'로서 효준을 죽여야 했다. 지금 하고 있는 살인 행위는 재영의 게임의 일부이기도 했지만, 사실은 중년 사내의 '본 게임'이었으니. 재영이 느끼는 감각은 그의 본 게임이 따로 있고, 지금의 행위는 부가적인 것에 가깝다는 판단이다.

이것을 성공적으로 해낸다고 해도 그의 살인행行에 큰 점수가 주어지지는 않는다. 그의 머릿속 안에만 있는 점수판에서 말이다.

뭐 그러나 이 역시 살인이니만큼 소소하게 플러스 점수가 집계되기는 한다. 실패를 하지 않는 것이 가장 중요하다. 재영의 취향이나 감각을 살릴 필요까진 없었다.

또 김연수로서의 살인에는 방식이 있다. 그건 그 당사자가 되는 중년 사내의 것이었고, 중년 사내의 게임은 연속적인 것으로 그를 쫓는 형사들에게 전하는 메세지이기도 했으므로 반드시 그대로 행해야 했다.

김연수는 정신적으로 싸이코였고, 육체적으로 괴물같은 능력의 소유자였다. 그는 화약 무기나 전자동 기계를 사용하지 않고 사람을 죽인다. 단순한 흉기나 둔기를 사용하고, 오래 걸리지도 않는다. 한 두 번의 가격이나 참격만으로 목숨을 끊는다.

그리고 시체를 일부러 숨기지도 않는다. 범행 장소 그 자리에 그대로 놓아두고, 자신의 발자취만 모두 지운 뒤에 사라진다.

묶어 놓은 줄은 자국이 남지 않도록 무른 재질로 만든 것이었다. 거기다가 로션 따위를 묻혀서 더 부드럽게 했다. 질기고 끊어지지 않지만 흔적이 최대한 남지는 않게 하기 위한 조치다.
약간의 자국이 남는다고 해도 재영이 크게 기겁을 할 만한 일은 아니었다.

어디까지나 중년 사내의 부탁을 들어주고 그의 방식대로 하지만 완벽히 그렇게 되지 않는다고 해서, 재영의 생존에 문제가 되는 일은 아니었으니.
할 수 있는 만큼만 해주고 있는 셈이다.

그리고 아마 그런 도움조차도 이번 일련의 살인들. 올해가 지나고, 아마 길면 내년 정도에 모든 일들이 마무리 될 것이다.
그다음이 되면 중년 사내, '김연수'는 한국에서의 게임을 접으리라.
마지막으로 기록을 세우고, 제 삶을 찾아서 떠날 것이다.

타인의 죽음을 재료로 채워 넣은 살인귀들에게 삶이란 없는 것이고 또 우스운 꿈이었지만.
그럼에도 아마 떠날 테다. 다른 방식의 게임을 찾을 수도 있겠고, 다시는 어떤 종류로든 기록 세우기에 도전하지 못할 수도 있었다.
노인은 아직까지 잡히지도 않았고 또 그들에게 딱히 적대감을 품지도 않았으니, 그의 영향력이 닿는 어느 지역에 가서 새로운 신분을 얻어 살 속셈이 아닐까, 재영은 생각할 뿐이다.

낡은이의 마지막 짓거리에 어울려주는 중이다, 그는.

재영은 머릿속으로 여러가지를 생각했다.

생각은 생각이었고 일을 마치고 떠나긴 해야 한다. 그의 상황과 상관없이 시계는 냉정하게 흐른다. 만물에 대해서 똑같이 흐른다. 살인귀에게나, 피해자에게나. 그를 잡기 위해 달려올 어느 형사들에게나.

혹시라도 신경독 효과가 개인에 따라서 차이를 보이거나, 우연한 기적이라도 일어나서 쓸 데 없는 반항을 할까봐서 묶어 두었던 줄이었다. 흰 색에 그 단면이 부들부들한 재질로 되어있는, 고무와도 비슷한 줄의 매듭을 다가가서 툭, 풀었다.

준비한 흉기는 따로 있었다. 휴대용 보냉 아이스 백에 넣어두었던 얼음 칼이다. 플라스틱 틀을 만들어 둔 게 있었고, 속초에 도착해서 모텔 냉장고를 이용해 얼렸다.

송곳처럼 되어 있는 그 첨단이 무척이나 날카롭다. 결행 시간을 예측하고 녹을 것을 계산해서, 필요한 크기보다 애초에 더 크게 얼려두었던 물건이다.

미리 폐가 내부에 두고 떠난 품이 넉넉한 백팩 내부에 이런저런 물건들이 들어 있었다. 접이식의 비닐 천도 있다. 투명하고 조금 두꺼운 종류였는데, 아주 넓어서 사람 하나 정도는 넉넉하게 감싸도 남는다. 둘둘 말듯이 포장을 해서 질식사를 시켜도 될 정도로 말이다.

비닐을 담는 포장 천도 따로 있었다. 잘 구기든 접든 해서 넣은 뒤에 입구를 좁게 묶는 끈이 달린, 여행용 돗자리를 넣는 외피 같은 물건이다.

김재영은 기계적으로 동작들을 수행했다.

먼저 눈을 뜨지만, 다른 기능이 이미 충분히 마비된 사냥감의 줄을 풀어주었다. 말단 부위를 만져서 눌러보는데 전혀 반응이 없다. 아무런 힘이 들어가지 않는 게 분명하다.

몇 개의 매듭으로 요령좋게 묶은 포박이 풀렸다. 부드러운 흰 끈은 써먹을 데가 있었다. 짧은 한 두 개 정도만 따로 뺐다. 나머지는 용량이 큰 백팩에 넣었다. 일을 하고 있을 때, 그는 번거롭지 않도록 미리미리 정리를 하는 편이었다. 시간이 더 걸리게 하는 오류가 없지 않은 이상.

커다란 비닐은, 재킷 안쪽에 숨겨둔 작은 접이식 나이프를 이용해 반으로 갈랐다. 지이익, 하고 가볍게 뜯어진다. 나름대로 두꺼운 재질이지만 잘 갈아둔 유용한 칼날에 버티지는 못했다. 결을 따라 갈라지는 고기처럼 손쉽게 잘라졌다.

그렇게 반으로 가르고도, 여전히 넉넉했다. 애초에 사람을 둘둘 말 수 있을 정도였으니. 충분히 한 번 이상을 감싸고 남는다.

부들거리면서 그가 움직이는 꼴을 효준이 지켜본다. 재영은 아랑곳하지 않았다. 시간은 아주 중요하다. 목숨만큼이나, 혹은 누군가의 목숨보다도 더.

살인귀는 시간을 잘 지킨다.

그런 철저함이 없을 때 형식도 규율도 삶의 자유도 없는 살인마는 조금도 살 수 없는 괴물이 되어버릴 것이다.

야쿠자나, 조직폭력배 따위가 더 인의라는 단어에 집착하는 것처럼. 부서진 삶을 살아가는 이들은 자신들의 삶을 조금이라도 형체를 남겨 유지하기 위해 눈에 보이는 어떤 규율과 가치에 집착한다.

사람들은 모두 자신들에게 부족한 것을 얻기 위해 애쓰고, 균형이라는 걸 맞추기 위해 발악을 한다. 사람에겐 반드시 일정 이상의 '규칙'이 필요했고, 그건 삶을 아름답게 조형하는 필수적인 요소였다. 비타민 같은 것이리라. 탄수화물, 단백질, 지방 같은 기본 영양소일 수도 있었고.

남의 삶을 부숴버리듯 제 삶 역시 파괴한 셈인 살인마는 자신만의 룰에라도 집착해야 했다. 과도한 강박증 증세가 자주 나타나는 것 역시 그런 원리이다.

효준의 바람과는 달리, 재영의 움직임은 잽쌌다. 감각이 점점 사라져간다. 누워 있는 사내의 정신이 아득해져갔다. 신경성 독의 효과다. 즉효를 나타내며 마비시키지만 시간이 지연되면서 증상이 심화된다. 의식만 살아있는 상태에서, 본인이 느끼기에 현실이 점차 꿈처럼 변해간다. 애초에 감각이 모두 맛이 가있으니 어쩔 수 없는 결과였다.

꿈인지 현실인지 분간할 수 없는 경계에서 재영이 드물게 입을 열었다.

"어떤 새낀지."

효준에 대한 이야기는 아니었다. 그의 집에 울타리 안쪽을 넘본 다른 인간에 대한 말이었다. 재영에게 이미 눈 앞의 인물에 대한 생사는 결정된 것이었다.

바쁘게 움직여 차렷 자세로 굳어버린 효준에게 다가왔다.

그 손에는 얼음덩이를 하나 들고 있다. 마치 송곳처럼 끝이 날카롭게 가다듬어진 것이었고, 앞은 원뿔형이고 뒤로 가면 그래도 손아귀에 들어올 정도의 기둥이 있었다. 손잡이 부분이다. 그 기둥 부위를 아까 효준을 묶을 때 썼던 흰 끈으로 둘둘 묶어두었다.

다른 쪽에는 구겨진 비닐이 있었는데, 그는 그것을 대강 펴더니 그것으로 효준의 전면부를 덮었다. 덮기 전에 얼음덩이를 안쪽에 같이 넣어 위치를 잡으면서 덮는다. 적당한 공간이 나야 했다. 그래도 수 센티 정도는 적어도 움직여야 힘을 받지.

얼음송곳이 움직일 공간, 효준의 얼굴 근처의 빈 공간만 신경쓰면서 작업을 마무리한다. 비닐을 그 몸에 대어 감싸며 몇 바퀴 요령 좋게 굴린다. 폐가의 부서진 바닥 한 구석에서 힘을 쓰자 금세 비닐로 그 몸이 다 싸여졌다.
재영은 힘이 좋다. 상당히, 혹은 그 이상으로.

남성 하나를 포장하기에 오래 걸리지 않았다. 포장까진 아니고, 빈 구석이 없도록 밀봉시키는 것뿐이다.

효준은 정신이 거의 없었다. 아득하다. 촉감은 거의 사라졌다. 청각도 흐릿하다. 시각이 마지막까지 남아 있었지만 그조차 흐려지는 것 같다. 미각은, 생각할 겨를도 없다. 후각 역시 마찬가지였다. 아마 집중한다고 해도 아무것도 못 느낄 것이다.

재영은 효준을 일으켜 세웠다. 그리고 다시 눕혔다. 반 정도만. 영차, 하고 작은 기합과 함께 장정을 일으켰고, 기울어진 각도기처럼 앞을 향해서 좀 눕혔다. 효준의 신발 바로 앞에 제 신발을 대었고, 밀리지 않게 고정시키며 어깨 부근을 잡고 천천히 기울인다.

재영의 힘으로도 한계가 되는 각도가 있다. 그 이상이 되면 떨어져 바닥에 부딪히리라. 그 전에 오른손으로, 효준의 옆에 서서 상체 부근에 두었던 얼음덩이를 비닐 너머로 용케 잡는다. 약간 미끌거리는 듯한데, 묶은 끈을 어떻게 잘 비비며 그립을 쥐니 힘을 받도록 자세가 나온다.

영 어색하면 다시 뒤로 눕힌 뒤 비닐 겉에서 끈으로 한 번 더 감아 고정하는 법도 있다. 그러진 않아도 될 것 같다.

재영은 그대로 푹

하고 두터운 얼음 송곳을 뒤로 뺐다가 등허리를 틀며 무게를 실어 찔렀다. 짧은 거리였지만 충분했다. 누군가의 약한 부위, 목에 상처가 나고 마지막을 맞이하기에는 말이다.

얼음 송곳 자체도 깨나 무게감이 있고 부피가 있어 근처에서 꾸욱 누르기만 해도 위협적이다. 그것에 체중을 실어 운동 동작, 무술 동작의 일종을 보이듯이 거센 힘으로 팍, 임팩트를 주자 거짓말처럼 들어갔다.

그 순간의 감각이 재영에게 남아 있는 유일한 기억의 선명함이다. 그의 나머지 모든 삶의 순간들이 끝없는 어둠과 정적이라면, 그 지점이 그의 인생에 있어서 유일하게 어떤 소음과 충격이 나타나는 곳이었다.

재영의 인생을 비디오라고 친다면 그가 느끼는 감각은 그러했다. 끊임없이 앞으로 감기를 눌러도 검은 화면만 나오다가 몇 번 정도, 십 수 번 정도 불꽃이 튀듯이 그런 폭발의 장면들이 있으리라.

아무것도 느끼지 못하는 그에게 그것은 중요했다.

길을 잘못 든 사이코패스는 잘못된 방향으로, 그렇게 몰두하며 달려나가고 있다.

아직도 후회하지 않고 계속 가속 페달만을 밟는 중이다.

그 끝에 무엇이 있을지는 모르겠다. 재영 역시 알 수는 없다. 그는 약간의 경련과 함께 마지막을 맞이한 효준을 감각한다. 꽂히는 것과 동시에 목숨은 거의 잃은 것이나 마찬가지였다. 그리 길지 않다. 정말로 숨이 멎고 아무런 반응이 남지 않기까지. 찌르는 순간 피가 튀었다. 그리고 그 깔끔하지 않은 송곳 구멍으로 인해 혈액이 흐르고 퍼졌다. 몇 번 말아낸 비닐 포장 안에서 벌어진 일이기에 바깥으로 새지는 않았다. 다행히.

재영은 그대로 효준의 어깨를 잡으며 아래로 내린다. 허벅다리나 발도 좀 이용해서 무게감을 견딘다. 천천히 잘 내려놓았다. 시신에 쓸데없는 흔적이 더 남아서 유익할 건 없다.

한 명이 갔다. 재영은 다음 행동을 위해 움직여야 했다. 그가 잡히거나, 죽거나 하는 날까지 몇 번을 더 이럴 수 있을까. 김재영은 끔찍한 계산을 머리에서 돌리며 잠시 기다렸고, 뒷정리를 한다.

*

17. 뒷처리

폐가, 빛이 잘 들지 않는 어둠. 먼지 구덩이와 썩어빠진 인테리어 속에서 재영은 핸드폰 플래시를 켜고 잘도 움직였다.

옆으로 뉘인 이효준이 있다. 새어나오는 피로 이미 전면부를 비롯해서 비닐이 붉은 색으로 거의 물들어가고 있다. 그래도 덜한 것이다. 얼음이 완전히 빠지면 생명이 다 토해져 나오리라. 그러니까, 혈액 말이다. 얼음 송곳이 구멍을 막고 있어서 저 정도로 그치는 상태다.

재영은 나머지 물건들을 잘 준비했다. 얼음을 담았던 보냉백은 잘 접어서 대충 재킷 안쪽에 쑤셔넣었다. 애초에 펑퍼짐한 옷을 입고 다녀서 품이 많이 남는다.

내용물이 적어지면 쪼그라드는 백팩이다. 쓸모 없는 물건들을 다 집어넣을 셈이다. 애초에 비닐을 담았던 외피는 입구를 벌린 채 옆에 준비했다. 배낭에서 흰 비닐 장갑을 하나 준비한 걸 꺼내서 손에 덧씌워 꼈다.
원래 범행 중에는 지문이 남지 않도록 투명한 장갑을 하박 전체까지 덮도록 끼고 있지만 한 번 더 걸친다.

남은 비닐 반 쪽. 그래도 충분히 넓고 펑퍼짐한 것을 펼쳐 효준을 덮었다. 중분히 잘 쌀 수 있을 정도로 말이다. 그리고 한 쪽을 들어 다가갔다. 피가 쏟아져 나올 전면부 말고 뒤쪽이다. 그는 가지고 온 접이식 나이프로 슥슥, 비닐을 잘라냈다. 몇 겹의 비닐이 몇 번의 칼질을 거치자 잘려나간다. 그는 그대로 길게 잘라 아래까지 반 토막을 냈다. 완전히 까진 비닐은 당기기만 하면 빠질 것이다.

그 가운데 시체가 좀 이리저리 눌리고 피가 묻고 하겠지만은. 다행히 뒷면까지 피가 다 흘러서 묻진 않은 터라 나이프에 별다른 액체가 묻지는 않았다. 그래도 챙겨 가지는 않는다. 혹시 모를 미세한 무언가라도 묻을 확률이 있다면 이 때 사용한 물건들은 전부 버리는 게 낫다.

칼을 옆에 두고, 애초에 덮었던 나머지 반 쪽 짜리로 효준을 잘 감싼다. 위에서 덮어 감싼 뒤 조심스럽게, 내부의 비닐을 당겼다. 겉 포장지로 감싸면서 천천히 뺀다. 덜컹거리면서 얼음 송곳이나, 시신이 움직이며 소리를 낸다. 요령 좋게 몇 번의 힘을 준다. 흡, 흡.

작은 숨소리와 함께 무게감을 견디며 조금씩 빼내었다. 얼음 송곳이 밀리고 시신이 넘어지며 구멍이 더 벌어지는 모양이다. 피가 더 쏟아져 나오는 듯했다.

아랑곳하지 않고 재영은 안쪽의 비닐 껍질을 잘 빼낸다. 한 쪽으로 당겨 빼낸 비닐을 겉 포장지 내부에서 갈무리한다. 이런 류의 일을 하는 업자라도 된 기분이었다. 그 정도로 솜씨 좋게 처리한다.

빼낸 만큼은 계속해서 구기고, 겉 껍질로 안듯이 감싸며 처리했다. 푸쉬익, 하고 얼음 송곳이 더 밀려나며 목구멍에서 피가 쏟아지는 듯하다. 눕인 상태라서 피가 마룻바닥으로 퍼진다.

재영은 아예 멀찌감치 빼낸 비닐을 내용물이 묻지 않도록 조심히 다루었다. 잘 개킨다. 비닐은 방수용이고, 그 안에는 혈액이 여전히 있다. 새어나오지 않도록 많은 요령이 필요했다. 옷가지에라도 묻는다면 일이 한참은 번거로워진다.

애를 쓰며 간신히 작은 모양으로 만들었다. 그럼에도 불구하고 묵직하다. 제대로 접은 것이 아니라 온전히 눌러서 둥그렇게 만들었을 뿐이라.

재영은 옆에 두었던 외피를 가져와 비닐 무더기를 넣었다. 외피가 터질듯이 부풀었다. 이런 식으로 넣는 건 상정하지 않고 만들었다. 입구의 끈을 당겨 좁게 묶고, 다시 그것을 가져왔던 백팩에 쑤셔넣는다.

사용한 나이프도 접어서 넣었다. 요령 좋게 일을 마무리 해 무엇 하나 묻지 않은 흰 비닐 장갑도 비닐을 담은 외피 입구에 쑤셔넣었다. 그걸 다시 잘 묶고, 배낭의 지퍼를 잠궜다. 등산용이고, 방수 외피의 배낭이니 아마 액체가 쉽게 새지는 않을 것이다.

그는 배낭을 멨고, 누운 시신을 뒤로했다. 얼음 송곳이 덜그럭거리며 옮길 때 위치가 비틀렸고, 목에 난 상처가 더 벌어졌다. 혈흔이 여기저기로 제 존재감을 드러낸다. 바닥에 엎드려 누운 터라 그것이 멀리까지 바로 튀지는 않는다. 바닥에 묻어 계속해서 흘러내렸고 퍼져갈 뿐이다.

엎드린 시신의 전면부는 대부분이 붉다.

재영은 폐가의 한 구석, 작은 창문에 기대어 눈 나무 판때기를 치웠다.

아직 오후였고, 저녁이 되기까지는 시간이 남았다. 낮의 햇살이 폐가 안을 비춘다.

재영이 명치 부근 즈음 오는 위치의 창문을 통해 능숙하게 바깥으로 빠져나갔다. 체격이 유달리 큰 인간이 아니라면 딱 맞게 있는 크기로 빠져나갈 수 있었다. 바깥으로 툭, 던져 놓은 판때기를 휙 하고 나간 재영이 다시 자리에 맞게 끼운다.

폐가 안으로 들이닥치던 빛줄기의 말단이 흐르는 핏자국 어귀에 닿았다. 효준의 시신을 조금 비춘다. 그러다가 다시 그가 창문의 덧창 역할을 하는 판자를 끼워내자, 다시 어둔 그림자 속으로 폐가 내부의 장면이 사라졌다.

*

재영은 들어왔을 때처럼, 또 얼마 걸리지 않은 아까의 일처럼 폐가의 울타리를 지나쳐갔다. 개구멍을 만들어 둔 공간이 있었다. 나무 울타리였는데, 합판이 거의 썩어 있었다. 일전에 톱으로 잘라내고 적당히 붙여 둔 공간이 있었다. 삽으로 아래 흙더미를 파서 공간을 더 내고 낙엽으로 덮어 두었었다.

어제 즈음에 와서 봤을 때 예전에 손 본 것이 그래도 모양새가 남아 있어서 간단하게 보수 작업만 더 했다. 합판을 떼어내고 폐가 울타리 안쪽에 있던 낡은 갈퀴로 나뭇잎 따위를 치웠다. 사람 하나가 고개 숙이고 슥 지나갈 만한 자리가 나왔다. 재영은 그렇게 했다.

바닥에 쓰러뜨려 둔 갈퀴를 움직여서 나뭇잎 따위의 부피를 채울 물건을 다시 그 자리에 두었다. 합판 조각은 모양에 맞추어 대강 기울여 둔다. 아래에 채워두는 내용물에 부피감이 충분히 있어야 잘 서있는다. 근처에 굴러 다니던 돌 몇 개를 더 가져다가 누르고 대강 고정시켰다.

달동네나, 혹은 인근의 산야로 올라가는 길이 있었고 또 외진 각도였다. 폐가의 울타리 중에 나무로 된 부분이 있고 콘크리트로 된 부분이 있었는데, 그가 나온 나무 울타리는 주변의 폐허로 가려져 있어 멀리서 잘 보이지 않는 구석진 곳이다.
폐가는 한 채만이 아니라 여러 채가 있었다.
재영은 툭툭, 여기저기에 묻은 먼지 따위를 털어냈다. 해가 지려면 아직 멀었다. 그는 백주대낮에 당당하게, 울타리를 다시 빙 둘러 나와 바로 옆에 대어 둔 흰 색 경차를 사용했다.

효준의 차다.

그는 배낭을 조수석 아래에 대강 던져놓고, 안전벨트를 멘다. 꽂아둔 차 키를 이용해 마치 제 차처럼 능숙하게 몰아 외딴 마을을 빠져나갔다.

얼마 지나지 않아 해변가 중에서 관광객도 아무도 없는 곳을 찾았고, 적당한 곳 따위를 찾아 차를 몰고 바닷가로 나갔다.

콘크리트로 이루어진 돌출부분이고 그 아랫단에는 방파제가 있다. 위험하니 내려가지 마시오, 라는 표지판이 있었고, 멀리서 햇빛이 그를 비춘다. 바닷 바람이 짰다. 짠 기가 섞인 해풍과 부서지는 파도의 물거품이 그 근처를 어른거린다.

바닷가 아주 근처까지 걸음을 내디딘 그는 툭, 하고 방파제 아래로 내려갔다. 물이 그의 발치 너머로까지 흰 거품을 부서뜨리며 다가왔다. 거기서 지퍼를 잘 채운 배낭을 휙, 던져 바닷물에 빠뜨렸다.

배낭 안에는 미리 돌덩이들 몇 개를 넉넉하게 넣어 두었는데, 그럼에도 불구하고 그의 자세와 완력에 멀리까지 날아가 풍덩, 빠졌다.

동해 바다의 해안가 근처 지면에 여러 흔적을 담은 배낭이 가라앉았다.

*

재영은 흰 색 경차를 원래 있던 데에 주차시켰다. 애초에 효준을 잡아온 그 곳이다. 거기도 인적은 별로 없다. 해안가의 끄트머리 지점. 차를 댈 수 있는 곳이 있고, 금방 해변가로 내려가는 계단이 옆에 있는 자리다.

그는 블랙박스가 있는가 살폈고, 몇 번 더듬대다가 영상 저장장치, 손톱만한 크기의 칩을 뺐다. 블랙박스를 조작하자 메모리 칩이 빠졌다는 문구가 뜨며 작동하지 않았다. 그는 자동차의 다른 문들을 모두 내부에서 잠갔다.

운전석 쪽의 창문만 끝까지 올린 상태에서 아주 조금 내렸다. 손가락 끄트머리가 들어갈만큼 말이다. 시동을 껐고, 차에서 자연스레 내렸다.

경차의 차키는 별다른 장식이 없이 작은 물건이었다. 그는 열린 창문 틈새로 경차의 차키를 밀어넣어 내부에 떨어지게 했고, 투둑 하고 의자 시트에 부딪힌 차 키가 발치 아래의 자리로 모습을 감추었다.

재영은 별 일 없다는 듯 걸어서 자리를 옮겼다. 아마 근처에 잠깐 썼던 오래된 고물 자전거가 있을 것 같았다.

가는 길에 숙소를 한 번 들리는 것도 좋다.

그는 적당한 자리를 찾아서 챙겨 온 모자를 몇 번 바꿔 쓰거나, 예전 것을 버리거나 했다. 숙소에 도착한 그는 무인 모텔에서 옷을 완전히 한 번 갈아입고, 차림새를 바꾼 뒤 움직였다.

애초에 속초에 도착했을 때 처음 잡은 숙소가 있었다. 그곳에서 한 번 더 간단한 옷차림 코디로 모습을 바꾼 뒤 서울로 내려갔다.

아마 시신은 발견될 것이다. 그가 버린 배낭도 나타날 수도 있겠지. 그의 흔적이 남는가가 중요한 문제였다. 또 그를 과연 다른 이들이 잡으러 올 수 있겠는가가. 그는 속초에서 아예 벗어나면서 기차 내부의 화장실에 끼고 있었던 얇은 비닐 장갑을 뒤집어 벗었고, 변기에 내려버렸다.

마지막에 기차에서 내릴 때 그의 차림은 얇은 회색, 체크무늬 셔츠를 걸쳤고 안에는 흰 재질의 옷이었다.

검은 면바지에 신발은 브랜드가 없는 단화였다. 사이즈는 본래 그의 것보다 한 두 치수 정도 작은 것을 신었다.

그는 검은 뿔테 안경을 끼고 검은색의 평범한 커트 머리, 그러니까 가발을 드러낸 채 서글서글한 웃음을 짓는 표정으로 서울로 돌아왔다.

*

윤계식은,

자신이 발견한 구조물을 일단 박주영을 통해 수사 집단에 알렸다. 그리 오래지 않아 형사들이 그 자리에 들이닥쳐서 새로운 발견이 없는가 더 조사했다.

그들 역시 윤계식이 발견한 것 이상을 찾을 수는 없었다. 돌담은 인위적으로 조작된 것처럼 벽돌이 갈라져 있었고, 아주 운동신경이 좋고 또 기예처럼 움직임을 연습한 사람이라면 계단처럼 그로 인한 틈을 이용할 수 있을 것 같았다.

돌담은 폭이 넓고 그 내부를 채우고 있는 벽돌이 빠진다면 어느 방향에서든 짚을 만한 깊이와 자리가 충분했다.

사람에 대한 흔적은 아무것도 없지만 그 구조물을 사용하는 어떤 인간의 행태는 짐작해볼 수 있다. 어지간한 괴짜나, 망상벽에 시달리는 정신병자가 아니라면 목적과 의도가 있을 테다.
그 의도가 현재 수사 본부가 쫓고 있는 살인 사건과 조금이라도 연계성이 있는가, 가 수색과 조사의 목적이었다.

계식이 말한 대로 폐가의 내부에는 건축물이 있었다. 마룻바닥에 아래로 통하는 출입구가 있고, 비밀의 문처럼 생긴 그 자리를 넘어

가면 도시의 지하 시설과 연결된 통로였다. 사람이 하나 둘 정도 지나다닐 수 있었고,

그 통로를 지나면 하수도의 내부를 관리하는 시설물 관리자들이 지나다니는 지하도가 나온다.

"……."

일단은, 타인의 사유지에 관한 불법 침입 문제는 넘어가기로 했다. 형사들은 말이다. 중요한 사건 현장에서 벌어진 일이니 그 정도 행동은 용인될 수 있었다.

물론 알려지면 안된다는 건 여전했지만. 아무도 신경쓰지 않는 어둔 폐가의 사정은, 범죄자가 그것을 이용해 죄악을 저질렀을 만큼 한적하고 쓸쓸한 것이었고 그게 이번엔 형사들의 침입이 된다고 변하지는 않았다.

집의 주인은 아주 멀리에 있었고, 이런 무너져가는 건물을 신경쓰는 이들은 별로 없다.

어쨌든 윤계식의 제보로 수사본부에선 해당하는 통로를 이용해 오갈 수 있는 근처 동네의 지리 정보를 다시금 정리했다. 지하도를 통해서 누군가의 눈에 들키지 않고 이동을 할 수 있다면 범행 가능지역이 훨씬 넓어지는 게 사실이다.

이것이 우연이든 아니든, 그럴 가능성이 있다는 면에서 훌륭한 발견이었고 수사 상황의 변화였다.

지하로를 이용한 이동의 가능성이 단순히 휘령동 어느 좁은 골목 근처에서, 주변 동네로까지 뻗어나갔다. 휘령1, 2동과 계문동

일대까지 움직일 수 있었다.

여러 군데 하수도로 통하는 길거리의 출입구가 있었다.

범인의 자취는 그 시설 일대에서 발견되지 않았다. 사람이 지나다닌 듯한 발자국이 남아 있기는 했다. 유전 정보를 발견할만한 머리카락이나 체조직 등 어떤 것도 남아있지 않았다, 그 외에는.

일단 답이 나오지 않는 수사의 향방은 덮어두듯 마무리가 되었고, 수사 본부에서도 골목에 있는 기이한 폐가의 리모델링 시설에 대해서는 알게 되었다.

*

서울로 돌아온 재영은 자신의 자택에 몸을 뉘였다.

기차를 이용해 돌아왔고, 이리저리 돌면서 한참을 걸려 제 집으로 왔다. 서울에 오고 나서도 몇 번의 옷을 갈아 입었고, 어떤 것들은 대강 버릴만한 자리에 버리기도 했다. 도로에 있는 의류 수거함이나, 쓰레기가 수북히 쌓여 있는 쓰레기장. 혹은 공용 쓰레기통.

14일 오후 경에 속초에 있던 재영은 서울 다른 곳에서 하루를 묵고 다음 날 아침에 제 집에 들어와 있었다. '제 집'은 가장 자주 사용하고 있는 집을 말한다. 계문동에 있는 낡은 단독 주택이었다.

쓸쓸한 집안이 살인마를 반겼다.
살인마의 속내가 더 이루 말할 데 없이 황량했으므로, 그런 무정물의 정취가 그의 마음에 어떤 파문을 일게 하지는 못했다.

1층에 있는 소파에 몸을 기대어 쉬고 있는 그의 핸드폰으로 알람이 몇 번을 더 울린다. 그 동안 계속해서 울리던 것들이 밀려서 소리를 내는 게 많았다.

전화가 하나 와 있었다. 게임 커뮤니티였다. 이제는 인기가 별로 없는 어느 온라인 게임 내의 동호회였고, 주기적으로 시간을 맞춰서 접속하며 같이 게임을 즐기곤 한다. 언제 즈음 다시 접속하냐는 그리 중요하진 않은 이야기였다.

전화만 보고도 알 수 있던 건, 그런 내용의 톡Talk 어플 메세지가 와 있던 탓이다.

그 외에 '중년' 사내로부터 온 것이 있었다. 그건 이미 확인한 내용이다.

중년은 전남 부근에서 일을 잘 마무리 지었다. 어느 사냥감을 잘 물어서, 여태까지처럼 빠른 시간 내에 처리를 했고, 자신은 그 지방에서 유유히 벗어났다.

그게 재영이 일을 벌이기 이틀 전에 있었던 일이었고, 그가 서울로 돌아오고 있을 즈음 해서 현황을 알리는 메세지가 전해졌다.

단숨에 두 건이다.

'김연수'로서 경찰들이 알 수 있도록 저지른 건은 여태까지 5건이었는데, 이걸로 7번이 되었다. 예전에 김연수의 행적은 재영 역시 들어 알고 있었다. 그 때의 기록과 같다. 이제부터는 저지르는 대로 새로운 기록의 행진이다.

9월달. 시간이 빠르다. 쉴틈 없이 저질러왔다. 아마 중년 사내는 조금 쉬었다가, 텀을 두고서 일을 벌이자고 할 지 모른다.

재영 역시 모드mod를 바꾸어서 일상적인 생활에 녹아들어 한, 두 달 정도 지내야 할 지 몰랐다.

재영은 몇 가지 주변적인 이야기로 자신의 말을 중년에게 보낸 참이었다.

-그, 효준이라는 친구가 있어. 나이는 한 살 위고. 저번에 놀러 갔을 때 봤는데 여전하더라고. 집 안에서 마시고 뻗어가지고, 그 뒤처리 하느라 고생했었지. 술 취한 채로 얼음 큰 걸 잘못 삼켜서 켁켁대던 거 구급차를 불러야 되느니 마니… 온갖 난리를 피우다가.

아무튼 재밌는 친구인데. 나중에 보면 좋겠고. 다음에 또 보자고. 잘 들어갔지.

대강의 정보였다. 정확한 얘기를 어딘가의 기록에 남을 지도 모르는 도구로 쓸 수는 없었고. 이름 정도는 동명이인이 워낙 많은 세상이니 상관이 없었다. 특별하게 지칭하지 않는다면 '성'은 '이' 씨가 된다. 효준'이'라고 불렀으니까. 뒤에 조사가 붙지 않으면 김 씨고, '형'이라는 칭호가 붙으면 '박'씨다. '동생'이면 최 씨였고.

나머지 성들에 대해서는 그냥 텍스트 내부에 글자를 적어서 전달한다.

'나이'는 기준 나이를 대상으로 하는데, 재영이 보낼 땐 25이 기준이 된다. 중년 사내가 보낼 때는 35세가 기준이 된다. 그 외에

15, 45, 55, 65등에 대한 변화는 다른 암어를 덧붙여서 표현한다.
재영이 말했고 아무런 추가 정보가 없으니 25에서 한 살 위면 26세이다.

'저번에'라고 지칭하는 건 시제에 관한 이야기인데, 아무 상관도 연관도 없다. 전달할 정보만 보면 된다. 술을 마신다거나, 이야기에 나오는 사건의 장소가 곧 범행 장소였다.
'집 안'은 인적이 드문 폐가 따위를 보통 이야기한다. 공사장이나, 야외가 될 때도 있었다. 혹은 선팅한 차 안 따위가 되거나.

얼음 큰 걸… 의 이야기나 켁켁, 은 재영이 종종 써먹는 얼음송곳으로 목에 참상을 입혀서 마무리를 했다는 뜻이었다.

중년 사내가 자신의 행각에 대해서 재영에게 보고 할 필요는 없었다. 김연수의 주체는 어디까지나 그였으므로. 재영은 그의 일을 돕는 처지이니, 정보의 총괄은 중년 사내가 한다.
이런 정보는 사실, 어떤 경우를 위한 것이다.
그를 쫓기 위해 수색하는 형사들과의 커뮤니케이션을 할 때 말이다.

김연수로서 자신이 벌인 모든 범죄 행각에 대해 알고 있어야, 그 이후의 연속성을 이어나갈 수 있다. 중년 사내는 게임을 하고 있었고, 몰입에 대해서 굉장히 중요하게 생각하는 편이다.
커뮤니케이션이란 불의의 경우로 잡혔을 때 제 입으로 실토하는 것도 있겠지만 먼 거리에서 범죄 현장의 정보들로 전달하는 간접적 대화 또한 포함했다.

자신만의 기준과 행태를 뽐내기 좋아하는 미친 사이코패스 김연수는 그런 일도 가능했다. 하고자 한다면.

그 외의 알림은 휘령동에 위치한 작은 검은 색의 CCTV가 캐치한 영상에 대한 내용이었다. 여러 명의 사내들이 그 자리에 드나들었다.

모두 다른 사람들인 것 같았다. 아마 형사들로 추리된다. 그들의 체형이나, 움직임의 자세나, 행색들을 살펴보면 말이다. 우루루 몰려 다니는 건장하고 날카로운 기세의 장정들이 형사가 아니라면 완력을 사용하는 조폭들이라도 될 테인데.

조폭들이 갑자기 폐가의 밑바닥을 조사해서 그 안에 들어올 연유가 전혀 없다. 아마 사건 현장의 실마리를 찾기 위해 수색하던 형사들일 것이다.

재영은 불을 꺼둔 채, 바깥의 햇살들로 광량을 채운 조용한 실내에서 여러 생각을 했다.

일단 그 자리에 다시 돌아가는 길은 머릿속에서 없앴다. 조금 더 조심히 있어야 할 것 같다. 서울에서 당장 벗어날 생각은 없었다. 그는 지금 만들어 둔 제반 설정과 생활을 없애고 싶지 않다.

제법 마음에 드는 동네다. 사람을 구하기도 편했고.

다른 곳에 간다면 또 지루한 기초 작업을 얼마간 해야 한다. 못 할 짓은 아니었으나.

그는 앞으로 자신이 어떻게 해야 하는가에 대해 생각하며 오랜 침묵을 가졌다.

제 스스로는 침묵하는 줄도 모르는 정적이었다.

***

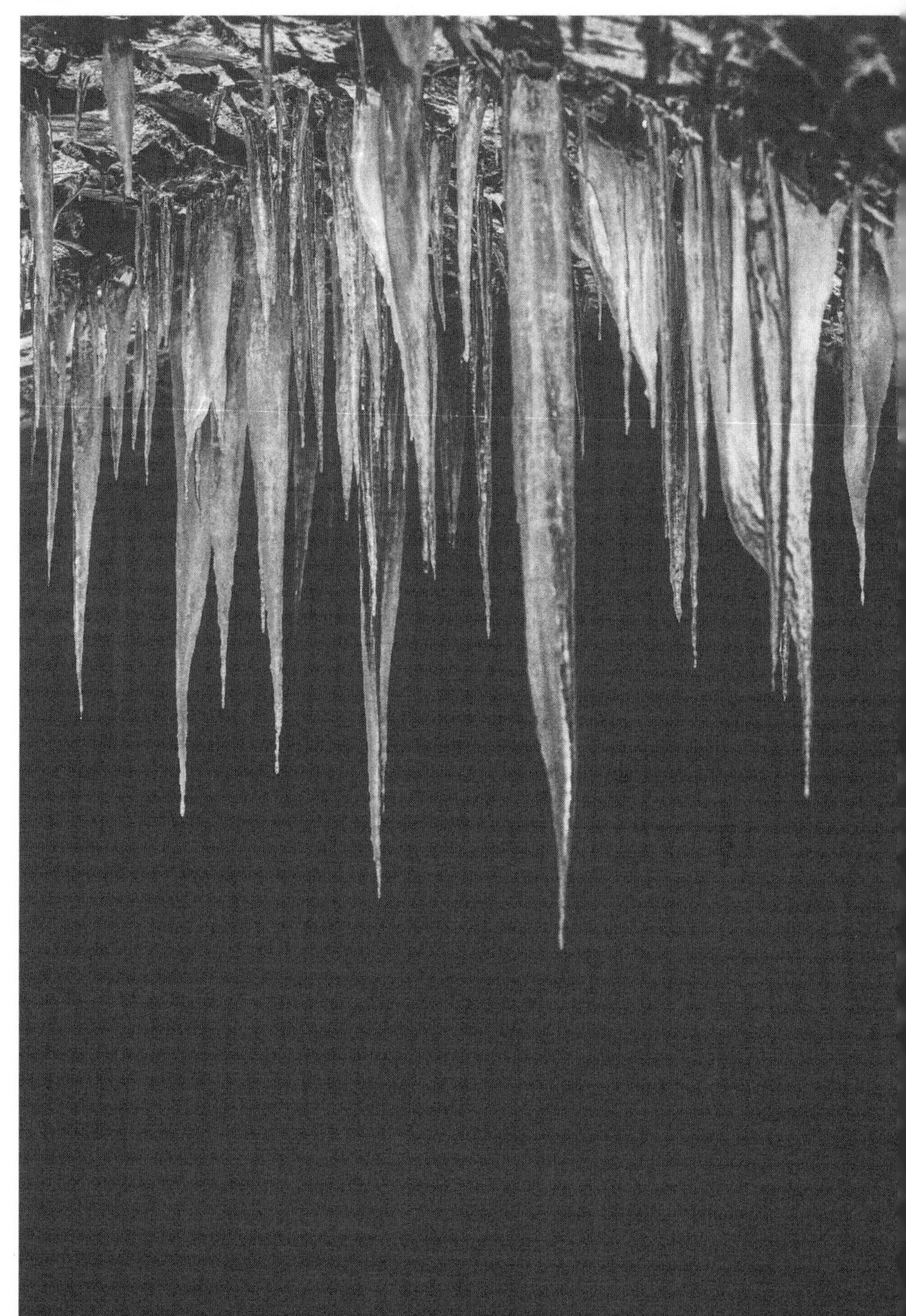

***

-"형사님. ……. 생각보다 더 빠르더군요. 개같은 일입니다. 김연수 그 놈은 쉬지도 않는 모양입니다. 전남 장흥에서 피해자가 나왔습니다. 그리고 예상 사망시각 기준으로 이틀 뒤 속초 사장리 인근에서 살해당한 듯 보이는 시체가 발견됐습니다.

둘 다 전시라도 하듯 시체를 전혀 숨기지 않았고, 흉기를 이용한 참살입니다. 속초 쪽은 인적이 드문 폐가였고, 장흥 쪽은 선팅된 차량 내부입니다. 차량은 피해자 본인 소유의 승합차였고요."

윤계식은 오전에 눈을 뜨고 처음 받는 음성 메시지의 내용을 듣고 얼굴을 구겼다.

14일이 지나 15일, 그는 일단 자신의 자택으로 돌아왔다. 대전 중구 성유동에 위치한 어느 단독 주택의 2층만을 사용하고 있다. 따로 난간과 옆 문을 내서 올라갈 수 있었다. 1층과 이어져 있으나 그가 사용하지는 않는다. 문이 잠겨 있었고, 열쇠가 2층 어디에 있었지만 굳이 열지는 않았다.

청소하기도 귀찮으니까.

이런저런 책 더미, 생활 잡기, 그가 입고 걸쳐 둔 옷걸이의 옷가지. 여러모로 정리를 하자면 한도 끝도 없을 것 같은 물건들이 다 널려 있는 공간이었다.

그가 사용하는 물건들은 다 아는 장소에 있었다. 또 지나치게 먼지 더미에 갇히지 않도록 주기적으로 청소를 하고 있었다. 깔끔을 떠는 유난스런 이가 온다면 조금도 있고 싶어 하지 않을 공간이었지만. 어쨌든 그는 지낼만했다.

계식은 서재에 놓은 소파에서 잠을 청했다. 안방이라고 불러야 할 곳이었다. 가장 큰 방이었으니까. 작은 방 까지 해서 방이 두 개이다.

작은 방에는 1인용의 침대를 놓았고, 옷장이 그곳에 있다. 안방은 TV와 소파, 그리고 바닥에 깔아둔 요와 베개 따위가 있다. 아무렇게나 누워서 TV를 시청한다던가, 하려고 만든 자리였다.

그렇게 있는 요의 왼쪽으로 책상이 하나 있었다. 소파는 오른쪽에 있다. 통로처럼 난 사이 바닥에 요를 깔아둔 채다. 소파 너머에는 책장이 있었고, 다양한 책들이 빼곡히 꽂혀 있었다.

그의 것도 상당히 많았고, 그의 은사의 것도 많았다.

'은사'는 대학교 시절 그를 가르쳤던 교수였다. 사회학과를 나온 그는 대학교를 채 졸업하지 않고 경찰 공채 시험을 봐서 합격했고, 곧 그 길로 지금까지의 여정을 걸어왔다.

인연이라는 것이 신기하기도 하고 놀라운 것이기도 해서. 또 그의 부탁에 친절하게 마음을 열어 준 은사의 몇 번의 선택으로 인해서.

계식은 오래 전의 스승과 종종 연락을 하며 교우 관계를 다지고 있었다. 형사 생활 중에도 몇 번인가 민간인으로서 도움을 준 적이 있고. 반대로 스승의 일로 그가 시간을 써서 해결해 준 건들이 있었다.

뭐 형사로서의 권력이나 위력을 남용해 민간의 이익을 위해 거래를 했다는 말은 아니었다. 그저 그가 가지고 있는 추리력을 발휘해 몇 가지 고민을 해결해 줬을 뿐이다.

은사 역시 그가 수사 중에 필요한 정보들에 대해 혹시나, 하고 여쭐 때 필요한 것들을 알려주거나 혹은 알고 있는 분야의 인사에게 다리를 놓아주는 일을 해줬고.

은사이자 동시에 얼마간은 동료애愛라는 게 있는 관계이기도 했다. 달리 말하면 전우애였다. 한국 사회라는 곳은 겉으로 보면 안정적이어 보이지만 그 얇은 표면 한 장만 벗기어내면 끊임없이 요동치고 있는 파도인 곳이다.

물 밑으로 소용돌이가 얼마나 휘몰아치는 지 모른다. 다양한 국가간의 이익 관계도 그렇고, 선진국에 속하는 이 작은 나라는 그 국력과 안정성을 유지하기 위해 몸살을 앓고 있다. 앞으로도 한참은 더 그럴 것이다.

그 국민들도 별반 다를 바 없다. 어차피 나라의 일이라는 게, 정밀한 확대경으로 바라보면 각 국책 사업과 연계되어 있는 국민들의 실제 일이었다. 적든 많든, 또 빠르든 늦든 거대한 일은 공동체에 속한 개인에게도 영향을 미친다.

직접 그 일과 이웃한 실무 관계자라면 더 직접적일 뿐이었고.

믿음이라는 건 전란을 헤쳐나가기 위한 가장 중요한 요소 중 하나였다. 계식은 그런 관계성들을 다지기를 좋아한다. 그가 이 나이까지 살아남을 수 있었던 이유 중 하나다.

안방, 그러니까 TV방의 창문은 대충 커튼을 쳐놓았고 빛이 반쯤 새어 들어왔다. 오전의 햇살이 먼저 그의 잠을 깨웠다. 간밤에 골머리를 썩히며 무언가 고민하다 켜진 텔레비젼 앞에서 잠 든 계식이었다.

소파는 잠을 자기 의외로 그다지 불편하지 않았다. 적당하게 패인 곳 없이 평평했고, 너무 푹신하지 않고 단단한 강도가 있어서 허리가 잘 나가지도 않았다. 이불과 베개 하나만 두고 누워 있다 보면 스르르 잠들기 좋다.

그는 손에 집히는 리모컨을 들어 TV를 우선 껐다. 광고 따위가 흘러나오던 케이블 방송이 끊긴다. 계식은 자세를 바로하며 음성 메세지를 마저 들었다.

톡Talk 어플로도 메세지가 와 있었다. 상세한 내용이었다. 그는 박주영이 이토록 그를 신뢰하고 또 연계를 원할 지는 몰랐다. 생각보다 성실한 놈이었다. 그리고, 의외로 계식에게 동료로서의 유대감을 느끼는 모양이다.
계식은 김연수를 잡아 쳐넣기 위해서 온 마음을 집중하는 인간이다. 그것이 십 여년이 넘는 세월동안 형사로서, 또 윤계식이라는 사내의 인생 전반을 걸고 갖는 각오였고 마음이었다.

그런 계식에게 유대감이나 동질감을 느끼며 친하게 군다면 그 인간은 같은 목표에 대해서 진지하게 생각하는 인간일 가능성이 높았다.

그의 삶의 방향성이 한 곳으로 뾰족하도록 나 있으니, 공감하고 따르지 못한다면 결국 튕겨나가게 되어 있는 법이다.

계식은 그런 생각을 하며 전달받은 정보들을 갈무리했다.

김연수는 그 짧은 사이에 이미 일을 저질렀다. 조금 쯤의 휴식기를 가질 거라고도 생각을 했는데, 생각보다 뜨겁게 달아오른 모양이었다. 예전의 기록에 다가섰다. 7번. 그리고 휘령동에서 벌어진 실종 건이 김연수와 관계가 있다면 8번의 범죄다.

한 해에 한 명의 연쇄살인마에게 이 정도의 사람이 죽었다라,

계식은 천천히 마른 입을 떼었다.

"……씨팔."

이런 일을 막기 위해서 그가 형사 일을 하고 있는 것이었다. 아니, 지금은 예전에 관둔 단지 민간인이었고 아저씨에 불과했지만. 해왔었다. 형사로서의 임무들을. 그리고 직급과 경찰증은 반납을 한 상태였어도 형사로서의 윤계식은 채 다 사라지지 않았다.

죽은 듯 지내왔으나 김연수라는 이름을 떠올린 순간부터 치밀어 오르는 그런 것이 있었다. 죽지 않고 살아남아 있는 이유가 그 때문이라고 해도 좋았다.

계식은 일종의 사명감마저 느꼈다.

그가 아니더라도 김연수를 잡을 자는 많을 지 모른다. 그러나 아직 잡히지 않았다면, 그는 그의 일을 할 뿐이다. 어차피 누구라도 잡아 쳐 넣으면 되는 일이었으니까.

근 며칠 내에 벌어진 두 건의 사건 역시 이전의 것들과 흡사하다. 압도적인 완력과 실력을 가진 인간이 일을 벌였다. '실력'은

대인 격투에 관한 것일 것이다. 사지 멀쩡한 장정 둘이 별다른 반항을 하지도 못하고, 곱게 죽었다. 이 일만을 위해서 따로 연습이라도 한 듯한 범행의 과정이다.

계식은 그런 김연수를 눈 앞에 두고, 과연 잡을 수 있을까?
그런 자문은 지난 오랜 기간동안 수도 없이 해왔다.
답은 알 수 없었다. 맨 손으로 붙는다면, 그건 그 때의 상황에 따라 다를 것이다. 나름대로 경찰 무술을 오래도록 단련하고 여러 종류를 익혀왔다. 허우대만 멀쩡한 장정이라면 50이 넘는 계식 앞에서도 잘난 체를 할 수는 없었다.

상대가 머리가 좀 돌아간다거나, 실력이 있는 놈이라면 어쩔 수는 없었다. 다양한 도구를 쓸 수 밖에. 사제로 구해서 집 안 구석에 처박아뒀던 접이식 경봉이라거나 전기 충격기, 가스총을 말이다.

그 정도만 되더라도 현역 형사 시절 가지고 다니던 도구보다는 못해도 아주 유용하다. 절차가 필요했고, 사용한 이후가 더 문제인 물건들이기는 했지만 현행범을 상대로는 충분한 사유가 된다. 강력계통의 현행범 말이다.

그렇다면 과연, 김연수는 어떨까. 그런 도구들을 사용하지 않는다고 장담할 수 있나?

결국 원점으로 돌아가 알 수 없는 일이 되어버린다. 어차피 현실에 절대라는 말은 없었다. 범인과의 조우. 그리고 체포는 온갖 변수를 다 거쳐내고 얻어내는 값진 결과물이다.

계식은 어려운 상상이나 생각은 하지 않았다.

일단은 세수도 하지 않은 메마른 얼굴을 손바닥으로 쓸어내렸다. 잠시간 얼굴을 덮고 있다가 기지개를 피곤 장년의 사내가 천천히 일어섰다.
나이완 달리 할 일이 남아 있었다. 그렇다면 그가 죽을 이유는 없다. 도리어 죽음에서도 살아 돌아올 이유는 된다.

*

"이런 씨팔."

차지게 욕을 내뱉은 사내는 김현식 경위였다.

그는 오후 낮 시간, 점심을 지나고 저녁을 먹기엔 가까운 시간에 서울 어느 경찰서 건물 외곽에 서 있었다. 햇살이 따사롭게 비치고, 가을 바람이 볼을 쓸어낸다. 주변엔 아무도 없고 황량한 흙바닥에, 흡연장으로 종종 쓰는지 쓰레기나 꽁초를 버리는 통이 하나 있다.

갈색 머리로 염색을 한 약간은 날티나는 사내다. 30대 중후반. 37세의 나이에 좀 날카로운 인상을 하고 있는 사내다. 전체적으로 세모꼴이 생각나는 얼굴 인상이었다. 눈썹도 짙은 편이고 눈빛이 부리부리하다.
체격은 170대 중반 정도에 중간 체격. 드러나지 않는 옷 속의 체구는 탄탄한 근육으로 덮여 있다. 재직하는 소속 경찰서에서 가장 유도와 주짓수를 잘 하는 인물이었다.

또, 박주영 경사와 김민식 경장의 직속 상관이기도 했다. 현재 수사 본부에서 말이다. 여러 경찰서에서 차출될 때 같은 동작 경찰서에서 차출된 처지이기도 했다.
원래는 이토록 서로 신경을 써주는 정도의 사이는 아니었지만, 수사 본부에서 수색7팀에 배정되면서 가족보다도 더 연락을 자주 하며 임무를 수행하고 있었다.

팀장 급은 정확한 정보가 있으면 현장으로 나서는 편이었고, 그 외에 신뢰도가 흐린 이야기들에 대해서는 팀원 급이 움직이는 게 일반적이었다.

그는 수사 본부에서 팀장 급이나 그 윗 급과의 연속적인 브리핑 회의를 감당하고 있었고, 전문적으로 머리를 쓰는 프로파일러들, 연구 기관 소속의 연구원들 따위의 결과물들을 읽어내며 자신만의 영감을 더하고 있었다.
여태까지 그다지 실적이 좋지는 않았다. 그는 이렇다 할 쓸만한 예감을 발휘한 일이 없었다. 비단 그뿐만은 아니었고, 김연수의 행태와 종적을 파악하며 수색 범위를 정하는 엘리트들도 그다지 성과는 없었다.

종적이 홀연하다. 그 놈이 정말 이 대한민국에 있기는 한 것인가 고민이 될 정도로 말이다. 분명 있을 테고, 그러니까 이렇게 범죄를 저지르는 것이었지만. 살인귀는 그의 형사 생활에 있어서 커다란 짐이요 고난으로 다가오고 있었다.

그런 마음을 담아서, 김현식은 본부 건물 바깥으로 나와 담배를 입에 물려다가, 제 손으로 구겨버리고 말았다.

속타는 심정을 담배 몇 개로 치워버릴 수 있다면 얼마나 좋은가.

그는 흰 색의 담배를 자연스럽게 품에서 꺼낸 뒤 하나를 손가락 사이에서 놀리고 입 근처에 가져가는 도중에 결심이라도 한 듯 주먹을 쥐었다.

스트레스로 인해서 흡연이 더 늘어난다면, 살인마 새끼 때문에 자신의 수명이 더 줄어드는 일이다.

김현식은 온갖 짜증과 열정을 담아서 부서뜨린 담배를 툭툭 털어내고, 손에 남은 것들을 건물로 들어가면서 있는 쓰레기통에 대충 뜯어내어 버렸다.

그 새끼 때문에 죽는 사람들을 잡지 못하는 건 크나큰 손실이다. 그 새끼 때문에 받는 스트레스도 짐이다. 그리고 그 짐 때문에 자신의 수명이 줄어드는 것도 못 참을 일이었다.
어차피 줄어들 수명이라면 그 놈을 잡는 데 쓰겠다.

그렇게 생각하면서, 며칠 째 제대로 잠조차 자지 못하고 집에도 들어가지 못한 경위는 다시 건물로 들어섰다.

*

"이런 씹……."

거기까지 말하고 내뱉지 않은 건 그녀의 인내심이 상당히, 평균에 비해 높은 편이라 가능한 일일 테다.

최수영은 어느 야당 인사와 벤처 기업 사장이 저지른 주가 조작이 큰 반향을 일으켰고, 그것이 들통나자 반대급부로 대형주부터 시작해서 소형주까지 근래 시장에서 가격 변동을 다시 일으켰다는 소식을 어제 자기 전에 들었다.

그녀가 들은 건 이미 시일이 좀 지난 소식이 뉴스에서 다시 흘러나오는 것이었다. 그리고 점심 시간 짬을 이용해 잠깐 혼자만의 휴식 시간을 갖는 중 휴대폰 어플로 증권 거래소를 열었고, 자신이 투자한 종목들이 모조리 크게 떨어진 것을 막 확인한 찰나다.

"……."

그녀는 눈가를 잠깐 손가락으로 짚었다. 눈을 감고 엄지와 검지로 양 눈꺼풀 위를 지그시 누르면 깊은 어둠과 함께 숨이 쉬어지고, 조금의 스트레스가 풀리… 지 않았다.

그녀는 여전한 어지러움과 편두통에 잠시 카페의 앉은 자리에서 일어나지 못했다. 이미 다 마신 카페라떼가 담긴 유리잔이 그녀의 앞에 놓여있다. 아이스 카페라떼였다. 얼음은 먹지도 않았는데 머리가 띵했다.

수 백만 원 정도 날아간 것 같았다. 그녀는 자신의 월급에 비교해도 그다지 적은 액수가 아닌 돈이 한 번에 사라지자 눈 앞이 잠깐 깜깜해지는 것 같았다.

그러다가 이내 정신을 차렸다. 애초에 투자라는 건 이렇다. 위험성이 전혀 없다면 투자라고 할 수도 없었다. 각오하고 시작한 일이었고.

그녀는 따지자면 알뜰한 편이었다. 돈을 뭐 대단히 많이 버는 건 아니었지만, 사용처는 제한적이었고 또 액수도 작았다. 쇼핑을 즐기지도 않고 당장 남자 친구가 있지도 않았다.

다른 여가나 취미를 대단하게 즐기는 것도 없었다. 돈 나갈 구석이 없다.

식비나 생활비, 정도로만 소모되는 돈들이었고 그마저도 그렇게 과소비를 하진 않는다. 거실과 방 하나, 화장실 하나로 이루어진 작은 빌라에서 사는 그녀는 딱히 빚이 있지도 않다. 은행에 다니지만 정작 신용카드는 만들어두고 사용하지도 않았다. 월급 통장과 연결된 체크 카드만 쓸 뿐이다.

그러면 자연스럽게 남는 잉여 자금들에 대해 생각하게 된다. 그녀는 알뜰한 편이었고, 딱히 게으르지 않았다. 재테크라는 걸 떠올리는 건 사회에 나가 월급을 받기 시작한 초보자들의 평균적인 행태다.

적금을 조금쯤 들고 있었고, 여윳돈으로 통장에 쌓이는 월급 중 일부를 주식에 투자했다. 나름대로 공부를 했고, 안전하다고 생각되는 종목 위주로 넣었다.

그런데 그 안전은 모두 허상이었다.

물론 알고는 있었다. 투자를 하는 이상 잃을 각오는 해야 했다. 그게 지금, 오늘이 될 줄은 몰랐던 것 뿐이다.

게다가 어떤 천재지변의 종류가 아니라, 제 자신의 욕망을 위해 솔직하게 움직였던 소수의 인간의 비리가 문제라면야. 짜증이 솟구치는 것도 당연은 하다.

그녀는 정장처럼 차려 입은 출근 복장에, 은행 근처의 카페에서 인상을 구기며 다행히 대놓고 욕을 내뱉지는 않았다.
아주 얕은 위신을 지키면서 수영은 묽은 색의 얼음 녹은 물을 들이켰다. 쫩. 하고 바람 빨아들이는 소리가 금방 났다. 띵한 머리가, 도리어 찬 게 들어가자 나은 것도 같다. 이열치열처럼, 이통치통이다.

점심시간은 약 20분 정도 남았고, 은행까지는 걸어서 2, 3분 거리였다. 그녀는 남몰래 작게 한 숨을 내쉬고는 컵을 들고 창가 테이블에서 일어섰다.
사람들이 분주하게 오가는 그런 번화가의 프랜차이즈 카페였다.

*

시신들이 발견된 건 15일에서 16일 경이었다. 14일, 그리고 12일 근처에 벌어졌다고 여겨지는 살인 행각들은 가을 바람에 찜찜한 악취가 섞여올 때 쯤 발각되었다.

각 지역을 돌아다니는 수색 팀이 있었고, 그들은 탐문 수사를 비롯해 직접 제 발로 뛰어다니는 원시적 수색을 해댔다.
동시에 전국 여러 지방에 있는 경찰소에 협조를 구하며 프로파일링 팀들이 예측하는 범죄 예상 장소 인근의 치안 순찰을 강화시켰다.

전남에서 발견된 건 그런 지역 경찰의 도움 덕분이었고, 속초에서 시신이 발견된 건 수사 본부에서 파견 나간 형사들이 인근을 수색하다 낌새가 이상한 곳을 더듬어 찾은 경우였다.

전혀 감출 생각 없이 방치된 시신은 가을 바람을 맞으며 천천히 썩어갔고, 그 악취나 혈향은 점차 퍼져간다.
아무리 인적이 없는 외딴 곳에 버려져 있다 하더라도 특별한 조치를 취하지 않으면 발견이 되는 것은 예견된 수순이다.

형사들은 살인마의 행적을 쫓기 위해 사람이 많은 곳부터 적은 곳까지, 특징적인 장소들을 골라 다녔으니 말이다.

그렇게 시신이 발견 되었으나 범행 도구를 비롯해서 살인자의 흔적은 나타나지 않았다. 범행 장소에는 싸늘히 식어가고 있는 며칠이 지난 시신만이, 그리고 흥건하게 퍼져 나갔다가 말라가던 핏자국만이 있을 뿐이었다.

*

"박주영 경사."
"예, 과장님."

중년의 사내. 그를 부르는 건 흰 머리가 어느새 희끗하게 보이는 중년, 곧 장년으로 넘어가는 나이대의 사내였다. 경찰서장 바로 아래, 수사과를 총괄하는 과장직을 맡는 인물이었고 지금 수사 본부에서는 현장 탐문, 수색팀 전체를 관리하는 중진이었다.

"맡던 일은 어찌 좀, 성과가 있나."

과장이 그를 부른 건 별다른 연유는 아니었다. 기나긴 외근을 돌다 온 구성원의 상태를 점검하고 보고서 상으로 듣지 못한 상세한 정보를 듣기 위함이다. 굳이 그렇게 말은 하지 않고 그저 부른 참이었지만.

서울 시내에 위치한 김연수 대책 수사 본부 건물이 어색하다고 느껴질 정도였던 김연수는, 호출에 약간은 얼떨떨한 얼굴을 하고 불려 나왔고 지금 자리에 앉아 있었다.

과장실은 그렇게 크지도 않았고, 대단한 장식이 있지도 않았다. 그 위로 본부장과 부부장이 있었고, 임시로 건물을 할당 받아 쓰고 있는 처지였기에. 딱히 고위자라고 대단한 책상에서 근무를 할 여건은 아니었다.

박주영이 살고 있는 자신의 오래 된 빌라 집에서, 자신의 방 만한 크기의 집무실이다. 깔끔하고 먼지가 별로 없는, 흰색에 약간의 푸른 톤이 섞인 인테리어의 건물에서 둘은 앉아 있다.

삼방이 벽으로 막혀 있었고, 한쪽 면은 통 유리창으로 열려 있었다. 복도 쪽의 벽이었고, 지나다니는 사람들이 그들을 볼 수 있었다.

물론 블라인드를 칠 수 있는 수동 커튼이 있다. 플라스틱 제의,

손잡이를 주욱 당기면 서거나 눕는 그것 말이다.
지금은 반쯤 가려져 있었는데, 지나가다가 시선을 두면 내부를 살필 수 있었다. 모르는 체 지나가면 어른거리는 형체만 볼 뿐이고.

탐문 수색 전체팀장, 의 금조된 명패가 있었고 이런저런 서류나 개인 물품들이 어지럽게 늘어져 있는 탁상이었다. 과장이 안쪽에 앉았고 주영은 바깥쪽이다.

그가 할 말을 채 고르지 못하고 잠시 생각을 하다가 입을 떼었다.

"보고 올라간 건은 그 외 특이 사항은 없었습니다. 속초 시장에서 경계 순찰 중에 거수자 한 명과 조우했으나 놓쳤고… 예. 다른 특별한 소견은 없습니다.
속초 폐가에서 발견된 시신에서도 과학계 인원들의 소견에 이견 없고요. 저 역시 제 눈으로 직접 살폈지만 그 이상의 정보는 못 얻었습니다."
"……그렇군."

과장이 고개를 끄덕거렸다. 제법 몸체가 굵고, 팔 다리도 역시 통통하니 힘을 잘 쓸 것 같은 사내였다. 으레 형사들이 그렇듯 편한 사복을 입고 있었다.
김연수 대책 수사본부 수색과장, 조용수 과장은 그가 늘 입고 다니는 베이지 색의 등산용 점퍼를 걸치고 있다. 오래된 형사들은 다 저런 걸 입고 다니는가, 싶기도 하다.

박주영은 저도 모르게 은퇴한 선배를 떠올렸다.

조용수 과장의 나이대는 그보다는 조금 어리다. 비슷한 시기에 재직을 했다면 안면이 충분히 있을 수도 있다.
그런 낌새는 보였으나 직접적으로 언질을 준 적은 없었다. 윤계식에 대해서, 안다고 말이다.
그러나 민간인에 불과한 예전 수사관의 이야기에 귀를 기울인 건 수사과장이었다. 개인적으로 어느 정도 신뢰감이 있지 않고서는 사람을 직접 움직이는 건 어려운 일이었다.

실제로 움직이는 말단들의 사정도 고려해야 하고, 그 인력이 허투루 낭비되었을 때의 감당 역시 윗사람의 책임이었다.

아래에서나 위에서나 저항이 만만찮다. 중간자의 고충이란 그런 법이다. 개중에 과장은 상당히 윗 급이었지만, 그래도 상황이 악화되면 가장 덤터기를 쓰기에도 좋은 위치다.

젊은 형사는 노회한 과장의 눈빛을 슬쩍 처다보면서 이런저런 생각을 했다.

그의 앞에는 건물 자판기에서 뽑아낸 밀크 커피가 있다. 과장은 그를 슬쩍 처다보다가 물었다.

"커피 한 잔 하겠나? 뒤에 믹스 커피 좀 있는데."
"어…예, 주시면."

그 말에 과장이 무거운 몸을 의자에서 일으켰다. 부장급이 회사에서 쓰곤 하는 검은색의 두텁고 무게감있는, 그런 의자다.
박주영이 따라 일어나려 하자 손으로 제지하고서 그가 느린 걸음으로 뒤로 돌아 걸어갔다. 벽면에 붙어 있는 탁상에 커피 포트와 종이컵, 믹스 커피들이 있었다.

달칵, 하고 커피 포트를 켜고 그가 종이컵에 믹스 커피를 까 넣었다.

"김연수."
"예."

과장이 입을 열어서 박주영의 뒤에서 말했다.
박주영은 무슨 소린가, 생각하기 이전에 자동 반응을 하듯 수긍했다. 그들의 화두였다.
24시간, 자나 깨나 계속해서 생각하고 있는 소재이자 주제다. 씹새끼였고.

"그리고 윤계식."
"예?"

두 번째 말은 바로 답하진 못할 주제였다. 그에게도 보고가 올라갔고 또 지시받은 내용이 있으니 이름을 아는 건 놀랍지 않다. 그러나 말하는 투는 조금 더 깊은 느낌이었다.

"대단한 양반이지."
"예…?"

허허, 과장이 웃는다.

"같은 서, 과에서 근무한 적이 있는 선배님이네. 당시에 내 선임이었고, 같이 돌아다닌 적도 많지. 오래된 기억이었는데. 김연수 그 새끼가 다시 나타나면서 나한테도 떠올랐네, 그 양반이."
"어……."

과장이 커피를 다 탔는지 탁상에 둔 다기 중 티스푼으로 대충 휘휘 젓고는, 그에게 걸어왔다.
탁, 하고 박주영의 앞에 놓아주곤 제 자리로 돌아간다. 박주영은 슬쩍 일어나보이면서 감사의 인사로 고개를 꾸벅거렸다.

과장이 말한다.

"경찰계랑은 관련이 없다고 하기엔 남아있는 인연들이 더러 있을 걸세. 나 같은 놈들도 많을 거고."

그가 말하는 나같은 놈, 은 윤계식이 근무할 당시 함께 일을 했던 동료들을 뜻한다. 동료는 시간이 지난다고 변하지만은 않았다. 적이 똑같다면, 언제든 십 년만에 만나서도 아무렇지 않게 손을 잡을 수 있는 게 올바른 자세였다.

계식은 당시 누구보다도 앞서 있었고 의지가 날카로운 인간이었다. 한 군데서 승진도 포기하고 이곳, 저곳의 경찰서를 계속 떠돌곤 쓰레기같은 연쇄 살인마 하나만을 쫓았다.
그 기나긴 추적의 세월이 어떤 결과가 있었느냐, 묻는다면 가시적인 건 없었고 결론적으로 아직도 살아서 그 새끼가 살인을 저지르고 있었지만.

다시금 놈을 잡는다고 하면 생각날 수 밖에 없는 인물이었다. 전국, 김연수의 범죄행을 따라 수사행을 계속하던 자였다.
공간이 아니라, 시간을 넘어 그 놈이 다시 이 나라에서 일을 시작한다면 그가 다시 움직일 테다. 죽지만 않았다면.

죽었다는 소식은 못 들었고, 박 경사와 김 경장을 통해 들어본 얘기로는, 그 의지도 죽거나 변질되진 않은 모양이었다.

그 예전에 살인마의 가장 도드라지는 대적자였던 사내는 아직도 자신의 생각을 유지하는 듯했다.

기꺼운 소식이다. 열정이라는 건, 현실을 알아가면서 그에 따라 변화해야 하는 법이었다. 그 본질이 변하라는 뜻이 아니라, 아무 데서나 위력을 앞세우고 혈기를 부리는 방법이 아닌 조금 더 노회하고 날카로운 방식으로도 열기를 정련해서 내보일 수 있다는 의미였다.

노인들은 과연 만만치 않다. 그 세월이 사람의 몸은 녹슬게 할 수 있어도, 정신은 조금 느리게 닳는다. 의지나 열정이 올곧다면 한 걸음 내딛을 힘만 있어도 일을 이룰 수 있다.

언제, 어느 때냐. 어느 방향으로의 한 걸음이냐가 중요한 법이다. 계획이란 건 그렇게 세우고 이루는 것이다.

조용수는 오래 전부터 한 길을 걷던 인간에게 자신의 한 걸음을 더하고 싶었다. 오로지 효율만을 바라보는 이유로써.

"정정은 하시더나."
"예… 그러던데요."

주영은 계식을 말함인 줄 알고 긍정했다.

"살아있으면 됐지. 산 놈 죽이는 살인마 새끼만 잘 잡으면 되고 이제."

"……."

"맞다이 까면 이길 생각은 하고 있지?"

"……예."

주영이 툭하고 고개를 끄덕거렸다. 우스운 투였지만 마냥 웃을 수만은 없는 이야기다. 수사본에서 파악하고 있는 김연수는 투기 종목 계열의 선수보다 뛰어난 신체능력과 기술을 갖고 있는 놈이었다. 음험하고 잔인한 살의를 곁들이면 현장에서 마주했을 때 어떤 수작을 부릴 지 모른다.

형사가 정면에서 용의자를 맞닥뜨렸는데 제압력을 발휘하지 못한다면 그만큼 한심한 일도 없는 것이다.

"크하. 그럼 됐네. 아, 그리고."

"예 과장님."

"두 놈이라고 거의 결론 났던데, 맞나?"

"예, 맞습니다."

수사본의 과장이 말단인 그보다는 더 내부 소식에 빠를 것이다. 그에게 되묻는 일은 사실 이상한 것이었으나 재확인이라고 치고 대답한다. 말단 구성원들에게까지 정보가 잘 퍼져 있는가, 숙지하고 있는가.

"이번 두 사건도 아마 두 놈이 동시에 저지른 거라고 생각하는 단계고."

"예. 한 놈이 한계를 넘는 불가능에 도전하고 있다고 생각하는 것보단 가능성 있는 이야기 같습니다. 어떻게 연결되어 있는지는 알 수 없지만. 싸이코패스 두 놈이 의기투합해서 팀을 꾸리는 일이 어떻게 가능한지 쪽으로 고민하고 있는 모양입니다."

"미치광이 둘이 얘기가 통하는 것도 신기한 일일텐데 말야."

"예. 아마 어린 시절부터 한 쪽이 일방적으로 가치관을 주입시키고 오랜 시간 공을 들여 키워냈을 가능성도 염두에 두는 것 같았습니다.

실제로 예전 김연수가 두각을 나타냈을 때부터 20여 년이 지났으니까."

"들어본 적 있는 가설이군."

아마 주영보다 훨씬 먼저 듣고 먼저 생각해봤을 것이다. 과장이 능청스럽게 고개를 주억거린다.

"이번에 민간인 윤계식 씨로부터 들어온 제보로, 내부적으로만 알리고 휘령동 골목 근처 폐가를 수색해봤습니다. 알고 계시겠지만… 지하로 통하는 미상의 구조물이 있었고…

김연수가 어떤 방법으로 자취를 감추고 있느냐, 하는 문제에 대한 답이 어느 정도 나온다고 생각합니다.

개인적인 수준 이상의 지원과 도움이 있는 건 분명합니다. 저 혼자 그런 공사를 할 수는 없을 테니까요.

국내에 그런 조직이 있는가 알아보고 있는 바론 회의적인 결론이었고요….

싸이코패스의 범행을 알고 동조하고 있는 조직이냐, 혹은 거래 관계로 사정을 모르는 단체이냐 하는 논점에선… 전자이리라고 봅니다. 장난치는 것도 아니고, 모르기는 어렵겠죠.

해외쪽에서 국내로 영향을 미칠 수 있는 조직이나 거물이 있는가… 조사하는 단계로 인지하고 있습니다."
"음, 맞네."

과장이 고갤 끄덕였다.
그는 잠시간은 말이 없었다. 사실 뭔가 특별한 용건이 있어서 불렀다기보다, 정말로 상태를 체크하기 위해서였다. 그것을 위해 이리저리, 주제를 오가며 말을 건 것 뿐이다.
조용수는 박주영이 눈에 총기가 있고, 또 살인마에게 기꺼이 다가가 수갑을 채울 의지와 용기가 있는 젊은이라고 판단했다. 그러고 말이 없던 그는 탁상을 손끝으로 톡톡 두드리다가 입을 연다.

"아무튼 몸 조심하고. 요새 가족들은 건강하신가?"
"음. 예. 본가 지방에 잘 계십니다."
"그래. 부친이 교사시라고 하셨지."
"예. 사회 과목……."
"어어, 그래…. 안부 전해드리고."

할 말이 마땅찮은 모양이었다. 중년이라고 시덥잖은 상황에서까지 늘 언변이 좋은 건 아니었다. 모든 면에 있어서 능숙해지는 인간 따윈 없었다.
한 가지 일의 근원을 파악해서, 다른 일에도 적용 시키는 건 조금 가능하다.

"김민식 경장하고는 여전히 잘 맞나?"

둘은 차출되기 전부터 같은 경찰서, 지구대에 근무하던 친구이자 동기사이였다. 말단들의 인적 사항이나 여러 특이점들을 눈여겨 보는 조용수 과장이었다. 어떤 인재를 어디에 보내야 최적의 효율을

낼 수 있는가, 를 비롯한 다양한 논점이 있는 용병술에서 그런 관심은 필수 불가결하다.

박주영과 김민식은 오래된 콤비였고, 파트너였다.

“그……렇죠?”

박주영은 떨떠름하게 말끝을 올렸다. 조용수는 허허허, 웃는다.

과장은 얼마 있지 않고 그를 보내주었다. 대강 괜찮을 듯했다, 조직의 말단은.

*

18. 결론

사건을 일으키는 건 살인범의 일이었다.

형사는 항상 뒤늦게 그들을 잡는다.

사건이 일어나기 전에 잡는 신묘한 방법이 있다면 좋겠지만, 그들은 초능력자는 아니었다. 사람의 심성을 꿰뚫을 수 있는 힘도 없었고.

그래도 적어도, 사건 용의자가 2차적 범죄를 일으키는 걸 막아볼 수는 있었다. 그 때부터 형사들도 확실하게 알고 움직인다. 어지러운 도시 속에서 불분명한 피의자와 피해자가 아니라, 남의 피를 묻히고 걸어가는 범인을 쫓아 단호하게 수갑을 채울 수 있는 것이다.

그 때부터 경찰 조직의 공무원들은 사냥꾼이 된다. 덫을 놓고 기다리는 것 역시 좋다. 잠복 수사도 필요하다면 얼마든지 해야 했고.

수사 본부 내의 한 프로파일러가 외쳤다.

“이런 씨발!”

화이트 칼라 그 자체라고 할 수 있는 엘리트 요원이 소리친 것이다. 요원은 들고 있는 파일철을 내팽겨쳤다.
파일을 내팽겨 친 프로파일러.

그건 자신이 하던 생각을 한 번 내던진 것이나 마찬가지였다.
그리 나쁘지 않은 행동이었다. 어차피 그 손아귀나, 뇌리에 아무것도 잡히지 않았다.

“어떻게 이럴 수가 있지! 개새끼!”

다행인 점은, 소리치는 욕설을 들을 사람이 한 명 뿐이라는 것이다. 데스크 근처를 서서 돌다가 발작을 일으킨 이와 대조되게 책상 근처에 앉은 자가 있었다. 오랜 동료이자 또 절친한 친구. 욕지기를 내뱉은 쪽보다는 연차가 높은 사내다. 박경수.

서류를 던진 프로파일러는 여성이었다. 심민아. 34살이었고, 강단이 있고 체력이 좋으며 지적인 면에서는 더욱 활발하다.

경위로, 경찰 조직에서 말단 간부직이었으나 실권이 그렇게 있지는 않은 편이다. 현장 수사역시 간혹 겸하지만 내부적인 정보 처리와 결론 도출에 대부분의 시간을 사용한다. 수사본부를 비롯해 여러 군데의 실내에서 종사하는 인물이었다.

박경수 경위는 그녀보다는 조금 더 활동적이며, 현장 수사관들과 친밀하게 어울리는 인물로 수사본부 내에서도 인맥이 두텁다. '김연수'라는 별칭으로 불리는 희대의 살인마를 위해서 국내 프로파일러 중 6명이 모여서 전력으로 머리를 맞대고 있었다. 개중 아래에서 두, 세 번째의 연차와 계급을 지닌 이들이었다.

여러 명의 머리를 합친다고 나은 결론이 나오는 것은 아니었다. 그러나, 혼자일 때보단 낫다. 그리고 영감이란 사람의 수에 의존하는 바가 아니었으나 그것이 찾아왔을 때 다른 이들에게 더 빨리 전달할 수 있다는 점에서, 팀 워크란 방식은 아주 훌륭한 업무 구조였다.

6명 중 한 명만 답을 잡아내면 되었다.

다른 이들은 보조만 해도 좋다. 그러면 어쨌든 모두가 답을 찾는 셈이었으니. 심민아는 개중 자신이 6명 중 답을 잡는 쪽이 되어야 한다고 생각하는 부류였다. 언제나 그래왔으니까, 이번에도.

그러나 인생에서 달갑잖은 실패라는 것은 분명 존재하고, 그건 그녀의 폐부를 찌르듯 고통스러운 경험이었다.

어릴 적부터 수재로 이름났고, 늘 1등 이외의 것을 해본 적이 없는 그녀는 분노했고 불을 반 쯤만 켜둔 전략 회의실 내부에서 서류를 집어 던지기에 이른다.

박경수가 말했다.

"네 마음은 알지만…."

어지간하면 화를 죽이라는 이야기였다. 박경수는 그녀를 오래 봐왔다. 연차가 조금 낮은 후임이기도 했고. 일을 하며 많은 시간을 보내왔고 그녀의 성격이 어떤지 잘 안다.
그녀는 참을성이 별로 없는 편이었다. 그 참을성을 발휘할만한 난관을 자주 만나지 않을 정도로 개인의 능력이 뛰어난 천재이기도 했다.

심민아는 스스로를 수재라고 말했고, 인식했지만 박경수가 보기에는 조금 다른 편이었다.
남들과 똑같은, 혹은 그보다 좋은 머리로 공부하고 이 자리까지 온 사람들 중에서도 늘 남다른 대답을 내놓았던 그녀다.
한 발 더 앞서는 영감은 아무나 가질 수 있는 게 아니었다. 박경수는 심민아를 존중했고, 그랬기에 더 다독이려 했다.

성질만 조금 누그러뜨린다면 그녀는 정말로 훌륭한 수사관이 될 수 있으리라. 아직까지는 조금 모자란 반푼이였다.
사무 데스크 앞에서 정해진 사실만을 도출하고 또 난관이 있으면 분을 이기지 못하는 어린 여성. 아직은 그런 면이 있었으니.
34살이라는 나이는 그다지 어리지도 않았지만.

"우리 추론대로라면 움직이고 있는 싸이코는 두 명 이상이야. 한 놈은 종속적으로 굴고 있고.

싸이코도 인간이니 어떤 경험에 근거하기는 할테지. 종속적인 놈은 유년기, 적어도 청소년기 무렵 '진짜 김연수'라고 생각되는 놈한테 영향을 받은 게 분명해.

다만 큰 놈의 동기는…"

"알 수가 없지. 알잖아."

심민아는 다 아는 소리를 왜 다시 지껄이냐는 투로 핀잔을 주었다. 머리를 헝클어뜨린다. 곱게 기른 단발의 결이 무너졌다. 그녀는 머릿결이 좋다. 전체적인 외모의 스타일도 그다지 나쁘지 않았고.

아마 특이한 성격이나, 불같은 성정만 모른다면 조직 내에서도 인기가 많을지 몰랐다. 지금은, 가끔 지나다니며 보는 초면인 사람들만 이성적으로 호감을 가지는 편이었다.

검은 색의 정장 차림이다. 여성복이었고, 무릎을 덮는 H라인 스커트 비슷한 것이었다. 아래로 쭉 떨어지는 윤곽이었으나 품이 좀 넓었다. 걷거나 움직이기에 그리 불편하지 않아 보인다. 위에도 하얀 블라우스에 검은 재킷을 걸치고 있다.

그게 그녀의 직업복이었다. 언제나 비슷한 색깔의, 비슷한 것들을 입고 온다.

여성으로서의 매력이나 단장은 그리 깊이 생각하지 않는 듯했다. 필요한 만큼만 꾸미고, 정해진 스타일 그대로 반복이었다. 그녀에게 외견이라는 건 방해받지 않을 만큼만 있으면 되는 요소다.

나머지는 업무를 하는 데 온 정신을 쏟을 뿐이다.

"200X년에 처음 시작되었지. 그 때부터 경찰 조직 전체가 떠들썩했고….

20년이 지났고, 아직도 놈은 그대로다. 잡지 못한 것도 어이가 없는데, 다시 돌아와서 이렇게 난리를 피우고 있다니. 화가 나.
짜증이 나서 돌아버리겠다고."
"아마 두 놈 다 남자이기는 할테고."
"그렇지. 아무리 고도로 훈련된 인간이라고 하더라도 여성의 근력으로 이 정도를 해내긴 쉽지 않아. 둔기를 한 번 휘둘러서 깔끔하게 장정을 죽이는 게, 여러 건이 된다면 더욱 그럴 거고."
"음. 거기다 무조건 반항을 할테니."
"그렇지. 눈 앞에서 바위라도 쪼개 보이지 않는 이상 여성이 무기를 들고 위협한다고, 사지 멀쩡한 남자들이 묶인 것처럼 꼼짝 못하진 않을 테니까."

심민아는 던져버렸던 파일철과, 그 안에 담긴 여러 정보의 서류들을 천천히, 주섬주섬 줍기 시작했다.
박경수가 말을 받아주며 차분하게 생각을 복기하는데 그 덕에 화가 좀 식는 것 같기도 하다.

"90년대에 10대 시절을 보냈다는 건 거의 확실하고."
"그래. 지금 60대 이상이라고 생각하기는 아주 어려우니까."
"그 정도인 새끼는 올림픽에라도 나가서 메달이라도 따지, 그 솜씨로 왜 이 지랄을 하고 있는 건지…."

첫 마디는 심민아의 것이었다. 60대가 어려우리라 한 건 박경수다.
심민아가 불만을 토로하며 말을 이었다.

"90년대에 우리나라에 뭔가 특정할 만한 사건이 있었나?"
"음… 정신나간 싸이코패스 살인마들이 단체로 사람을 죽인 적이 있지."

유명한 사건이었다. 어느 조직폭력배들처럼 저들끼리 단체를 만들고 이름을 정해 붙인 뒤, 사람들을 잔학하게 살해한 사건.

2000년대 이전, 그리고 지금까지 한국은 고도 성장으로 빠르게 뛰어왔다. 불과 한 두 세대 전만 돌아봐도 사회의 분위기는 늘 다른 느낌이다.

예전에는 정이 있었고, 사회가 그래도 넉넉했다고 하는데- 반대로 아직까지 정비되지 않은 체제가 그땐 더 불안정했을 것이고, 흉악한 놈들은 그런 시대에도 날뛰었다.

더 보란듯이 말이다.

그래서 기이한 것이다. 지금까지 살아서 날뛰고 있는 김연수라는 새끼가.

잡혔어도 옛저녁에 잡혔어야 했다. 이렇게 CCTV가 많고, 증인이 넘쳐나는 고도 성장의 도시 집약적 사회에서 생목숨을 없애고 흔적조차 없다니.

그 외에도 한국 사회의 역사는 몸살을 앓듯 늘 여러 사건과 고난들을 넘어 온 다사다난 그 자체이다. 나라가 한 번 부채에 휩싸여 넘어지기도 하고. 그 전에는 모두가 알다시피, 전쟁이 있었고.

스스로가 가만히 있지를 못하는 건지 주변에서 내버려두지를 못하는 건지. 고생을 많이 한 나라고 민족이다. 보고 있다면 연민의 감정이라도 들 정도로.

"그 시대에 싸이코패스 살인마들의 기사를 보면서 자신의 꿈을 키웠고, 절대로 잡히지 않는 추리 소설 속 범인이 되기 위해서 10대 시절을 바쳤다는…"

"그런 진지한 망상벽 환자가 김연수일 확률이 있지."

말도 안되는 헛소리였지만 마냥 무시할 수 없었다. 그런 인간이 어디있어, 라고 하기엔 실제로 저지르고 다니고 있었다.

그러나 그것이 정말 진짜 동기일까.

현실에서 사건을 추리하는 수사관의 감각으로는 아직 부족했다. 사람이 사람을 죽이게 되기까지는 조금 더 음험하고, 직접적인 무언가가 필요했다.

싸이코패스라고 하더라도 말이다. 사회적으로, 도덕적으로 절대적 금기에 가까운 일을 마음 놓고 저지르고 다니려면 무언가 변화가 있어야 했다.

사람의 상식이 머릿속에서 완전히 박살나는.

불우한 가정환경이라던가, 유년기의 상처들은 이후의 비뚤어짐을 설명하는 좋은 이야기다. 고난을 겪는다고 모든 인간이 악화되지는 않지만, 제멋대로 살아가는 인간들의 변명이 되기엔 적절했다.

"괴물같은 놈. 자기가 모리아티라도 되는 양……."

소설 셜록 홈즈의 악역이다. 심민아는 읽지는 않았다. 대강 서평 따위에서 주워들은 정보가 있을 뿐이다. 보지 않았다고 하더라도, 무수한 재창작으로 소모된 유명작이었으니 또 아는 것이고.

"어쩌면 뭐, 어느 불쾌한 공포 영화 속 악역처럼 죽을 병에라도 걸렸는지 모르지."

박경수가 입을 열었다. 공포, 서스펜스, 스릴러 따위를 즐기진 않는 편이었다. 그러나 워낙 유명하게 떠들기에 잠시 본 적이 있는 영화 얘기였다.
시리즈물로 제작되었고, 암인지 무엇인지… 불치병에 걸린 악인이 제 자신의 죽음을 위로하려는 듯 타인의 고통을 갈구해 끔찍한 함정 속에 다른 인간들을 잡아 넣는 이야기다.

이미 그 자신의 종말이 정해져 있기에 영화 속 범죄자는 끝도 없는 악함으로 물들었고, 그 죽음과 공포를 전염시키고 공유라도 하고 싶어하는지 영화 속 인물들에게 극한의 상황을 계속해서 선사한다.

그 정도가 아니라면 과연 인간이 자신의 삶을 이렇게 무한정 내팽겨칠 수 있을까.

아니면, 절대로 자신이 걸리지 않는다는 초월적인 직감이나 확신이라도 있기 때문에 저지르고 있을까.

그도 아니면 싸이코패스, 중에서도 완벽하게 돌아버린 인간일 지 모른다. 현실적인 감각이 맛이 가버려서, 자기가 하고 있는 일을 다르게 인지하는 그런 종류 말이다.
자신이 어떤 선한 일을 하고 있다고 믿고, 세상의 정리를 위해 일하고 있는 정의의 사도라고 생각하고 있을지도.
그렇다면 반사회적 인격장애와 다른 중증의 정신병을 동시 복합적으로 앓고 있는 인간이었다.

정신병원에 처넣기도 어려운 부류가 된다, 그렇다면. 그 망상을 일단 현실화 시킬 집념과 육체 능력이 있는 괴물이니.

그들의 예측 중 하나와는 달리, '김연수'는 건강했다. 자신의 육신적 죽음을 위해 그러고 있는 건 아니었다.
그가 발버둥치고 있는 어둠은 정신의 죽음에서 기인한 것이 사실에 가깝다.

추리하고 있는 프로파일러나 다른 인간들은 모르지만

김연수는 제법 불우하게 살았다. 어린 시절에 집안이 경제 공황에 맞물려 파산을 했고, 직장을 잃은 가장의 구멍 뚫린 우산 아래서, 세상의 풍파를 그대로 맞으면서 자랐다.
가정이 조용했던 날은 많이 없었고, 고뇌 속에서 자라났다. 어느 정도, 그리 심하지 않으며 용인되는 수준에서의 고통도 겪었다. 부모로부터 말이다. '학대'라고 하기에는 애매한 수준이었다.

다만 그는 지능이 높았고, 운동 신경도 아주 좋았다. 그 일을 올바른 쪽으로 사용하지 않은 건 크나큰 실수이자 잘못이었다. 애초에 그런 쪽으로 머리가 돌아가지 않는, 글러먹은 인간이었다면 어쩔 수 없다. 그럴싸한 척을 겉으로 꾸미며 사회에 스며들어 살아가다가 늦은 나이에 사고를 쳤을 지도 모른다.

김연수는 그런 미래보다, 차라리 어린 날부터 준비를 해서 일찍 시작하는 쪽을 택했다.

정신이 아득해지는 광기였다.

그가 살면서 당했던 모든 불행의 총합을 더해 보더라도 그가 지금 저지르고 있는 범죄를 설명할 만큼은 절대로 되지 못했다.

우발적이지도 않으며, 거대한 장기 계획을 세워서 행동을 한다는 건 그 스스로가 일반적인 논리로 설명될 수 없는 미치광이라는 뜻이었다. 맥락이 없는 정신병자.

그런 그가 자신의 근원적 불행에 대해서 깨달은 것은 과연 언제일까.

구제받을 길 없는 죄수의 신분이라는 걸 깨달은 것 말이다.

그는 연유가 없음에도 스스로 죄악을 택했다. 그것이 그의 잘못이다. 그에겐 변명거리가 없다. 스스로의 악함 외에는.

제 발로 걸어 들어간 깊은 어둔 구덩이 속에서 김연수는 몸부림치고 있었고, 앞으로는 더 화려하게 칠 생각이었다.

심민아가 말했다.

"감조차 잡히지 않는 놈이지만… 그래도 피해자를 선택할 어떤 최소한의 조건이라도 알 수 있다면……."

박경수가 받았다.

"남자, 남자, 남자. 여자, 남자, 남자, 여자, 여자, 여자, 남자, 남자……."

김연수가 죽였던 이들을 순서대로 읊는 것이었다. 그들의 성별만을.

"44세, 51세, 32세, 29세, 57세, 22세, 38세……."

심민아 역시 중얼거리면서 읊었다. 순서대로 나이였다.

"……26세."

그녀가 중얼거리다 마지막으로 읊은 건 가장 최근에 저지른 사건의 피해자의 신원이다. 이효준이라는 이름의 남성이었다.

다만 가장 최근, 가깝게 벌어진 사건은 두 개였다. 전남 장흥 지역에서 벌어진 사건과 강원도 속초에서 벌어진 살인. 두 건은 그들이 짐작하듯 두 명의 김연수가 따로 저지른 일일 확률이 높았다.
어느 쪽이 진짜 김연수일 지는 아직 알 수 없었다.

"아이와 노인이 없다는 건 그래도 특징이지."

박경수의 말.

"신체적, 정신적으로 장애인인 사람도 없고. 사회적으로 지나치게 약자인 사람도 없지. 김연수는 '멀쩡'해 보이는 사람들을 고르는 거야.

……그 아저씨 말 기억해?"

심민아가 중얼거리며 생각하다 물었다. 그 아저씨, 란 수색팀의 현장 요원인 박주영과 김민식 형사가 물어 온 정보의 제공자였다. 예전에 은퇴했다던 형사로, '김연수' 사건의 일가견이 있는 이라고 연차가 높은 고위 직급자들이 입을 모았었다.

"김연수가 게임을 즐기고 있다는 거?"

"게임이라……."

말도 안되는 직관에 비롯한 추리였는데, 사실事實을 따져보면 그 말이 결국 맞았다. 전남과 강원. 소름이 돋도록 정확하게 말이다. 너무 꼭 알맞아서 도리어 의아한 수준이다.

심민아는 그 일이 있은 후 무질서하게 떠오르는 여러 추리의 가능성 중에서 아저씨, '윤계식'이 김연수와 모종의 연결이 있으리라는 생각마저 했을 정도다.

"놈은 인생의 의미가 없는 놈이다. 그래서 일반적으로 생각을 해서는 안되고, 그저 게임을 깨듯 불가능이란 목표에 도전하고 있을 뿐이다."

심민아가 혼자서 말한다. 그리고 이었다.

"그게 김연수의 동기와 행동 양태를 설명할 수 있는 유일한 단어라면, 한 번 집중해 봐야겠지. 논리가 없는 인간의 작태에서 어떤 논리성을 찾으려고 했던 게 문제였을 지 모르겠네."

박경수는 생각을 이어가듯 데스크의 앉은 자리에서, 의자를 뒤로 젖혔다. 그리 크지 않은 부피의 사무용 의자였다. 아래에 레버를 조작하면 뒤로 훽 넘어간다. 올려다보는 천장. 뒤쪽의 LED등 하나가 켜져 있었다. 세 개가 있었는데 가장 먼 쪽, 입구 쪽의 하나만 켜져 있었으므로 전략실 내부는 어둑하다.

그게 더 생각이 잘 떠오른다는 이유로 심민아가 직광을 피했기 때문이다.

"게임이라……."

박경수가 중얼거렸다. 게임이라. '즐거움'이 난이도에서 온다면. 자신의 능력을 시험할 수 있을만큼의 현실성을 갖추면서…… 절묘한 밸런스를 생각해 기록을 세우고자 한다면 다음 걸음은 어디로 움직일까.

"여태까지 김연수가 저질렀던 사건들 중 안해본 게 뭐가 있을까."

"……글쎄.

……도심지에서도, 매일매일 연속으로 죽여도 보고… 대한민국을 종횡으로 움직이며 죽여도 보고….

……."

심민아가 인상을 찌푸렸다. 그리고 조금 굳은 표정으로 말했다. 아주 재미 없는 것을 보거나, 맛없는 음식을 먹으면 저런 표정이 나올 지 모른다. 심민아가 조금 가라앉은 말투로 말했다.

"형사 살인. 혹은 유명인 살인. 혹은…… 목격자가 있는 상태에서의 대놓고 하는 살인과 도주."

"……."

박경수는 잠시 대꾸하지 못했다. 끝말잇기를 하듯 서로의 생각을 읽으며 고민을 돕고 있던 차에도 말이다. 무엇 하나 멀쩡한 발상이 없었다. 정말 현실화된다면, 더 이상 웃고 싶은 기분이 사라지는 이야기들이었다.

"그나마 첫 번째가 제일 나아."

이라고, 심민아가 입을 떼었다. 이유는

"여러 경우 중에서 가장 잡을 확률이 높으니까, 역으로."

덫을 놓는 것. 먹음직스러운 사냥감으로 위장을 하고, 사냥꾼이 기다린다면 어떨까.

심민아와 박경수는 그런 식으로 머리를 굴려보기 시작했다.

*

19. 언니

살인마가 있다고 어떤 장소를 특정지을 수는 없었다. 워낙 신출귀몰하기에.

그러나 여태까지와 다른 점을 좀 살펴보자면, 적어도 휘령동 일대는 살인마가 이전보다 더 공을 들여서 지내던 장소인 건 분명하다. 대지를 깎고 콘크리트를 부어 만든 지하 건축물은 보통 노력으로 가능한 시설은 아니었다.

끔찍하게도, 또 소름돋게도 그런 시설이 국내에 한 군데만 있으리라는 법은 없었지만. 적어도 서울 동대문구 일대에서 살인마가 최근 많은 시간을 보냈으리라는 짐작 정도는 가능했다.

만일 본인이 다루는 그 비밀 시설에 어떤 알람 장치가 되어 있어서, 원시적으로든 기계적으로든 타인이 침입했다는 사실을 알 수 있다면 살인마는 다신 그 곳으론 오지 않을 테였다.
용의주도한 놈이었고, 이전까지의 습성을 버리기에 망설일 만한 놈은 아니었으니까.

그래도 경찰들은 일단 서울 북부 일대에 살인마가 있다는 가정하에, 움직였다.

그리 오래 지나지 않은 일이었다. 휘령동에서 여성이 사라진 건은 말이다. 살인마는 집도 무엇도 없이 떠도는 놈이라기보단 평소에 사회의 멀쩡한 구성원인 양 자신을 치장하고 살아가는, 고도의 의태가 가능한 인간이라는 게 분석가들의 입장이다.
고도의 의태에는 어쩔 수 없이 노력과 시간이 들어가게 되어 있다.

다른 곳으로 보금자리를 옮기려고 해도 비슷한 양의 품이 들 테다. 일반적인 뜨내기나 떠돌이보다는 거처를 옮기는 일이 조금 어려우리라 추측했다. 경찰 측은.

살인마를 '사냥감'으로 치환해서 생각해야 했다, 그리고 프로파일러들은.

김연수 사건 수사 본부의 수많은 인원들이 있었고 또 머리를 굴려 전략을 짜내는 전략가들이 있었다. 그들은 생각했다. 지나치게 사냥감을 자극해서는 나올 것도 나오지 않고 잡을 것도 잡지 못한다.
적절한 압력이 필요했다. 주변에 눈에 띄게 하며 거슬리지만, 완벽한 포위망이라고는 느끼지 못 할 정도.
적당한 도전 정신을 불러 일으키면서 가능해 보이도록 하는 게 요령이다. '게임Game'을 만드는 입장에서는 말이다.

정말로 불가능해 보이는 게임을 만들어낸다면 결국 아무도 하지 않게 마련이었다. 어딘가에는 틈이 있고, 공략법이 있으리라는 기대감을 불러 일으켜야 게이머들이 도전을 할테니.

서울 일대에 의태를 한 채 은신하고 있는지 모를 놈이 '진짜' 김연수인가는 알 수 없었다. 허나 두 놈은 마치 일심동체인 듯 움직이고 있었고, 사실이 어떠하든 아마 비슷한 생각 구조를 갖고 있을 확률이 높았다.

싸이코패스끼리 그 정도로 고도의 협응성을 나타내고 있다면 말이다. 지극히 개인주의적이며 이기적인 인간들이 합이 맞기 위해선, 굳이 맞추지 않아도 각자의 행동 패턴이 서로 닮아 있다면 될 테였다.

아마 진짜 김연수가 다른 쪽에게 위압과 위력으로 심어놓았을 가능성이 높았다. 그런 생각의 패턴들은.

서울 북부, 그리고 동대문구 일대를 중심으로 수사와 순찰 인력이 대폭 증가했다.

전혀 겉으로는 낌새를 보이지 않는 변화였다. 알아채서는 안되니까. 다만, 조금 허술해보이고 둔해 보이는 소수의 인원들은 다소 티를 내면서 일대를 수색하기 시작했다.

*

"30대…… 은행원. 사라진 이수정 씨랑 잘 알고 계시던 사이시라구요?"

"예……."

인상을 조금 어둡게 한 채, 아래로 천천히 고개를 끄덕거리는 여성이 있었다. 그녀는 최수영이었다. 올해로 30세. 은행에 취업한 지 그리 오래 되지 않은 어린 은행원. 달리기를 좋아하고, 단발이다. 끝에는 살짝 컬Curl이 들어가 있다.

직장에서 바로 온 듯 블라우스에 재킷, 단정한 치마 등의 차림새였다. 톤은 베이지 색과 옅은 하늘색이 조금 섞여 있었다.

카페에 앉은 채로, 2인용 테이블에서 상대와 있다. 상대는 남성이었고, 작은 녹음기 하나를 테이블에 둔 채였다. 빨간 불이 들어와있다. 스마트폰이 발전한 시대에 다양한 전자기기는 쓸모를 잃어버렸지만, 직업 상의 이유로 간혹 찾는 자들은 있었다.
기능이 아무리 많아져도 배터리는 유한하니까. 또 정리라는 개념에서도 그러하다. 용도를 분류하면 정보를 쉽게 찾기도 한다. 머릿속이 복잡할 때는 물리적으로 물건들을 용처 별로 나눠보는 것도 쓸만한 방법이었다.

어쨌든, 남성은 최수영의 동의를 얻고 대화 중에 녹음기를 켰다. 작은 단서 하나라도 놓치지 않겠다는 투였다. 최수영이 무언가 잘못을 저지른 건 아니었고, 목격자나 증인과 비슷한 입장이었다.

사내, 김민식은 제 마른 볼을 쓰다듬었다. 두 사람의 앞에는 각자 아이스 라떼가 한 잔씩 놓여져 있었다.

김민식은 티라도 내는 것처럼 수첩 하나를 꺼내들어 오래된 볼펜으로 최수영의 말을 정리해 적고 있었다.

그가 약간은 피곤해보이는 눈매로 그녀에게 물었다.

"정확히 어떤 관계였는지 다시 한 번만 설명해주시겠어요?"

최수영은 점심시간, 그녀의 회사 근처로 찾아온 형사에게 천천히 단어를 골라 이야기를 시작한다.
찾아온 형사는 그녀가 먼저 부른 것이었다.

이따금씩 같이 커피를 하던 사이였다, 원래는. 근처 화훼집에서 플로리스트로 일하던 여성이었다 그녀는. 점심 시간에 늘상 같은 카페의, 비슷한 자리에 와 시간을 때우다 가는 일상이 서로 똑같았다.

싫어도 그런 시간이 반 년이 넘도록 지속되다 보면 얼굴을 익히게 된다. 일 년 가까이 되었을 무렵 우연한 계기로 말을 건네게 되었고, 이야기를 해보았다.

성격 역시 서글서글한 면이 많고 잘 통해서 곧잘 대화를 하게 되었다.

절친한 친구까지는 아니어도, 직장 생활의 반경 근처에서 만날 수 있는 좋은 지인이었다. 서로 안고 있는 고민 따위도, 비슷한 나이대이다 보니 공유할 수 있는 점이 많았다.

직종은 달랐지만 일하는 생활이라는 건 어딜 가나 고생이었다. 시덥잖은 얘기를 나누면서, 점심 시간을 같이 보낼 친구가 되어갔다.

그러던 어느 날 그녀가 눈에 보이지 않게 된 것이 최근이었다. 특별히 일상에서 연락을 많이 하는 편은 아니었지만, 늘 일정한 행동 패턴이 있었는데 사라진다면 눈에 띄게 마련이다.

일주일에 세네 번 이상을 꾸준하게 카페에서 마주쳤고, 개중 한두 번은 같은 자리에 앉아 이삼십 분 정도 같이 수다를 떨었었다.

어디가 아프다거나, 휴가가 있다거나. 특별한 사정이 있다면 '다음 주엔 못 뵐 것 같아요' 정도의 이야기는 지나가면서 하는 편이었다.

몇 주 이상의 시간이 없자 최수영은 의심스런 생각이 들었고,

실종된 '이수정'의 직장에 잠깐 들러 이야기를 물었다.
걸어서 금방 닿는 곳이었다. 그녀의 은행이 종로 시내 쪽이었고, 걸어서 2, 3분이면 자주 가는 프랜차이즈 카페에 다다른다. 다시 카페에서 은행 반대 쪽으로 3분 정도 걸으면 나온다. 한 두 개의 신호등을 건너고 수십 걸음 정도 더.

점심 시간에 들러 이야기를 물어본 바로는, 꽃집의 오너 역시 그녀가 무단으로 일을 빠지고 있는 중이며 아무런 연락도 듣지 못 했다는 사정이었다.
'그럴 사람이 아닌데……'라는 말도 덧붙이면서.

신변에 무슨 일이 있는가, 싶어 한 두 차례 연락을 해봤지만 전혀 소식이 없었고. 그녀는 인근에 살고 있다는 수정의 집 근처를 잠시 들러 멀찌감치서 봤지만 불이 켜져 있지도 않았다.

그리고 다시 얼마간 시간이 흘렀고, 최수영은 꽃집의 사장이 진지하게 실종 신고를 해야 하는가 고민하고 있다는 사실을 듣고 그녀도 연락을 했다. 경찰에게. 주변에서 동시에 여러 건의 신고가 접수되면 경찰들도 조금 더 빠르게, 혹은 진지하게 사건의 수사를 맡아줄 지 모른다.

그리고 그 다음은 조금 의외였다. 신고를 접수한 동대문경찰서에서 사람이 나왔다. 정작 밝히는 소속은 동작경찰서 소속이긴 했지만, 그녀가 제보한 내용을 알고 있었다.
이수정의 실종이 어떤 큰 사건에 연계된 건이기라도 하듯 즉각적인 변화에 최수영이 퇴근 시간을 일렀고, 기다리던 형사가 다시금 와서 근처 카페에 앉은 것이 지금이다.

“그러니까… 우연한 계기로 알게 된 같은 카페의 단골 손님이었고, 약 일 년 넘게 교우 관계를 유지하셨단 말씀이시죠.”

‘네’하고 최수영이 고개를 끄덕거렸다. 그녀의 말투는 조금 가라앉아 있었고 그리 빠르지도 않았다. 불길한 상상이 스멀스멀, 그녀의 뇌리에 치솟는 탓이다. 형사라면 아무래도 강력계 수사들과 연관이 되어 있을 확률이 높다. 이수정의 실종이 단순한 것이 아니라, 조금 더 심각한 신변의 변화가 관련된 것일지 모른다.

어느 미치광이같은 범죄자의 손아귀에 넘어졌을 지도 모르고.

최수영은 다양하게 떠오르는 생각들과, 그에 맞추어 올라가는 심박을 제어하려는 듯 깊게 호흡을 했다. 긴장이 될 때 하곤 하는 그녀만의 요령이었다. 크게 소리를 내지 않고 입을 작게 벌려 숨을 내쉬고 마신다. 한 번 들이마실 때 오래도록 유지하면 그것만으로도 상당한 운동이다.

근육이나 생각이 한 가지 일에 집중되면서 쓸 데 없는 긴장감이 풀린다.

그녀는 많이 마시지도 못한 아이스 라떼의 빨대를 입에 가져가며 한 모금 했다. 김민식이 평이한 어조로 말했다.

강력계 사건과 관련된 수사와 이야기를 하면서 감정을 드러내는 건 그다지 좋은 일이 아니었다. 상대가 용의자여도 그럴 것이고, 피해자와 관련된 인물들이라도 그렇다. 형사는 어두운 일을 처리하는 사람들이었고, 그 공포감을 불필요하게 전염시켜서 좋을 게 없었다.

용의자를 앞에 둔 때라면 상대에게 틈이나 정보를 주지 않기 위해서겠지만.

"근처 XX꽃집에서 일하셨었다고요. 어떤 분이셨나요."

사실 이수정에 관한 정보는 경찰도 얼추 알고 있었다. 그녀가 사라지고 나서 가장 먼저 실종 건으로 연락을 해온 건 아무래도 가족들이었다. 그 다음이 서울에서 가깝에 알고 지내는 지인들. 실제 실종 당시로 파악되는 시점과 신고 간에는 약간의 텀이 있기는 했지만.

이수정이 일하던 화훼집의 여사장은 경찰에게 연락하는 시점이 조금 늦었다. 그녀가 무단으로 결근하자 직접 몇 번의 연락을 했고, 그녀에게서 받아 둔 본가의 연락처로도 전화를 했었다고 한다. 당시 이수정의 가족들도 행방을 알 수 없다는 대답을 들어 불안한 예감이 든 사장은 고민을 하다가 뒤늦게 경찰에 한 번 더 신고를 했다.

그와 비슷한 시기에 지금 눈 앞의 여성으로부터 추가적인 신고가 들어온 참이었다.

여러 건의 신고는 해당 사건에 대한 신고자들의 증언에 아무래도 진실성을 더한다. 한 사람이 말하는 것보단, 여러 증인이 교차적으로 증언을 하는 게 사실에 가까울 확률이 높으니까.

치밀하게 말을 맞추는 경우도 더러 있기는 하지만, 세상에는. 그럴 때에라도 진실을 낚아 채는 법이 수사계에는 존재하기도 한다.

형사가 그녀에게 찾아온 건 공교로운 시점 탓이었다. 휘령동의 여성 실종 건은 어느 정도 나올 만한 정황들이 모두 파악이 된 상태였고, 수사에 진전이 없던 상황이었다.

그러다가 9월 어느 날 한 은퇴 형사의 발견으로 새로운 국면을 맞았다. 살인귀의 '거점'이 동대문구 일대일 수 있다는 가능성이

대두되었다.

물론 일정한 적籍이 달리 없는 살인귀이지만 그럼에도 인간인 이상 안온한 삶을 원하게 될 테이고 특히 이 끔찍하게 치밀한 놈은 일상 생활을 위장한 채 즐기고 있을 확률이 높았다.
실제의 삶은 아닐지언정 그 위장된 생활의 반경이 어디인가, 대강 견적이 나왔다는 건 중요한 사실이었다.

이미 떠났을 확률도 있지만 아닐 수도 있다. 사소한 가능성이라도 있다면 어디든 달려가고 또 두드려보아야 했다. 현장수사관의 숙명이란 그러했다.

"수정 언니요? ……."

최수영은 말과 생각을 함께 가다듬는다. 아이스 라떼 잔을 잡은 손이 미끌거리는 그 표면을 쥐었다가 차마 들지 못하고 다시 돌아갔다.

"좋은, 언니죠……"

수영이 말끝을 흐렸다. 불온한 상상이 조금 더 가시화 된 기분이어서 그렇다. 어떤 '분이셨었냐고'. 과거형으로 묻는 형사의 말이 그녀의 다양한 불길함을 구체적으로 만들었다.

"……."

형사 역시 그녀의 슬픔을 그다지 다그치지는 않았다. 최수영은 사정을 모르는 이가 본다면 답답할 정도로 뜸을 들이다가 입을 열어 있는다.

"어… 똑부러지는 사람이, 에요."

그녀는 시제를 잠시 고민했다.

"같이 만나서 얘기할 때도, 본인 사정도 있지만 제 걱정을 많이 해줬고…. 착하고, 플로리스트였는데 능력이 좋아서 사장님한테 칭찬을 많이 받는다고…."

"네."

김민식은 수첩에 뭔가를 끄적였다. 화훼집 사장한테 언뜻 들었던 바와 크게 다른 점은 없었다.

"30넘어서 중반 다 되어가는데, 결혼은 언제 할까, 하면서 맨날 고민했고… 부모님 잘 못 뵈러 가서 신경쓰인다는 얘기 자주 했고…

흑."

문장의 마무리 지점 즈음 최수영이 지난 추억이라도 떠올랐는지, 감정이 북받쳐 신음처럼 울음을 내었다. 김민식은 그 모습에 어떤 반응을 해주진 못했고, 그저 가만히 바라보고 있었다.

안타까운 마음은 그도 같다.

무고한 인간을 죽이는 살인마는 이 세상에서 사라져야 한다. '악'이 사라질 수 없는 무언가라고 한다면 죽는 날까지 전쟁이라도 해야 한다.

김민식은 그런 식으로 생각했다. 남자의 사고방식이었다. 누군가의 슬픔을 보고 근원적 문제의 해결을 생각하는 법이 말이다.

잠시 지켜보던 김민식은 자기 쪽에 가깝게 놓여 있던 카페의 티슈 몇 개를 최수영 쪽으로 밀어 건넸다.

몇 번 더 흑, 흑 거리면서 호흡을 뱉던 최수영은 티슈를 구겨 쥐고서 제 눈가를 눌러 흐르는 것을 닦아내었다. 화장기가 조금 묻어나왔다. 그리 짙지도 않았지만 말이다.

제3자가 멀리서 지켜보면, 남녀 둘이 카페에 앉아 감정의 격류가 흐르고 있으니 연인 간의 일인가 할 법도 했다.

김민식은 주변을 신경쓰지는 않았다. 시내. 오래도록 자리를 지킨 프랜차이즈 카페였다.

공교롭게 최수영과 이수정이 같이 자주 다니던 그 곳이었다. 일부러 약속 장소로 잡은 건 아니었지만. 시간에 맞춰 바로 직장 앞에서 기다리던 형사의 부름에 가장 가까운 곳을 오게 되었다.

"…그."

김민식은 작게 입을 열어 '별 일 없을 겁니다' 따위의 말을 하려다가 차마 뱉질 못하고 말았다. 아마도, 아니 분명 별 일이 있으리라는 게 형사로서 그가 가진 소견이었으니.

거짓말을 할 수는 없다. 그 사실관계가 중요한 일일수록 말이다.

"큼. 죄송해요. 그, 언니는…"

다시 최수영이 마음을 잡고 말을 뱉었다.

"성실한 사람이었고, 말이 잘 통했어요. 교우관계도 괜찮아 보였고요. 가끔 보는 사이였지만 신뢰감이 있었고, 친해질 수도 있었죠. 착했고, 커피를 좋아했어요. 플로리스트 일은 잘 모르지만 실력이 있던 것 같았어요.

다니고 있던 화훼집도 잘 되고 있던 것 같고….

평상시에 연락을 자주 하는 편은 아니었는데, 그래도 아예 없지도 않았고요.

가끔? 휴일 날 너무 심심하다거나, 혹은 뭔가 일이 있을 땐 간혹 연락을 했죠.

평일 점심 시간이 늘 만나는 정해진 약속 시간이었지만 다른 때도 만나서 논 적도 있고요.

서로 근처에 사는 친구는 많지 않았고… 업무 시간이나 쉬는 때도 비슷해서요. ……."

같이 이곳저곳을 다녔을 때의 추억이 다시 말을 멈추게 했다. 한 두 호흡 뒤에 다시 입술을 연다.

"……그러다가 최근에 못 본 지가 꽤 되었어요. 몇 주 정도…. 휴가를 쓴다거나, 뭐 몸이 아프다거나… 플로리스트로 일하는데 꽃집에서 일을 할 때도 있지만 외부 일도 있던 것 같고요.

보통 그런 일이 있으면 연락을 주는 편이에요. 점심에 늘 보니까. 다음에 같이 수다 떨자, 커피 마시자… 이렇게.

…

흑.

…그러다 연락도 안 받고, 언니 직장에 물어봤는데 사장님도 모른다고 하시더라고요. 실종 신고를 해야 하나 생각하고 계시다고만….

언니 집을 아니까 퇴근 길에 들러봤는데 불도 꺼져 있고….

…형사님, 저희 언니 살아 있겠죠…?"

김민식은 피곤한 눈매, 다크서클을 제 손바닥으로 슬쩍 쓸어내리며 듣다가 그 말에 잠깐 멈췄다.

그리고 생각하더니 고개를 끄덕거렸다.

"…경찰도 수사중인 건입니다. 알 수는 없죠. 최선을 다 하겠다는 말씀… 정도 드릴 수 있을 것 같습니다."

"……."

최수영이 말이 없다. 김민식이 묻는다.

"피해자의 실종 전, 후로 특이사항 따위는 없었나요? 이수정 씨 본인에게나, 그 주변에나요."

"……"

최수영이 몹시 지친 기색으로 아이스 라떼를 마셨다. 그러더니 답한다.

"전혀요. 여느 날과 똑같았어요. 이상했다면 제가 먼저 알았겠죠. 그래서 잠시 안 보여도 그저 일정이 달라졌나, 하는 생각으로 크게 이상하게 생각하지 않았고요."

김민식이 느리게 고갤 끄덕거렸다.

실종이 살인이며, 범인에 의한 계획적 범죄라면.

이수정은 주도 면밀하게 관찰당하고 있다가, 조금의 낌새도 느끼지 못하고 단번에 당한 모양이었다.

자신의 틈이나 기척을 드러내지 않는 노련한 사냥꾼.

김연수가 생각나는 방식이다.

김민식은 작은 정보라도 귀중하게 듣고 있었다.

"…주변에서 누군가 자신에게 관심을 갖고 따라다닌다거나… 스토킹에 대한 이야기도 전혀 없었다는 거죠?"

"……예."

"이수정 씨는 자취를 했고, 주로 혼자 다니는 경우가 많았나요?"

그는 이미 알고 있는 사실도 모른다는 듯 물었다. 상대가 정확한 정보를 줄 수 있도록.

"예… 꽃집 일이 끝나면 보통 저녁이고, 저보다 약간 늦게 퇴근한다고 알고 있어요. 가게가 조금 커서 마감할 때 일이 많다고…. 마감하고 늘 집까지 버스를 타고… 가는 길에 골목이 조금 많기는 해요."

수영은 이런저런 생각을 하며 상세하게 답했다. 김민식으로서는 달가운 탐문 수사의 과정이다.

"흠……."

예상되는 실종 시각은 밤이다. 이수정은 밤에 잠이 오지 않으면 혼자서 산책이라도 하는 걸 즐겼던 모양이다. 잘 알고 있는 동네이고 별 일이 없다고 생각했을 테다.

그건 사실이었다. 근처에 싸이코패스 하나만 없었다면 말이다. 한국은 치안이 좋은 나라다. 그런 나라임에도, 강력 범죄율이 0%에 수렴하기란 지난한 일이다.

김민식은 아이스 라떼를 조금 마셨다. 입맛이 쓰다. 커피는 아니고 단순히 심정의 문제다.

"교우 관계는, 딱히 최수영 씨 외에는 몰랐나요? 남자 친구라던가… 그 외의 분들에 대해서요."

"어… 네."

최수영이 먹던 라떼 잔을 바로 기울이며 얘기했다.

"언니 남자 친구는 헤어진 지 좀 된 걸로 알고 있고요…. 저 만나기 한참 전… 몇 년 전에요. 다른 친구는 일이 바쁘거나 지방에 있어서 잘 못만나고 저랑 본다고….

가끔 얘기하던 언니는 미영, 언니나 수진 언니 정도고요. 저랑 안 놀 때는 보통 그 둘이랑 놀던 때였어요."

"그 전 남자친구 분은 어디에 계시죠?"

"글쎄요… 어디 강남 부근에서 작은 음식점을 한다고 했던 것 같은데… 자세하게는 몰라요."

"혹시 이수정 씨의 실종이 우발적인 범죄에 의한 것이라면, 면식범이 될 가능성이 있을까요."

그 남자친구가 어떤 인간이냐, 하고 대놓고 묻는 질문이었다.

"…그 전 남자친구를 말하시는 건가요. 그렇다면… 그럴 것 같진 않은데요. 언니랑 전 남친은 사이가 좋았다고 들었어요. 그다지 나쁘게 헤어지지도 않았고… 서로 남은 앙금같은 것도 별로 없다고."

서로 맞지 않아서 깔끔하게 헤어졌다고 한다. 결혼관이나, 성격이나, 가치관이 달랐을 수도 있다. 삶의 계획을 노선으로 봤을 때 많이 엇갈렸을 수도 있고.

"…그렇군요. 알겠습니다. 혹시 이수정 씨 근처의 이웃들에 관해서는 아시는 게 있으세요?"
"아뇨, 그렇게까지는…. 애초에 빌라에서 전세로 살고 있고… 그 근처 사람들과 얘기할 일도 없다고 했던 것 같긴 하지만요."
"…흐음."

김민식은 그 이후로도 주변적인 상황들에 잘 아는 게 있는지, 조금 더 물어봤다.
최수영은 이수정이 사라질 당시에 대해서는 별로 기억이 없던 모양이다. 실종 당일로 예측되는 전전날, 여느 때처럼 카페에서 수다를 떨고 헤어지고.
그것이 다란다.

평소 조심성이 많던 성격이었고, 그다지 틈이 없던 성격이라고 덧붙였다. 이수정이 말이다.
조심하고 있는 인간을 소리도 없이 잡아 제압하기가 참 쉽지 않다. 비명이라도 한 번 질렀더라면. 그래도 골목의 끄트머리에 있는 연립 주택의 주민들이 듣기라도 했었을 텐데.

김민식은 김연수의 수법에 소름이 돋는 걸 느꼈다, 조금.
아직 그 놈의 범행이라는 증거는 아무것도 없지만 말이다. 심증만은 어느 정도 확실해졌다.
현재 한국을 활보하며 경찰들을 농락하고 있는 놈이, 그런 놈이 달리 더 있다고 생각하고 싶지는 않았다.

만일 그렇다면 진지하게 한국의 치안 유지에 대해서 검토해보아야 할 것이다. 말단 경장인 그가 할 수 있는 일은 별로 없었지만.
조직 개편과 인원 증대에 대한 진지한 탄원서를 올려볼 순 있었다.

필연적으로 범죄자들을 염두에 두고 살아가는 형사로서의 감각이었다. 뉴스에서 연쇄살인마의 소식을 접하는 일반인들은 그다지 와닿지 않을 지 모르지만, 그들을 쫓고 반드시 만나야 하는 입장에 선 맹수와 같이 살아가고 있는 느낌이다.
언제 자신을 물어댈 지 모르는 식인 맹수 말이다.

자신이 지내는 집 안 울타리 내부에 맹수가 한 마리만 있다고 하더라도 치가 떨릴 일이다. 두, 세 마리 이상이 얼마나 더 있을지 모른다고 가정하면 도저히 잠을 잘 수가 없다.

실제로 김민식을 비롯해 수사본의 많은 형사들이 불면증 따위에 시달리기도 한다.

김민식은 간단한 탐문을 마치고, 고맙다는 인사와 함께 카페에서 헤어졌다.

최수영은 그 테이블에 앉아 얼마간 더 있다가, 집으로 천천히 돌아갔다.

그녀가 했던 상상들은 현실일 지 모르는 듯하다. 가능성 높은 비극에 라떼 한 잔을 두고 말도 없이 허공을 응시하다가, 홀로 걸어 퇴근 길을 마무리했다.

*

박주영은 온 동네를 들쑤시고 다녔다.

그에게는 파트너가 하나 있었는데,

"여."

단팥빵과 오렌지 쥬스 하나를 사오며 그를 부르는 아저씨가 있었다. 주영이 답했다.

"그, 언제적 단팥빵입니까? 선배님. 형사 드라마에 너무 심취하시는 거 아니에요 요새?"

그가 퉁명스럽게 말을 주는 상대는 익숙한 얼굴이었다. 아저씨, 에서 선배님 정도로 정식 호칭이 바뀐 인물이다. '윤계식'이었다.

"드라마는 무슨. 어디에 쓰이는 설정들이 가끔은 현실적일 때가 있지. 칼로리도 높고. 목도 안 막히고. 즉발적으로 뛰쳐 나가려면 언제든 힘을 비축해 둬야지."

"너무 그러시다 당뇨 오십니다 그려."

한결 더 편해진 듯한 말투였다. 박주영과 윤계식은 그간 통화를 많이 했다. 김연수 건이 진전될수록 말이다. 윤계식의 사고방식과 시각들은 의외로 도움이 되는 점이 많았다.

수사팀이 대외적으로 알릴 수는 없었지만, 어쨌든 찾지 못하던 휘령동 골목 폐가의 시설물도 발견했고 말이다.

폐가를 재산으로 갖고 있던 대전 지방의 어느 부유한 장년에 대해서도 다소 조사가 들어갔다.

그가 과연 요새 일어나는 연속 살인 사건과 관련이 있을 수 있겠는가, 하는 점에 집중해서.

당장 드러나는 건 없었다. 제 집이라고는 하지만 정말로 방치된 듯한 곳이었고, 또 세를 주듯 누군가에게 빌려주었는데 그 인간이 문제일 수도 있었다.

재무부 소속 기관에 협조를 요청해 돌아돌아 알아낸 바로는 대전의 자산가는 경기도 인근에 거주지를 둔 청년에게 집을 빌려주었다고 한다.

리모델링을 해서 부모님을 모시겠다는 취지였다는데 아직까지 소식이 없이 방치된 채였다.

'청년'이라는 점에서 의심의 여지가 다분했으나 그는 신원이 확실하고 또 그 일대에서 거주하고 생활하며 서울 시내로 이동한 적이 한동안 없었다는 게 밝혀낸 사실이었다.

명목상의 관련자 외의 인물이 멋대로, 사용하고 있는 게 분명했다. 그 연결고리 부위가 제대로 된 정보가 없는 지점이었다.
개인 소유의 자택인 건물 내부를 멋대로 수색한 사실을 밝힐 수 없어 아직까지 대놓고 그 주인에게 탐문 수사를 진행하지 못한 시점이다.

다만 정황상 의심스러운 미상의 구조물이 나왔기에, 곧 영장 발부를 넣고 나온다면 정식으로 깊이 파 볼 생각은 하고 있었다. 수사팀에서 말이다.

아직도 9월이었다. 네번째 주.

윤계식은 수사선에서 완벽히 떨어져 있는 인물이었다, 원래는. 예전에 은퇴한 형사에 불과했고 그저 지방에서 한적한 생활을 즐기던 폐인에 가까웠다.

그러나 아직 그를 기억하는 인물들이 경찰 조직에 더러 있었다. 윤계식이 아직도 죽지 않고 살아있더라, 하는 문장으로 정리되는 감상일 지도 몰랐다. 은퇴한 수사관은 사설 탐정 따위의 자격증을 취득해서 탐정으로 일하며 수사 일선을 돕는 경우도 있다.
한국에서 쓰이는 제도인지는 몰랐지만, 근 몇 년 내에 '사설 탐정'에 관련된 제도가 공식화되면서 가능하다고는 들었다.

그런 형식적인 외형을 떠나서, 어쨌건 박주영은 민간인 윤 씨의 협조와 도움을 받고 있는 처지였다.
아무런 보수도 받지 않고 공짜로 일을 도와주고 있으니, 내부적으로 그에 대한 신뢰 관계만 있다면 남는 장사이기는 했다.

살인마를 상대해야 하는 일선 강력계 형사팀에게 신뢰를 얻는다는 게 세상에서 가장 어려운 조건이기는 했다.

윤계식에 관해선 수사본의 수사과장을 통해서 건너건너 이야기를 더 들었다. 어차피 여러 팀으로 다시 잘게 분해가 되어서 서울 전역을 이잡듯 뒤져야 하는 처지가 되었다.

조금의 이상하거나 특이한 낌새라도 생긴다면 곧바로 본부 전략회의실로 가져가고, 분석관들이 머리를 쓰게 해야 했다.

여태까지도 물론 총력 수사였지만, 한 차례 더 템포를 끌어올린 수사 일선에서 박주영과 김민식은 임시로 분리되었다. 김민식이 가고, 새로운 콤비로 얻은 게 그보다 이십 년 하고도 몇 년이 더 많은 나이의 노장이라는 게 맞는 일인가 싶었지만, 뭐 어쨌든 박주영은 불평을 하지는 않았다.

실없는 농담이나 주고 받을 땐 곧잘 툴툴거리기는 했지만.

“많이 뛰고, 운동하면 괜찮아. 움직이는 것보다 더 처먹을 때 걸리는 병들이니까. 지금은 나이에 맞지 않게 더 움직여야 할 때라 많이 비축을 해 둬야지.”
“그… 여태 비축한 걸로는 부족하십니까?”

박주영이 계식의 몸집을 바라보고 슬쩍 말했다. 허허, 윤계식이 웃었다. 표정은 웃고 있지만 그 내부의 눈빛은 날카로웠다. 박주영은 농담을 그만하기로 했다.

계식의 체형이 딱히 비만인 것은 아니었다. 살집이 있기는 하지만, 운동을 하듯 매일 뛰어다니던 일선의 형사가 은퇴를 하고, 나이를 먹어가면서 그 정도 체격이 되는 것은 어쩔 수 없는 일이리라.

그리고 체중이라도 있어야, 단발적으로는 근력으로 상대에게 앞선다. 상대가 누구냐에 따라 다르기는 하지만. 지구력은 몰라도 근력까지 아직 잃지는 않았다. 체중은 그런 근력의 뒷받침이었다.

계식은 물론 일을 돕고 있을 뿐, 신분이 바뀐 것은 딱히 아니라 지급되는 장비도 없었다. 이전에 그가 사용하고 들고 다니곤 하던 가스총과 사제 경봉, 너클 따위가 전부다. 그것만으로도 어지간한 인간은 꼼짝 못하게 할 자신이 있기는 했지만.

상대가 김연수라면 주의를 더 기울일 필요는 있었다.

박주영과 윤계식이 한 팀이 된 것은, 전체적으로 외견 상 '한 팀'의 전투력 총합을 낮추기 위해서였다.

프로파일러, 라는 이름으로 수사팀에서 활약하고 있는 고위 수사관들의 아이디어였다. 그들 역시 민간인 윤 씨의 의견을 적극 반영했다.

김연수가 동기도 목적도 제대로 짐작할 수 없는, 그 내면이 구덩이이며 어둠 뿐인 싸이코 패스라면. 그의 행동 원리나 구조는 그저 '게임'이라고 볼 수 있었다. 진짜 인생이 없이, 그저 장난으로 제 인생과 육신과 영혼을 소비할 뿐인 미치광이 말이다.

그런 끔찍한 속내를 가진 놈은 다른 인간들의 인생을 제 게임에 끌어들여 부수어대길 원했다.

게임의 목적은 달성 가능해야 했고, 또 적당히 어려우며 다양한 기록들로 남을 수 있어야 했다. 불가능이 없다는 듯이 날뛰는 싸이코패스에게 '형사'란 아주 먹음직스러운 먹잇감일지 모른다.
특히 그들이 자신의 영역을 대놓고 들쑤시며 소란을 일으키고 있다면. 경각심이나 분노를 느껴 발작적으로 행동할 가능성도 있었고.

그래서였다. 둘이 콤비를 이루어서 여기저기, 수상한 인간이 없는지 들쑤시며 묻고 돌아다니는 이유는.

"조금 더 순발력이 필요하다는 점은 인정하네."

파트너인 계식은 눈빛을 빛내다가 순순히 고개를 끄덕거렸다. 박주영은 화제를 돌렸다.

그들은 낮, 동대문지구 근처를 돌아다니고 있다.
일상적인 순찰이었다. 밥먹듯 해야 하는 일 말이다. 둘 모두 형사다운 사복이다.

김연수의 동조자, 혹은 그 본인이 있으리라 생각되는 지역이다.
티가 다 나도록 탐문 수사를 벌이고, 수색을 한다. 인근 주민들에게 소문이 날 정도로 말이다.
그다지 효용성 없는 수색과, 취조 까지는 아니어도 강도 높고 집요한 캐묻기는 인근에 소식이 전파되기에 충분한 '비일상'이다.

대대적으로 김연수에 대한 정보를 매스 미디어에 뿌릴 수는 없었다. 치안 유지에 있어서 가장 중요한 점 중 하나는 국민들의 인식 그 자체를 포함하고 있다. 실제 형사 사건이 늘어난다고 해도, 경찰 조직에 대한 신뢰가 높으며 국민들이 안전함을 느끼고 영위한다면 그건 실제적인 치안이다.

강력 범죄의 숫자가 줄어든다고 하더라도, 한 두 건의 소식이 지나치게 공론화되어 '내 주변에도' 언제든 일어날 수 있으리라는 인식이 명료하게 박힌다면 그것 역시 실제적인 치안 수준의 하락이나 크게 다름 없었다.

전국민이 평안하게 자신들의 삶을 누릴 수 있게끔 하는 것이 치안의 목적이다.

형사들은 어쨌든 전력을 제 나름대로 다하고 있었다.

그런 미디어를 통한 정보의 공개가 실제 수사에 도움이 된다면 또 모른다. 그러나 '김연수'는 전체를 노출시키기에는 너무 몸통이 큰 놈이었다.

자신이 홍길동인 것처럼 돌아다니는 미치광이 살인마의 이야기를 듣는다면 대한민국의 국민들이 체감하는 치안도는 급락하리라.

적어도 실마리라도 잡고, 그 끄나풀이라도 잡아내야 했다. 그러고 나서 실체를 알려도 늦지 않다.

치안 서비스를 제공하는 공무원들의 사정은 일단 그렇다. 서비스를 누려야 하는 고객들에게 알려야 한다면, 같은 사건을 두더라도 최고의 때에 알리고 싶어지는 것이다.

동대문구라고 하더라도 깨나 방대한 범위다. 그들은 휘령동과 계문동, 청량리 일대를 수사한다. '구'단위의 행정 지역을 세 개 정도로 나누어서 개중 하나를 맡는 셈이다.

시내의 버스 노선을 따라 돌면서 오래 되어 보이는 가게들 따위가 있다면 여김없이 들어가 수상한 인간을 보지 못했느냐고 물었다. 계식이 할 때도 있고 주영이 캐물을 때도 있다. 그렇게 몇 군데, 몇 차례만 하더라도 일대의 상점 주인들이나 단골들을 통해서 알음알음 입소문이 나게 되어 있다.

그런 짓거리를 하루 종일, 또 며칠이고 하다 보면 얼추 동네를 한 바퀴 도는 것도 가능하다. 소문을 모으기 위해서 돌아다니는 인간은 필연적으로 소문의 중심에 서게 된다. 그 행위 자체가 일상적인 풍경과 어긋난 행태였기에 말이다.

그렇게 상점 주인들을 괴롭히고, 또 연식이 오래되어 보이는 주택가의 토박이 동네 주민들을 대상으로 탐정이라도 된 양 정보를 수집하다가 잠깐 멈춘 것이 방금이었다.

계문동 어느 공원 근처에 있는 벤치에 박주영이 앉아 있었고, 윤계식은 출출하다며 근처 편의점에 갔다 오는 참이다. 먹을 것은 되었다고 하자 음료를 하나 더 사와 주영에게 건넸다.

주영은 감사하게 받으며 캔음료를 깠다. 탁, 푸쉬익.

제로 칼로리 사이다다. 선호하는 게 없다고 하자 적당히 사 온 모양이다. 계식은 한낮의 공원 벤치. 한참이나 어린 말단 형사와 콤비가 되어 그 옆에 앉고는 단팥빵의 비닐 껍질을 뜯었다.

우물거리며 먹는 폼이 참으로 자연스럽다.

원래 이 동네의 주민인 어느 아저씨가 나와서 산책을 하고 있는 광경으로 보일 정도다.

주영은 그 옆모습을 잠깐 뚱하니 처다보다가 시선을 옮겼다.

그들이 있는 벤치는 공원 바깥을 향해서 설치된 의자다. 앉은 채로 있으면 공원 외곽에서, 근처를 빙 둘러 깔린 골목 내의 차나 사람들을 구경하게 되어 있다.

벤치 정면에는 상가 건물이 크게 자리잡았고, 왼쪽으로 가면 다소 규모가 큰 교회 건물이 나왔다. 정확히 어느 교단의 어떤 데인지는 잘 모른다. 박주영은 교회에 관해서는 그다지 깊은 정보가 없었다.

바로 코 앞에 있는 상가 건물의 1층이 편의점이다. 가장 흔하게 보이고 또 주영 역시 많이 들르는 기업의 프랜차이즈.

푸른 톤의 간판이다.

거기서 더 시야를 들어 올리면 가로등, 더 위에는 하늘이 보인다. 구름이 하얗고 하늘이 푸르다. 가을 하늘이 높다던데, 정확한 건 모르지만 그래 보이기도 한다.

주영은 떠가는 실구름을 쳐다본다. 구름 한 점 없는 맑은 하늘보다는 사실, 적당히 흰 색이 배치되어 있는 점이 하늘의 푸르름을 느끼기에 좋다. 사진을 찍을 때도 그게 더 좋았고.

걸치고 있는 검은 가죽 재킷의 품에는 무전기가 있다. 아무 요동도 없고, 청바지의 오른 주머니에 든 휴대폰도 진동이 없다.

평화롭다.

살인귀가 나다니고 있는 중이라고는 생각하지 못 할 정도로 말이다.

사실 치안이라는 것이 그렇다. 어느 한 구석에 숨어서 범죄를 저지르는 개새끼가 있어도, 당장 눈앞에서 뭘 볼 수는 없었다. 세상 일 역시 그렇다. 본인의 마음만 평안을 찾으면, 고요한 평화를 잠시간 누릴 수 있는지 모른다.
주영은 그렇게 맑은 하늘을 잠시 감상했다.

인근 동네, 골목의 상점들은 다 한 바퀴 돌았다. 몰고 다니는 승용차에 올라타서 같은 동네의 다른 골목을 찾아 돌 차례였다.
계식이 빵을 다 먹고, 잠시간 좀 더 앉아 있다가 움직일 것 같았다.

계식이 우물거리다가 말했다.

"박 형사."
"……예, 선배님."

계식은 박주영에게 형사라는 호칭을 썼다. 경사니 뭐니, 세세하게 직급을 논할 것 까지는 없었다. 어차피 조직 외인外人이었고. 대충 퉁쳐서 부르기로 했다. 계식이 마지막에 은퇴했을 때의 직급은 경감이었다. '경위'로서 가장 오래 생활을 했고.

그는 일정한 경찰서 건물에 적을 두지 않고 김연수의 행적을 따라 직급 중간부터는 계속해서 자리를 옮겼다. 그러다 형사 생활 말년에 다시 강남 경찰서 산하의 지구대장을 맡아 업무를 계속했고.

가장 불타는 청년기를 바쳐 쫓았던 괴물은 그 불이 다 사그라질 때까지 흔적을 내보이지 않았다. 다시금 이렇게 걷거나, 달릴 수 있게 된 건 그에게 있어 기꺼운 일이었다. 사실 불씨는 남아있었다.
계식은 주영과 함께 작전을 수행하고 순찰을 도는 일이 즐거웠다. 걷기 시작하자 제 마음에 일어난 불길이 곧바로 활활 타오르는 것을 보고 계식은 스스로도 깨달을 수 있었다.
끝까지 다하지 못한 사명은 절대로 사라지지 않고 그 마음에 남아 응어리가 되어 있다.

김연수가 살아있을 가능성이 있다면 계식에게도 진정한 은퇴란 없었다. 한 쪽이 제 인생과 생명을 송두리째 악업에 쏟아부어 죄를 저지르고 있다면, 그걸 막는 쪽 역시 제 인생 전부를 바쳐야 한다.

고작 형사 직급, 직함이 빠졌다고 놓을 수 있는 일은 아니었다.

윤계식은 단팥빵을 먹다 박주영을 흘끔 본다.

눈깔이 맘에 드는 놈이었다. 오랜 경력으로 다져진 그 아저씨의 눈은 오래도록 마주볼 수 있는 인간이 흔하지 않은데도. 피하지 않고 제 일을 할 수 있는 놈이었으니.
계식은 그런 점을 주영에게 알려주고 싶었다. 선배로서의 덕목이자, 당연히 해야 할 일이었다.

한 번 해병대는 영원한 해병대다,

라고 어느 자존심 센 조직이 말하듯이

계식 역시 형사를 두고 그렇게 말할 테였다.

자신의 인생이나 목숨과 같이 중요한 가치 선상에 있는 무언가를 걸고 어떤 일을 한다면, 그건 평생에 자신의 삶에 자국으로 남아서 영향을 끼치는 사건들이 된다.

그렇기에 선현들이 '똑바로 살라'는 교훈을 담아서 명작들을 적어 남기는 것이다. 한 번의 선택은 자신의 삶에 문신보다 더 지워지지 않는 흔적으로 남으니까.

마찬가지로 계식이 후배, 박주영에게 해줄 수 있는 말도 오로지 한 가지 논리의 이야기였다.
'똑바로 형사로서 일해라.' 목숨을 걸고 범인 놈을 이겨먹어라. 직업으로의 형사를 관두고 난 다음에도, 그 순간들이 박주영의 여생에 평생 영향을 미칠테니까.

불완전연소를 하고 난 다음엔, 어딘지 찝찝해서 도저히 잠을 이루지 못하는 게 운동을 하는 인간들의 제대로 된 심리인 것이다. 범인을 잡지 못하면, 어딘가 마음 한 구석이 불편해서 손발이 저리는 것이 형사다운 형사인 거다.

"…자네에게 거는 기대가 많네."

계식이 말했다.

박 형사는 갑자기 '이 아저씨가 왜 이러나'하는 마음을 표정으로 담은듯 맹한 얼굴로 답했다.

"……갑자기 과장님처럼 구십니까. 선배님이 사실 제 승진 점수 적어서 제출하는 감찰관이었던 겁니까?"

피식. 하고 계식이 웃었다. 자신이 생각해도 뜬금없는 맥락이긴 했다. 잘 받는 놈은 좋다. 말도 잘 받고, 범인을 잡아 처넣을 때의 호흡 역시 잘 맞아야 했다. 실전에선 팀원끼리 눈빛 하나만 잘못 파악해도 몸통에 범인이 휘두르는 칼이 박히거나, 칼날이 긁고 지나갈 수도 있었다.

"그럴 지도 모르지. ……아니 사실 진짜 그럴 지도 모르겠는데? 자네 위 수사본 과장이 조용수라고 했지? 강남 경찰서 본서 건물에서 재직할 때 같이 일했었는데. 내가 말하면 자세한 건 몰라도 한 번은 더 좋게 봐주지 않겠어?"
"어……."

박주영은 계식이 하는 말이 슬슬 농담인가 아닌가 구분이 안 가기 시작했다. 농담이라고 해도 묘하게 사실성이 있다는 게 고심해 보게 되는 점이었다. 실제로 조용수 과장은 윤계식을 잘 알고 있는 듯 말했다. 거기다 좋게 보고 있는 것 같았고.
예전의 인연이라고 하는데, 주영으로서는 알 수 없는 그 예전의 이야기가 더 끈끈한 것이라면 지금도 끗발이 먹힐 위험이 있었다. 주영은 눈을 가늘게 떴다.

"……그, 헛소리는 그만하시고 다 드셨으면 가시죠."
"아, 그래."

주영이 더 이상 슬슬 농담같아지지 않자 말을 끊었다. 계식은 놀리려던 게 무산되었으므로 깔끔하게 화제를 접었다. 단팥빵은 틈틈이 흡입해서 이미 빈 봉투뿐이다. 그가 곱게 접어서 딱지처럼 고정시킨 뒤 제 뒷주머니에 넣었다. 주영이 덧붙였다. '쓰레기통 저기….' 계식은 대강 손짓을 하며 걸어나갔다.

"가자고."

공원 근처 골목에 적당히 세워 둔 흰색 승용차를 향해 움직였다. 운전은 번갈아가면서 하고 있었다. 연장자나, 선배를 이유로 주영만 하기엔 그들이 해야 할 운전거리가 꽤나 길었고 기약도 없었다.

저번에 주영의 차례였으므로, 계식이 문을 열고 운전석에 앉았다. 단팥빵 비닐은 버리지도 않았다.

"예……."

주영은 들릴듯 말듯 혼잣말처럼 대답하며 그 뒤를 따랐다.

언제까지 이 맨 땅에 다이빙 하듯한 수사가 지속될 지는 모르겠다.

아주 약간의 그럴싸한 변화나 수사의 방점이라도 된다면 대성공 이상의 기적이었다.

*

기적은 우리네 주변에 의외로 그럴싸하게, 자주 일어난다. 생각보다 빈번하게 말이다.

먼저,

김연수를 가장하고 있는 '김재영'은 오만한 성격이었다. 살인마로서 말이다.

그는 자신의 행적이 일부 들켰음에도 제 거처를 전혀 옮기지 않았다. 그 행동에는 이면적으로 이런 계산도 있었다. 섣부르게 도망을 치는 것보다, 때로 등잔 밑이 어두운 것처럼 제자리를 지키고 있는 게 도리어 수사의 혼선을 빚을지 모른다는 생각 말이다.

반쯤은 맞았다. 그러나 현황에 대한 간과가 들어간 심리라는 게 조금 문제였다.

김연수, 로 불리고 있는 두 명의 싸이코패스 살인마들은 이제껏 너무 '잘'해왔다. 살인에 붙기로는 적절치 않은 단어였지만, 범죄를 완벽하게 해낸다는 걸 잘했다, 고 표현한다면 그들은 지나치게 잘 해왔다.

이렇다할 실마리 하나, 머리칼 하나 남기지 않고 매번 자취를 감췄고 현장에서 벗어났다. 프로 그 이상의 준비와 괴물같은 준비성과 끈기로 일상생활마저 철저하게 통제를 하면서 움직였다.

정말로 그 삶에, 아무런 의미도 없이 범죄와 악업에 제 시간과 정력을 모두 쏟아버린 인간들 둘이었다. 다른 분야에 건전하게 노력과 시간을 쏟았더라면 분명 일류 그 이상이 되었으리라.

그리고 그런 완벽주의와 실현된 완벽성으로 경찰들은 절박한 심정이었다.

증거가 있든, 가능성이 적든 많든, 가능한 모든 수단을 동원해서 남한 전역을 들쑤시고 있는 것이다.

경찰 인원의 상당수가 동원되고 있었다. 십여 만 명이 넘는 경찰 조직의 인원들 중 수 천명은 움직이고 있었다. 현장 업무에 차

질이 갈 수도 있었지만, 수사본에 직접적으로 차출된 인원들이 주요 임무를 수행하고 나머지는 해당하는 지역 경찰로부터 협조를 얻어 업무 시간 중 일부를 받는 식이었다.

수 천 명이 24시간 쉴 새 없이 움직이고 있진 않았지만, 적어도 수백 명은 그렇게 움직이고 있었다. 그리고 나머지 대다수의 인원들도 현장 업무 중 교대로 시간이 남을 때마다 수사본의 프로젝트에 동참해 움직여주고 있었고.

전국을 커버하기에는 물론 턱없이 부족한 인력이었다. 그러나 팀을 나누어서, 서울 시내 범인의 흔적이 있던 지역 정도를 덮기에는 충분했다.

있으면 있는대로, 또 없으면 없는만큼 움직이자, 가 수사본 행동계획의 주요 골자였다.

'동대문구' 일대는 그런 없으면 없는대로, 지푸라기라도 잡는 심정으로 움직이는 수색 범위 안에 가장 정통으로 들어오는 곳이었다.

차라리 적당한 흔적이라도 남겨서 자신들의 행동 범위를 유추할 수 있도록 범행을 저질러왔다면 나았으리라.

지나치게 단서가 없었기에 경찰은 희박한 확률에 인력을 쏟았고, 그 우연한 행동은 자리에서 움직이지 않던 범인의 생활 범위를 훌륭하게 압박했다.

김재영은 아주 약간의 불안감을 느꼈다.

싸이코패스인 그는 기본적으로 '불길함' 따위에 먹히는 일은 없었다. 그의 심정은 이미 고통이나 불길함 따위로 가득 차 있었으니까. 어둠에 먹혀버린 검은색에 비슷한 톤을 더한다고 표가 나지는 않는다.

그러나 아주 미약한 불안감이 그의 행동 변화의 단초가 되기는 한다. 어쨌든 그 역시 사람의 종자였고, 통감이 마비되었더라도 통증이 지속되면 근육이나 신체가 반응을 하는 것처럼 말이다.

김재영은 보통 혼자 움직인다. 그렇게 된 지가 이미 꽤 지난 일이었다. 31세의 나이. 한국 나이로 12세부터 '중년 사내', 그러니까 진짜 김연수에게 하드한 트레이닝을 받아왔다.

한국을 떠들썩하게 했던 살인마의 후예는 그와 마찬가지의 체급을 가진 괴물로 성장했고, 10대 후반과 20대 초반에 이미 훌륭하게 혼자서 실전을 치렀다.

그 모습은 마치 전사의 예식과도 같았다. 도시나, 현대에는 전혀 어울리지 않는 말이었다. 김연수는 김재영을 어느 미개척 지역의 야만 부족의 생물처럼 키웠다. 전투와 전장, 피가 흐르고 뼈가 드러나는 뭐 그런 곳이 그들의 터전이다.
죽지 않기 위해서 죽여야 하고, 사냥감의 목줄기를 물어 뜯는 그런 전근대의 전투가 그들의 삶이었다.

다른 점이 있다면, 그런 야만 부족들은 상황에 의한 자연스러운 모습이었으나 김연수와 김재영은 마치 강물을 거슬러 오르는 연어처럼, 주변의 평화로운 분위기 속에서 그런 인간 꼴이 되어버린 점이다.

주변에 영향력으로부터 자신의 신념을 지켜내서 어려운 길을 가는 건 훌륭한 위인들의 표상이기는 하다. 그러나 어느 길로 가는지가 늘 중요하다. 두 마리의 짐승, 현대의 한국 사회에 잘못 떨어지고 만 야만인 둘은 길을 제대로 잘못 들었다.

그들은 위협받지 않음에도 칼을 들었고, 사냥감을 적극적으로 찾아 나섰으며, 아무 연고도 없는 인간을 이유도 없이 죽이고 그 일을 자신들의 삶의 시험처럼 여기기까지 한다.

차갑게 식어버린 그들의 성정은 더 이상 인간의 것이라고 하기 힘들었다. 가장 비인간적이어질 수 있는 건, 역설적으로 인간들이었다. 애초에 인간이 아닌 짐승의 행태를 보고 비인간적이라고 하는 자들은 없었다.

인간의 모습을 하고 인간의 상想에서 가장 멀리 벗어난 둘이다. '비인간적'이라는 단어가 가장 잘 어울리는, 두 종자였다.

상황과 자리를 잘못 찾은 두 악랄한 부족 전사들 중, 어린 놈인 김재영은 그렇게 훌륭한 트레이닝 과정과 실전 의식까지 마쳤다.

20대 중반을 넘어서면서 슬슬 제 혼자의 삶이 비중을 많이 차지했고, 30대가 된 지금은 김연수와 꼭 같이 움직여야 할 일이 아니면 연락도 자주 하지 않는다.

부모의 대신처럼 제 삶을 차지했던 중년 사내이지만 김재영에게 어떤 아쉬움이나 쓸쓸함은 없었다. 애초에 제대로 된 인간의 삶을 공유하지 않았기에 말이다.

비뚤어진 인간, 사춘기도 아니고 본성이 잘못 되어버린 청년은 늘 그렇듯 이번에도 혼자서 돌파구를 생각해내야 했다.

사실 그가 잡히게 되더라도, 김연수는 아마 그를 도와주진 않을 것이다. 할 수 있는 일도 사실 현실적으로 그리 많지 않았다.
김연수는 대단한 조직적 위력을 지닌 자가 아니었다. 그저 그 개인의 무용武勇이 뛰어난 전사같은 놈이었다. 현대 사회에서 그런 힘은 그리 큰 가치를 지니진 못한다.

은밀하게 숨어 다니며 암살자 행세를 할 때는 최고의 기술과 가치가 되지만. 양지에 드러나서 잡혀버린 제 동료를 구하는 데는 큰 쓸모가 없다. 아무리 은밀하게 틈을 노리고 달려들어봐야 형사들이 총을 뽑아들어 쏜다면 당해낼 방법이 없었다.

나라의 공권력과 정면으로 충돌해 제압하겠다는 건 테러의 영역이었다. 그건 김연수가 추구하는 게임의 룰과 형태와는 조금 다른 것이다.

아마 김재영이 잡힌다면 그의 게임은 거기서 끝일 테다. 게임 오버를 당한 플레이어를 도울 수 있는 방법은, 마찬가지로 게임 내적 존재인 동료 플레이어에게 없었다. 그저 연민과 위안을 담아 같이 게임 오버가 되어 준다거나, 하는 건 가능할 지 모른다. 물론 두 사람에게 그런 의리나 행동의 이유는 존재하지 않았고.

김재영은 생각을 잘 해야 했다.

그는 그의 집 안에 있다.

속초에서의 일을 마무리하고 돌아와서, 슬슬 주변 상황을 인지하고 다시 일상 생활의 모습으로 돌아가던 차였다.
잠시 멈추었던 프리랜서 일러스트레이터로서 일감도 조금 찾고, 일당이나 주급 형태로 돈을 받는 단기 아르바이트 자리도 물색해

보고.

주변에서 늘 갖던 농구 모임이나 온라인 게임의 만남도 시간을 정해서 출석하고.

그 내면에 있는 냉담함이 새어나오지 않도록 차분히 시간을 들여서 표정과 행동을 연기하고 일상생활의 패턴을 찾아가던 중이었는데.

일단 아마 찾지 못할 듯, 아주 작은 형태로 구석 자리에 박힌 CCTV도 회수할 생각을 하지 않았다. 비밀 통로 근처나 폐가로는 발걸음을 전혀 하지 않을 셈이었고.

폐가의 비밀통로에서 하수도로, 지하도로에서 나오는 하수구 구멍 근처의 자가용 차도 자리를 이미 옮긴 뒤다. 은회색의 선팅이 된 승합차였는데, 트렁크에서 개폐기를 이용해 철제 배수구 틀을 열고 오가던 식이었다.

흔적을 처리하면서 차 역시 외관을 조금 바꾸었다. 서울 인근, 경기도 지역까지 가서 튜닝샵을 찾았다. 은회색이던 그의 승합차는 검은색이 되었다. 일부러 칙칙하고 개성도 없는 외관으로 바꾸는 일은 흔치 않은 것이었지만, 어쨌든 그는 짧은 시간 안에 변장을 잘 마무리했다.

혹시 지나가던 사람들이 '그' 자리에 있던 은회색 승합차를 기억해낸다고 하더라도, 이제 그의 차는 검은색이니 직접 봐도 일치시키지 못하리라.

폐가의 비밀통로는 일대의 하수도로와 연결되어 있었고, 그 내부로 들어갈 수 있는 구멍은 아주 많았다. 개중에서 김재영의 범행 경로를 정확하게 파악하는 건 아주 어려운 일이었지만 혹시 모르니까 한 일이다.

김재영이 실제 범행에 쓴 배수로를 발견해서 특정 짓는다면, 그 위치에 장기적으로 주차되어 있던 은회색 승합차가 걸려들 가능성이 있었으니까.

물론 그 승합차를 중심으로 수사를 한다면 또 정작 김재영에게서는 빗나갈 수도 있었다. 정확히 그 차를 김재영이 몰고 있는 장면을 목격하는 게 아니라면, 승합차의 주인은 그와 비슷한 나이대의 어느 청년으로 등록되어 있었다.

지금은 신분만 남아있고, 없는 사람이었다. 안타깝게도 말이다.

'노인'의 솜씨다.

휘령동 골목의 '폐가'를 노인이 어느 부자에게서 사는데 사용한 다른 젊은이의 신분의 주인은 다행히 아직 살아있었다. 부자도, 청년도 모두 이 일이 정확히 어떤 의미인지는 알지 못했다. 부자는 단순히 청년이 적지 않은 돈을 치르면서 폐가를 구입하는 것에 제 집을 내어준 상황이었고, 청년은 노인의 부탁과 강요를 듣고 행동했을 뿐이다.

청년은 조금 행동거지가 단정치 못한 면이 있었고, 동남아 지역을 여행하면서 불법 도박으로 막대한 빚을 진 전력이 있다가, 동남아를 거점으로 활동하는 '노인'에게 걸려들어 반쯤 수족이 되었을 뿐이다.

막대한 빚을 탕감해주는 대신 묻지도 따지지도 않고, 사정을 모른 채 그의 명령을 들어주었고, 그 결과 '김재영'이 사용하는 그 폐가가 된 것이다.

폐가를 사들이고, 지하 통로라는 시설물 공사를 하는 돈은 김재영에게서 나왔다. 정확히 말하면 김연수와 김재영 둘에게서.

그들은 CCTV가 그다지 발달하지 않은 오지나, 낙후된 국가들에서 노인을 통해 여러 살인 의뢰를 수행했고 돈을 벌었다.

그 행위나 과정은 '김연수'에게는 일종의 보너스 게임이었다. 그가 인생의 시간 대부분을 사용해서 즐기고 있는 본게임은 선진국이라 할 수 있는 현대 한국, 그 도시들을 돌아다니며 저지르는 연쇄 살인이었고 말이다.

동남아나 중국 오지 따위에서 벌인 그 행각들은 본게임을 위한 준비일 뿐이었다.

노인이 직접 공수한, 입을 열지 않을만한, 또 입을 열 생각조차 하지 않을만한 인부들이 동원되어 여러 군데에 비밀 장치들을 설계하고 만들어냈다.

주로 노인에게 신원을 빌려준 '빚을 진 청년'처럼 여러가지 사정으로 덜미가 잡힌 인간들이었다. 그도 아니면, 아예 동남아 계열의 인부를 한국으로 보낸 뒤 일을 처리하던가 말이다.

직접적으로 일을 벌이는 건 김재영과 김연수였다.

노인, 브로커는 자신에게 각 국가의 수사 조직들이 집중하는 걸 원치 않았고, 스스로의 손을 더럽히는 일은 지양하는 편이었다.

단순히 범죄 이력이 없는, 그의 조직에서 일할 뿐인 동남아 인부들이 한국에 들어가 일을 하고 오는 건 큰 문제가 아니었다.

투두둑.

재영은 자신의 집, 낡은 단독 주택의 1층 거실 소파에 누워 있었다.

그는 집중해서 생각해야 할 때는 그렇게 하고는 했다. 몸의 긴장을 최대한 풀게 하는 게 중요하다. 몸이 굳으면 머리도 굳는다. 신경이 제대로 기능하지 않으면 온 몸의 기능들이 다 떨어지게 되어 있다.
김재영은 최적의 효율을 위한 자세를 찾고 궁리를 한다.

피아노 건반을 연속으로 두드리듯, 혹은 오락기의 기판을 누르듯 오른 손의 엄지를 뺀 네 손가락을 계속해서 소파에 가져다 댄 뒤 두드렸다. 투드득, 하고 가죽 소파가 소리를 낸다.

낮 시간. 2X년 9월 23일 오후 2시.

햇살이 커튼 사이 주택을 비추었다.

실내는 비추어도 싸이코패스의 내면까지 빛살이 닿지 않는 점은 안타깝다.

한참을 그러고 있던 재영은 일단 '중년'에게 연락을 취했다. 행동은 따로 한다고 하더라도, 일단 정보 공유 정도는 필요할 것이다.
만약 자신이 먼저 게임 오버를 당한대도 일단 중년이 알아야 했다.

협동 게임의 협동자가 사라진다는 건 게임 내적으로 굉장히 큰 변화였다. 앞으로의 일은 중년, '김연수'가 헤쳐나가야 하리라.

그렇게 되면 뭐, 김연수가 저지르고 있는 본게임의 기록행 역시 도중에 끊길 위험이 있었다.

김연수는 여전히 위협적이고 재영이 맞서기 어려울 정도의 근력을 보유했지만 지구력만큼은 예전같지 않았다.

나이에 따른 변화는 어쩔 수 없다.

혼자서 예전의 기록들을 갈아 치우는 일들은 더 지난한 과정이 되리라.

물론 그렇게 될수록, 세상에 있어서는 선한 일이었다.

소파를 두드려대던 손이 그 근처 스툴 테이블의 위에 올라가 있던 핸드폰을 찾았다. 검은 테두리의 스마트폰. 그는 몇 번의 손짓으로 메신저를 키고 텍스트를 쳤다.

-어. 동대문구에 일 있어서 들렀는데. 이 근처 동네에 공원이 있더라. 거기서 운동하기 좋겠더라고. 그런데 새가 엄청 많아서 말야. 오전에 들렀는데 비둘기 떼가 온통 모여서 도망가지도 않고 자리를 차지하고 있더라.

결국 아무것도 못하고 구경만 하고 지나갔지.

잠깐 일있어서 들른 거였는데 여기엔 좀 오래 있게 될 거 같아.

나중에 보자. 아무튼 하는 일 잘 마무리하고, 몸조심하고.

전에 말한 그거 때문인 것 같은데.

서울은 어딜 가나 요새 새가 많아서 문제야…….

나중에 연락할게 또.

새, 나 들개같은 이야기는 보통 그들의 추적자를 뜻한다. 별로 좋아하지 않는 동물들에 대한 이야기는 그런 표현이다.
지역을 뜻하는 건 정확한 정보전달이었다. 재영이 동대문구에 자택을 구입하고 살고 있다는 건 중년도 알고 있었다.

운동도 못하고, 는 제대로 움직일 수 없을 정도로 경찰 따위의 수사망이 삼엄하다는 이야기다. 범행을 저지를 수 없고, 다소의 압박감이 느껴진다는 뜻도 포함한다.
아무것도 못하고, 나 혹은 의도와 반대로 상황이 흘러간다는 뉘앙스는 마찬가지로 현재 상황이 그에게 위험하다는 정보다.

몸조심, 이라는 단어는 그들끼리 원래 쓰지 않는다. 그들은 딱히 서로를 걱정하지 않는다. 위하는 마음 따위가 느껴진 적은 없었다. 필요에 의해서 컨디션을 묻는 게 전부다.
그런 싸이코패스끼리 '몸조심'이란 단어를 쓸 때는 피차 마지막에 대한 염려가 있을 때 뿐이다.

먼저 게임 오버를 당하더라도, 알아서 잘 대처를 하라는 언질이다. 나중에 연락할게, 도 사실은 상황이 최악으로 치달았을 때 연락을 하지 못하게 될 수도 있다는 뜻이었다.
기본값은 원래 언제든 일이 있으면 연락하는 것이었으니.
타의에 의해서 연락하지 못하는 상황을 암시한다.

투두둑.

핸드폰을 왼 손에 쥐고 오른 손으로 계속 소파를 박자에 맞춰 두드렸다.

잠시 그러고 있던 재영이 일어났다.

생각만 하는 건 사실 그에게 잘 맞는 방법은 아니었다.

어떤 식으로든 몸을 움직일 때 그는 다양한 기능이 가장 활발해진다.

약간의 하드 모드Hard mod라고 생각하기로 했다, 재영은.

그리고 그 역시 김연수에게 배우고 갈고 닦인 게이머였다. 어려운 지점이 나타난다면, 게임의 도중에. 그렇다면 뚫고 나갈 뿐이다.
이겨냈을 때의 희열과 달성감, 그리고 그들만의 게임에서 남는 '기록'이 더 찬란하게 빛나리라.

하루종일 아무것도 입에 대지 않고 있던 재영은 그대로 자주 찾는 분식집에 들러 식사를 했다.

*

24일 오후, 4시.

수영은 상심한 표정으로 가게에 있었다.

주말이었다. 일도 없고, 그녀를 붙잡는 사람도 아무도 없었지만 왠지 삶이 손에 잡히지 않았다. 집에는 밀린 빨래가 있다. 월요일에 출근하면, 전 주에 끝내지 못한 업무가 마저 기다리고 있다.

집안 청소도 한 번은 해야 할 것 같았다.

그렇지만 어느것도 딱히 마음에 잡히지는 않는다.

그녀는 동네에 있는 어느 밥집에 와 있었다. 김치찌개를 파는 곳이었고, 집에서 밥을 해 먹거나 챙겨 먹기 귀찮으면 나와서 자주 끼니를 때우는 곳이다.

걸어서 얼마 걸리지 않는다. 반지하 정도의 높이에 위치한 가게 내부. 창문으로 햇살이 조금 비치고, 형광등 불빛이 밝다.

구석 테이블에 앉은 그녀 앞으로 얼마 지나지 않아 김치찌개 1인분과 반찬, 밥이 나왔다.

약간의 우울감, 상실감 따위가 있었지만 목구멍으로 밥은 잘도 넘어간다.

주변의 지인이 횡액을 당하는 일은 아무래도 그 관련자들에게도 영향을 미친다. 살인마의 칼날은 한 명을 죽였지만 인간은 혼자 살아가는 생물이 아니기에, 보이지 않는 끈으로 관계성을 맺던 이들에게도 상흔을 남기는 것이다.

그것까지 살인마, 김재영이 바라던 바였다면 그는 충실하게 자신의 목적을 달성한 셈이다.

최수영은 혼자서 밥을 먹으며 가게 내부의 TV를 보았다.

–……지난 6월부터 8월까지 일어났던 서울과 경기권, 대전에서

의 살인 사건이 동일범의 소행일 수 있다는 경찰의 성명 발표가 있었습니다.

연쇄살인의 가능성이 높다는 입장인데요, 이에 대해 검경은 가능한 모든 방법을 동원해 범인을 잡겠다고 강력하게 얘기합니다.

늘 지나가는 그런 뉴스와 같은 톤의 이야기였다. 다만 연쇄살인범은 한국같은 좁은 땅덩이에서 아무래도 이슈가 될 수 밖에 없는 주제였고, 자주 나오는 소재는 아니다.

일반적으로는 자신과 관련 없는 '남의 일'이지만 그저 조금 더 불쾌감이나 불안감을 느끼고 지나가리라.

수영의 경우엔, 살인 사건이라는 단어가 뜬금없이 조금 더 와닿았다.

아무래도, 그녀가 최근 고민하던 일과 관련있는 말이었기에 그럴 것이다. 친한 지인이었던 이수정의 실종이 어떤 강력계 범죄와 연관이 있는 것이냐, 하는 게 그녀의 고민이었다. 단순 납치인지, 혹은 정말 어떤 살인귀의 살인 행각에 휘말린 것인지.

형사는 말끝을 흐리며 자신의 견해를 내놓지는 않았지만 분위기라는 게 있었다. 그녀는 친했던 언니가 이미 다시는 볼 수 없게 되었다는 쪽으로 생각하고 있었고, 그런 와중에 연쇄살인범의 이야기는 그녀의 뇌리에 박힐 수 밖에 없었다.

대한민국에 강력계 범죄를 저지르는 인물이 단 한 명 뿐인 것은 아니었지만. 결국 비슷한 놈들일 것이다. 최수영은 눈살을 찡그렸다.

적개심, 적의. 뭐 그런 것이 김치찌개를 먹던 그녀의 내면에 작게 생겨났고 타올랐다.

*

언론을 통해서 김연수의 존재에 대해 넌지시 알렸다.

이십여 년 전 한국에 한 번 큰 이슈가 되었던 살인범이지만, 그와 동일범이라고 까지는 알리지 않았다. 또한 이전에 이미 언론에 노출되었던 사건들만을 연계해서 말했다. 새롭게 찾아낸 장흥이나 속초에서의 건은 아직 알리지 않았고.

아직 살인마에 대한 수사적 단초는 아무것도 잡은 게 없었지만. 그럼에도 '압박'이라는 의미에서 어느 정도 효과가 있을 지 모른다.

서울 일대를 형사들이 들쑤시고 다녔다. 그리고 그건 뉴스보다도 더 확실한 소문을 만들어내고 인근 주민들을 통해 퍼져나갔다.

그런 류에 귀를 기울이는 사람들이라면 어쨌든 듣게 되리라. 전혀 관심이 없는 부류라고 한다면 모르겠지만.

살인마는 동네 토박이 주민들의 입소문을 들을 확률이 높았다. 반증적으로, 반대급부로 그 자신이 뜨내기이기에 그런 소문들에 민감하고 주변 주민들의 행태에 집중하려는 경향이 있으리라.

이미 서울을 떠나 지방에서 지내고 있다면 별로 효과는 없는 방법이었다. 그래도 일단은 가능한 걸 하자는 의미로, 경찰들은 부지런히 움직였다.

*

김연수,

는 살인마다.

그것도 아주 오래된.

그것이 그의 본명은 아니었다.

그는 청년에게도 본명을 제대로 알리진 않았다. 그러니까, 김재영한테 말이다. 그는 그 자신을 감추기 원했다. 본질적으로 제대로 된 행동거지가 아닌 놈에게서 볼 수 있는 습성이었다. 제 정체를 감추려고 하는 것 말이다.

추악한 본질을 감추어야 그나마 사람으로서 포장하고 연명할 수 있으니까.

김연수는 그렇게 오래 살았다.

'청년', 김재영은 그가 동남아 등지를 돌아다니면서 적당한 고아를 찾고 있을 때 만났다. 사실 한국이어도 상관은 없지만. 아무래도 그보다는 경제적, 제도적으로 후진국에서 찾는 것이 조금 더 편하리라는 생각은 있었다.

한국에서 태어난, 한국인 고아를 찾기도 조금 어렵거니와 정식으로 고아원이나 법원등에서 절차를 거쳐 얻게 되면 걸리는 것들이 너무 많다.
　김연수는 똑바로 살고 있는 인간은 아니었고, 앞으로 그가 할 일도 올바른 게 아니다. 거기다가 그 고아를 통해 시킬 일도 마찬가지였고.

　한국에서의 연이나 신분은 최소한으로 가지고 있는 게 좋았다. 그러기 위해서 적당한 인간을 찾다가, 마침 발견해서 거두어들였다.
　눈빛이 매섭게 타올랐고, 세상에 대한 분노인지 뭔지 모를 것인지. 아니 그보다 조금 더 깊은 부분에서 동류라고 느꼈는지도 모른다. 별다른 감정이 없는 지독하고 끝없는 무관심.

　그 무기질적이고 냉정한 면모를 그는 느꼈다. 어린 아이에게서. 더군다나 한국계의, 한국인이었다. 어떤 사연으로 버려져 필리핀의 쓰레기장 근처 마을에서 연명하고 살아가고 있었는지는 잘 모르지만.

　그는 괜찮은 도구라고 생각했고, 김재영을 거두어들였다. 그리고 잘 갈아진 칼날처럼 그를 빚어냈다. 수 년에 걸쳐서.
　12세이던 한 어린 아이가 한국 나이로 20살 즈음이 되기까지. 몇 번의 예행연습도 거쳤고, 그가 함께 해서 실전도 거쳤다.

　짐승을 잡아 죽이고 전사로서의 성인식을 치르는, 어느 부족의 문화와 같은 짓거리였다. 다른 게 있다면 그들은 사람을 죽였고, 스스로가 짐승들이었다.

　청소년기를 지나면서 그의 모든 노하우를 쏟아부어 만들어냈다. 체력적으로 극한에 가깝게 단련을 시켰다. 육체적인 자질도 그다지

나쁘지 않았다. 오히려 좋은 편이었다. 끊임없이 근육을 키우고 혹사시켰고 운동 신경을 갈고 닦게 만들었다.

잘 갈려 높은 수준에 다다른 기량은 그의 목줄기에도 칼날을 들이댈 정도가 되었다. 수제자, 그런 이름이 사실은 어울리리라. 악한 일을 하는 기술을 알려주었다는 게 문제이기는 하다.

김연수는 김재영의 심성이나, 정신적인 면에서는 일체 적당한 자양분을 준 적이 없었다. 그저 자신의 행위를 돕게 하기 위해 세뇌를 시키듯 행동 원리와 목적에 대해서 주입시켰을 뿐이다.

그게 그렇게 효과적인지는 그 스스로도 알 수 없었다. 다만 싸이코패스에게 밥을 주고, 따뜻한 잠자리와 생활을 제공하면서 그렇게 했기에 얼마간 효과는 있는 듯했다.

어쨌든 쓰레기 마을에서 집도, 부모도 없이 빌어먹으며 연명하던 고아에게 그런 삶은 족함 그 이상의 것이었을 테니.

그런 생활을 유지하기 위해서라도 김연수의 말을 따라야 한다고 생각했으리라.

그러던 놈이 이제 31살이다.

김연수의 나이는, 55살이었다.

이제 이전에 그가 자랑하던 수준의 육신적 강인함은 많이 쇠약해졌다.

그럼에도 불구하고 엘리트 운동선수, 혹은 그 이상의 단련으로 제 몸을 혹사시켜 온 살인마는 아직까지 건재하다. 지구력은 조금 많이 부족해졌을지언정. 근력이나 순간적인 순발력은 아직 살아 있다. 거기에 더해진 요령과 노하우를 곁들인다면, 예전보다 더 쉽고 빠르게 범행을 저지를 수도 있었다.

다만 이전처럼 한국 전역을 활보하면서 동시에, 혹은 연속적으로 범죄를 저지르는 건 어렵다. 그건 체력의 문제였으니 말이다.

그러기 위해 김재영을 키웠고, 여태까지 잘해주고 있었다.

슬슬 손아귀에서 벗어나는가 싶은 적도 있지만, 아직까지는 그의 말을 듣는다.

김연수는 김재영에게 몇 번, 본명을 말한 적이 있었다. 그가 한국말이라고는 '안녕'이나 '죄송'정도 밖에 모를 때 말이다. 일찍이 버려져서 필리핀 인들 사이에서 자라난 김재영은 영어나 필리핀어를 중얼거리고 있었다. 타갈로그 어.

초기에 김재영을 가르치기 위해서는 영어를 주로 사용했었다. 한국어를 익히게 하고, 여려가지 지식을 때려 박듯 주입시켜서 익히게 했다.

그가 당시에 김재영을 만났을 때 건넸던 이름은 아래의 것이었다.

"천산혁이다."
"Eh?"

어눌하고 멍청하게 무언가 발음하던, 마르고 더럽던 애새끼.

화창하게 해가 빛나던 여름 날 쓰레기통 같은 구석에서 그는 김재영을 데려와서 더욱 훌륭한, 쓰레기로 빚어냈다.

김연수, 그러니까 55세의 장년인, 노년을 바라보지만 아직까지도 탄탄한 체격과 근육을 보유하고 있는 사내 천산혁이 자신의 핸드폰을 들고 있었다.

그는 어느 카페에 있다. 대전 유성구 어느 동네.
오후의 화창한 햇살이 내리 쬔다.
전 날 보내온 메세지를 화면에 띄우고 슬쩍 바라보았다.

창가 자리에 앉아 시내에 걸어다니는 사람들을 향해 있는 장년인이다.

몇 년은 되어 보이는 스마트폰의 액정의 메신저 어플에는 이야기가 길게 적혀 있었다.

-어. 동대문구에 일 있어서 들렀는데……

몇 초 정도 바라보더니 그는 화면을 다른 곳으로 조작해 넘겼다.

에스프레소 한 잔이 명치 부근까지 오는 높은 테이블에 놓여 있다. 옆에는 치즈 케이크 하나. 그는 테이블 위치에 맞는 높은 의자에 걸터앉은 채, 케익을 포크로 조각내서 입에 담았다.
그러고 에스프레소로 입을 씻듯이 삼켜 넘겼다.

전국 곳곳을 돌아다니는 그도 일정한 루트는 있었다. 그런 패턴은 없을수록 좋았지만, 범행의 전후라거나 일부러 그렇게 노출시키려는 의도가 있지 않다면 자유롭게 다니는 편이다. 그러니까, 몸에 익어버린 패턴대로.

그가 들른 이 카페 역시 그러했다. 자주 오는 곳이다. 커피가 맛있었고, 또 케이크 류의 디저트도 솜씨 좋은 제빵사가 만들어내는지 맛이 좋았다.
살인마도 입맛은 있다. 다른 이들이 그것을 즐기지 못하게 만들고 있는 주제에 말이다.

그는 앉아서, 그리 날카로운 기색을 보이지도 않으며, 아니 도리어 조금 온화해 보이는 인상과 분위기로 천천히 여유를 즐긴다.

프랜차이즈가 아닌 동네에 있는 개인 카페다. 사장과는 안면이 있었지만 많은 말을 나누지는 않았다. 그냥 눈웃음이나 인사로 안부를 묻고 제자리에 앉아서 음료를 마실 뿐이지.
카페 내부에는 몇 사람이 더 있다.

슬쩍 지나가며 본 바로는, 대학생처럼 보이는 인물이 노트북을 켠 채 과제 따위를 하고 있기도 했고. 커플이 한 쌍 있기도 했다.
조금 나이가 많은 중년의 여성이 혼자만의 티타임을 가지기 위해 산책이라도 왔는지 커피를 마시고 있었다.

테이크 아웃을 해가기 위해 들르는 사람들도 꾸준하게 문에 달린 방울을 흔들었고.

아무렇지 않다는 듯 앉아서 그들의 일상 사이에 녹아든 김연수는 확실히 뛰어난 기예를 가진 인간이었다.

어느 날에는 사람을 해치고서, 다시 몇 날 밤이 지나고는 그 분위기를 씻은듯이 없애고 이런 곳에 와서 자연스럽게 앉아있지 않은가.

싸이코패스는 자신의 분위기에 대한 많은 연구를 거쳤다. 사람의 심성이나, 행동과 표정, 뭐 그런 것들은 역사가 되어서 한 사람의 외견에 드러나기 마련이었다.

인상을 자주 찌푸리는 사람은 그것이 표정에 묻고 또 굳는다.

자주 웃는 사람의 경우도 반대로 마찬가지이다.

그렇다면 그는 어떤가. 어느 냉막한 골짜기에서 혼자 살다가 튀어나온 괴인이라도 되는 양, 어떤 표정도 짓기가 어색하고 또 어색한 분위기가 있었다.

거기다가 그가 게임이라고 칭하는, 추악한 범죄를 저지르고 온 날엔 온 몸 곳곳에 귀기어린 분위기가 묻어나기 마련이다.

핏물이 하나도 튀지 않고, 흔적들을 다 씻어냈다고 하더라도 말이다. 누군가의 급소에 참격을 날릴 때의 그의 표정은, 곧 아무도 보지 못하는 것이었지만 괴악하게 일그러질 때가 있었다.

자주 표정이나 감정을 짓지도, 느끼지도 못하던 인간이 어떤 감흥이라도 있는지 어색하게 얼굴 근육을 무너뜨리는 그런 꼴이다.

좋은 일을 하고 있는 표정으로는 볼 수 없다. 또한 어떤 사냥감을 잡을 때에라도, 짐승으로서 그는 최선을 다해야 했기 때문에.

털끝 하나라도 잘못해서 흘려내면 언제 추적이 들어올 지 모르기에 그는 극도로 긴장해야 했고.

그런 기세나 분위기가 온 몸에 잔여물로 남아서 주변 사람들이 가까이 다가오지 못하게끔 만들곤 한다.
자신의 내면이나 자세에 따라서 외형이 바뀐다는 걸 싸이코패스는 후천적으로 학습했다. 그런 분위기를 자연스럽게 만들어내기 위해서 많은 연구를 하고 연기를 하기도 한다.

20살이 넘고, 가정으로부터 떨어져 나오고, 한국 사회를 멋대로 활보하며 살인행을 시작한 게 벌 써 수십 년이다.
경찰에 자신의 존재를 알릴 정도로 두각을 드러낸 건 지금으로부터 20여 년 전, 그러니까 30대 정도의 일이었다.

그가 사회에 본격적으로 나와서 저지른 첫 살인, 은 그 훨씬 이전이었다.

그때는 조금 더 미숙했다. 그러나 그를 잡기 위해 달려드는 형사들과 수사 체계 역시 지금보다 덜 발전한 시기였다.

김연수, 천산혁은 자신의 끔찍한 욕망이나 간절함 없는 동기로 누군가를 잔인하게 살해했고 또 그 흔적을 감췄다.
몇 건의 실종사건이 있었고, 발견되어 문제가 되었던 살인사건도 있었다.
다행히 그가 저지른 것으로 밝혀지지는 않았다.

초기의 그 역시 용의주도했다. 스킬과 노하우, 장비가 조금 부족했을 뿐.

몇 번의 시도를 거치고, 연습을 하고, 또 해외에 나가서 몇 개의 관계를 만들고(동남아의 그 노인), 장비를 얻고 체계를 갖추고.

그렇게 하기까지 다소의 시간이 걸렸다.

자신한테 일정한 스타일이 완성되었다고 느낀 시점에 천산혁은, 김연수로서 일을 저질렀다. 그 다음부터는 참으로 짜릿한 일로一路였다. 자신이 생각한대로 몸이 움직였고, 자취를 감출만한 적당한 도구들을 쓰는 노하우가 수준급에 다다랐다.

경찰들은 그의 실체를 짐작하지 못했으며, 급기야 별칭마저 가명으로 붙여서 존재감만을 더욱 부각시켰다.
언론에도 그의 행각들이 퍼져나왔다. 전국을 떠들썩하게 했다.

게임이라고 친다면 그것이 그의 최고기록이었다.

마치 유령처럼 잡히지 않고 계속해서 범죄를 저질렀던 그 날의 사건들.

김연수는 더 늙기 전에 다시 돌아왔고 마지막 게임을 준비하는 단계다.

잘 되어가고 있었는데, 수사망이 발전을 한 것인지 아니면 단순히 우연인지.

'김재영'. 자신이 거두어들인 그 놈이 다소 난항을 겪고 있는 모양이다.

협력 플레이어가 게임 오버를 당하더라도 김연수는 자신의 플레이를 해나갈 것이다.

그는 치즈 케잌을 다시 포크로 갈라서 입에 담았다. 음미하면서 씹는다. 감각은 중요했다. 그에겐 감성이 없었으니까. 시커먼 내면을 대신할만한 게 무엇이든 필요했고, 김연수는 감각에 집중한다.

그런 집중은 때론 집착이 되고 강박증을 앓게 만들며, 다른 이들에게 위화감을 느끼게끔 할 때도 있었지만.

적어도 지금은 아니었다. 그는 완벽하게 일상적인 장년, 혹은 초로의 사내를 연기하고 있다. 자신의 발톱을 감추고서.

그는 여유롭게 그 자리에서 시간을 더 보내다가, 햇살을 받으며 천천히 카페에서 나섰다. 부드러운 미소로 주변에 호감을 심으면서 말이다. 약간은 회색빛으로 변한, 세월이 묻은 머리. 탄탄한 체격을 감싼 양복 자켓. 머리를 감싸는 캡 모자. 말아 쥔 신문지 하나를 들고 그는 다시금 대전 시내 거리로 스며들어간다.

***

20. 밤농구

"예… 별다른 일은 없으시다고요."

윤계식의 말에 철물점 주인이 고개를 거칠게 끄덕거렸다.
손님이 그리 많지 않은 시간에 찾아와서 망정이지, 누구라도 있었다면 조금의 망설임도 없이 그들을 내쫓았을 것 같은 사장님이었다.

철물점 주인, 하면 떠오르는 것처럼 중장년 정도의 사내였다. 까무잡잡하게 탄 피부. 거친 일들 따위로 잘 잡힌 노동형 근육. 가을 바람에 검은 재킷에 목장갑 하나를 끼고, 작업복 바지를 입고.
그러고서 바깥에서 금방 들어온 자재를 정리하다가 그들을 맞이한 주인은 계식의 정중한 물음에 몇 번 고개를 주억거리고 생각을 하고, 말을 조금 받아주었다.

박주영은 조금 떨어져 있었다. 탐문 역시 번갈아가면서 한다. 둘 모두가 한 사람에게 달려들어 집중적으로 캐묻다보면 아무래도 압박감을 느끼게 마련이다. 티나게 돌아다니며 정보를 수집한다지만 민간인한테 괜한 불편함을 줄 일은 없었다.

형사도 아니지만, 형사였던 윤계식은 누구보다도 능숙하게 형사 같은 티를 내면서 조사를 했다.

"뭐 주변에서 장사하시면서, 낌새가 이상한 사람을 본 적은 없습니까? 청년 정도의 나이대, 남자로요. 키가 크고, 180이 넘고 조금 마른 체형에 눈빛이 날카롭습니다.

꼭 맞는 사람이 아니라고 해도… 주변에 이사온 지 그리 오래되지 않은 이들 중에서 묘하게 거슬리는 사람이 있다거나 말입니다.

조금 차갑고 냉정한 구석이 있다거나, 반대로 지나치게 살갑다거나."

"그런 사람이 어디 한둘이어야지. 시내에서 장사하다 보면 몇 사람을 보는데. 뭐… 특별히 이상한 소문은 들은 적이 없네.

어디, 형사님들이신가? 이 근처에서 뭐 범죄자라도 나타났다는 거야?"

허허, 윤계식이 웃었다.

"아뇨 꼭 그런 건 아니고. 광범위한 탐문 수색 수사 중에 있습니다. 거수자가 있다면 꼭 경찰 쪽으로 연락 주시고요.

혹시나 해서 그냥 여쭤보고 다니는 거니까요.

아마… 근처에 정착한 지 얼마 되지 않은, 혼자 사는 남자일 가능성이 높습니다. 주변과 교류도 그렇게까지 깊지는 않고요. 프리랜서 정도의 일을 하거나 단기 알바 따위를 할 수도 있고…….

딱히 정해진 직업이 있는 것 같지 않으면서 긴 기간 시간 때우고 있는 생활을 하고 있을 확률이 높고…….

염색을 한다거나, 눈에 아주 띄는 복장이나 차림을 하지 않을 확률도 높습니다. 운동을 많이 했는지 몸이 탄탄하고 힘이 좋다거나 할 거고….

그런 이들 중에서 말도 잘 안 통하고 주변과 교우 관계도 적고 따로 떨어져 다니는 수상한 사람이 있으면 꼭 눈여겨 봤다가 나중에 알려주십쇼. 선생님의 도움이 국내 치안 형성에 큰 도움이 되니까요."

"얼씨구. ……아따 마. 알았소. 말 한 번 거창하게 하시네. 나야

이 근처에서 오래 살았으니까 어지간한 주민들은 다 알지만은….
이상한 놈 수상한 놈 있으면 말이야 전해드리지.

그런데 그런 놈이 있으면 어째 무서워서 이 근처에서 사나.

미치광이같은 놈이 정말 있는 거면 꼭 좀 잘 잡아 주쇼, 형사 양반."

"아무렴요."

철근처럼 보이는 물건들을 정리하다가 허리를 펴고 질문을 받아준 사장에게, 계식은 고개를 슬쩍 숙여보이면서 지나갔다.

아무나 다가와서 형사라고 하면 조금 믿기 어려운 것도 사실이다. 탐문 수사를 시작할 땐 박주영이 꼭 먼저 옆에서 형사증을 꺼내들어 보여준다. 그러고 나서 계식의 차례일 때 이야기를 시작하는 게 순서다.

철물점을 지나서, 그들은 자리를 옮겼다. 새로운 건물, 고층 빌딩이 들어서고 아파트가 들어서며 재개발이 시작되는 동네들이 여기저기에 많았다.

그러나 그런 와중에도 터전을 지키고 있는 사람들은 여기저기에 많다.

오래된 동네의 상점들, 그 사이에 새로 개업한 식당이나 가게들.

단골 주민들이 상점들을 오가면서 볼 일을 보고. 산책을 하는 근처 어르신들이 벤치 따위에 앉아서 주변 구경을 한다.

이따금씩 그런 어른들에게도 공손하게 물어본다. 사실 정확한 정보를 바라고 하는 탐문은 아니었으나. 너무 귀찮지 않게 해드리는 정도로만 말이다.

동대문구 일대는 비교적 땅값이 싼 편이었다. 시내나 동네 여기저기를 돌아다니면 대학교 인근을 많이 보게 된다.

젊은이들이 돌아다닌다.

낮이건, 밤이건.

시험이 끝난 기간 즈음, 방학 때는 집으로 돌아가는 이들도 있고 술판을 벌이며 제 젊음을 허비하고 있는 이들도 있다.

너무 젊은 사람들한테 얘기를 걸어봤자 큰 효용은 없었다. 젊은 이들은 이곳에서 떠나고 싶어하며, 자기들끼리의 커뮤니케이션을 좋아하지 이 동네 주민들에게 소문을 옮기는 역할은 잘 하지 않을 것이다.

오히려 전국적으로, 또 살인마가 인터넷 내부의 소식과 정보에 빠르고 심취해 있다면 효율적인 방법일지 모르겠으나.

지금 그들이 잡으려고 돌아다니는 수색의 범위는 물리적 지역으로서의 동네들이었다.

길게 뻗은 인도를 쭈욱 걸어 근처에 있는 오래된 백반집, 구두가게, 꽃집, 치킨집, 양장점 등. 갖은 장소를 들르며 이야기를 전달했다.

원시적인 탐문수사였으나, 아무리 시대가 발전하고 고도화되어도 결국 사람들이 살아가는 건 땅바닥에 발 딛고서 사는 방식이다. 시대가 변해도 달라지지 않는 것들은 있다.

세계가 아무리 지나서 공중에 도시를 만들고 우주 정거장이 지하철 정거장 정도의 느낌이 된다고 하더라도 변하지는 않을 것이다.

어딘가에 발을 디디고, 잘 때는 또 누워서 자고.

아침의 햇살이 필요하고 평안을 위한 밤에 어둠이 필요하고.

지어진대로 사는 것이 중요하고 또 그 법칙을 아는 것이 수사를 하는 방법에 요구되는 점이다.

“조금 덥군.”

계식이 인도를 걷다가 말했다. 주영이 옆에서 고개를 끄덕거린다.

9월이 거의 끝나가는 하반기였다. 그럼에도, 간혹 더운 날이 있었다. 9월까지도. 이제 그런 기세가 조금도 없이 가을 바람이 불고 낙엽이 우수수 떨어지고. 추운 바람이 시내의 대기를 장악하려면 10월은 되어야 하나 보다.

낮시간에 바람막이 외투를 걸치고 두 발로 계속 걸어다니는 계식과 주영은 땀을 흘리며 일했고, 그 땀은 아마 결실을 볼 테였다.

둘은 휘령동의 어느 상가 거리를 다 돌고 나서야 차로 돌아갔다. 저녁 무렵이 되어서였다.

*

우물우물.

박주영은 적당히 도시락을 먹고 있었다. 편의점 도시락이다. 탐문은 저녁까지 계속된다. 낮 시간에 하는 게 제일 좋기는 하다. 그때 사람들의 움직임이 활발하니까. 그러나 저녁을 먹고서 조금 정도는 더 일을 하는 편이었다.

밤 시간에 문을 여는 가게들도 있었으니까. 주로 주류를 취급하는 곳들이다. 호프집, 고기집, 뭐 그런 곳들.

개중에서 오래도록 된 가게가 있고 또 토박이로서의 연차가 높은 사장님이 있다면 잠깐 들러서 말이라도 묻고 끝내는 편이었다.

그리고 나면, 이제 암행 순찰차, 그러니까 별 다른 표식도 없는 일반 승용차를 타고 동네를 돌아다닌다.

살인마가 있을 법한 장소를 눈 비비며 찾고 다녀도 써붙인 게 아닌 이상 큰 성과는 없었지만. 아무 기준이 없다면 적어도 직감으로라도 골라서 어딘가를 돌아다녔다.

그러다가 적절한 지점이 되면 순찰을 하듯 동네를 돌았다. 형사라는 걸 티는 내지 않지만 이 짓거리도 계속해서 반복을 하다 보니 주민들이 어느 정도 알고는 있는 모양이었다.

투실한 체격의 장년 사내와, 청년 하나가 어떤 일을 하는 자들인지 말이다.

휘령동에서 이수정이 실종된 건 새벽, CCTV도 없는 어느 골목이었다. 주택가, 라고는 하지만 근처로 오래된 폐가나 폐빌딩이 있어서 청각적으로도 사각지대에 속했다.

서울에도 그런 자리들은 있다. 음험한 의도를 갖고 일을 꾸민다면 아마 그런 자리를 노릴 테였다. 살인귀도 잡히는 걸 원치는 않을 테니까.

형사들이 일부러 허점을 드러내고, 자신들의 정체가 다 밝혀지도록 여기저기 두드리고 다니는 현재의 상태는 살인마를 자극하고 끌어내기 위해서였다. 낮 시간에 돌아다니는 것만으로 끝은 아니다.

직접적으로 다가올 수 있도록, 빈틈을 보이며 습격당하기 좋은 장소들을 골라 순회하는 일이 필요하다.

사실 그렇게 인적도 없고 으슥한 골목 따위, 사람의 시선이 닿지 않는 사각지대를 돈다고 살인마가 정말로 덮쳐올까 하는 건 의문이었다. 박주영의 생각으로는.

외견상의 전투력을 다소 낮추었다고 하더라도 윤계식의 몸집은 충분한 위협이다. 중장년의 세월이 그대로 드러나 보이는 얼굴이라 해도, 그 기세만큼은 아직 살아 있었다.

보는 눈이 있는 인간이라면 누구라도 쉽사리 덤비지 않을 것 같은 체격과 분위기의 사내다. 거기다 옆에 한 사람이 더 붙어 있다. 평균적인 몸집이지만 그다지 둔하지도 않다. 어느 모로 보나, '형사'처럼 보이는 자신이 그 곁에 같이 있는데.

건장한 장정 둘이 뻔히 수갑이니 경봉이니 하는 장구류도 갖추고 있을 텐데 그것을 덮친다고?

김연수가 여태까지 행적에서 보여줬던 범행 방식들이 거의 초인적인 무술 실력과 신체 능력을 동반한 것이라고는 하지만.

그래보아야 사람은 사람이다. 한 손이 두 손을 이겨내기가 힘들고, 저쪽이 무기를 들고 있을때 이쪽도 갖고 있다면 그런 유리함도 곧 사라지게 마련이다.

맨손으로 박투를 하더라도 잘못 급소에 맞으면 넉다운이 되는 것이 실전이고, 거기다가 맨손이 아니라 총기류가 개입된 상황이라면 어떤 인물이라 하더라도 리스크가 크다.

여태까지 주도면밀하게 계획을 세우고, 자신보다 확실하게 약자인 인물들의 틈을 노려 일을 해치웠던 김연수의 방식과는 조금 다른 상황일 것이다.

박주영과 윤계식은 그래서 어느 순간부터, 야간의 동네 골목 순찰은 각자간 조금 거리를 벌린 뒤 따로 돌아다닐까도 생각했지만 아직 실행해본 적은 없었다.

1차적으로 살인귀가 이곳에 있는지 정확하지도 않고, 또 2차적으로 그에게 그들의 소식이 제대로 들어갔는지도 알 수 없다.

조금 더 들쑤시고 탐문 수사가 충분히 진행되어서 지역 주민들이 모두 그들의 행적을 알게 될 때 즈음에 본격적으로 덫을 놓자는 생각 탓이었다.

혼자서 상대를 유인하고 만일 잡는다는 가정 하에 계획을 세우자면, 그들도 준비가 필요하다. 2:1의 상황에서는 모르겠지만 1:1이 되면 형사이건 뭐건 방심할 수 없는 상대가 김연수였다. 상정하는 신체 능력은 최상급이다. 발견하자마자 특정해서 확신범으로 생각하고 실탄을 갈길 수 있는 게 아니라면 다소의 합이 필요했다.

서로 무전기이든 뭐든 신호를 정하고, 곧바로 지원을 올 수 있는 거리를 잡은 뒤 상대에게서 시간을 벌고, 상처 없이 안정적으로 제압을 할 수 있는 그런 수단들.

아직 짜지는 않았다.

한 주 정도 더 지나고서 합을 맞출 것 같다. 지금은 그저 편의점 도시락의 떡갈비 하나를 집어 씹어서 목구멍으로 넘길 뿐이다.

이번에 있는 곳은 또 다른 공원이었다.

저녁 무렵의 공원 벤치에 앉아 있으면 다양한 사람들을 볼 수 있다. 술에 취해서 돌아다니는 어느 아저씨. 농구장에 공 하나 들고 털레털레 걸어와서 운동을 하는 청년.
밥 다 먹고 기어코 밖으로 기어 나와서 뛰어다니며 노는 청소년들.

계식은 속이 조금 좋지 않다고 차에서 대기하고 있었다.

주영은 얇은 나무 젓가락으로 밥을 퍼먹는다. 어떤 일을 하든 배는 고프다. 배가 차야 또 달리기 위한 힘을 비축할 수 있었다. 벤치의 옆에는 도시락과 함께 사 온 매실 음료가 있었다.
그가 자주 사먹는 도시락이었다. 짭쪼름한 나물 반찬들이 마음에 든다.

전체적으로 염분이 많아서 조금 목이 마르기는 하지만. 바깥에서 시간도 없고, 대충 급하게 먹을 때는 이만한 게 달리 없다.

가로등 불빛들이 도로를 군데군데 채우고 있었다. 주광빛의 빛줄기 아래로 사람들이 지나다녔고, 지금 앉은 공원은 이전에 있던 곳과는 조금 다른 곳이었다.

크기가 그리 크지도 않다. 그가 있는 벤치는 농구장 근처였는데, 휘령2동에 있는 계문 공원이었다.

공원 내부, 농구장을 비추는 불빛은 흰 색이다. 도로에 있는 것과는 달리. 저녁부터 이른 밤 까지만 켜주고 이내 꺼지기에 그렇다. 관리사무소에서 끄고 키는 것을 조작한다.

주민들이 자유롭게 사용할 수 있는 공원의 농구장이다. 한쪽 코트에서, 그러니까 주영이 앉은 자리에서 먼 쪽으로는 학생들이 치열하게 공놀이를 하고 있었다.
중고등학생 즈음으로 보이는 애들이다. 교복을 입은 녀석들도 있고, 적당히 운동복 차림으로 뛰고 있는 애들도 있다.

나름대로 운동을 좋아하는 무리인지 솜씨가 나쁘지 않다. 농구다운 태가 나고, 이런저런 기술을 쓰는 놈들도 있었다. 드라이브 인이니, 더블 클러치니 뭐 그런 것들.

주영이 앉은 자리에서 가까운 쪽으로는 그보단 나잇대가 있어 보이는 인물들이 경기 중이다. 농구장은 풀코트로 하나가 있었고, 골대가 두 개다. 두 개의 골대를 나눠서 두 경기가 진행되는 참이었다.

주영과 가까운 쪽에서 청년들이 움직인다. 20대 중후반에서 30대 초중반 정도로 보인다. 다양한 얼굴들이다. 주영이 앉은 벤치에서, 공원 내부 산책길이 앞에 있고, 그 길 너머가 농구장이었다. 고작 몇 미터 거리였고 플레이 하는 이들의 행색이 세세하게 보인다.

우물우물.

시금치를 대충 집어 입에 쑤셔넣고, 밥을 밀어 넣었다. 매실 음료로 목을 축이면서 육류 반찬을 다시 먹었다.

이렇게 밤까지 수색을 하고서 다시 자택으로 돌아간다. 동작 경찰서에서 근무하는 그는, 그 근처에 집이 있었다. 방이 한 칸 따로 있는 작은 구조의 빌라였다.
최근에 김연수 대책 수사본에 합류하고 난 뒤로 집안 일은 영 밀려있는 상태다. 사실 그 전에도 그렇게 깔끔을 떤다거나 성실한 편은 아니긴 했지만.

그래도 자의로 미루다가 한 번에 하는 것과, 아예 시간도 정력도 남질 않아서 타의로 못하는 것과는 차이가 조금 있었다. 그의 기준에서도 슬슬 더러워서 한 번은 치워얄텐데, 싶은 시점이 이미 지났다.

채 정돈되지 않은 자취방처럼 그의 속내도 사실 그리 깔끔하진 않다. 어쨌든 목적을 이루어야 편하게 잘 수 있을 것 같았다. 심정적으로도 시원할 것 같았고. 목적이란 범인의 발견과 체포였다. 영 가능성이 적은 일이긴 하고, 어디 한양에서 김서방 찾기보다 더 어려운 방식의 수사였으나 어쩌겠는가.

살인마가 제 목숨을 걸고 덤벼들면 형사들은 그 열배의 숫자라도 인생과 목숨을 판돈위에 올려두고 레이스를 달려야 했다.
그렇게 해서라도 잡는다면. 그러면 되는 것이다. 박주영은 제 직업에 관련된 일에 모든 것을 바칠 준비와 용의가 되어 있었고 가지고 있었다.

주영은 조명 옆에서 농구를 하고 있는 이들을 저도 모르게, 형사의 습관으로 세세하게 살피고 있었다. 일종의 직업병이다.
눈 앞에 있는 사람이 어떤 사연을 가진 인간인지 그 습관들을 분석하는 일 말이다.

무언가 운동을 배운 사람은 걸음걸이에서부터 차이가 난다. 무게 중심이 안정되어 있고 쉽게 넘어지지 않을 듯한 느낌이 긴 보행중에 계속해서 지속된다면 그건 일부러 그러고 있는 것이었다. 훈련으로 인해 잘 잡힌 균형과 자세가 평소 움직임에도 배어나온다.

농구는 박주영 역시 좋아하는 운동 중 한 가지였다. 그는 복싱을 조금 배웠고, 유도를 오래했다. 둘 다 엘리트 선수급은 전혀 아니었지만, 그래도 취미로 간간이 이어져 온 세월이 꽤나 길다.
형사 생활에 있어서 도움이 될까 싶어 접한 것도 일부 사실이다. 복싱은 성인이 되서, 형사가 되고 나서 조금 배운 것이다.

농구는 학생들이 흔히 할 수 있는 구기종목 중 하나였고, 어릴 때부터 운동을 좋아했던 주영 역시 곧잘 갖고 놀았던 게 농구공이다.
축구냐, 농구냐의 질문을 한다면 주영은 그래도 조금 더 많은 시합을 뛴 농구를 답하리라.

앞에서 성인들이 하고 있는 경기는 3vs3이었다. 하프 코트에서 벌이기에 적당한 숫자다. 지나치게 사람이 많아 복잡하지도 않고, 적당한 움직임도 가능하고. 또 패스 플레이의 연계를 짜기에도 세 명은 있어야 다양한 방식을 실현할 수 있다.

개중에서 한 사람이 두드러진다.

키가 조금 큰 인간이었다. 머리는 아주 짧다. 스포츠 머리로 깎아버린 짧은 머리에 운동용의 캡을 거꾸로 눌러 썼다. 긴 팔 옷을 입었고, 펑퍼짐한 느낌의 옷이다. 아래는 반바지. 검은 뿔테 안경을 끼고 있었고, 오른 뺨에는 눈에 띄는 점이 하나 있었다.

걷은 소매로 드러나는 오른 팔 하박에서 시작하는 문신 하나가 손등까지 이어진다. 농구용의 반바지를 입고 있었다.

서글서글하게 잘 웃는 인상이다. 그러나 실력은 그런 부드러운 인상과는 조금 다른지, 아주 매서웠다.

3대 3이었고, 6명이 코트에서 움직이고 있었지만 가장 실력이 좋았다. 날카롭고 빠른 드리블에 수비수를 제치고 파고들어 단독 플레이로 쉽게 골을 넣는다.
외곽에서의 장거리 슛 역시 번번히 성공시키면서 상대 수비의 진을 빼놓았다.

다른 청년들 역시 농구를 깨나 잘 하는 이들이었는데, 개중에서 한 명이 저렇게 자유롭게 움직이는 걸 보면 다른 이들에 비해서도 실력이 한 두 수 위인 게 분명하다.

선수급, 까지는 아니어도 아마추어 중에서 출중한 솜씨였다. 하프 코트에서의 움직임만으로 전부를 알 수도 없으니 뭐 가진 바 재능을 모두 뽐낸다면 선수들과 겨루어도 얼추 해낼 지 모른다.

결국 전업으로 운동을 하는 선수들에 비해 취미로 하는 사람들은 기량을 갈고 닦을 시간이 부족해지고, 일시적으로 각 근육과 체력들을 끌어올리기 위해 예열 시간이 더 필요한 게 사실이다.

그런데 청년은 세세한 기술의 숙련도는 차치하고, 순발력이나 점프력 따위를 보면 어지간한 선수 못지 않게 빠르고 강하게 움직이고는 있었다.

박주영은 도시락을 거의 다 먹어가면서 그들을 지켜본다. 별다른 의미가 있지는 않았다. 청년은 농구를 좋아하는 게 어울리듯 키가 크다. 그보다 큰 사람도 있었고, 체격이 좋은 이도 있었으나 제일 잘 하는 사내보다 순발력이 좋지는 않다.

퉁, 퉁하며 손 안에서 농구공을 몇 번 튕기고 한 두 번의 크로스오버로 수비를 제쳐내고, 다시 몇 걸음 뒤에 뛰면 금방 또 골인이다.

주영이 밥을 먹으며 보기로 벌써 5, 6번이 넘는 득점을 했다.

주영은 표정도 없이 무감각하게 도시락을 비웠다. 마무리로 음료수를 마신다. 조명이 있다지만 어둔 주위를 완전히 환하게 밝히지는 않는다. 또 빠르게 움직이는 와중에 인상이 정확하게 보이지도 않았고.

찬찬히 식후의 여유를 즐기면서 사람들을 조금 더 봤다.

그러다가 문득 떠오르는 생각에 주영은 잠깐 움직임을 멈췄다. 아주 잠깐이었다.

"……."

그러다 쩝, 하고 입맛을 다시면서 편의점에서 같이 가져 온 비닐 봉투에 쓰레기를 담았다. 공원에서 나가는 길에는 쓰레기통이 하나 있다. 그는 툭툭, 자리를 털고 일어난다. 주머니에서 휴대폰을 자연스럽게 꺼내 들었다. 그는 누군가에게 통화 하나를 걸면서 움직였다.

걸으면서 주영은 자신의 허리춤 근처의 홀더에 있는 경찰용 제식 권총의 존재를 인지했다. 수갑도 등허리 부근에 있다. 재킷 안쪽에 작게 접힌 접이식 경봉이 하나 있었고.

몇 걸음 걷지 않아서 쓰레기통이 나온다. 그는 담배 꽁초니 뭐니, 하는 것들로 어지럽게 주변이 더럽혀진 쓰레기통의 꽉 찬 구멍에 대강 도시락을 쑤셔넣고 공원 바깥으로 나왔다.

전화의 상대는 윤계식이었다.

공원에서 얼마 가지 않은 인도, 불 꺼진 상가 앞에 흰색 승용차를 대어 놓고 그 내부에서 누워 있으리라.

띠리리리. 별다른 음색도 없는 신호음이 가다가 상대가 전화를 받았다.

주영이 입을 열었다.

"어……. 예. 선배님. 익숙한 거 하날 봤는데요."
-"……익숙?"

통화기 너머로 계식이 말을 받았다.

누운 채로 깊게 휴식을 취하다가 입을 연듯 잠긴 목소리였다.

"……예."

주영의 말 끝이 아주 약간 떨렸다.

*

기적이라면 기적일 것이다.

아니, 이 즈음 되면 운명이라고 해야 하나.

'재영'은 인상을 찌푸렸다.

불쾌한 우연이었다.

이 드넓은 남한 땅에서 똑같은 사람을 만나는 건 아마 거의 불가능할 것이다.

뭐, 미대륙이나 호주대륙같은 거대한 땅덩이도 아니니까 확률론을 따지자면 어느 정도 수치가 있긴 하겠다만…….

몇 가지 납득을 억지로 해낸다고 하더라도 눈살이 찌푸려진다.

속초에서 그가 범행을 저지르기 전, 주변 시찰을 위해서 돌아다닐 때 만난 사복 경찰이었다.

재영은 그를 한 눈에 알아보았다.

그는 농구 중이었다.

여느 때와 다름없이 말이다. 농구 동아리의 회원들과 모임을 가지고 있었고, 게임이 끝나면 간단하게 식사 정도를 하고 돌아갈 생각이었다.

휴일이 아니라 평일 저녁에 만나서 식사까지 같이 하는 건 조금 드문 일이었지만. 이따금씩 시간을 같이 보내며 섞여드는 게 일상생활을 유지하는데 용이하다. 그런 생각으로 여러가지 불안들을 제쳐둔 채 농구 모임에 나왔다.

운동을 하고, 평소에 가장 익숙했던 행동들을 하면서 경찰들의 움직임을 예상해보고 잡히지 않기 위한 플랜을 짜 볼 계획이었는데.

그의 머릿속 계획이 통째로 사라지거나 망가지는 기분이 들었다. 그 정도의 우연이다. 그리고 대상이었다.

재영과 마주치는 이들은 그다지 많지 않다. '진짜' 김재영 말이다. 살인마, 살인귀. 짐승으로서의 태도를 보이면서 걸어갈 때 그 일그러지고 무표정한 얼굴과 내면을 아는 자들은 별로 없다.

혹은 우연히 보더라도 그를 피해가기 바쁘다.

그런 상황에서 그와 오래도록 눈을 마주쳤고, 그의 존재를 분명

인식이라도 한 듯 미행까지 했던 감이 좋은 젊은 형사가 있었다. 재영 역시 인상적이어서, 기억하고 있었다.

금세 따돌리기는 했지만.

아무런 증거도 없을텐데 다짜고짜 살인마인 자신을 따라오는 그 기이한 행태와 직관, 이라고 불러주어야 할 지 고민이 되는 결정력이 참으로 마음에 깊이 남았다.

사람은 사람에게 이끌리는가, 혹은 눈에 보이지 않아도 그 사람의 삶의 흔적이 주변에 남아서 그 기운이라도 읽고 다가온다는 말인가.

어느 만화에 나타나는 '사이코매트리Psychometry'도 아닌데 그럴 수가 있나. 그보다 더 심한 건 자신과 그 형사는 신체적으로 접촉을 한 적도 없는데.

다른 사람의 생각을 읽기라도 하나?

별에 별 생각이 순간적으로 치솟았지만 어떤 것도 가능성은 없는 종류의 상상이라 고이 접었다. 그리고 평소대로 행동을 했다.

그런 살인귀의 입장에서 끔찍한 직관을 가진 놈이 다시금 자신이 있는 생활 반경에 나타나서, 농구를 하다가 맞은 편에 앉아 있을 확률이 얼마나 될 것인가.

재영은 이미 모드mod를 바꾸어서 일상적인 사회 생활이 가능한, 부드럽고 친절하며 서글서글한 인상의 청년으로 행동하고 있었지만 순간 심장이 흔들려서 깨질 뻔했다.

그는 나름대로 지능이 높았고 냉철한 이성과 계산력을 보유하고 있으리라 자부하는 편이었는데. 그런 머릿속 계산과 수치들이 전부 날아갈 정도의 현상이었다.

그건 물리적으로 설명이 되지 않는 일이다.

어쨌든 초인적인 연기력으로 조금의 티도 내지 않았다는 건 자부할 수 있었다. 실제로 형사는 자신을 알아채지 못한 듯 싶었다.

초기에는.

'…….'

재영은 놀람과 당황을 이겨내며 침착하게 게임을 이어나갔고, 그 과정에서 약간의 힘이 더 들어갔다. 농구 동아리에서 경기를 할 때는 가진 체력이나 근력의 일부만 사용하고 있었다. 어지간한 프로 운동 선수와 비견해도 별로 지지 않는 근력을 가진 그는 제대로 힘을 발휘하면 일반인들과 경기가 어렵다.

아예 문외한인 종목이라면 단순한 근력이 승패를 결정할 수는 없겠지만, 또 농구는 그가 일상생활을 영위하고 자신의 정체를 가리기 위해서 나름대로 오래도록 익혀 온 스포츠였다.

제대로 솜씨를 발휘하면 동네 길거리 농구에서는 그를 막을 수 있는 인간은 아무도 없다. 그러나 게임이 될 만한 정도의 수준을 유지해야 동아리 모임이 더 길게 가고 교우 관계를 다지기에도 편했다.

그는 그 정도만 하고 있었는데, 저도 모르게 그 제한이 풀리면서 오버를 하고 말았다. 하지 않던 수준의 득점까지 연이어서 해냈다. 짧은 사이에 대 여섯 번은 그 혼자 골을 넣은 것 같다.

평소에는 그를 따라와 움직임을 어느 정도 제지할 수 있었던 다른 수비자가 도저히 따라붙지 못할 정도의 속도로 드리블도 몇 번 쳤다.

그가 체격이 정확하게 다 드러나지 않는 펑퍼짐한 옷을 입고 있다지만, 상완이나 어깨, 몸통 부위의 근육은 전문가 수준으로 잡혀 있었다.
그 위에 딱히 식이요법을 하진 않으므로 어느 정도 지방질로 덮고는 있지만 운동을 하다보면 티가 나게 되어있다.

쓸 데 없는 운동신경을 보여준 것이 김재영이 당황했다는 증거이기도 했다.

그는 그 이상의 이상함은 드러내지 않으려고 애를 썼고, 농구 경기가 얼추 마무리 되어갈 즈음 벤치에 앉아 있던 '형사'가 움직였다.

재영은 형사를 전혀 바라보지 않았다. 그러나 일부러 시선을 피하는 것이 더 어색할 수 있는 법이었다. 어디까지나 자연스러운 한도 내에서. 플레이를 하고 고개를 돌리는 와중에 그 짧은 틈으로 형사의 모습과 기색을 살핀다.

아무런 표정도 기색의 변화도 없이 도시락만 처먹고 있던 놈이 잠깐 움찔, 하더니 사라졌다.

지금 그는 습관적으로 다양한 외견의 변화를 주고 나와 있는 처지였다. 속초에서의 모습과는 조금 다를 것이다. 헤어스타일도, 안경을 쓴 것도 달랐고. 오른팔에는 정교한 문신 스티커도 붙였다. 그가 변장을 위해서 구하는 물건들은 대개 '노인'을 통해서 얻어낸 고급품들이다. 가까이서 집요하게 관찰하지 않는다면 티가 잘 나지 않고, 또 격한 운동을 한다고 떨어지는 종류도 아니었다.

어차피 그의 머리는 주기적으로 털을 깎아내는 민머리였으므로, 그 위에 때에 맞추어 다양한 가발을 쓰고 있는 중이었다. 짧은 스포츠 머리형은 첨단의 물건이었다. 머리숱이 그리 많지 않음에도 인조적인 티가 나지 않고 정확하게 자리를 맞춰 붙어있는 기능은 놀라운 것이고, 그래선지 가격도 깨나 비싸다.

노인, 브로커를 통해서 얻는 다양한 장비들은 돈을 치르고 얻는다. 당연하게도. 상인의 역할을 할 뿐인 그 노인에게 주는 돈은 상당한 거금들이었다.

그가 다양한 일처리를 통해서 막대한 의뢰금을 벌어놓지 않았다면 다 감당하지 못했으리라. 그런 점에 있어서도 김연수의 살행 방식은 참으로 철저한 구조였는데…….

그래서 그들, 김연수- 그리고 김재영의 근처로 어금니를 들이민 어떤 추적자도 여태 없었는데. 별다른 티를 내지도 그를 제압하기 위해 난리를 친 것도 아니었는데 재영은 지금껏 느껴보지 못했던 느낌을 받았다.

사냥감을 잡기 위해 늘 사냥꾼의 위치에 서던 그의 목덜미에, 어떤 맹수의 어금니가 슬쩍 근처까지 와 닿았다가 지나간 기분 말이다.

그건 참으로 기분이 싸하게 가라앉고, 또 그리 좋지도 않은 감각이었다. 불쾌감이 가장 많이 닮아 있었다. 그 불쾌감이 불길한 미래에 대한 상상을 불어 일으킨다는 점에서 질이 좋지 않았다.

그가 사냥하는 수많은 사냥감들이 그런 상상의 결말처럼 당했다. 어느 소설의 비극적 조연들처럼.

그는 주인공이라고, 스스로를 생각하고 살아왔다. 본게임을 하고 있는 주도자는 '김연수', 중년인이었지만 김재영에게는 스스로가 게이머이며 유일한 플레이어였다.

그는 그 이야기의 주인공이었고 패배를 몰랐다. 유년기부터 다양한 끔찍함들을 경험하며 남들이 하지 못할 훈련을 견뎌왔고, 실력을 쌓았다.

위기감은 그가 성인이 되어 다양한 기술의 전문가가 되고 난 이후 잘 느껴보지 못한 것이었다.

위기감의 본체가 되는 젊은, 검은 머리, 평범한 체격을 한, 그리고 자신과 비슷한 나이대로 보이는 청년 형사는 아마 그를 눈치챘을 것이다.

일말의 가능성에 잠깐 기대를 해보았던 때도 있다만. 마지막 순간에 약간의 낌새가 있었다. 무언가 충격적인 것을 안듯한 그런 변화 말이다.

형사 일을 하는 이답게 겉으로 거의 드러내지는 않았지만. 짐승의 감각처럼 주변 기류의 변화를 잘 알아채는 살인마의 눈을 속일 수가 없었다.

재영의 심장이 아주 약간 더 빠르게 뛰었다.
그는 그것을 잘 인지하지 못했지만.

와중에도 재영은 주변 상황의 변화와, 동시에 농구 모임의 구성원들을 동시에 신경썼다.

"여, 재영 씨 오늘 장난 아니던데요. 많이 는 거 아니에요? 안보이는 동안 어디 특훈이라도 하고 오셨나."
"네, 그러니까요. 어디 트레이닝이라도 받아요? 농구 스킬 학원 같은 것도 있던데. 와, 드라이브 인 겁나 깔끔해서 진짜… 막을 엄두가 안나던데."

그의 반대편에서 수비자로 움직이던 이들이 말을 거들었다. 재영은 그다지 튀는 인물이 아니었는데, 이렇게 남다른 변화를 보이니 금방 화제의 중심에 선다. 그게 재영은 불편했다.
어색한, 그럼에도 사람 좋은 투의 웃음을 능숙하게 지어보이며 재영이 말한다.

"아녜요 뭐. 간만에 뽀록이라도 났나 보죠. 계속 연습하던 게 잘 안됐는데, 오늘 어떻게 우연히 됐나 봐요."
"오… 연습은 쭉 하고 계셨던 거죠. 역시. 프리랜서라 그런지 시간이 많으신가보네."
"야, 뭐 연습할 시간은 너도 많지 않냐."
"직장인은 좀 다르지……."

재영을 제외하고는 서로 아는 사이들도 있었다. 6명이 모였지만, 전체 모임은 10명 정도 된다. 시간이 맞는 사람끼리 모여서 경기를 벌이고, 보통은 짝수를 맞춰서 나온 뒤 하프 코트 시합을 하는 편이었다.

"하하……."

재영은 너무 부추겨서 민망하다는 듯 자연스런 표정을 지었다. 소름돋게 깔끔하고 또 부드러운 표정 처리였다.

재영은 웃음 뒤로 몇 가지 생각을 굴려 나갔다.

'죽일까. 어떻게? 형사를? 나를 아나? 알 리가 없지. 저 놈을 처리하고. 떠? 어디로. 지방으로 가야지. 김연수한테 갈까…….'

슬슬 위험했다. 그는 이런 정도의 하드 모드를 바라는 건 아니었다. 게임 오버는 아슬아슬하게 피해야 제맛이지, 당해서야 아무짝에도 쓸모가 없다.

재영은 거친 숨을 몰아쉬며 음료 따위를 마시는 이들과 같이 행동했다.

사실 그다지 지치지는 않는다. 그의 신체 능력은 거의 최고조로 올라왔다. 약간 살만 빼고 시간만 주어지면 바로 그림처럼 깎여서 떨어지는 선의 근육들이 바깥으로 나올 테였다. 지구력도 순발력도 전성기를 맡고 있다.

그럼에도 늘 하는 익숙한 연기로 숨을 거칠게 몰아쉬며 이온 음료를 마셨다.

형사를 죽인다, 라는 아이디어는 갑작스럽게 떠오른 것이었다. 말도 안되는 일이었다. 가능할 지도 알 수 없다.

그러나 만약 해낸다면, 눈 돌리기로는 최고일 지 모른다. 또 그것이 마지막 작업이 된다면, 나름의 기록이 될 수도 있었다. 김연수조차 하지 못한 일이었다.

그냥 이대로 사라져도 큰 문제는 없었다. 어차피 그의 생활을 조직하고 있는 많은 것들은 허상 위에 세워진 것들이었으니.

그의 신분도 빌린 임시의, 가짜였고 그것을 기반으로 사들인 집이나 다양한 재산들도 그렇다.

사회적으로 별 문제도 없다. 그냥 모른 체하고 동남아 따위로 가서 노인에게 새로운 신분을 받는다거나, 혹은 이미 모아둔 돈으로 적당히 살아도 좋다.

중년, 김연수에게도 미리 언질은 해두었다.

그는 다양한 앞 날에 대해서 고민을 했다.

희망은 없는 살인마도 시뮬레이션을 돌려볼 수 있었다.

'김연수'로서 어떤 게임을 하고 있는 참여자의 입장에서 봤을 때 어떻게 행동하는 것이 가장 좋을까.

형사 한 명 정도를 끔찍하게 잡아 죽이고, 그들의 시선이 그 범행 현장에 모여 있을 때 쯤 다른 먼 곳으로 아예 도망을 쳐버리는 일.

나쁘지는 않아 보였다, 그림이.

이전까지의 일들보다 확실하게 난이도는 있겠지만…….

기회를 잡는다면 가능할 것도 같다, 다시 생각해보면 또.

평범한 체격이었고, 그보다는 조금 왜소하다. 총을 다루고 경계심이 날카롭다지만 허를 찌르면 빈틈이 없을 리는 없다. 사람인 이상.

총을 쏠 틈조차 주지 않고 어느 골목에서 덮쳐서, 실종시키면 그만이다. 이수정을 그렇게 했듯.

재영은 조금 더 구체적인 상상들을 가늠해보며, 가능성을 쟀다.

그를 부추기며 어서 저녁을 먹으러, 고깃집이라도 가자고 말을 거는 이들에게 여전히 미소를 지으며 따라갔다.

***

"익숙?"

계식이 답했다.

승용차 운전석의 시트를 뒤로 젖히고 팔짱을 낀 채 누워있는데, 갑자기 핸드폰이 울려 받았더니 하는 소리였다.

익숙한 거라.

갑자기 흰소리를 할 이유는 없고.

느닷없는 이야기를 꺼냈다는 그것만으로도 알아들을 수 있는 단서가 있으니 하는 말일 것이다.

그들 사이에 그 정도로 익숙하고 또 이미 논의가 나누어진 주제라면 하나 뿐이었다.
그들은 싸이코패스 살인마를 잡기 위해서 같이 행동을 하고 있는 중이었으니.
뭐, 그도 아니면 어떤 범죄자나 거수자 따위와 관련된 얘기라고 생각할 수 밖에 없으리라.

계식은 여러가지 상념들 속에서 경우의 수를 골랐다.

"……뭐 어디서 본 놈이라도 봤나? 예전에 못 잡은 범죄자라도 다시 만났어?"

그가 생각을 하고 다시금 대답을 하는 사이에, 주영이 거의 다 다가온 모양이었다. 더 이상 핸드폰으로는 말을 하지 않았다. 밤거리, 가로등 불빛 사이로 뚜벅거리며 다가온 후배가 승용차의 조수석 문을 곧 연다.

벌컥, 열고 그가 들어와 앉으면서 이야기했다.

"…예. 그런데요. 저기, 속초에서 본 그 새끼가 있는데요? 그 왜, 말씀드린 거수자 있지 않습니까. 강원도 지방이나 전남에서 일 치를 것 같다고 해서 선배님이 그랬고, 과장님이 일리 있다고 동의하는 바람에
여러 명이 동원돼서 개고생 하고 있었는데…
웬 미친 놈 하나가 낌새가 이상해서 따라가봤는데 미행인 걸 눈치 까고 순식간에 튀었다고……."

자리에 앉자마자 주루룩 토해내는 답변이 깨나 구체적이다. 그

일은 상당히 마음에 담아두고 있던 모양이다.

계식은 얼마 전 이야기했던 내용을 떠올렸다. 확실히 이상한 미친놈이 있다고 한 것 같았다.

거기서 발견한, 형사의 감각으로 봤을때 어색했던 그 놈이 우리가 찾고 있는 연쇄살인마와 관련이 있을 확률이 얼마나 될까. 거의 없다고 보는 게 좋았다.

그러나 다른 사건이라고 마냥 넘기기에는 또 확연히 어색한 구석이 없잖아 있는 놈이었다.

눈초리가 일반적인 사람들과 다르게 매서웠고, 어디에서 범죄라도 저지르고 온 것 같은 분위기를 풍기는데, 행동거지 역시 남다르게 범상찮다면.

확실히 모양새는 정확히 맞아떨어지긴 했다. 어느 영화에라도 나올 법한 기술적인 모습이라면 경찰 조직이 그려내고 있는 '김연수'라는 의문의 괴물에 어울리는 꼴이다.

그게 아니더라도, 사람이 실제로 어떤 능력을 갖추기 위해서는 현실적인 노력과 시간이 필요한 법이니… 그저 망상증 환자가 미행을 따돌리는 법을 영화를 보고 연구해서 따로 익혔다기보다는, 다른 범죄와 연관된 자가 필요에 의해 그런 능력을 익혔다고 보는 게 타당하리라.

첩보 요원이 나오는 영화를 너무 많이 본 게 아닌가 싶은 목격담이었지만, 그런 놈을 실제로 마주했다면 현실이라고 상정하고 생각을 풀어나가는 법이 필요했다.

"……그 놈이 여기에 있었다고?"

진지하게, 헛것을 본 건 아닌가? 라고 묻고 싶었지만 박주영의 표정이 사뭇 남달랐다. 거짓말이나 농담을 하고 있는 낌새도 아니다. 이 진지하고 재미없는 청년이 새로운 종류의 개그를 배워와서 자신을 놀리고 있으리란 상상도 가능성이 없다.

계식은 인상을 찌푸렸다.

"기묘한 일이구만. 우연도 이런 우연이 있나. 어떻게 생긴 놈이라고 그랬지?"

계식의 물음에 주영이 답했다. 승용차는 골목에 세워진 그대로였다. 차 내부의 등은 켜지도 않았다.
달칵, 주영은 차 문을 내부에서 잠갔다.

"저번에 말씀드렸었습니다. 키는 김민식 경장보다 조금 더 큽니다. 180중반 가까이 되어보이고…. 마른 체격이 탄탄한 근육질일 확률이 높습니다. 걸음걸이가 뜨지 않고 무게중심이 안정적이던데요.
저기서 운동하고 있는 모습을 봤는데, 역시 일치했고요.
운동을 아마 다년간 한 것 같고… 일반적인 검은 머리에 잘생긴 얼굴, 부리부리하고 선이 굵은 이목구비에 조금 찢어진 눈입니다. 얼굴이 작은 편이고 전체적인 비율도 모델처럼 생겼어요.
차갑고 매서운 인상이었는데,
방금 저기서는 서글서글하고 잘만 웃고 있더군요.

코도 높고 눈도 찢어지고 크고. 당시에는 보이는 외부 체적에 어떤 흔적도 없었는데 저기…"

주영이 턱짓으로, 승용차 앞 유리 쪽을 가리키면서 말한다. 공원, 농구장이 있는 쪽이다.

"농구장에서 본 바로는 갑자기 오른팔 하박 부위에 문신이 생겼더군요. 스티커라도 붙인 건지, 진짜로 한 건지는 모르겠습니다.

지금은 또 안경을 끼고 있고, 머리칼도 커트 머리에서 짧은 스포츠 머리로 헤어 스타일을 바꿨어요.

표정이나 분위기, 그리고 세부 특징이 조금씩 달라서 처음에는 못 알아챘습니다. 도시락 먹으면서 줄곧 보고 있는데… 어딘가 느낌이 쎄하더군요.

안경 너머의 이목구비랑 표정을 지우고서 생각하니 바로 알았습니다.

오른뺨에는 점이 하나 두드러지게 있는데, 당시에는 그런 걸 본 기억은 없었습니다. 아마 화장술이나 뭐로 그린게 아닌가 싶습니다."

주영은 빠른 시간 내에, 거의 완벽하게 상대의 특징을 캐치해냈다.

형사라고 하더라도 모두 빠르고 좋은 눈썰미를 가진 것은 아니었다. 직업상의 연유로 사람을 관찰하는 게 습관이라고 해도, 그것이 능숙한 사람과 아닌 이가 있다.

박주영은 마치 탐정이라도 되는 양 세세한 정보를 관찰하는 힘이 뛰어났다. 형사랑 관계없이, 그 전부터도 그게 그의 능력이고 또 장점이었다. 직업을 가진 뒤로 더 갈고닦였을 뿐이다.

머릿속에서 여러가지 요소들을 짜맞추며 이전에 본 기억이 있는 인물군과 대조하는 작업을 그저 기계적으로, 무감각하게 하고 있다가 어느 순간 드러나는 일치감에 소름이 돋았다.
전혀 그 기색을 겉으로 드러내지 않고, 조용히 돌아오기 위해서 애를 조금 썼다.

여기서 갑자기 놈을 만나다니. 무언가 저지른 적도 없고, 신원도 모르며, 사실 아무런 관련이 없는 민간인이라고 해도 어쩔 수 없었지만 무언가 직감이 좋지 않았다.
어느 민간인이 미행을 피하나.

공교롭게, 희박한 가능성으로 재어 만들어 둔 수사망 안에 이상한 거수자가 몇 번이나 걸려든다면 한 번 확인을 해 볼 정도는 되었다.
그놈을 잡는다고 다른 일을 하지 못하는 것도 아니고, 어차피 야간 순찰을 시행할 셈이었으므로, 이 근처에 살고 있는 인간이라면 어느 곳에 사는가, 어디로 가는가 정도만 알아두어도 충분했다.

“짧은 사이에 잘도 봤군.”

계식이 시트를 젖힌 걸 다시 되돌리며 말했다. 끼익, 철컥 거리면서 오래된 승용차의 부속들이 소리를 낸다.

달칵, 하고 계식이 내부의 라이트를 켰다.

박주영의 표정은 약간 굳어 있었다.

“……예 뭐. 아무튼 쎄한데. 어떻게. 조금 더 파봅니까?”
“음 뭐…. 나쁘지 않지. 어차피 한 바퀴 돌 거였으니까, 이상한 인간 있다면 우리가 해야할 일이었고. 아직 농구장에 있나?”

주영이 유리창 너머로 공원쪽을 바라보았다. 얼마 되지 않는 거리라 차에 앉은 채로 관찰할 수 있었다. 농구를 하던 성인 무리들은 이제 게임이 다 끝났는지, 짐을 챙기고 움직이려 하고 있다.

"…지금 가려는 모양입니다."

"……안 들키게 슬쩍 붙는 게 좋겠군. 자네가 차 몰고 오게. 내가 위치만 봐 둘테니."

"어, 아, 예."

박주영이 떠뜸거리며 멍청하게 답했다. 계식이 운전석에서 차문을 열고, 가볍게 내렸다. 속도 안 좋다고 했는데 묘하게 움직임이 빠르다.

계식은 늘 그렇듯, 주머니에 대충 손을 찔러넣고 터벅거리는 걸음으로 농구장 쪽을 향해 걷기 시작했다.

*

"야, 오늘 고생많았습니다."

같은 농구 동아리의 동료, 심형수가 말을 건넸다.

재영은 눈꼬리를 휘게 웃으면서 잔을 받았다. 말과 함께 주어진 잔에 자신의 것을 부딪혀 딱, 소리를 내고서 마시는 것이다.

유리잔에 든 소주를 털어 넘기면서, 그들은 인근의 고깃집에서 회식을 즐겼다.

저녁 때라고 하기에는 조금 늦은 감이 있었다.

퇴근을 하고 나서, 간단하게 요기만 하고 같이 농구를 즐긴다. 하는 도중에 음료수나 간식 따위를 먹기는 하지만 격하게 운동을 하는 터라 그것만으로는 부족하다.

각자 차를 끌고 온 사람들도 있었지만, 그냥 걸어서 갈 수 있는 곳을 찾아서 가는 게 가장 좋다. 차가 없는 이들, 근처에 사는 이들은 아무렇지 않게 술을 마셨다. 차를 끌고 다소 움직여야 하는 이들은 적당히 음료수로 목을 축인다.

야외로까지 자리가 있는, 상가 건물 1층의 고깃집이었다. 그들은 통창으로 이루어진 유리벽 바로 앞에 앉아서 왁자지껄하게, 떠들며 회식을 즐겼다.

재영은 그런 분위기가 질색이었지만, 전혀 내색하지 않고 즐겁게 어울렸다.

그들말고도 자리는 만석이라 가게 내부는 소음으로 가득 차 있었다. 취기가 공기에 떠다니는 것 같다.

온갖 인파가 알코올을 마시고 거나하게 취해서 내뱉는 숨이나, 그 열기나, 또 고기를 굽느라 메케하게 번지는 연기나 숯냄새, 고기냄새 따위가 섞여서 내부를 메운다.

김재영은 그런 걸 좋아하지 않았다.

자신의 주변에 무언가 와닿는 것도 싫어했고.

스킨십을 좋아하지도 않았다. 자기가 주도적으로 누군가를 건드리는 건 아무렇지 않다. 그렇기에 살인이 성립된다.

“크.”

재영은 술 한 잔에 쓴맛을 느끼면서 인상을 찡그렸다. 웃고 즐기고. 고기를 구워 먹고. 일상적인 이야기들을 나눈다.

그러는 와중의 그의 눈은 창가 바깥을 살폈다.

젊은 형사가 눈에 들어온 이후로 그의 신경은 온통 그쪽으로 쏠려 있었다. 그가 형사인지는 확실하지 않으나. 이 대한민국에서 그를 상대로 그렇게 경계심을 가지고 대담하게 따라올 인물이 어느 직종이겠는가.
자신과 같이 특수하게 훈련을 받은 살인귀라고 하기엔 눈빛이 멀쩡했다.

적어도 사람을 죽여본 것 같지는 않았다. 직업 윤리에 따라 본능적으로 위험한 새끼를 알아보고 캐내려는 움직임이라고 생각했다, 김재영은.

최근에 주변을 떠들썩하게 하면서 돌아다니는 형사들의 이야기도 건너건너 들은 적이 있었다. 아르바이트를 가끔 나가서 하던 근처 식당의 주인이 그런 말을 하는 것 같았다.

그는 불필요한 관계를 맺지는 않았지만, 반대로 말하면 필요한 만큼은 했다.

낡은 단독주택에서 산다지만 근처 슈퍼의 주인이나, 이웃 주민, 어른 따위를 보면 살갑게 인사를 하고 또 다정하게 말을 나누었다. 정확하게는 다정한 척이다.

그들이 자신의 일상 안에 들어오지 못하도록 해야 했으니 어느 정도 선이 중요했다.

멀리 출장을 종종 나간다거나, 혹은 자택에서 근무할 때가 있는 프리랜서 정도로만 인식을 시켜두었다.

자연스럽게 오가는 말들 사이에 주변 상황이 그의 귀로 들어오게 된다. 그를 향해서 하는 말이 아니라고 하더라도, 그네들끼리 지껄이는 담소가 이웃 청년인 그에게까지 흘러들어오는 경우도 있었다.

정말로, 그는 깨나 살갑게 잘 지내고 있었다.

살인마치고도 아니고, 요즈음의 현대인들 중 젊은이들이 일반적으로 갖는 태도보다 더욱 그러했다. 살인귀가 사회에서 정을 표현하고 다닌다는 게 참 아이러니했지만 실제였다.

그런 과감한 메쏘드 연기나 행동들이 그의 진짜 정체나 본심을 숨기도록 도와주는 가장 중요한 장치들이었다.

심장이 없는 듯, 이미 죽은 듯 구는 무감한 싸이코패스이기에 가능한 수작이었다. 보통 뒤에서 누군가를 해치고 앞에서 아무렇지 않게 연기하기란 참 쉽지 않다.

본능적인 떨림과 공포감, 죄의식이라도 있어서 그 행동에 배어나오는 법인데.

그런 형사들의 소문과, 눈 앞에서 서성거렸던 속초에서의 그 정확하진 않지만 형사같던 청년의 얼굴을 보고 그는 머릿속에서 일치시켰다.

어쩔 수 없는 연결이다. 사람이라면 비슷한 정보를 얻게 되면 저도 모르게 스토리를 만들어내는 본능이 있다.

한 켠으로 그것이 사실이 아니리라는 생각마저 갖고는 있었지만.

이번에는 공교롭게도 그것이 사실이었다.

김재영은 늘 그러듯 농구장에서 이곳 고깃집까지 걸어오면서도 주변을 살폈다. 누군가 자신을 따라오고 있지는 않은가. 일상적인 행인들의 움직임 사이에 이상한 자가 섞여 있지는 않은가.

부자연스럽고, 즉 그 자신 '김재영'을 지나치게 의식하는 눈길이 있진 않나.

그런 추리와 파악은 거의 본능의 영역에 다다른 수준이었다. 살인귀로서 사회에 녹아들어 살려면 어쩔 수 없다. 갖은 훈련과 실전으로 그는 다른 이들의 낌새와 눈치 파악에 아주 도가 튼 수준이 되었다.

"……."

대화 중에 이따금씩 바깥을 멍하니 처다보는 재영의 낌새에 옆에 앉은 사람이 툭, 치면서 고기 좀 뒤집으라며 핀잔을 주었다.

재영은 씩 웃으면서 그대로 한다.

바깥은 어두운 골목이다. 가로등 불빛이 닿는 곳도 있고 아닌

데도 있다. 물론 상가 건물들이 빛을 내고 있어서 지나다니는 이들이 다 보이기는 한다.

특별한 낌새를 느끼지는 못했다.
그게 더 위화감이었다.
분명히 그대로 자신을 두고 사라질 리는 없을텐데.

그럴 기세가 아니었다. 오히려 자신을 알아보고 호들갑을 떨면서 티를 냈다면 모를까. 그 정도로 절제된 기색으로 놀람을 갈무리하면서 사라졌을 정도의 집요한 형사가 이대로 자신을 포기했으리라고는 생각되지 않았다.

농구장 벤치 근처에 앉아있다가 다른 쪽을 가는 것은 보았다. 대놓고 지켜볼 수 없어서 한 눈을 판 사이에 어디로 움직이는 지를 보지 못했다.

농구장이 있는 곳에서 꺾어지는 골목에 시야로 사각이 있었고, 주영은 그 틈으로 사라졌다.

촉각을 곤두세우면서 사람을 분류했으나 그 청년과 닮은 인간이 자신을 쫓아오는 건 느끼지 못했다. 재영은 마음 속 한 구석에 불편함을 안으면서 일단 주변 사내들과 정다운 회식 자리를 끝까지 마무리했다.

*

"훅."

하고 바람을 부는 건 무전기를 쓸 때의 버릇이었다. 제대로 통신이 되고 있는가 알기 위한 마이크 확인이다. 반대편에서 신호를 듣고 음량을 조절하던가 할 것이다.

경찰은 아니었지만, 같이 수색 순찰을 돌면서 최소한의 장비는 받았다. 수갑이나 제식 무구들은 아니어도 무전기는 어쩔 수 없이 공유해야 한다. 연락이 되고 소통은 되어야 합을 맞출 테니까.

계식은 먼 발치, 가로등의 불빛도 상점가의 실내등도 잘 닿지 않는 어두운 곳에 제 몸을 숨겼다. 또 골목이 꺾이는 부분 근처라 눈으로 본다고 해도 볼 수도 없다.

그는 멀리서 한 고깃집 내부를 슬쩍, 바라보고 다시 골목에 몸을 숨긴다. 사내는 여전히 회식을 즐기고 있었다.
주영이 말한 놈이다.

김민식, 보다 키가 크고. 마른 체형에 오른 팔에 문신. 짧은 스포츠 머리에 검은 스포츠 캡을 눌러쓰고 있다. 긴 팔 천옷 상의에 운동용 반바지. 브랜드 운동화를 신고 있다. 드러나는 종아리나 손목 부근만 보더라도 운동 깨나 할 것 같은 느낌은 주고 있다.

자세한 체격은 펑퍼짐한 옷 안에 가려져 있어서 볼 수는 없지만.
감이 좋은 놈인지, 거리를 한참이나 벌리고 천천히 따라감에도 그 눈길을 피하느라 호흡을 골라야만 했다.

미행의 중요 요소는 다른 사람들 사이에 자신의 기척을 가리는 일이다. 주변의 배경과 동화되어서, 비슷한 리듬감으로 움직이며 시야의 한켠에서 절대 드러나지 않게 구는 일이 중요했다. 자세히 집중하지 않으면 자신이 그 자리에 있는지 알지 못하게 말이다.

어느 정도 거리를 벌린 채 따라가도 미행을 유지할 수 있다면, 원거리를 유지하는 게 좋을 테다. 일행의 목적은 그리 먼 곳이 아닌 듯 보였고 또 동네에서 회식을 마무리 할 기세로 느껴졌다.
운동을 한 채 땀내를 풀풀 풍기면서, 그 옷가지를 입고 어디 먼 데까지 가겠는가. 힘도 들테고, 근처에서 식사를 하겠지.

저들끼리 왁자지껄 떠들면서, 터벅터벅 걷는 그 일행과 사이에 있는 한 사내를 주시하며 계식은 천천히 따라갔다.

한 고깃집에 들어가는 것을 확인했고, 사내가 구는 양을 멀리서 슬쩍 보면서 체크한다. 망원경 따위는 없지만 윤계식의 눈은 그리 나쁜 편도 아니었다.

주영이 말한대로 특이한 놈이기는 했다. 티는 그리 내고 있지 않지만 주변을 계속 살피면서 걷는 폼이, 마치 누군가 자신을 따라올 것을 확신이라도 하는 듯 구는 모습이었다.

그 확신은 사실이었다. 다만 주영, 청년 형사가 아닌 자신이 뒤를 따라 붙었다는 게 다를 뿐이다.

사람은 한 가지에 집중하면 다른 점을 놓치게 되는 경우가 있다.
집중력이 좋은 인간일수록 그런 경향은 두드러진다.

의식의 사각에 무언가를 배치하는 게, 시야의 사각에 두는 것보다 물건을 쉽고 효율적으로 숨길 수 있는 방법이기도 하다.

뭐 그런 논리와 나름의 연차에 의한 노하우와 기술로 계식은 들키지 않고 분위기가 묘한 놈을 관찰했다.

탐정이 추리를 하듯, 인간을 탐구하는 시선으로 집요하게 행태를 지켜봤지만 크게 다른 점은 느끼지 못하고 있었다.

골목의 꺾이는 부분 바로 근처, 건물 외벽에 등을 기댄 채 계식이 재킷에서 무전기를 꺼냈고, 마침 바람을 분 시점이었다.
그가 음량을 조정하면서 수음되는 구간에 입을 갖다대고 말했다.

"음. 들리나. XX고깃집. 치면 나오겠지. 네 말대로 있다. 멀대. 좀 묘하게 분위기가 날카로운 새끼긴 한데. 특이사항은 잘 모르겠고.
일단 어디로 가는지 좀 지켜보고, 거주지라도 알아내면 좋겠지."

무전기 너머로 그의 음색이 통과해 전달되었다. 제식 물건이었는데 음질이 꺼끌거리는 것으로 바뀌어 도달한다. 물론 의사소통에는 아무런 문제가 되지 않았다.

흰색 승용차를 고깃집 근처로 끌고 와 다시 라이트를 끄고 대기 중인 주영이 말을 받는다.

-"예. 들립니다. XX고깃집. 바로 앞이네요. 네. 감사합니다. 교대할까요? 움직일 때 쯤 되어서 다시 선배님이 맡으시는 건 어떠세

요."

지치지 않느냐는 물음이었고, 계식이 정중히 거절했다.

"어. 말했잖아. 이상한 새끼라고. 주변을 계속 살피면서 걷는데. 아마 너 찾고 있는 거 같고, 네가 알짱거리면 바로 알 지도 모른다. 그냥 내가 계속 간다. 후."

입을 갖다 대는 부분에 가까이 댄 채 숨을 불었다. 그가 할 말이 끝났다는 표시였다. '이상'이라는 단어로 대체하기도 한다. 주영은 "알겠습니다. 고생하십쇼."라고 받으며 차에서 계속 대기했다.

회식은 길었다. 밥을 먹고, 술도 곁들이면서 시간을 보내는 걸테니 자연스러운 현상이었다. 계식은 골목 벽에 기대어 쉬다가 조금 지치는 걸 느꼈다. 그 자리에서 많이 벗어나지 않고, 옆 건물 바깥에 세워 둔 주차 금지 철제 구조물에 걸터 앉았다. 둥근 원통으로 이루어진 그것은 계식이 앉아도 넉넉하고 튼튼하다.

주머니에서 핸드폰을 꺼내서 그가 만지작거렸다.

시간을 본다. 9월 26일. 화요일, 저녁 9시 12분.

저녁을 먹기엔 조금 늦은 시간이지만, 술자리를 겸한 회식이라면 한참은 이른 시간이다. 저녁 식사를 제대로 하지도 않았다. 어디 근처 편의점이라도 들어가서 잠깐 밥을 먹을까, 고민이 된다. 고깃집 근처가 눈에 들어오는 자리라면 더 좋을 것이다.

마침 적당한 편의점이 그의 눈에 하나 들어왔다.

그가 있는 골목은 T자형의 길거리에서 1자형 길의 끄트머리다. 왼쪽, 오른쪽으로 나누이는 삼거리에서 고깃집은 오른쪽으로 돌아 조금 더 걸어가면 있다. 그가 있는 자리, 삼거리의 교차로에서 마주보는 곳에 편의점 하나가 불을 밝히고 있었다. 삼거리에서 왼쪽으로 틀면 바로 나오는 장소다.

창가에 앉아 대강 밥을 먹으면, 고깃집이 보일 것 같았다. 계식은 끙차, 앓는 소리를 내며 움직였다.

*

뭘 먹을까.

혼자서 오래 지내다 보면 이런 인스턴트 식품들과 필연적으로 친해질 수 밖에 없었다. 요리에는 그다지 일가견이 없는 나이 든 남자라면 어쩔 수 없다.

삶이라는 건, 목적을 위해서 살아가는 것이었다. 그 과정에서 필요한 것들을 채우면 되고, 특별한 사치나 호화로움은 그다지 누리지 않아도 살아가는데 아무런 지장은 없었다.

계식은 그다지 가난한 편은 아니었다. 누구보다 성실하게 오래도록 일해왔고, 아직 팔팔한 중, 장년이라지만 퇴직금도 넉넉히 받고 은퇴를 했다. 일하는 동안 자신을 위해서 쓴 돈도 얼마 되지 않았다.

결혼을 해서 아내가 있었지만, 형사 일을 하면서 한 십 여년이 지날 즈음에 헤어졌다. 그가 가정에 전혀 신경을 쓰지 못해 벌어진 일이었다. 당시의 그는 정신이 없었다. 원래도 강력계 형사 일이라는 게 대중없이 제 시간과 정력을 다 쏟아부어야 하는 직종이기도 하다.

윤계식은 개중에서도 열정이나 집중력이 과한 부류이기도 했고.

형사 일에 대한 사명감이라는 건, 아주 듣기 좋은 말이었지만 가정을 이루는 데는 다소 방해였던 모양이다.

아니 어쩌면 양립하면서 둘 다 잡아낼 수 있었을 지도 모른다. 그저 계식이 멍청하고 무식했으며, 방법을 몰랐기에 놓쳐버린 과거일 지도 모르고.

그런 점에 대해서 깊이 후회를 한다거나 하지는 않았다. 사랑해서 결혼했고, 누구보다 지켜주고 싶었지만 험한 세계에 발을 딛으면서 그마저 장담할 수 없던 것 역시 사실이었다.

수많은 부류의 개새끼들을 훌륭하게 잡아서, 처넣는 과정에서 훌륭한 경찰이란 때론 원한 따위를 사기도 하는 것이다.

전혀 정당하지 않은 종류의, 재고의 가치가 없는 원한이었지만 정신머리가 나간 놈들은 설득이 되지를 않았다.

그런 위태로운 결혼 생활을 이어나가면서, 아이 하나 가지지 못했다. 그리고 김연수가 나타나면서, 또 그 뒤를 쫓기 시작하면서 가정은 거의 파투가 났다. 같은 한국에 발 딛고 살면서 해외 출장이라도 간 양 연락도 소식도 없이 들어오지 않는다면 어쩔 수 없다.

언제 또 위험한 구덩이로 기어 들어가 험난한 몸싸움을 벌일지도 모르고. 아내 역시 나름의 마음 고생이 심했을 것이다.
그 과정에서 신뢰를 돈독히 하며 관계를 다지지 못한 것이, 아직도 조금 잘못이라고는 생각한다.

자신이 '팀Team'으로서 아내를 조금 더 분명히 대했더라면. 적어도 부사수를 대하고 파트너 형사를 대할 정도의 관심과 애정으로 그녀를 대했더라면. 다소의 험난함도 이겨낼 수 있지 않았을까 이제와서는 생각을 한다.
나쁘지 않았고, 도리어 좋았고 참 괜찮았던 사람이었는데.

헤어져서 제각기 갈 길을 가는 것 역시 나쁘지는 않았다. 그 이후의 삶에 대해 윤계식은 후회하진 않았다.

서로의 삶을 가지다 같이 만났고, 또 각자의 길이 되었지만 그것 역시 삶이고 살만한 것이었다. 계식은 더욱 자신의 업무에 몰두했고 그렇게 인연 하나가 잊혀졌다.

종종 소식을 듣거나, 무슨 일이 있으면 연락을 하고는 했다. 계식과 헤어진 후 다른 사내와 만나 재혼을 잘 했고, 아주 잘 지낸다고는 들었다.
기꺼운 일이었다. 안정적인 가정을 원했던 여성이 그것을 얻어서 행복하게 제 삶을 잘 꾸려나가고 있다면. 행복을 바랐기에 결혼을 한 것이었고, 그 행복이 계식으로 인한 게 아니라고 하더라도 축하해 줄 마음은 얼마든지 있었다.

사변이 길지만, 어쨌든 계식은 그렇게 홀애비같은 꼴이 되어서 은퇴 이후의 삶을 살았다. 유일한 목적처럼 삼고 뛰었던 어느 흉물스런 범죄자를 쫓는 일도 멈추니 여기저기 고장이 난 기계처럼 살아온 세월이었다.

열심히 뛰던 인간은 마저 뛰어야 그 사람답지, 중간에 멈추어 서버려서는 영 그답지 않은 삶이 되는 것 같더라. 그게 계식의 감상이었다.

자주 먹던 편의점의, 불고기 도시락을 집어들었다. 그가 많이 먹은 시리즈의 한 상품이었다. 어느 요리사, 또 기업가가 런칭한 제품이었는데 내용물이 실하고 또 가격도 나쁘지 않다.

그것과 이벤트로 엮여 있는 물 한 병을 공짜로 얻어서, 그는 창가 자리에 앉아 제 몸을 적당히 숨기며 도시락을 깠다.

데워서 천천히 밥이니 반찬이니 하는 것들을 욱여넣는 와중에 작게 보이는, 멀리 고깃집의 불빛을 눈에 담는다.

그의 시야에 창가 자리에 앉은 농구장에서의 일행이 들어왔다.

행동거지가 눈에 담길 정도는 아니다. 있는지 없는지, 또 큰 제스쳐의 동작들을 하면 조금 구분할 수 있을 뿐이다.

애초에 밤거리가 어두운 점도 있었다. 그 정도만 확인하면 충분하다. 자리를 옮기면 그 역시 황급하게 뒤를 따라갈 수 있을 정도만 되면.

그가 시야로 확인할 수 있는 상황이라면, 저쪽도 그가 눈에 들어올 수 있다. 워낙 거리가 멀고 또 집중해서 그를 찾지 않는다면 보지 못하는 게 당연하겠지만. 또 혹시 모른다.

상대는 조금 특이한 놈이라고 생각해야 했다.

윤계식은 눈에 잘 들어오지도 않을 거리에서 자기 혼자 자연스러움을 가장하면서 밥을 먹었다.

편의점의 창가 자리에도 다양한 잡화나 내부 기기 따위로 가려지는 지점이 있다. 대놓고 그쪽을 노려보지도 않고, 시야의 주변께에 그 일행을 두면서 계속 감시했다.

*

"한 잔 더 해!"

시끄럽게 소리치는 주정뱅이의 소음이 짜증이 난다.

김재영은 속으론 인상을 찌푸렸다. 겉으로는 아무런 티도 내지 않는다는 게 그의 장점이었다. 숯불구이가 맛있게 익어간다. 돼지고기 집이었고, 다양한 부속 고기들을 한 번에 주문할 수 있었다. 그들은 항정살이니, 삼겹살이니, 그 외 내장부위니 하는 것들을 다양하게 시켜서 번갈아 먹었다.

고기와 술이 있다면 회식 자리는 얼마든지 더 시끌벅적해질 수 있었다.

우우웅. 하고 그의 주머니에 넣어두었던 핸드폰에 진동이 울렸다.

재영은 술에 잘 취하는 편은 아니다. 술을 평소에 마시지는 않지만, 마신다면 약한 편은 아닌 것 같았다.
그가 술을 마시지 않는 이유는 육체적인 것은 아니었다. 정신적으로, 어떤 위험성을 품고 있는 사이코패스는 이성이 절대적으로 필요했다.

그가 취할 정도가 되어서 이성의 끈이 약해지면 무슨 짓을 저지를 지 모른다.

기본적으로 상식이나 사회법, 도덕 윤리의 가치관이 없는 그이기에 다른 자들이 하는 실수보다 훨씬 심각한 짓거리를 아무렇지 않게 할 수 있었다.
그리고 고도화된 사이코패스인 그는, 그런 행동들이 철저한 계획과 계산 아래서 이루어져야 한다고 생각하고 있었다.

자신이 통제하지 못하는 무절제함, 야성은 결국 제 스스로의 목을 조이게 되어 있었다. 그는 콘크리트로 이루어진 정글을 살아가는 야만인이자, 짐승이자, 전사같은 부류였고, 제 자취를 드러내면 죽는다는 생각으로 살고 있었다.
크게 다르지는 않다. 살인마로서의 생명은 확실히 끝날 것이다. 끝나야 하는 것이었지만, 게임을 즐기며 연기를 하듯 살아가는 김재영은 그 살인행을 제 목숨처럼 여겼다.

"후우우."

달뜬 숨을 내뱉는다. 주량이 어디까지인지 한계를 실험해본 적은 없었다. 그러나 회식 자리나 어디나, 술을 마실 때마다 마실 수 있는 병 수를 세기는 한다. 취했는지 체크하는 간단한 방법들이 여러가지 있다. 머릿속으로 산수 계산을 해본다거나, 걸을 때 선을 그리면서 그것을 똑바로 따라갈 수 있는지 없는지를 계속 가늠한다거나.

여태까지 알기로 소주 3병 까지는 마셔도 이성을 유지할 수 있었다. 연기 또한 그대로 할 수 있었고. 그 이상이 넘어가는 순간은 아직 겪어본 적이 없다.
자신이 대강 알고 있는 주량을 유지하면서 김재영은 술을 마셨다.

술이 들어가도 감각은 무뎌지지 않는다.
그 감각이 무뎌지는 순간 그는 당장 연기고, 일상생활이고 뭐고 잠시 멈추고 제 보금자리로 돌아갈 것이다.

아무도 눈치채지 못하는 완벽 범죄의 달성자라고 하더라도, 조심에 조심을 더하는 일만이 그 스스로의 수명을 연장시키는 방법이었다.
그가 알지 못하는 어딘가에서 그를 알고 다가오는 추적자가 있을지 모른다.
싸이코패스는 그런 생각을 늘 가슴 한 켠에 가진 채 살았다.

주변을 둘러보는 시야나, 변화를 인지하는 그 예민한 능력이 사라진다면 사이코패스로서 적신호가 들어올만한 상황인 것이고, 그 자리를 벗어나야 하는 일이다, 이미.

술을 마시면서 고깃집 내부에 있는 인간들을 살핀다.

그들이 앉은 창가 테이블 말고 자리가 만석이다.

그들처럼 남자들끼리 온 회식자리도 많다. 여성들로 이루어진 곳도 있고, 섞인 곳도 있다. 중장년이 앉은 테이블이 하나. 대학생에서, 30대 정도로 보이는 청년들이 두 테이블 정도. 술을 마시지 않고 고기만 먹고 있는 인간들도 있었다. 여성들로 이루어진 곳이다.

창가 너머 바깥 자리에도 사람이 만석이다. 중장년 커플인지, 남녀가 섞인 테이블이다.

여기저기서 떠드는 소리들을 하나하나 걸러 들으면서, 개중 자신한테 위협이 될만한 이상한 소음이 있는가 분석하면서 재영은 술을 마시고, 일행들을 상대했다.

취기가 오를수록 동작이 거칠어졌다. 그의 기준에서, 지나치게 다가오는 손길들이 늘어갔다. 자기도 모르게 그 이후를 상상하는 건 어쩔 수 없는 일이었다. 갑작스레 악의를 품고 있는 터치로 바뀌어서, 해를 가하려고 한다면. 가정을 한 뒤 상대를 효과적으로 제압하는 방법 따위를 궁리하는 것 말이다.
물론 궁리만 한다. 목격자가 많은 곳에서 그런 일을 벌였다가는 감당이 안 된다.

당장 쓸 수 있는 다른 신분이 있기는 했다만. 현재의 모습을 전부 버리고 당장 도망쳐야 했다.

얌전하게 구는 김재영의 어깨를 누군가가 잡았다. 툭 그 위에 손을 얹으면서 지그시 내리 누른다. 동아리 모임의 모임장이라고 할 만한 인물이었다. 재영보다 나이가 많고, 부드러운 카리스마를 가진 인간이다.
달리 말해 성격이 좋은 편이었고, 유들유들하게 주변 사람들의 화합을 도모하는 쪽이다.

나름 눈치가 있다고 생각하고 굴며 사는 모양이지만 재영을 알아채지 못한다는 점에서 이미 누군가에게 속으며 사는 처지였다.

“재영씨 많이 피곤한가? 사람이 영 지쳐보이네. 아까 농구할 때는 거의 날아다니더니.”

한다는 말이었다. 재영은 피곤한 웃음을 지어보이며 맞상대했다.

“아, 예. 요새 일이 좀 안풀려서…. 신경 쓸 게 좀 많네요.”
“아, 일러스트레이트?”

기본적인 인적 사항 정도는 나누고 있는 동아리였다. 재영이 고갤 끄덕거렸다.

“예, 커미션도 별로 없고. 아무래도 제 실력이 별로인지…. 고민중입니다. 나이는 들어가는데 영 하나만 붙잡기도 뭐하고….”

‘에이’라고 한숨 섞인 너스레를 떨면서 그가 의자를 끌고 와 재영의 옆에 앉았다.

이미 불콰하게 다들 취해서, 술이 된 정신으로 저들끼리 시덥잖은 농담을 주고 받는 자리다. 몸도 많이 기울어졌고 또 의자 배치도 틀어져 있다.
무슨 말을 하는 건지 제대로 모르는 인간들도 있었고. 또 술을 마시지 않는 한 둘도 있다.

그의 어깨를 누른 모임장은 술을 안 마시는 쪽이었다. 그는 건너건너 동네에 살고, 차를 끌고 왔다. 회식 이후에는 자차로 운전을 해서 집에 돌아가야하니 어쩔 수 없다. 그의 손엔 사이다 잔이 있었다.

원형 테이블 자리에 여러 사람들이 앉았다. 처음에는 곧바로 똑바르게 앉아 있던 배치였으나 술을 마시고 이리저리 장난을 치면서 헝클어진 틈에 재영은 따로 떨어져 있었다.

그 옆에 온 것이다.

모임장, 훤칠한 미남인 '윤형빈'이 말했다.

"아 그래. 고민같은 거 있으면 우리끼리 좀 나누기도 하고 하면 좋지. 얼마든지 얘기하지. 들어줄텐데."

그는 그런 성격이었다. 재영이 웃었다.

"아유 뭘. 형님한테 얘기할 정도는 아니고요. 괜히 다들 바쁘실텐데. 저 혼자 프리랜서로 편하게 지내는 거 다 알지 않습니까. 직장도 없고."

"아이, 프리랜서가 편한가. 안정적인 직장이 있으면 더 좋은 점도 있고, 힘든 점도 있고. 혼자 일하면 또 좋은 것도 있고 어려운 것도 있는 거지.

다 나름대로 고생이야."

맞는 말이었다. 편한 점이 있으면 반대급부로, 얻지 못하는 것들도 있다. 시장 수요 공급 법칙에 따라서 의외로 다양한 재화와 자리들은 적당한 가치를 가지며 분배되어 있었으니 말이다. 일자리도 그 논리에 어느정도 따른다. 개인의 호오와 적성이 있을 뿐이다.

"고생… 예 고생 맞죠."

재영이 힘없이 웃었다. 그는 연기를 잘한다. 아주아주. 일차원적인 감정의 표현보다도, 그 내면적인 씁쓸함이나 깊이감까지 능숙하게 만들어낸다는 점에서 그렇다. 돈을 받고 연기를 해도 좋을 정도다.

김재영의 삶에서, 연기라는 건 생존과 생활의 문제였으니 어쩔 수 없을 것이다. 진지하게 전업 연기자를 꿈꾸는 인간들과 비교해도 그 절실함이 그다지 떨어지지 않으리라.

영락없이 자신의 삶에 대해 초라한 고민을 하는 예술가의 정서였다. 형빈은 안쓰러움이라도 느끼는지 그 옆에서 공감하며 표정을 일그러뜨렸다. 슬픔의 표현이다.

재영에게 있어서는 단지 일그러짐으로 보인다. 그는 감정을 감각할 수 없다. 그저 겉껍데기. 피부 근육의 이질스런 움직임으로 느껴질 뿐이었다.

그 너머에 있는 내면이나, 그로 인한 따스한 손길 따위는 단지 소름끼치는 무엇이었다.

타인에게 소름끼치는 무관심을 느끼고 있는 그이기에, 똑같이 그것을 느낀다.

'이질감'이라는 건 어쨌든 두 종류가 다르다는 것이었다. 김재영과 윤형빈. 상이하게 다른 두 인간 종류 중 어느 쪽의 삶이 맞는가, 하는 걸 이제는 스스로 고민해보아야 할 때였다.

사이코패스는 고민하지 않는다.
그리고 죄악을 자행한다.
재영이 웃었다.

"네 뭐 그래도. 이렇게 왁자지껄하게 얘기하고 있다 보면 고민이 사라지는 것도 같아요. 다 잘 되지 않겠어요. 제 일도 그렇고 다른 분들도 그렇고."

참 예의바른 말이었다. 듣기에 기꺼운 이야기였고. 그래서 형빈은 마주 웃으면서 사이다 잔을 들어올렸다. 소주를 마시고 있던 재영은 그 제스쳐에 거부하지 못하고 잔을 올렸다. 툭, 하고 별로 요란스럽지 않은 소리가 났다.

그 소리의 덤덤함만큼이나 자연스레 형빈이 마셨고, 재영이 마셨다.
어느덧 회식 자리도 마지막을 향해서 가고 있다. 각자 일자리나 가족한테는 도리어 너무 가깝고 깊은 관계라 나누지 못하는 것들을 여기서 털어놓을 때가 있다.

그런 이야기들, 회포를 푸는 것도 얼만치 하고 대개 주량들도 목에 차오를만큼 마셔들 댔다.

계속해서 시켜서 먹은 고깃값만 해도 만만치 않다. 장정 여섯이서 운동을 실컷하고 또 실컷 먹어대는 양이니 짐작하리라.

폭식폭음, 약간의 얕고도 깊이감 조금 있는 정다움을 나누면서 술자리가 끝나고,

사람들이 자리에서 일어났다.

"어이, 회비보다 많이 나온 거 아냐?" "아 형빈 회장님이 또 내시면 우리가 너무 쪽팔리는데. 이번엔 제가 낼게요." "갹출해야지 뭔 소리야. 혼자 내고 그런 거 없어 우리는."

"그럼 여태 형빈 형이 낸 건 다 뭐에요."

"얌마 그거는…."

어수선하게 일어서서, 돈을 걷는다고 또 실랑이를 벌이다가 결국 또 윤형빈이 냈다. "각자 알아서 보내줘. N빵하면 이만 원 씩이다."

상황이 여의치 않으면 결국 손해보는 것은 늘 그다. 돈을 똑바로 낸다고 하더라도 모든 돈이 모이기까지 시간도 있고, 간혹 제대로 내지 않는 사람들도 있다. 고의는 아니어도 정신없이 지내다보면 까먹기도 하게 마련이다.

"아 형 또 형이 내……"

끝내 말을 다 잇지 못하고, 취기어린 동작으로 비틀거리며 나서는 사람이 심형수였다. 재영보다도 조금 어리다. 20대 후반. 회사에 취직한 지 그리 오래되지 않았고, 농구를 아주 좋아했다.

평범한 중소 기업의 사무직으로 들어가서 일을 하고 있었다. 회계 관련된 업무를 보는데, 경영학과를 졸업하고 회계, 세무 자격증을 따려다 실패한 뒤 그러고 있었다.

자격증이 어떤 성공의 요건도 아니고, 자신이 하려던 일을 못했다고 인생의 패배자가 되는 것도 아니지만.

그저 괜히 주변의 눈치를 보며 움츠러들 때 스스로를 패배자처럼 대하는 것이었다, 그게 이미. 심형수는 남모를 자격지심이 속에 있었고 때때로 울컥하는 면이 있다. 술을 마시면 늘상 그런 이야기를 토해내며 저 혼자 눈물을 흘리기도 한다.

재영으로서는, 귀찮을 따름이었다.

아직 취하지 않은 재영은 적당한 수준의 취기를 연기하면서 다른 사람들을 부축했다. 차를 가져 온 형빈이나 다른 한 사내도 같이였다. 여섯 중 셋이 그나마 멀쩡하니 일행을 잘 끌고 나갈 수 있었다.

차가 있는 사람이, 가는 길 근처인 인원을 태워다 주기도 한다. 농구 모임은 나름대로 정감이 넘쳤다.

재영은 그 자리에 가장 어울리지 않는 인간이었다.

"재영 씨, 그냥 걸어가요? 괜찮으면 타고 가지."

형빈, 과 또 하나 차를 가져 온 인물. 재영보다 나이가 많다. 형빈보다는 조금 어리고. 33살의 어느 중견 기업 대리였고, 굳이 짬을 내서 농구 모임을 하고 있을 정도로 운동을 좋아하기도 한다. 체격도 탄탄하고. 짧게 깎은 머리에 각진 얼굴형이나 이목구비의 여러 선들이 사내다움을 어필한다.

재영은 이 인간과 형빈이 가장 부담스러웠다. 연장자의 의무감이라도 있는 것인지, 구성원들을 챙기려 하며 연하인 재영에게 자꾸만 말을 걸어대는 통에 말이다.

그는 예의바른 난처함을 연기하면서 고개를 저었다. 알아서 걸어가겠다는 뜻이었다.

"아이고, 뭐 조심히 들어가요. 요새 뭐 흉흉하다던데, 이 근처도."

'이 근처'가 흉흉한 건 서울 전역에서 동시에 벌어지고 있는 소문이었다. 각기 팀을 이룬 순찰팀들이 곳곳을 들쑤시면서 입소문을 퍼뜨리고 있었으니 말이다.

어느 한 곳에 오래 살고 또 토박이와 인연이 있는 사람들이라면 그런 소문을 싫어도 듣게 마련이다.

가정집에서 식사를 하다가, 가족들과 이야기를 하다가 동네 주민들이 그런 말을 하더라, 하는 식으로라도.

모임에서 두 번째 연장자인 '재형'은 자신과 이름이 비슷한 동생을 아쉽다는 듯 보내주며 뒤를 돌았다.

고깃집에서 나오고, 그 앞에서 한참을 서성이면서 취객들을 챙기고, 각자 주차해 둔 차까지 또 끌고 가고.

그렇게 지지부진하게 각자 집으로 돌아간다.

재영도 그 틈에서 적당히 인사를 나누고 터벅터벅, 보금자리로 돌아가기 위해 걸었다.

비틀거리던 걸음은 몇 개의 골목을 지나고, 주변에 그를 알아보는 사람이나 눈여겨 보는 이가 없다고 생각될 즈음 똑바른 것으로 바뀌었다.

붉게 달아오르고 흐리던 눈빛도 안색까지 바뀔 순 없었으나, 적어도 눈빛은 명료해졌다. 취기가 어느 정도 있는 건 사실이지만 이성이 흐려질 정도는 아니었다.

그는 자제력이 날아갈 정도로 알코올을 들이붓진 않는다. 사소한 짜증만으로도 과격한 짓거리를 할 수 있었다.

재영은 주머니에 손을 찔러넣고, 모자를 고쳐 쓰며 푹 눌러 제 얼굴을 가렸다.
챙 밑으로 무감정한 눈빛을 띄면서 걸었다.

*

"……."

재영의 집이 보이는 곳은 여러 군데가 있다. 특별히 낡고 닳은 단독 주택을 관찰할만큼 시간이 남아 도는 한량이 많지는 않아서 누군가 사용하지는 않지만.

두 사람은 적어도 그 자리에서 재영을 관찰하기 위해 촉각을 곤두세웠다.

"여기구만."

계식이 말했다.

단독 주택은 조금 떨어진 언덕 자리에서 볼 수 있었다. 수백 미터는 거리가 있어서 아차 하면 인형을 놓치는 수준의 떨어짐이었지만. 주영은 차에다 사제 망원경을 싣고 다니는 인간이었다.
형사 일을 하면 어떤 상황이 벌어질 지 모르고, 또 어떤 물건이 필요할 지 모른다는 평소의 마음가짐으로 구비한 물건이었다.

계식도 현역 때 다양한 물건들을 제 필요에 따라 추가로 구입해서 들고 다니기는 했다. 그러나 주영이 떡하니 망원경을 꺼내들자 황당스런 표정은 감출 수 없었다.

둘은 '김재영', 이라고 이름은 모르지만 어느 수상한 사내의 뒤를 졸졸 쫓았다.

일행과 떨어지자 언제 술에 취했냐는 듯 똑바르고 빠른 걸음으로 사라지는 그를 잽싸게 따랐고, 인적이 드문 오래된 주택가로 그가 들어가자 마냥 미행을 하기가 어려웠다.

차를 사용해 쫓자니 너무 티가 나고, 두 발로 걸어서 거리를 좁혀도 눈에 띄었다. 재영이 점차 멀어져갔고, 어디 적당한 위치에서 그가 들어가는 집만 확인하고자 했을 때 주영이 장비를 빼들은 것이다.

이럴 줄 알았다는 듯 자연스러운 행동이었다, 박주영 형사는.

그리 고배율까지 보이지는 않는 망원경으로, 둘은 재영이 자신의 집 울타리를 넘어 현관 내부로 사라지는 것까지 관찰했다.

신원미상의 이상한 사내의 집은 계문동 한 구석에 있었다. 단독주택이라지만 멀리서 보기에도 울타리나 그 외관이 옛스러운 몰골이었다. 리모델링이나 재개발이 시급해 보이는 집에 혼자 사는 모양이다.

계식은 이루 말할 수 없는 위화감에 입을 열 수 밖에 없었다.

"참 공교롭군."

"……."

주영은 답하지 않았다. 계식이 말할 것을 굳이 듣지 않아도 저도 그렇게 생각하던 참이었다.

“우리가 찾는 놈과 참 많은 조건이 일치하지 않나?

일상생활에 잘 녹아든 듯 하지만 어딘지 이상하게 위화감이 있고.

건장한 남자에, 단독 주택에 혼자 살고 있군.

저것들만으론 아무 증거가 되어주지 않지만…… 우리가 마침 찾는 인물상을 대입해본다면 공교롭게도 맞아 떨어지는 부분이 많구만.”

“……그러게 말입니다.”

주영이 낮은 톤으로 답했다.

살인귀는 혼자만의 시간이 필요하다.

아무에게도 공유할 수 없는 끔찍한 죄악을 마약 중세처럼 끊이지 못하고 계속해야 한다면, 어쩔 수 없이 독립적인 공간과 시간이 필요할 것이다.

그로 인해 주변과의 관계에는 필연적인 공백이 생겨난다.

그러나 너무 동떨어져 살다보면 이 사회에서 눈 밖에 나게 마련이고 눈에 띈다.

자신의 정체를 동시에 감춰야 하는 살인마는 고도의 지능과 연기력으로 사회적으로 포장하고 있을 확률이 높았다.

게다가 '김연수'가 보이는 범행들은 대개 그 방식이 초인적인 신체 능력과 육신의 기술이 포함되는 것이므로, 여성은 불가능에 가깝다. 키가 크던가, 겉보기에도 체구가 좋던가. 최소한 일정 이상의 근육량이 필연적으로 있어야 했다.

농구장에서 여러 명을 제치며 운동을 하던 꼴을 보면 일반인 수준은 넘는 듯한 운동 신경을 갖고 있는 모양이다.

언덕, 작은 산의 봉우리 중턱에 산책로로 마련된 곳이었다. 둘은 그 산책로의 절벽에 난간으로 세워둔 목책에 상체를 기대어 있다. 계식이 말했다.

"아무튼 위치는 알았으니 되었지 않나. 이대로 놈을 계속 보나?"

"뭐 수상하다면 그럴 수도 있겠지만……. 일단 그 외 임무 속행하면서, 천천히 파고들어 보시죠. 범위 내부에 거수자가 있으면 알아보는 건 당연한 수순이니까… 차례대로 하면 될 것 같습니다."

여태까지 맡은 임무 범위를 그대로 유지하면서, 수상한 놈들 들쑤시기를 그대로 하자는 말이었다. 그러는 와중에 지금처럼 조금 시간을 내서 특별히 더 감시를 하고.

살인마가 되었든, 무언가 켕기는 게 있는 사내라면 알아서 발작적으로 반응을 하리라.

주영은 보고할 건덕지를 머릿속에서 정리하며, 휴대용 쌍안 망원경을 접었다. 콧잔등에 걸리는 부분이 갈라지며 반으로 접히고, 그것을 천으로 만들어진 가방에 넣는 식이다.

"그러지."

계식은 입맛이 왠지 찜찜하다는 듯한 표정이다. 그러나 별 반박 없이 수긍했고, 그 날의 일은 마무리되었다.
기분이 묘한, 뭐 그런 우연으로 벌어진 일이었다.
정체가 어떤 것이든 빨리 밝혀질 수록 좋다.

기이한 습성을 가진 정신병 환자이든, 도벽을 앓는 좀도둑이든. 혹은 어떤 범죄 조직이나 무리에 가담하고 있는 음습한 놈이든.
시간 낭비는 적을수록 좋다.

*

재영은 확신했다.

누군가 자신의 뒤를 쫓고 있었다.

그건 '직관'적인 무언가였다.

오래도록 감각을 돋우며 살아온 살인마로서의 본능이 그에게 일러준다.

어딘가에서 그를 보고 있는 것 같다. 괜한 찜찜함이다. 그의 눈에는 보이지 않았지만, 그게 더 짜증이 나도록 신경을 긁었다.
적절한 거리를 유지하거나, 육안으로 확인하기 어려운 지점에서 망원경을 쓸 수도 있었다.

'청년, 남자, 형사'로 보이는 자가 냈던 놀라는 기색은 그의 착각이 분명 아니었다. 그는 사람의 반응을 헷갈리지 않는다. 24시간, 하루종일 다른 이들과 있을 때는 그게 사실인지 거짓인지, 자신의 거짓이 들키지 않는지 확인하기 위해 집중하는 점이다.
그토록 날카롭게 가다듬어진 눈이 틀릴 리는 없었다.

그리고 그런 기색을 보인, 구면의 형사로 추정되는 자가 자신을 버젓이 놓아줄 리 없다. 살인마로서의 정체가 들통나지 않았다고 해도.
대놓고 미행을 한 번 따라붙고, 그것을 떼어 놓았는데. 다시 만났을 때 가만히 내버려둔다?
그 정도로 아무런 의지가 없는 인간은 아닐 것이다.

그런 확신이 있는데 실제로는 잡히지 않으니 찜찜한 것이다.

재영은 창가로 나가서, 자신의 집 주변을 슬쩍 둘러보았다. 커튼을 젖히고 그 틈으로 바라본다. 실내는 등을 켜두지 않았으므로 바깥에서 잘 확인하기도 어려울 것이다. 그럼에도 작은 시야각만 내고 살핀다.

집 근처, 멀리에는 언덕이 하나 있었다. 무슨 봉우리라고 하던데… 산책로가 형성되어 있어 그 길 중턱에서 자신의 집이 보인다. 현관 쪽, 남쪽 방향이었다. 동쪽이나 서쪽으로도 멀리에 고층건물이 있었다. 그 옥상에 올라가거나 상층부의 창문에서 망원경 따위를 쓰면 자신의 집 정도는 보일 것이다.

울타리 내부나, 물론 실내가 세세하게 보이기는 어렵겠지만 어쨌든 관측은 가능하다. 뒤쪽, 북쪽으로는 딱히 그를 포착할만한 적절한 관찰 지점이 없었다.

"쯧."

재영은 혼자서, 크게 혀를 차고는 다시 커텐을 덮었다.

달칵, 하고 걸어가 불을 켠다.

"……."

생각을 할 때 자주 눕는 소파에 그대로 드러누웠다. 옷에는 땀 냄새나 고기 냄새, 술 냄새 따위가 진득하게 배어 있었다.

생각을 바꿔서 다시 일어섰다. 소파의 시트도 갈아야 할 것 같았다. 그는 일단 샤워실로 직행했다.

*

금단 증상.

그래, 그건 그런 이름으로 불러야 할 것이다.

김연수, 천산혁이란 본명을 가진 장년의 사내와, 김재영이라는 이름으로 살고 있는 어느 청년은 공감하는 이야기다.

그들에게 있어서 범죄란 이미 그런 종류였다. 끊을 수 없는 중독이다.

일정기간 하지 못하면 손이 근질거린다.

그리고 다시는 할 수 없게 된다고 생각하면, 기간과 상관없이 발작적으로 심장이 요동칠 때가 있다.
더러운 충동이었으나, 그들은 그런 더러운 삶을 살아왔다.

긴 기간 잠복하고 있을 때도 천산혁은 해외를 돌면서 노인의 아래서 여러 임무들을 수행했다.
위험한 사건에 개입되지는 않았다. 그 개인이 감당할 수 없는 범죄 조직에 관련된 의뢰라던가, 사회적으로 관계망이 두텁게 형성된 유력자를 건드리지도 않는다.

단지 보너스 게임에 목숨을 걸 필요는 없었다. 그가 그런 대상을 상대로 자신의 게임을 할 때는, 아마 '본게임'의 무대가 되는 한국이 되던가 혹은 마지막 게임이라고 생각될 때일 것이다.

마지막.

천산혁은 늙었지만, 아직 마지막은 아니었다. 정확히 말하면 마지막 '본게임'의 과정 중이다. 그 피날레를 어떻게 장식할까에 대해서는 오랜 생각을 했다.
그는 다시금 말하지만 정상적인 생각을 갖고 있는 인간이 아니었다. 사이코패스 살인마들 중에서도 질이 아주 나쁜, 상또라이였다.

잡힐까 잡히지 않을까. 그 따위 생각이 아니라 어떻게 꾸며낼까를 궁리하고 있다는 점에서 그러하다.

그 스스로의 인생이나 목숨은 옛저녁에 쓰레기통에 처박았는지, 안위를 구하지 않고 오로지 몰입한다는 점에서 까다로운 대상이었다.

그런 김연수, 를 잡기 위해선 잡는 자들 또한 그렇게 집중을 해야 하리라.

김재영의 경우엔

선천적은 결코 아니리라 생각했지만

김연수와 함께 시간을 보내면서 후천적으로 얻은 중독이었고 금단 증세였다.

그 전까지 그는 그런 세계가 있다는 걸 알지도 못했으나. 자세하게 배우고 또 실천해가면서 몸에 익고 말았다.
익으면 안될 것이었으나 말이다.

주변으로부터 실제적인 포위망이 좁혀 들어오자 그는 깊은 짜증을 느꼈다. 살인마로서 의외의 것이었다. 대부분의 일에 '무감하게'만을 고수하던 인간이었는데.
그가 누군가를 해치는 그 순간 외에 그토록 강렬한 감정을 감각하는 건 아주 오랜만의 일이다.

자신의 근처에서 누군가 바라보고 있다, 고 생각하자 그는 행동의 제약이 생겼다.

김재영은 진지하게 고민했다.

모든 걸 관둘까, 그리고 도망갈까.

혹은 마지막으로 한 차례 화려한 짓거리를 벌이고 도망갈까.

그도 아니라면, 자신을 억압하는 정체 모를 존재들에게 최악의 하루를 선사하고, 자신의 인생을 그렇게 마감할까.

그가 쌓아올린 악업으로 인해서, 충동과 금단 증세 따위로 나타나는 강렬한 욕망이 그를 자극했다.

상식적인 순리로 머리를 돌리는 범죄자라면, 잡힐 위험이 있는 상태에서 일을 벌이지는 않을 것이다. 우발적인 범행이 아니라면 말이다.
그러나 치열하게 대가리를 굴리고 있는 어느 살인마는, 그렇게 계획을 하고 있음에도 '우발적'이라는 표현이 어울릴만치 강렬한 심장의 요동을 느끼고 있었다.

조금 더 자극적인 것. 무언가 자신의 심장을 울릴만한 것을 찾고 있던 지루한 살인마가 변화를 추구하려는 과정일지도 몰랐다.

김재영은 그 날 집에 들어가서

한 발자국도 나오지 않았다.

집 안에 식재는 충분했다. 많이 먹지는 않았으나, 살만큼은 먹었다.

그리고 머릿속으로 궁리하는 계획을 실현시키기 위한 충분한 영양소 만큼은 최소한 섭취했다.

운동은 인이 박히도록 한 것이었으므로 머리를 쓰고 있을 때도 쉬지 않는다.

김연수로서 저지르기 위해 초인적인 수준에 가까운 상태를 유지해야 했다.

운동용으로 만들어 둔 방 하나가 땀으로 늘 가득차도록 고강도의 운동을 반복했다. 맨손 운동도 겸했고, 집에는 사들인 몇 가지 운동 기구를 놔뒀으므로 그걸 사용하기도 한다.
바벨과 덤벨, 그리고 턱걸이가 가능한 철제 프레임 정도가 전부였다.
그의 체격에서 견디기 어려워보이는 고중량 역시 능숙하게 들어내고 근육에 부하를 가하면서 그는 천천히 제 몸을 깎아냈다.

어느 쪽이 되었든,

사활을 건다면 육신의 컨디션은 최고조로 만들어야 했다.
일상적인 생활에 지나친 위화감을 형성하지 않기 위해 적당한 지방질을 유지하고 있었는데. 오로지 최적의 움직임을 위해 특이함까지 포기해가며 그는 운동을 했다.

며칠이 지나고 그가 결정했다.
몇 번의 재고를 통해, 자신의 결정을 긍정했다.
곧 행동에 이른다.

*

김연수는 조용했다.

9월초 범행을 저지르고, 9월 말이 되도록 말이다.
한 달 여간 잠잠한 그 텀은 애초에 윤계식이 말했던 대로, 휴식기에 포함되는 지 몰랐다.

이상한 청년의 뒤를 밟은 날로부터 며칠 더, 계식과 주영은 동네를 부지런히 들쑤셨다.

사람들이 많은 위화감을 느끼고 반복되는 질문에 짜증이라도 조금 느낄 무렵.

그들은 슬슬 혹시 모를 살인마를 유인하기 위해 야간 순찰을 단독적으로 해야 하나, 대충 동선을 짜고 있었다.

"골목 들어가서 혼자 움직이면, 도우러 올 때 어떻게 옵니까."

디지털화가 충분히 이루어진 시대에, 그들은 굳이 동네 지도를 프린트해서 커다란 종이로 바라보고 있었다.
액정이 아무리 커도 종이보다 넓기가 어렵다. 눈이 아프지도 않고 보기 편하며, 체크를 하기도 좋다.
그런 연유로 둘은 낮시간, 근처의 회의실 대여시설에서 방 하나를 빌려 앉아 있었다. 반쯤은 카페나 다름없는 곳이었다. 내부에 CCTV가 있으리라 생각했지만 그 정도를 신경써야 할만큼 조직 내 기밀은 아니었다.

단지 임무 수행 중 현장조가 합을 맞추기 위해, 계식과 주영이 의견을 나눌 뿐인 이야기다.

가을 날. 아이스 커피 한 잔과 따뜻한 캐모마일 티를 작은 데스크에 두고, 회의용 탁자에 전도처럼 종이를 늘어놓은 뒤 두 사람이 네임펜으로 툭툭 치며 말했다. 뚜껑은 따지 않은 네임팬 대가리로 휘령동의 어느 골목을 가리키면서 계식이 말한다.

"뭐 어쩌나. 골목별로 동선을 일일히 다 정해야지."
"진심이십니까."

주영의 말에 계식이 고개를 끄덕거렸다.
가능성은 낮지만, 계획을 세울 때 최악의 경우를 상정하고 세운다면. 애초에 그러자고 벌이는 일이었으므로 살인마가 나타났을 때 단독으로 버틸 수 있는 루트를 잡아야 한다.

여기저기 복잡하게 되어 있는 동네의 구조를 두 사람은 바쁘게 넘어가며 건드렸다.

"이쪽에서는…… 뭐 대부분 구조가 그렇게 폐쇄적이지는 않아. 한 쪽 골목 들어갔다가, 반대쪽으로 나온다. 무전기 켜놓고 10m 즈음 갈 때마다 툭 건드려. 그리고 골목 빠져나오기 직전 즈음에 두 번씩 터치하고.
다른 사람은 옆 골목 출입구에 서 있다가 문제 생기면 바로 해당 길로 들어간다.
걷던 놈은 바로 뒤돌아서 골목 내부로 더 깊이 들어오고. 한 길목에서 둘이 있으면, 가운데 지점이면 포위될 거고 바깥에서 와도 함께 맞설 수 있겠지."

"어… 예."

"이상 없이 골목 클리어하면 옆 골목 출입구에 서 있던 사람은 다시 한 칸 옮긴다. 반대쪽으로 나간 놈은 그대로 옆 골목 반대 방향으로 진입해서 빠져 나오고.

그렇게 한 사람이 한 블럭을 클리어하고 나면 순찰자 교대한다."

대로변과, 주택가의 인도가 11자 형으로 있었다. 다소 거리를 둔 두 작대기 사이에 주택이나 상가 건물들이 들어차 있다. 11자로 평행하는 두 길목을 잇는 골목들이 차례로 있어 사다리같은 모양새가 된다.

사다리 타기의 말처럼, 순찰자 한 명이 인도 쪽 출입구로 들어가서 주택가 쪽으로 빠지고, 다시 골목 진입하고를 반복하며 한 블럭을 마무리한다.

한 사람이 온전히 혼자라는 기색으로 다닌다. 돕는 사람은 티나지 않게, 인도 쪽에서 적당히 자리를 옮겨가면서 무전기에 집중하고 대기한다.

지금으로서는 그게 최선이었다. 대단한 책략이나 덫을 놓을 수도 없다. 인원이 많지도 않고 물리적인 제약을 극복할 수 있을 정도의 커다란 장비가 있지도 않았다.

두 팔과 두 다리를 쓰고, 약간의 연기력을 응용할 수 밖에.

다른 형태의 골목들도 많았지만 대개 요지는 간단했다. 한 블럭씩 번갈아 순찰하고, 나머지가 곧바로 달려올 수 있는 지점에 잠복 대기한다.

둘은 대강 골목들의 형태별로 분류를 해서 움직임을 정하고, 당장 그날 밤부터 개별 야간 순찰을 진행하기로 했다.

9월 29일, 금요일이었다.

*

21. 최수영

최수영은 여느 때와 다름없이, 잠깐의 산책을 즐겼다.

시간은 조금 늦은 저녁이었다. 밤이라고 봐도 좋았다. 오후 9시 20분 경.

그녀를 가로막는 것은 별로 없었다. 꿀꿀한 기분이나 집구석에만 박혀 있어서 침체되는 것을 가벼운 운동으로 날리려고 옷을 챙겨 입고 나왔다.

싸게 구입한 저지Jersey를 걸쳐 입고, 모자 하나 눌러쓰고 나왔다. 아래나 위나 검은색 일색의 트레이닝 복이었다. 뛰기에 좋은 복장이다.

그녀의 동네인 휘령동에서 시작한 산책은 근처 공원까지 다다라서, 금세 몇 바퀴인가를 뛰고 다시 돌아왔다.

자기 동네의 지리는 속속들이 알고 있었다. 조깅 코스로 삼을만한 곳도 어차피 정해져 있었고.

밤공기를 맞으며 한참이나 뛴 그녀가 차가운 바람과 대비되는 땀방울을 흘리면서 돌아오는 길이었다.

달뜬 숨이 천천히 가라앉는다. 지속적으로 운동을 하는 것은 좋은 일이다. 체력적으로도 그렇고, 정신적으로도 활력이 돋는다. 가끔 쓸데없는 생각을 치워버리는 데도 도움이 되고.
종종 이렇게 휴일 날 산책 겸 조깅을 하곤 하는 그녀는 폐활량이 좋은 편이었다.

옷깃을 펄럭거리면서 찬 가을밤을 걷는다.

1, 2km정도 거리에 있는 공원이었고, 거기를 한참 돌고 조금 멀리 에둘러 오는 길을 통해 집으로 온다. 그렇게 동네를 쏘다니다 보면 5km는 거뜬히 넘는다. 하고자 한다면 10km이상도 빙빙 돌며 뛸 수 있는 코스가 머릿속에 있었다.

그 모든 시간을 다 뛰는 건 아니었고, 걷기도 하고 번갈아 하지만.

퇴근을 해서, 씻고 밥을 먹고 잠시 앉아 있다가 곧바로 나온 길이었다. 한 시간 조금 넘게 걷고 뛰기를 반복하다 지금에서야 아예 차분하게 걷기만 하고 있다.

집까지는 조금 거리가 남았다. 익숙한 동네의 골목을 요리조리 지나가며 지그재그로 돌아가는 길이었다.

가는 길에 수퍼마켓이 하나 보여서, 오랜만에 아이스크림 하나를 사서 들었다.

패스트 푸드점에 가면 살 수 있는 소프트콘 모양의 물건이다. 플라스틱 뚜껑을 열어 먹다가 마지막에는 용기에서 과자로 된 콘을 다 꺼내서 먹어야 한다. 바닐라 맛의 그것을 베어 물면서 그녀가 숨을 죽였다.

차가운 것을 먹으니 조금 낫다. 갈증이 다 가시지는 않는다. 그건 물을 마셔야 하는 일이니. 집에 돌아가면 아마 가장 먼저 냉장고를 열어 물통부터 꺼내리라.

달빛이 그녀를 비춘다. 모자 위였으나, 가로등의 그것과 얽혀서 가는 길을 밝혀주는 빛의 광량이 제법 된다. 그녀는 제 길을 밝혀주는 빛을 받으면서 여유롭게 돌아갔다.

한 날의 고민은 한 날로 족하니.

그녀는 좋아하는 성서의 구절을 읊으면서 발걸음을 가볍게 했다.

한 날에 뒤엉키는 수많은 고민들은 사람의 걸음을 늪처럼, 칡넝쿨처럼 잡아챘다. 어쩔 때는 한 걸음도 걷지 못할 것 같은 날들도 많다.
아무런 이유도 없이, 알지도 못하고 그런 날들이 이어질 때 그야말로 죽고 싶어지는 것이다.
인생의 문제라는 게 복잡하게 얽혀와서, 그것들을 끊어낼만한 적절한 지혜와 지식이 있지 않으면 어느 순간 그렇게 호흡 곤란이 찾아오는 날이 있다.

그녀만 그런 것은 아니리라. 현대인은 모두가 저마다, 조금씩의 정신병들을 앓고 있었으니까. 살기 어려운 건 누구나 마찬가지이다.

다 드러내고 살고 있지도 않고, 제 의도를 숨긴 사기꾼이나, 혹은 강도나. 혹은 싸이코패스 살인마라도 되는 자들이 그 근처에서 암약하고 있을지 몰랐다.

그녀는 조심성이 많은 편이다. 그저 잘 웃고, 친구들과 만나면 칠렐레팔렐레 다니는 것 같지만 보여지는 것처럼 허술한 성격은 아니었다.

나름대로 열심히 공부를 해왔고, 자신의 삶을 갈고 닦으며 여기까지 왔다. 살 날은 아직도 많고, 은행 업무나 고객 응대, 그리고 조직 내에서 인간 관계는 어려운 것 투성이였지만.

아직 여기서 끝내고 싶은 생각은 전혀 없다.

이따금씩 이유도 알 수 없게, 숨이 막히는 듯 힘든 날에는 해야 할 것들을 생각하는 게 맞았다.

한 바퀴 이렇게 또 뛰고 오면 조금 낫듯. 정신적으로도 앞으로 나아가야 할 목적들을 되새기는 게 도움이 된다.

지나간 일이라고 치부할 수 없는 슬픔이나 상실감들이 또한 있었지만.

그녀는 걸음의 중간에 가족, 부모님, 친구들, 직장 동료들, 지나가다 만나는 동네 주민들. 그리고 최근에 얼굴 한 번 보질 못하고 사라져버린 지인 한 명을 떠올렸다.

우울과 긍정 그 사이 어딘가 즈음에 자신의 정서적 톤을 맞추면서 그렇게 돌아갔다.

돌아가는 길이었다.

"음."

작은 콧노래라도 부르면 어두움이 가실까.

잘 아는 길이었고 또 빛도 있었으나 여자 혼자 돌아갈 때 괜한 불길한 상상이나 두려움이 엄습하는 건 자연스러운 일이리라.

그녀는 바닐라 아이스크림을 마저 베어 물다가 잠깐 소름이 돋았다.

"……."

추워서 그런 건 아니었다.

어둠 속에 섞여서 무언가 못볼 것을 본 것 같았다.

그녀는 주택가의 골목 속에 있었다.

그녀는,

명민한 머리로 잠시 계산을 했다.

정말로 생각보다 최수영은 머리가 좋고 상황인지가 빠른 편이었다. 그녀의 친구들이 그것을 잘 알지 못할 정도로 말이다.

눈치가 빠른 인간은 자신이 그런 인간이라는 티를 잘 내지 않는다. 상대가 알아채지 못하도록 기민하게 머리를 굴리고 행동을 해내는 자들이 보통 가장 머리회전이 빠른 부류다.

그녀가 떠올린 것은 굉장히 직관적이고 또 놀랍게도 현실적으로 얼추 합당한 물음이었다.

지금 자신이 걷고 있는 주택가 근처에 CCTV가 있던가? 또 주변에 사람들은 어디에 있지.

그녀는 CCTV를 물론 당연히 걸으면서 관찰하고 다니지 않는다. 대부분의 시민들은 그 위치를 기억하지도 못하고 존재를 인지도 못하는 경우가 대다수다.

최수영도 평범한 시민이었지만, 자기도 모르게 불안감이 엄습하자 흘긋 보았던 것들을 떠올리려 애썼다.

젠장,

이라는 말이 입 밖으로 조금 튀어나온다. 아마 그녀가 걷고 있는 곳 근처엔 없는 것 같았다.

어두운 골목이다. 가로등이 조금 멀다. 직전의 불빛과 다음 불빛 사이의 어두운 구간 위에 그녀가 서 있다.

달빛은 밝다. 가정집들은 마침 그녀가 있는 곳에서 멀리에 있었다.

주택가라지만 모두 불이 켜진 곳은 아니었고, 그 사이사이 오래된 건물들이 있었다. 이 부근은 재개발이 필요한 지역이었고, 예전의 상가 건물이나 혹은 지금 장사를 하고 있는 가게들이 골목 군데군데 있었다.

그런 가게들 중 저녁이 지나면 문을 닫는 곳도 있다. 낮 시간에 업무를 보는 사무실도 있고, 소규모 공장도 있다. 가내수공업, 까진 아니어도 건물 내부에서 소규모로 제품을 조립하고 만들어낼 수 있는 그런 형태의 공장들 말이다.

동대문 부근, 특히 이쪽이 땅값이 싼 편이라 그런 일이 많았다. 혹은 집이나 건물을 갖고 사용하지는 않으면서, 이후에 재개발이나 리모델링으로 이익을 얻으려는 부자들도 있다.
그런 곳들은 낮이나 밤이나 사람이 없고 아무 인기척도 들리지 않는다.

그녀는 톡톡, 하고 발 끝으로 콘크리트 바닥을 찼다.

최수영은 걷는 중간에 주변을 둘러보면서 걷는 습관이 있다. 조깅을 하고, 밤에 산책을 할 때 생긴 것이었다. CCTV를 관찰하는 정도까진 아니어도, 시선 높이에서 360도를 확인하면서 다니는 식이다.
서울은 사람이 많고 밀집되어 있지만 또 이렇게 으슥한 자리가 없지 않다.

그녀 혼자 밤길을 걷다 보면, 또 집에 가기 위해 퇴근길에 잠깐의 골목을 지나다 보면 자기도 모르게 움직이는 대부분의 것들에 눈을 두고, 자그마한 소리도 신경쓰게 된다.

아이스크림을 먹으면서 즐거운 생각을 하려 노력하면서, 실실 걷다가 시야에 들어온 게 하나 있었다.

사람인 것 같았다.

그 자리에 사람이 있을 이유가 없는데 있다는 게 그녀가 아주 잠깐 긴장으로 몸이 굳은 이유였다.

그녀는 최근에 도는 흉흉한 소문을 기억해냈다. 돌아가는 머리가 이것저것 도움이 될만한 정보들을 토해냈고, 개중에서 한 가지를 잡아챈 참이었다.
은행에서 퇴근을 하고 집에 머물면서, 밥 먹고 잠만 잔 뒤에 곧바로 나가는 그녀의 일상이다. 오후 낮 시간 즈음 저들끼리 삼삼오오 공터에 모여 이야기를 나누는, 주민 아주머니나 할머니들의 잡담을 들을만한 시간은 별로 없었지만.
어째서인지 또 듣게 된 경우였다.

이렇게 밤에 산책을 나간다거나, 집 근처 인근의 오래된 가게에서 물건을 살 때 건너건너 듣곤 하는 단편적인 사실들이다.
집 옆 수퍼의 주인 아저씨나, 구두방의 할아버지나, 세탁소의 아주머니 등.
자주 들르는 그런 가게의 주인들과 손님은 자연스레 관계성이 형성된다.

일감을 맡기고 기다리는 동안, 거래적 대화를 하는 중간중간 사담이 섞여들곤 한다. 그것 역시 사람 살아가는 사회였고 자연스러운 일인데,

별로 관심이 없을 만한 사람이라도 귀가 기울여질만한 화제가 그런 틈새 이야기의 소재가 되곤 한다.

이 근처에 요새 형사들이 계속 탐문 수사를 하고 다닌다더라. 낮 시간에 자기네 가게에도 와서 수상한 사람이 요즘 없는지 물었다. 건장한 청년 중에, 주변과 잘 섞이지 않거나 위화감이 조금 있고. 혼자 살고, 특정한 직업이 없는 뭐 그런 사람이 없는가. 그런 청년이 있다면 또 운동을 잘 할 것처럼 체격이 탄탄하고 사람을 대할 때 지나치게 어색하거나 한 인간이 있진 않은가 그 중에.

서울에서 김서방 찾기 식의 질문들이었지만 단서는 단서였다. 대화의 소재거리가 될 만큼은 있었고, 사람 파악하기를 좋아하는 오랜 가게의 주인들은 넙죽넙죽, 자신들의 생각을 던져주며 형사들과 탐문인지 담소인지 모를 것을 나누었다.

그런 일이 반복된 것이 벌써 한 두 주를 넘는다. 매일 찾아오는 것은 아니었지만 인근 상인들간의 이야기에서도 서로 비슷한 일을 겪었다고 들었고, 몇 번이나 한 상점에 들러서 묻는 경우도 더러 있었다고 한다.

최수영은 다양한 가정과 상상을 가지치기 했다.

자신이 헛것을 보았을 경우.

생각보다 어두움에도 시야가 좋았다. 더군다나 형체가 확실했다.

사람처럼 생겼으나, 다른 것일 경우.

초자연적인 형상을 본 일은 태어난 이래 없었다. 그리고 마침 사람처럼 생긴 허수아비나 등신대, 마네킹 따위를 골목 어귀에 누군가 두었고, 또 그것이 마치 자신을 노려보듯이 똑바로 시선을 향하고 있을 확률은 그다지 높지 않을 것 같다.

사람이되, 자신이 상상하는 최악의 가능성보단 나을 경우.

그녀에겐 별다른 악의가 없는 정신병자이거나 동네의 괴짜일 수도 있었다.

그럼에도 몸이 긴장으로 살짝 굳고 떨리려 하는 걸 막기는 힘들었다. 그런 미세한 반응이, 만일 누군가 그녀를 관찰한다면 어떻게 작용할 지 잘 알 수 없었다. 그녀는 아무렇지 않은 척을 하기로 했다.

사람이며, 자신이 생각하는 최악의 가정이 맞으며
또 최근에 건너 들은 여러 소문의 주인공일 경우.

최수영은 이수정을 떠올릴 수 밖에 없다. 그렇다면 말이다.

건장한 청년이라.

그녀는 운동신경이나 근육량에는 자신이 있었다. 학교를 다닐 때부터 체육 계열 애들한테는 상대가 안되었지만, 그래도 평범한 여자들보다는 늘 훨씬 잘 뛰고 빠르게 움직였다.

지금도 물론 그럴 자신이 있었다. 그런데 상대가 일반적인 남성보다도 훨씬 순발력이 좋은 부류라면 그녀에게도 역부족이었다.

그런 이들을 제치려면 정말 본업으로 운동을 삼은 여성들이어야 할 것이다.

가진 건 아무것도 없었다. 지갑도, 카드 하나 덜렁 들고 온 게 전부다. 핸드폰은 저지 상의의 왼쪽 주머니에 있었다. 호신용품 따위를 들고 다니라는 외삼촌의 말을 무시한 게 갑자기 후회되었다.
그녀는 공포감이라는 실체가 없는 무언가가 점점 벅차오르는 것을 느꼈다.

그것이 환희라면 더할나위 없이 좋겠지만. 부정적인 감정은 천천히 생각을 잠식했고 이성이 둔해지게 만든다.
올바른 판단은 무엇일까.

그녀는 자연스럽게, 바닐라 아이스크림을 한 번 더 베어물었다.

사실 모든 게 그녀의 망상이며 그저 잘못 본 일일 수도 있었다. 어디까지나 흘긋 바라본 일에 지나지 않으니.

그러나 가장 지금 두려운 사실은, 그녀 스스로도 '잘못 본 무언가'를 재확인 하기 위해 시선을 다시금 돌릴 수가 없다는 것이었다.
안경도 쓰지 않고 시력이 좋은, 또 밤눈이 어둡지도 않은 그녀가 똑똑히 실체를 보았다는 걸 알고 있기에 그럴 것이다.

부자연스런 근육의 떨림을 감추며 아이스크림을 억지로 삼키면서, 그녀는 손을 바꿔 들고 왼쪽 주머니의 핸드폰을 꺼내들었다.

아버지, 친구, 직장 동료, 경찰. 여러 경우가 떠올랐다. 가장 먼저 선택해야 할 곳이 어디이며 어느 곳이 그녀를 그나마 살려줄 수 있을까.

그녀의 핸드폰은 지문 인식으로 풀린다. 또 풀리지 않더라도 하단의 아이콘을 조작하면 곧바로 경찰에 신고할 수 있었다. 그녀는 액정이 켜지자마자 자기도 모르게 손을 내려 긴급전화 버튼을 눌렀고, 전화를 걸었다.

곧바로 귓가에 가져다대지 않은 건 놀랍도록 담대한 침착함이었다.

친구한테 전화를 걸듯, 누군가 자신을 바라보고 있을 지 모른다고 인식하면서 그녀는 행동을 조심한다.

뚜루루, 하고 신호음이 간다. 그녀는 한 두 번 그것을 기다리다가 천천히 핸드폰을 귓가에 가져다댔다.

달칵, 하는 소리와 함께 건너편에서 누군가 전화를 받는 소리가 들렸다.

-"네, 동대문구 경찰서 휘령1동 지구대입니다. 말씀하…"

사람의 걸음이 그렇게 빠른 줄은 미처 몰랐다.

최수영은 몇 번의 신호음이 지나고 호흡이 오르락내리락 할 동안, 몇 걸음을 채 걷지 못했으며

골목에서 뛰쳐나온 누군가가 그녀의 목줄기를 쥐는 손길에 경악스런 비명을 지르려 했다.

곧 입에 천더미가 쑤셔넣어지고 두텁고 큰 손이 그 위를 막았

다. 손에는 장갑이 끼어 있었고, 축축하도록 액체가 묻어 있었다. 즉효성의 신경성 약물과 수면제가 배합된 어떤 것을 호흡기로 머금으면서, 그녀는 '악'소리를 차마 지르지 못했다.

성대가 떨리기 직전 목을 꽉 조이는 다른 팔이 느껴졌고, 눈앞이 흐려졌다.

마지막 순간에 핸드폰을 떨어뜨린 것 같았다. 목덜미에 차가운 금속의 감촉이 그녀가 인지한 최후의 기억이었다.

*

*

김재영은 즉발적으로 움직였다.

라는 문장이 성립하려면 '그 치고는'이 붙어야 한다. 아마 어지간한 정신병자, 범죄자들에 비한다면 그는 아주 정상적인 생활을 영위하고 가장할 수 있는 고기능의 싸이코패스였다.
절제라는 단어를 모르는 인간이지만, 그것을 고도의 연기로서 흉내낼 수 있다는 말이었다.

그가 그렇게 그 치고는 충동적으로 움직이기까지 여러가지 조건들이 있었을 것이다. 말도 안되는 우연으로 어디선가 본듯한 형사놈을 또 만났다거나. 소 뒷걸음 치다 쥐 잡듯 수사망을 좁혀오는 경찰 인력들의 수색에 하필 딱 걸렸다거나.

김재영은 많은 생각을 했고 결정을 내렸다. 그리고 그대로 행동을 한다.

다소의 소란을 피우고, 도망가는 방법을 선택했다.

그 방법을 선택하는 이유로, '정情'이라는 단어를 쓴다면 어폐가 있으리라. 정감이란 싸이코패스 살인마인 김재영과 진짜 김연수, 곧 천산혁에게 어울리지 않는 낱말이었다.

그러나 자신을 어둡고 추우며, 또 가서는 안되는 길로 끌고 들어와 평생을 살게 한 천산혁에게 김재영은 어떤 부채감이라도 있었는지 모른다. 이미 말했지만 '감'이라는 단어를 쓰는게 어색하다. 싸이코패스는 감정에 무감하니까.

그만의 논리체계, 행동체계와 구조가 있는데 하필 그에 맞아떨어졌을 뿐이라고 하는 게 차라리 자연스러우리라.

어차피 게임에 참여를 한 판국이었고, 돕기로 했다면 마지막까지 협력 플레이어로서 일을 하자고 한 것이리라.

게임에서 빠지게 될만한 위험을 느꼈고, 그는 이번에 자의로든 타의로든 게임판에서 벗어난다면 다시 점수를 내는 자리로 돌아오지 못할 수 있다고 생각했는지 모른다.

그가 살고 있는 근거지 근처에서 들켰으니, 일단 가짜 신분 하나는 버리는 셈이다. 그리고 여러모로 변장을 가미했다고는 해도 버젓이 얼굴을 보았다.
그 얼굴로 위화감마저 느끼게 했고, 그 스스로도 어색한 낌새를 느꼈다.

그가 형사를 불편하게 느낀 만큼 상대방 역시 김재영을 특이하게 인지했으리라.

사소한 의심이고 아무런 물증도 심증도, 심지어 의미도 없는 순간이었지만 상대방, 젊은 형사는 무언가 상황과 현실을 벗어나는 직관을 따르는 놈 같았다.

그저 마주쳤을 뿐이고 그가 드러내지 않으려는 살인마로서의 터럭과 자취는 조금도 보이지 않았음에도. 형사는 그를 경계했다.
어떤 말로 드러나는 논리가 아니라 본능적인 영역에서 그렇게 했다.
그렇다면 경찰 조직 내부에서 그 직감이 지지를 얻어서 대대적으로 김재영을 쫓는 일은 없겠지만, 적어도 주변에서 일이 벌어졌을 때 그 청년 형사 하나만은 김재영을 쫓을 테다.

한 명의 젊은, 곧 아마 조직의 말단일 테다. 그렇다면 그 젊은 형사가 그를 어디까지 추적할 수 있을까.

한 명의 인간이 마음을 먹으면 깨나 멀리까지 쫓을 수 있을 것이다.

왜냐면, 반증적으로 한 명의 청년에 불과한 김재영 역시 여기까지 해냈기 때문이다.

아무에게도 들키지 않고, 남한, 대한민국, 이 한반도 남쪽에서 어떤 증거도 남기지 않고 몇 사람이나 버젓이 살해하고 살아가고 있는 개새끼이기 때문에. 그가 그런 대단한 씹새끼이기 때문에 그를 쫓는 한 명의 청년도 위협적일 수 있는 것이다.

제 몸뚱아리와 기술을 무슨 엘리트 체육인이라도 길러내듯이 어린 시절부터 훈련 연마에 쓰며 살아온 그는 도리어 아는 사실이 하나 있었다.

힘이 센 인간이나, 머리가 좋은 인간. 기술을 극한으로 단련한 작자. 그런 인간이 두려운 게 아니었다. 정말 두려운 인간은 마음의 크기가 센 놈이었다.

한 가지 목표를 바라보고, 자신의 모든 것을 다 던져버릴 수 있는 인간.

그럴 때 인간은 '평범'한 수준의 한계를 뛰어넘는다. 그 시점부터 비범의 단계로 가는 것이다.

모든 범상한 인간들이 '아 저렇게는 못하지'라고 생각하는 그 인지의 바깥이야말로 그런 지독한 종자들의 싸움이 벌어지는 혈투의 전장인 것이다.

그 전장에 들어올만한 자격이 있는 인간이라고, 김재영은 살면서 딱 두 번 마주친 젊은 형사를 느꼈다. 동시에 인정했다.

아무런 근거도 확신도 없으면서 그를 똑바로 노려보고 곧장 따라온 그 종자는 분명 그런 부류였다.

선불리 생각하고 평이하게 거리를 벌리려다가, 또 말도 안되는 기적이나 우연이 작용해서 그와 마주칠 지도 모른다.

상대방이 그에 대해서 별다른 정보가 없을 때, 곧 지금.

그는 정체를 감춘 살인범이기에 스스로를 알고 또 다가오는 '형사'를 높은 확률로 인지했지만

'형사'는 이성의 영역에서 김재영에 대해 확신하지 못하고 있을 때.

그 빈틈을 노려서 도리어 치고 나가는 것이 현황을 타파할 수 있는 어떤 방법이라고 생각했다.

자신의 통제 바깥에서 움직이는 다양한 작용들에 휩싸이느니, 스스로의 칼날을 다시 움직여 상황을 주도하겠다는 말이었다.

그냥 그대로 조용히 사라졌으면 괜찮았을 지도 모르는데.

'직관'이라는 허상에 사로잡힌 사이코는 그렇게 일을 저지르기로 했고, 저질렀다.

지나치게 머리가 좋은 놈이라 도리어 돌아버린 걸지도 몰랐다.

어쨌든 누구에게도 상의할 길이 없이, 김재영은 뇌 안, 좁은 밀실에서 치열한 고민을 하다가 더블 플레이Double play를 하기로 한다.

마지막일 가능성이 조금이라도 있다면 화려하게 하기로 한 것이다.

서울 시내에서, 형사들이 수군대며 움직이고 있는 도심 속에서 과감하게 한 명의 희생양을 찾아 처리한다.

그리고 그와 동시에, 주변에서 알짱거리는 경찰 하나를 잡아 죽인다.

그가 가지고 있는 압도적인 무력과 기술, 노하우와 다양한 장비를 이용하면 가능성은 충분히 있었다.

상대의 틈을 노리는 게 가장 관건이었다. 반드시 둘 이상이 한 조가 되어 움직일 수색 순찰 팀이 따로 떨어지는 사이.

그 틈을 만들어내고 또 상대의 심리를 흔들기 위한 연속 살인의 시작이었다.

김재영은 달아오르게 만든 몸, 곧 최고의 컨디션으로 깎아낸 근육을 주저없이 사용하며 미리 봐 둔 골목길에서, 눈치도 없이 지나가는 불행한 여성 하나를 두 팔로 묶고 기절시켰다.

*

"……."

지구대 건물.

내부는 그저 깔끔하게, 사각형으로 지어진 외관처럼 심플하다. 별다른 내장 가구도 없이 데스크 하나에, 뒤쪽으로 방이 있다. 뒤로 들어가는 방에 내부 인원들이 묵는 곳이 있었고, 데스크에 앉은 자리에서 왼쪽으로 들어가는 통로가 있다. 통로로 걸어 들어가면 오른편에는 유치장이 있고, 그 유치장과 마주보는 자리에 실내에서 업무를 보는 인원들의 데스크가 여럿 늘어져 있다.

바깥에서 가장 처음 민원인이나, 혹은 불미스러운 일로 찾아온 인간들을 마주하는 데스크에는 한, 두 명이 앉아 있게 마련이다.
그 자리에서 보통 지구대로 걸려오는 외부 신고 전화를 받았다.

112로 신고를 걸면 바로 출동할 수 있는 가장 근거리의 지구대나 파출소로 우선 연결이 된다.

곧 자신의 담당하는 순찰 지역을 언제든 염두에 두고 수화기를 들어야 하는 자리였다, 그 데스크는.

장난 전화나 시덥잖은 전화로 치안력과 행정력을 낭비시키는 무례한 인간들도 더러 있었지만. 개들 중에서 가끔 진담이 섞여 있는 것들을 구분하는 건 좋은 경찰의 요소이기도 하다.
그 왜, 가끔 인터넷 따위에 찌라시처럼 섞여 떠도는 이야기들이 있지 않은가.

평범한 장난전화라고 생각되는 내용으로 통화가 이루어졌지만 그 말투나 분위기, 호흡에서 이상함을 느낀 경찰이 차분하게 되묻자 자신의 처지를 암호로 숨겨 말을 건넸다는 신고 전화.
위력에 의해 자유로운 발언권이 제한되는 상황에선 신고를 그렇게 할 수 밖에 없을 것이다.

그런 극한의 상황이 자주 일어난다고 볼 순 없었지만, 또 아예 없다고 치부하기도 뭐한 있을 법한 일들이었다.

인터넷에 떠도는 게시물들을 모든 현대인들이 다 클릭하고 보게 마련이었고, 개들 중에는 현직 경찰들도 있다. 자신이 직접 신고 전화를 받고 출동해야하는 위치의 순경-경장-경사들은 특히나 머릿속에서 시뮬레이션을 해보기도 할 것이다.

지구대 현관 옆 데스크에 앉아 걸려오는 전화 한통에 손을 움직인 박민수 순경은 말을 잃었다.

상대가 말을 잃었기 때문이었다.

그는 곧 머릿속으로 다양한 상상을 해냈다. 소설가적인 마인드였다. 그토록 다채로운 상상이라니. 평소에도 엉뚱한 구석이 있고 공상을 즐겼던 젊은이, 24살의 신입 경찰은 이번에도 자연스레 떠오른 것들이 자신의 헛소리라고 치부했다.

그렇게 여겼는데 조금 뒷맛이 씁쓸했다.

보통 전화를 걸고나서 바로 끊지는 않는다. 준비한 흰소리들을 지껄이거나, 악 소리라도 내는 법이었다. 물론 벨 누르고 도망가는 동네 꼬마애들처럼 구는 종류도 있다.

그런 종류라고 치기에는 괜스레 마음 한 구석이 가라앉는 기분이었다.

그래, 기분이 문제였다. 그리고 그 기분은 어디로부터 왔을까.

오후 9시 40분.

저녁 늦은 시간이다. 밤이라고 보아도 좋다. 치안이 유지되는 장소라면 문제 없겠지만 CCTV도 인적도 드문 도심 속 사각지대에서는 얼마든지 우발적인 범죄가 일어날 수 있는 시간대였다.
가을 하늘은 빠르게 저물었다. 해가 말이다.
달빛이 밝다지만 해보다 못하고, 사람의 눈길 역시 닿지 않는 곳에서 범죄자가 제 자취를 숨기기에 충분한 어둠이었다.

이 근처는 동대문구 휘령동 일대였다. 최근, 고작 한 달 여 전에 일어났다고 하는 실종 사건에 대해서는 그도 들어 알고 있었다. 조직 내부적으로 소문이 난 건 아니었지만, 그의 관할 지구였기에 필연적으로 듣게 되었다.

여성 실종 사건.

그리고 최근에 경찰 내부가 심상치 않다. 그같은 신입, 말단이 자세한 사정을 알 수는 없었지만 거대한 경찰 조직을 떠들썩하게 할만큼 커다란 괴물 범죄자가 있는 모양이다.
거물보다도, 괴물이라는 말이 어울리는 그런 놈 말이다.

따로 대책 본부까지 마련되어서 각 지구에서 인원들이 차출되기까지 했고, 또 이 근처로 그렇게 꾸려진 수사본의 인원들이 파견을 오기도 했다.

정확히 어떤 사건의 추리이며 임무를 맡고 움직이는 지는 몰랐지만 그들의 행태로 대강의 분위기 정도는 계산해볼 수 있었다. 박민수는 그 정도 머리는 돌아갔다.

신입 공무원답게 짧고 깔끔하게 다듬은 검은 커트머리. 순하게 생긴 눈매와 인상에 중간 체격. 약간은 살이 오른 볼과 커다란 손. 제복을 단정하게 차려 입고 실내에서마저 모자를 뒤집어 쓴 그는 흐트러짐 없는 제복과 달리 아주 불안하게 손을 조금 떨었다.

전화가 걸려온 것은 좋았다. 일상적인 일이다.

수화기를 들었다. 아무 문제 없는 필연적인 대응이다.

-'네. 동대문구 경찰서…'

당시의 이야기다.
신고자에게, 당신이 건 전화가 어디로 연결되었고 어떤 도움을 줄 수 있는지 말하려던 찰나였다. 보통은 차분하게 듣고 난 다음에 헛소리나 장난을 치거나, 이 와중에 버럭 소리를 지르는 때도 있었다.
그 모든 걸 일일이 마음에 담아둬서는 공무원 직 따위는 할 수도 없었다. 더군다나 경찰 공무원은. 가장 근처에서 시민에게 치안 서비스를 제공하는 조직과 조직원들 아닌가.

'서비스Service'에 따라붙게 되는 '헌신'이라는 단어가 그들에게 어울린다. 경찰은 그런 사람들이 하는 것이었다.

박민수 순경은 그런 업무 환경과 갖춰야 하는 개인의 태도에 큰 불만이 없었다. 성격도 유들유들한 편이다. 제 나름은 그렇게 생각하고 있었다.

어쨌든, 그런 치안 서비스를 한껏 제공하기 위해 정해진 인삿말을 나불거렸다.

그것이 채 다하기도 전에 상대방 쪽에서 전화가 끊긴 것 같았다.

별 소리 없었다.
그런데 아주 미세하게, 신음, 혹은 충격음 같은 게 들린 것도 같다. 그가 친절하게 인삿말을 다 전하자 일, 이 초 뒤에 전화가 끊겼다. 별 문제 없다. 벨 누르고 튀는 놈들처럼, 간혹 있는 그런 인간이다.
내용도 없이 장난을 치는 관심종자의 수작이다.

경험 많은 공무원의 적절한 대처와 열혈 신입 순경의 과도한 대처 사이에서, 어느 것이 진실에 가깝고 지혜로운 방식인가 고민했다.

툭, 하고 무언가 부딪히는 것 같던 소리는 잘못 들었을 수도 있다. 신음 소리, 라고는 하지만 정확히 사람의 성대에서 울리는 그것보단 그저 주변 소음일 수도 있다. 통화 음질에 따른 잡음이나 노이즈가 튀는 소리였을 수도 있다.

지구대 내부, 데스크에 앉아 있는 건 그 뿐이었지만 안쪽에는 동료, 선배들이 있었다. 닫힌 유리문 바깥으로도 차들이 달리는 도로다. 수화기 내부 소리인지 아니면 바깥의 소음인지도 찰나에 분간하기 어려웠다. 그 정도로 덧없고, 또 정보도 없는 음音이었다.

그 때 마침 그의 고민을 도와줄 수 있을만한 인물이 지구대의 유리문을 밀고 들어왔다.

지구대는 휘령동에 위치하지만 근처 전영동과도 가까웠다. 계식과 주영이 맡는 동대문구 북부 3동의 아래, 개중 지도상 오른쪽 지역을 담당하는 사람이었다.

형사였고, 수색 순찰에는 이골이 나 있는 입장의 사내였다. 경장警長이었고, 키가 아주 컸다. 마른 체격에 조금 사나운 눈매를 한 짧은 머리의 사내다. 으레 형사들이 그래야 한다는 듯 검은 가죽 자켓을 마침 걸치고 있었다. 청바지를 입은 쭉 뻗은 다리가 먼저 지구대 바닥을 밟는다. 따라 들어오는 상체와 면상에 박민수가 반갑다는 듯 반겼다.

"김민식 경장님."
"어, 박민수 순경."

아래 직급이었으나 꼬박꼬박 호칭을 달아 불렀고 지나친 반말도 하지 않았다. 나이도 직급도 연차도 모두 아래였지만 그래도 사람 간의 상호 관계에 존중이라는 것이 기반되어야 조직이 돌아가는 것이다.
인간성을 상실한 조직은 조직으로서도 해체되고 만다. 그 역시 사람이 합쳐져서 만들어진 구성이었기에 그렇다.

그런 김민식의 생각을 아는지 모르는지, 박민수가 표정이 좀 밝아지며 이야기를 꺼냈다.

"어, 고민 있습니다. 상담 가능하십니까?"
"뭐, 지금? 갑자기?"

김민식이 어이가 없다는 표정으로 거리를 뒀다. 한창 수색 순찰을 한 차례 끝내고 쉬는 시간 겸 들른 것이었다. 바깥이 쉴 곳이 더 많았지만 그는 지구대 건물을 선호한다.
동료들의 얼굴을 보기도 하고, 또 무슨 일이 있을 때 가장 소식이 빠른 곳이기도 했다.

박민수가 입을 열었다.

"저기, 데스크에 있다 2분 전에 민간인 전화 하나를 받았습니다. 내용은 없습니다. 말도 없고, 제가 인삿말 건네고 2, 3초 뒤에 일방적으로 끊어졌습니다."

"……어."

김민식은 눈을 동그랗게 뜨며 뒤로 물러섰다가, 박민수가 하는 말을 듣고는 조금 표정을 굳혔다. 시덥잖은 장난 전화를 가지고 왜 그러느냐, 고 곧바로 말이 나오지는 않았다.
그 태도에 박민수가 조금 더 상세하게 말했다. 자신이 고민하고 있는 점 말이다.

"그, 수화기 너머로 아주 약간 사람 소리가 들린 것도 같았습니다. 툭, 하고 어디 부딪히는 듯한 소음도 났고. 그런데 음량이 크지 않고 바로 끊겨서 혹시나 합니다.
통화 음질 문제이거나 다른 소리를 제가 착각했을 수도 있습니다.
그런데 요새 워낙… 시기가 시기지 않습니까.”
“뭐 어딘데.”
“예?”
“전화 어디서 걸려왔는데. 어차피 순찰 돌 거였으니까 한 바퀴 돌고 오지.”
“어… 그래도 됩니까? 진짜 아무것도 안들렸는데, 확실하게는.”

김민식은 잠시 말을 멈추었다. 닫은 굳은 입술 사이로 뭔가를 생각하는 듯 고심하는 기색이 보인다.
골똘히, 몇 초간 멈춰 있던 그가 다시 말을 뱉었다.

“……요새 좀 시끄러우니까 혹시나 해서 그러지. 잘못되면 내가 책임진다. 아니면, 너 포상 받는 거고.”
“예?”
“기지국 관련해서 정보 부처에 연결해봐.”
“어… 알겠습니다. 신고 전화 받은 거 보면 바로 이 근처일 것 같긴 합니다.”
“어 그래.”

박민수는 기억하는 메뉴얼대로 위치정보 조회를 위해 애썼다. 몇 번 통신이 오갔고, 곧 기지국을 담당하는 통신사 부처에까지 연결되었다. 기억에 의거해 타당성을 설명했고, 실무자들이 해당 위치에서 전산망으로 분석을 했다. 몇 분 지나지 않아서 신고 전화가 걸렸던 위치를 특정할 수 있었다.

마지막으로 전화를 끊고 박민수가 보고를 하자 김민식이 지구대 내부에 있는 대기용 나무 벤치에서 일어나며 말했다.

"……갔다 온다. 혹시나, 너 쪽으로 무전 걸 수도 있어."
"억, 혹시나 말입니까?"
"어 혹시나. 만약에 말야 만약에."

김민식은 그렇게 언질을 해두곤, 휘령동의 어느 골목을 향해 움직였다. 유리문을 박차고 그가 나섰다. 같이 수색을 돌던 인원은 그와 마찬가지로 잠깐 쉬고 있었다. 그는 어느 카페에 잠깐 들어가 있을 동료에게 문자 하나를 보내 놓으며, 박민수에게 전해 들은 위치로 검은색 승용차를 몰았다.

*

김민식의 파트너는 조금 왜소한 체격의 경장이었다. 김민식보다 연차가 낮았고, 순경에서 진급한 지 얼마 되지도 않았다.
다만 혈기왕성한 점만큼은 따라가기 힘들 정도의 장점이라, 실제로 겪어보면 그 투지나 열정에 놀랄 정도다. 남자로서, 또 강력계 형사로서 자연스레 하게 되는 수많은 머릿속 상상중 자신의 파트너와 대결을 하는 그림도 있었다.

파트너의 실력을 알아야, 여차했을 때 또 협동을 할 수도 있는 법이었다. 파트너, 박홍수의 평소 움직임과 운동 실력을 대입해 이미지 트레이닝을 해보면 영 결과가 좋지 않았다.
작지만 체격이 단단했고, 움직임이 잽싸다. 대인 격투술을 전문가에 근접한 실력까지 익히고 있는 부사수였다. 무규칙, 야만의 정글에서 붙는다면 아마 그가 필패하리라.

김민식은 그런 부사수가 간절했다. 고생하며 몇날 며칠이고 계속 뺑뺑이를 도는 외근의 연속이다. 적절한 휴식이 없다면 장기 임무에서 효율이 떨어지는 건 결국 스스로 책임져야 할 일이었다.

해당 구역을 샅샅이 뒤지며 또 잠깐 쉬기도 하는 걸 반복했다. 그가 삼, 사십 여 분 정도 쉬고 나서 데리러 가기로 하고 차를 끌고 헤어졌다.

약속한 휴식 시간 도중이었지만 차를 끌고 그가 움직이는 곳은 동료가 기다리는 카페가 아닌 휘령동 내부 어느 으슥한 골목이다.

그가 맡은 순찰 구역은 아니었지만, 공교롭게도 신고 전화와 관련된 사정을 들은 이상 그가 움직이는 게 가장 빠르다.

그의 동기이자 직급 상 상위자인 박주영 경사를 피곤하게 하기도 뭐하다. 말하기 전에 이미 그 역시 파트너와 순찰을 돌고 있으리라.

마침 바로 해당 지역 근처라면 부탁할 만도 했지만 그러기가 쉽지 않다. 들은 대로 그가 직접 가는 게 가장 깔끔했다. 어차피 쉬려고 했던 시간이니 본래 순찰 구역에도 큰 지장은 없을 것이다.

김민식은 오랜 콤비, 박주영과 그 곁에 있을 어느 장년인을 연상했다.

첫 만남부터 예사롭지 않던 양반이었다. 은퇴한 아저씨라고 하기에는 기세가 참 만만치 않았다. 강력계 범죄자들을 상대해야 하는 형사들의 특징이기도 할 것이다.
이 거친 바닥에서 수십 년을 버티고 있다 은퇴를 한 양반이니, 켜켜이 쌓인 내공의 흔적이 그런 데서 드러난다고 해도 이상할 것은 없다.

김민식은 자신 역시, 그런 내공을 쌓아가야 한다고 느끼고 있었다.

허리춤에 홀더를 보이지 않게 고정했다. 그 가죽 홀더 내부에는 제식 리볼버 권총이 있다. 초탄은 공포탄. 두 번째는 최루탄이다. 세 번째부터 실탄이었다.

5발이 들어가는 제식 권총이다. 추가 탄알이 세 발 더 있었다. 한 발은 살상력 저하, 저지력 증가를 목적으로 만들어낸 저살상탄이다. 피부 아래까지 파고 들어가 내부를 충분히 헤집을 수 있지만 관통력은 적다.
두 발은 실탄이었다.

경봉이 하나 있었고, 수갑이 있다. 민식은 자신의 무장을 확인하면서 차를 몰았다. 달빛이 밝았다.
그가 가는 곳은 달빛만으로 어둠을 헤쳐나가야 하는 인적 드문 골목길이었다.

위치 조회로 알아낸 장소는 인근 골목이었다. 차로 가면 3, 4분이면 닿는다.

기지국 등의 통신 전파로 알아내는 위치는 오차 범위가 수 미터 정도 나온다. 수십 미터가 나올 때도 있다. 지형지물등의 상황이나 휴대폰 자체의 문제도 범위를 다르게 만드는 요소다.

이번에는 그다지 넓지 않은 범위가 해당 위치로 나왔다. 부으응, 하고 밟는대로 천천히 속도를 올려나가는 길이 잘 든 승용차. 4인식의 평범한 모양이다. 검은 차가 밤길을 달려 금세 해당하는 골목 근처에 닿았고,

김민식이 차에서 내렸다.

벌컥, 하고 열린 차문에서 다소의 조급함이 엿보였다. 김민식은 말 수도 적고, 표정도 크게 변하지 않지만 조금 불안한 기색을 보이면서 하차했다.

인적이 별로 없다. 동네 인근에 문을 닫은 반찬 가게 앞이다. 그는 차를 세우고 걸어서 건네받은 위치까지 걷는다. 조금 걸음이 빠르다.

해당 주소를 휴대폰 실시간 지도에 입력해 두었다.

비좁은 골목이다. 그는 반찬가게를 끼고 돌아 안쪽으로 들어갔다.

이 동네는 재개발이 되어야지, 하며 주민들이 모여서 소란을 피우기도 하는 그런 곳이었다. 모든 구역이 그런 분위기는 아니었지만. 지금 들어가는 골목은 특히 인적 없는 건물의 공실들이 사이사이를 채우고 있었다.

자연스레 찾는 CCTV는 자취를 보이지 않는다. 김민식은 형사답게, 그리고 최근 골머리를 썩게 만드는 살인 사건의 추적자답게 능

숙한 추리력을 보이며 현장에 접근했다. 집중력의 문제였다, 그런 태도는.

저벅거리며 돌바닥을 밟는다.

신발은 회색의 운동화였다. 청바지에 어울린다. 그의 발에 가장 잘 맞는 종류로, 자주 신는 물건이었다. 곧바로 대중없이 달려나가야 한다면, 약간은 닳은 듯 빛바랜 외관의 그 신발이 가장 믿음직스러웠다.

잘 포장된 도로 위를 그가 조심스레 걸었다.

해당하는 위치까지 정말 얼마 걸리지 않았다.

가로등의 불빛이 적어진다.

김민식은 호흡이 정상적인가, 순간 스스로를 돌이켜봤다. 자기도 모르게 숨을 조금 멈춘 것도 같았다. 이렇게 긴장할 일이던가. 별일 아니다. 그냥 장난 전화삼아 왔던 신고일 뿐이고, 그는 별반 다를 게 없는 현장을 확인하고 다시 돌아가면 되리라.

아마 삼십 분 쯤 뒤에는 같이 순찰을 돌던 박홍수 경장과 커피 한 잔을 들고 야간 순찰을 지속하리라. 이쪽, 휘령동이 아닌 자신의 구역들을 말이다.

김민식은 그렇게 생각했다. 자신을 다독인다.

불안감이라는 건 늘 선명하게 현실을 만들어낸다.

여러가지 인생의 경험과 지식, 혹은 지혜가 축적되어 만들어내는 예지감일지도 모른다.

뭐,

그것이 어떻게 작용해 현실이 되는가는 많은 논점이 있다.

멍청하게 구는 그 스스로가 악몽을 현실로 바꾸어내느냐, 아니냐도 있고.

김민식은 단순히 인생의 경험으로 생각해 봤을 때, 애써 눈돌리려 피하며 자신이 방심했을 때 현실로부터 뒤통수를 처맞는 일이 많았다.

그는 흐린 눈빛을 다잡으려고 노력하며 현장에 도달했다.

저벅.

정돈된 인도를 걸어 해당하는 위치에 도달했다. 오차 수색 범위가 있으니 조금 더듬어봐야 할 것이다.

확실히, 이상한 점은 있었다. 장난 전화를 보통 이런 자리에서 하나?

지형지물 때문에 위치의 오차가 있다는 건 물론, 건물 내부에서 일어난 일일 경우도 있다. 그럴 땐 골목이 아니라 가정집 안이 된다.

그렇다면 말은 된다.

김민식은 주위를 둘러보았다. 오차 범위는 그리 크지 않았다. 걸어서 열 걸음에서 스무 걸음 정도.

김민식은 자신이 선 자리가 최초에 찍었던 좌표라는 걸 알았다. 오차 범위를 가늠하면서 빙, 삼백육십도를 둘러서 보았다.

그만한 거리에는 불이 켜진 가정집이 없었다.
오히려, 여러 사업체에서 건물을 임대했다가 불이 꺼진 자리, 혹은 애초에 공실로 비어 있는 자리들 뿐이었다.
황량한 폐가의 흔적이 보이기도 한다. 서울 시내에 이런 곳이 있었나, 싶지만 조금 으슥한 데로 들어오면 의외로 많다.

집 값은 오르고 있고, 떠도는 사람들은 많다는데. 경제와 정세가 불안정해지면 사회적 아이러니가 발생한다. 땅과 건물이 남고 제 집을 가진 인간들이 별로 없다.
거래란 건, 사회적으로 후생과 이득을 최대로 하기 위해 벌어져야 하는 것이다. 현실은, 꼭 그렇게 이루어지지 않는다.

경제학적 논리는 차치하고서, 김민식은 천천히 고개를 끄덕거렸다.

골목.

가로등이 없는 구간이다, 마침. CCTV도 오면서 보지 못했고. 달빛은 밝다. 양쪽으로 있는 불꺼진 주택과, 상가 건물. 그 틈새에 있는 골목이다. 너비는 깨나 넓다. 승용차가 넉넉하게 들어올 수 있었고, 조금 무리를 한다면 양방향으로 동시에 오갈 수도 있어 보인다. 트럭도 들어올 만하다.

그런 공간을 두고 누군가 차를 댈 법도 한데, 오늘은 이상하게 아무 것도 없었다.

차가 없다는 건 블랙박스도 없다는 말이다.

김민식은 어둔 밤거리에, 플래시 라이트를 켰다. 본인이 들고 다니는 휴대폰의 그것이다.

은빛의 쇠테가 주변에 둘러져 있었다. 박주영과 똑같다. 콤비는, 이유가 있어서 콤비일 것이다. 외부 케이스가 특수 합금 소재로 맞춤 제작이라, 총탄을 맞아도 한 발은 넉넉하게 버틴다.
해외 사례 중에는 잘 만들어진 스마트폰이 실제로 권총탄을 막아 살아난 경우가 있다고, 들었다.

거리나 지형 등 다양한 조건이 있겠지만 어쨌든 총이다. 혹은, 손에 딱 알맞게 들어오는 크기의 그것이니 여차할 때 둔기로 사용해도 쓸만했다. 쇠테는 정말로 쇠의 일종이었고, 그 강도는 장난이 아니다.

실버 톤의 오래된 기종이었다. 국내 대기업의 제품을 몇 년 째 쓰고 있었다. 잘 고장이 나지 않아서, 배터리만 수리를 맡겨 갈고서 계속 쓰고 있다.

손에 익은 그것을 몇 번 누르고 휘젓자 불이 켜진다. 김민식은 주변을 서성거렸다.

불빛이 골목을 밝힌다. 아래로 뻗는 원뿔형의 가시 범위가 여기저기를 비춘다.

…….

김민식은 입을 열지 않았다. 주변도 적막하고, 또 고요하다.

고양이 하나 울지를 않았다. 왠지 느낌이 이상했고, 그는 자신의 느낌을 깨나 신뢰하는 편이었다. 느낌이 전부는 아니지만, 위기감에 관련된 것이라면 김민식은 조심했다.

강력계 형사라는 건 그럴지 모른다. 현대에서 가장 목숨을 내놓고 사는 종류의 직군이었다. 그렇게, 제 몸 던져서 악업에 종사하는 쓰레기들을 현장에서 맞닥뜨려야 하니까 말이다.

상대가 그런 쓰레기들이니 그들을 잡아 넣는 형사 역시 목숨을 시궁창 근처에 두고 사는 담력이 필요했다.

김민식은 마음이 굳다. 경장이 되기까지 7년간 열심히 굴렀다. 경찰 채용 공고에 붙고, 강력계로 발령이 나고, 운동에 매진하고. 나름의 사명감을 갖고 '서비스'를 제공해왔다.

오늘이 그 날이 된다고 해도 그는 여전한 태도로, 자신이 해야 할 일을 하리라. 치안 서비스 말이다. 목숨을 걸고 다른 사람들의 안전을 지키는 데 투신해야 하는 순간이 오더라도.

허리춤의 권총을 생각한다. 그는 빛의 테두리 내부에 걸리는 것들을 살폈다.

아무런 흔적은 없다. 골목은 일자형의 도로였고, 그 일자선 길에 접하는 통로들이 여러 군데 있었다. 한 블럭마다 바깥 인도로 통하는 샛길이 있었고, 누군가 몸을 감추었다가 골목으로 진입해서 일을 벌이기에 적당해 보이는 구조다.

아마 대부분의 주택가 골목이 이런 식으로 이루어져 있겠지만.
왠지 음험한 악의를 상상하며 지형을 분석하자 소름이 돋는 것도 같다.

운동화의 밑창으로 포장 도로를 문댔다. 지익, 하면서 바닥이 긁힌다.

한 삼 분 정도를 면밀하게 살폈지만 아무것도 드러나는 게 없었다. 작은 부스러기 같은 게 하나 있기는 했다. 플래시 라이트를 끌까, 하고 멈추려던 마지막 순간에.
희미하게 빛나는 종류였는데, 플라스틱이나 금속 재질의 쓰레기처럼 보인다.

김민식은 가까이 다가갔다.

"……."

뭐, 알 수 있는 건 없다. 그는 일어섰고, 플래시 라이트로 다른 길목을 비추었다.

이곳에서 일어났을 최악의 상황을 조금 더 상상하다가, 그가 무전기를 툭툭 두드렸다.

품에서 그것을 꺼내어 통신한다.

"훅."

바람을 부는 것은 수음이 제대로 되는가 확인하기 위해서다. 그가 회선을 바꾸어 지구대에 있을 후임에게 말을 전했다.

"아, 수사본 수색 7팀 소속 김민식 경장이다. 박민수 순경. 순찰 후 이상 없음 전달한다."

다만, 하고 그가 말을 이었다.

"보고 받은 위치가 골목이고, 인근에 주택이 전무하다. 만일 신고 전화 들어왔다면 이상한 정황이기는 하다. 지구대 남는 인원 몇 명인지."

그의 말을 듣고 한 템포 뒤에 반대편에서 말을 전했다.

-"흑, 수신했습니다. 박민수 순경입니다. 김민식 경장님. 해당 위치에 이상한 정황 말입니까. 지구대 대기 인원 저 포함 5명입니다. 순찰 인원 중 근처 위치에 있는 분들까지 하면 8명입니다."
"………."

김민식이 말을 이었다.

"알겠다. 조금 더 살펴보고 돌아간다. 대기하도록. 이상."
-"알겠습니다. 고생하십시오."

박민수의 말을 끝으로 무전기를 오프Off하고 다시 품에 넣었다. 그가 이번엔 스마트폰을 조작했다. 메세지를 보낸다. 두 군데로였다. 하나는, 카페에 쉬고 있을 박홍수 경장에게. 그리고 나머지는,

아마 지금도 근처 일대를 수색 중일 콤비에게 말이다. 박주영은 언제나 고민을 상담할 수 있는 좋은 동료였다.

*

최수영은,

운이 좋았다.

이미 불행의 최극단을 달리고 있는 상황이기는 했다만. 그럼에도 불구하고, 개중에서 양반인 처지였다.

우선 그녀가 흡입한 약물은 어떤 후유증을 남기는 종류가 아니었다. 김재영이 받아놓고 쓰지 않던 즉효성의 약물 중 가장 최근에 얻은 물건으로, 곧 가장 진보한 종류의 물질이었다.
사용시 주변에 어떤 흔적을 잘 남기지도 않았고, 수면 마취에 들어가듯 순식간에 몸의 기능을 잃지만 내부 장기의 손상을 일으키지도 않았다.

납치의 순간에 이미 유해한 극독 종류에 당해 목숨을 반쯤 잃은 것이나 다름 없는 처지였던 이전까지의 피해자들에 비한다면, 아주 괜찮은 경우다.

또한 김재영은 약간 달아올랐다.

마음에 조급함이 깃들었다는 말이다.

그로서도 처음 시도해보는 종류의 일이었다. 계획을 상세하게 짜지도 않았다. 머릿속의 시뮬레이션이야 무수하게 돌렸지만, 그게 가능한 지는 알 수 없었다. 처음 해보는 일이었으니까.
그리고 실제로 바깥을 정찰하면서 정보를 모으지도 않았다.

보통 김재영이 사이코 살인마로서 일을 저지를 땐, 현장 정보를 과도하다 싶을 정도로 많이 그러모은 뒤 실행한다.
철저하게 상대의 동선을 파악하고 최적의 때와 타이밍을 노린다. 남들보다 그 '최적의 때'를 찾기가 조금 쉬울 뿐이다.
어떤 범죄자보다도, 심지어 운동 선수보다도 뛰어난 감각과 계획에 대한 실행력이 있었으니까.

그런 그로서도 한 번에 두 건의 연속 살인은 부담이 되었다.

일단 하나를 저질렀다.

그는 마치 보금자리에 먹이를 모아두는 어느 짐승의 습성과 같이, 자신의 주택으로 그것을 들고 왔다.

서울 동대문구에 위치한 작업용의 폐가 시설은 휘령동에 있던 그것 하나였다. 다른 건물의 공실에서도 일을 저질러 볼 수 있는 건 아니었지만, 그는 예외라는 걸 아주 싫어하는 작자다.

순식간에 여성 하나를 기절시킨 뒤 근처에 주차해둔 자가용에 실었다. 동선은 철저하게 도심 속 사각 지대를 이용한다.
여기까지는 그래도 이전처럼, 철저한 계획 하에 움직이던 그 때의 느낌이 있었다.

이후는 그로서도 미지의 영역이다.

그가 기거하는 주택은, 마찬가지로 노인을 통해 은밀히 구하고 리모델링 작업을 거친 일종의 안전 가옥이다.

지하로 통하는 비밀 통로가 있었고, 그 방에 자신의 모든 것을 둔다. 검고 또 어두운 모든 것 말이다. 도저히 밝은 빛 아래서는 행할 수 없고 노출시킬 수 없는. 그의 존재가 사라질 죄악에 엮인 모든 행위와 사실들을 지하실에 두고 처리했다.

마치 공포 영화에 나오는 비인도적이며 불편하기 짝이없는 수술대마냥, 철제 침대가 하나 있는데 그 위에 묶어 놓았다. 여자를 말이다.

본 적도 없는 여자였으나 짧은 탐색 안에 걸린 최적의 상대였다. 하필 그 시기에 그 곳을 지났다는 게 그녀의 불행이다.

김재영은 희생양에 대해서는 어떤 감흥도 없이 기계적이고 차갑게 일들을 수행했다. 투약한 수면제의 양은 상당하다. 아마 하루 정도는 미동도 없이 기절해 있을 것이다.

운동을 하고 왔는지 트레이닝 복 차림이었고, 그는 그대로 도수 운반법을 하듯 들쳐 업고 들어왔다. 차에만 실으면, 주택에 딸린 차고가 있었기에 차고 내부에서 집 안으로 옮긴 뒤 지하실로 옮긴다. 다른 이들의 눈을 걱정할 필요는 없었다.

마치 시장을 봐 와서 냉장고에 식료를 채우듯. 어느 창고 정리를 하듯 망설임없는 움직임으로 이름도 알지 못하는 대상을 침대에 묶었다. 철제 책상에는 정신병자들의 움직임을 제어하는 듯 단단하게 만들어진 구속용의 벨트가 있었다. 그것을 몇 겹으로 사용하면 상대는 손 하나 꼼짝하지 못한다.

사지는 물론이고, 손발목 용의 벨트가 있어서 정말로 옴짝달싹할 수 없다. 정신을 차린다고 하더라도, 쇠로 만들어진 가구를 부술 정도의 괴력이 있지 않은 이상에야 도망가지 못한다.
지하실은 철저한 방음 구조로 되어 있어 비명이 바깥으로 새어나가지 않는다.

애초에 사람의 소리가 샐 일은 없다. 보통 방음 구조가 막는 것은, 이미 정신을 잃은 육신을 부수어대는 기계적인 작업의 소음 뿐이다. 공사 소음이라고 해도 좋았다.
일반적인 공사보다 훨씬 잔악한 행위였다.

김재영은 성공적으로 묶은 그녀의 얼굴을 한 번 처다보았다. 화장기가 적고, 예쁘장하게 생긴 얼굴이다. 그 모습이 그에게 어떤 흥미를 주진 못했다. 사이코패스는, 게이는 아니었다. 그러나 딱히 이성적으로 누군가에게 감흥을 얻고 이성애의 열망을 느낀 일도 별로 없다.
육신의 욕망이 없는 건 아니었지만, 그 정도로 지독하게 움직이는 운동을 매일 하는 인간은 아무래도 그럴 새도 없게 된다.

나머지는 그 스스로의 흥미를 통한 발로일 텐데, 그는 이성애에 대해서 생각해본 일이 없었다. 애초에 사랑을 느끼지 않는다.
자신의 신분을 감추기 위해서 연인이나 결혼을 위장막으로 쓸까, 고민한 적은 살아오면서 있었지만. 그게 그렇게 효율적이지 않다고 생각한 이래 시도조차 한 일이 없었다.

제법 번듯하게 생긴 그였기에 다가오는 이성이 있었으나 애초에 싸늘하고 추악한 그의 내면은 누군가의 접근을 그리 반기지 않는다. 사람의 태도라는 게 사회적인 것이고 또 상호 교환적인 것이었으므로. 비정상적으로 냉담한 반응을 보이는 재영에게 깊이 다가오는 이성은 없었다.

재영은 그 감은 눈의 얼굴을 보면서, 어떻게 마무리를 하고 뒤처리를 할까 시뮬레이션을 했다.

다른 이들에게 보일 수 없는 수준의 상상도였고, 이 세상에서 사라져야 할 계획의 상상도였다.

그는 아주 희미한 광량을 유지하는 작은 전구 하나만을 켜둔 채, 지하실 문을 닫았다. 쿵.

다시 바깥으로 올라간다. 짐승은 아직 사냥 중이었다.

*

-박주영 경사님. 댁내 구역에서 신고 전화 한 건 있었습니다. 위치 파악 후 찾아봤는데 인적 드문 골목이었고, 자세히 조사해봤으나 별다른 흔적은 없었습니다.
다만 느낌 쎄해서 문자 남깁니다. 위치는 여깁니다.

김민식의 문자를 받은 박주영은, 어둠 속에서 개별적인 순찰을 실시하다가 잠깐 멈칫했다. 그가 존댓말을 써서 그런 건 아니었다.

업무 상의 이야기를 할 때 김민식은 곧잘 '경사님'이라고 호칭을 붙이거나 존댓말을 썼다.

그들 둘이서 따로 일을 할 땐 딱히 그런 일 없었지만. 글을 써서 문자를 남긴다거나, 음성 메세지를 준다거나 할 때는 그렇게 했다. 다른 누군가가 볼 지도 모르니까, 그럴 것이다. 아마 그렇게 생각했다.

조직 내에서 같이 일을 하는 것이니 형식과 규율은 있어서 나쁠 게 없었다.

어쨌든 내용이 문제였다. 계식은 한 칸 옆의 골목 어귀에서 으슥한 데 몸을 감추고 그를 기다리고 있다. 이번 블록block은 그가 순찰을 도는 구간이었다. 한 수십 미터는 되는 길목의 여러 골목 틈새들을 돌고 있는 와중이다. 핸드폰 하나를 들고, 플래시를 간혹 키기도 하면서 말이다.

누군가가 걸려든다면 좋겠지만, 또 그런 일이 정말 벌어졌을 때 어떻게 하나, 머릿속으로 자신의 행동을 그려보던 박주영은 김민식의 말에 골똘히 생각을 해보았다.

톡Talk 어플리케이션으로 보낸 메세지에는, 위치가 적혀 있는 지도 어플Appl(ication)의 링크가 함께였다. 그는 클릭해서 자세한 좌표를 확인했다. 인근이었다. 순찰을 돌면서 움직이고 있는 방향으로 쭉 이동했을 때 조금 있다가 닿는 곳이기도 하다.

어차피 가야 할 곳이라면 확인해 보는 일이 어렵진 않다.

그는 살짝 고민하다가 무전기를 두드렸다.

툭, 하고 친 뒤 꺼내들어 수화기에 입을 댔다.

“아. 선배님. 민식이한테 문자가 하나 왔는데… 이 근처에서 신고 전화 하나 들어왔었답니다. 인적 없는 골목이고… 그냥 느낌이 쎄해서 수색해봤는데 별 일은 없답니다. 바로 옆 블럭인데 우선 한번 가봅니까?”

긴 말을 끊지 않고 뱉자 상대가 조금 후에 답했다.

-“훅. 수신. 좋을대로. 갑시다.”
“예. 대로변 쪽으로 나갑니다.”

근처에 차를 세워두었다. 주영은 계식이 있는 골목 출입구 쪽으로 걸음을 옮겼다.

*

박주영 경사, 와 민간인 윤 씨 아저씨가 현장에 도달했다.

“여기인 것 같습니다.”

주영의 말에 계식은 천천히 주변을 더듬는다. “……흠.” 짧은 숨소리를 내더니 플래시를 켰다. 휴대폰의 불빛이다. 어둔 골목 자리엔 별다를 게 없었다.

확실히 김민식 경장의 말대로 조금 이상한 점은 있다. 장난전화라고 보기에는 석연치 않다. 가정집, 이나 어느 건물 내부라고 하면 이해를 한다. 그런데 주변에 둘러보니… 오차 범위까지 친절하게 체크해 보내준 지도 어플의 해당 장소에는 그럴만한 공간이 없었다.

전부 이 시간에 누군가 들어가 있기에는 으스스한 분위기의 건물 공실들, 폐가 하나 둘 정도가 끝이다.

인적이 드물다. 소리도 먹힐 듯한 그런 분위기의 외진 골목에서 윤계식은 주변을 시선으로 더 훑는다. 오는 길에 보기로 CCTV도 없었다. 골목에 차 하나 대 둔 게 없다.

이런 곳이 많을까? 그가 생각했다 일부러 찾으려면 조금 시간이 걸릴 만한 장소였다. 모르고 누군가 지나간다면, 또 통행로로 쓰겠지만 묘하게 좋은 장소였다.

어떤 식으로 좋냐면, 범죄자의 입장에서 생각했을 때 아무에게도 들키지 않고 강력 범죄를 자행하기에 좋은 장소였다.

블랙박스도 도심의 CCTV도 없다.

이런 상황에서 범인을 가정할 때, 그들이 계속해서 쫓고 있는 '김연수'라는 괴물같은 연쇄살인마를 대입해서 생각을 해본다면. 그 초인적인 솜씨로 몇 초 안에 누군가를 무력화시키고 준비해 둔 탈 것으로 옮기는 상황이 그려진다.

그럴 만했다.

도심지, 야외에서 벌이는 일임에도 불구하고 완전 범죄를 자칭할 만한 상황이 시뮬레이션된다.

윤계식은 그런 류의 상상에 도가 튼 인간이었다. 추리를 하다 보면 상상력은 저절로 늘게 되어 있다. 집중력이나, 관찰력 역시 마찬가지다.

그리고 '대상'에 집중하다 보면 자신이 아닌 누군가를 그 상상 속에 집어넣어 현실감 높은 예상 장면을 도출하기도 한다.

그는 평생 김연수라는 보이지 않는 짐승을 쫓은 형사였다.

핸드폰 불빛이 김민식 경장이 그랬던 것처럼, 골목의 여기저기를 비추었다. 주영의 플래시 역시 마찬가지다. 그러다 배터리가 신경 쓰였는지 자켓 내부에 이것저것 넣고 다니는 것 중 휴대용 손전등을 켜서 비추었다. 광량이 휴대폰의 그것보다는 조금 더 나았다.

계식이 입을 열었다.

"좋아 보이는 군. 아직도 예전 모델인데."

"은퇴하시기 전에도 이거 쓰셨습니까?"

"어. 손에 아주 익지. 여차하면 범인 때려 잡기도 좋고, 튼튼한 놈이야."

얼핏 보면 검은 색의, 손 두 뼘 정도만한 단봉이라고 봐도 좋을 정도의 무게감이나 질감이다. 확실히 튼튼했다. 오래가기도 하고. 이것저것 챙기고 다니는 일은 번거롭고 무겁기도 하지만 다양한 상황에서 확실히 대응력이 올라간다.

두 사람은 면밀하게, 자리를 살폈다.

한참 순찰 중에 일어난 뜬금없는 호출이었으나 일이 벌어졌다고 하는데, 주의를 기울여보지 않을 이유는 딱히 없었다.
어차피 이 주변은 한 달 여 전에 사건이 일어난 지역이기도 하다.
상식적인 선에서 생각해도 이 정도의 수색은 가능한 부분이다. 마침 장난 전화라고 하기에 아주 약간 의뭉스런 구석이 있는 현실은, 예전의 그 실종 건에 대입했을 때 비슷한 정황을 그려낼 수 있는 상황이었다.

"뭐 보이십니까?"

주영이 물었다.

"……글쎄."

윤계식은 나이 든 몸뚱이를 여기저기 옮겨가며, 눈을 찌푸리면서 집중했다. 아무리 사소한 것이라도 놓치지 않는 게 그의 주요한 장점이었다.
남들보다 더 뛰어난 관찰력과 집중력. 그것으로 얻어내는 직관적인 수준의 결론 도출이 형사로서 그의 커리어를 이끌어 온 기능들이다.
비록 잡지는 못했지만, 그는 김연수라는 인물상을 그려내는데 있어 가장 큰 공헌을 한 인물이었다.

같은 자리를 몇 번 맴돌기도 하면서 둘이 흔적을 찾았다.

별다른 건 없었다.

민식이 문득 발견했던 것처럼, 계식의 눈에 바닥에 흩어진 플라스틱 조각들이 보였다. 미세한 알갱이들인데, 어둔 밤에 플래시를 비추면 약간 반짝인다.

그는 다가가서 그것들을 맨 손으로 묻혀 들어올렸다. 돋보기를 마침 가져오질 않았다. "……." 자세하게 질감을 느껴보고 다시 보는데, 생각했던 대로 플라스틱 류의 잔해 같았다. 무슨 물건이라도 떨어뜨렸을까.

계식이 손에 쥐고 있는 휴대폰의 케이스는 마침 그런 류다.
현대 공산업이 만들어내는 무수한 플라스틱제 물건들 중 손에 들고 있는 것으로 연상을 하는 게 합리적인 추론인지는 모르겠으나.

상상을 진행해본다.

계식은 누군가 이 자리에서 휴대폰을 떨어뜨렸다고 그려본다.

바람에 날아갈 듯한 조각들이 이 자리에 있는 걸 보면 그리 오래되지 않은 일이었다.
마침 신고 전화는 민식에게 온 메세지로 전해 듣기로, 불과 이십 여 분 전의 통화라고 한다.

민식은 박주영에게 협조를 요청하면서 몇 건의 문자를 덧붙였다. 상세한 설명과 자신의 견해를 포함한 글이었다.

아무런 말도 없이 신고 전화가 끊겼는데, 지구대에 있던 한 순경이 최근 분위기가 어수선한 걸 떠올리며 불길한 상상을 했다고 한다.

전화에는 이렇다 할 소리가 제대로 없었으나, 잘못 들었나 싶을 정도로 미세한 소음이 조금 섞여 있었다고 한다. 사람의 목소리인지 아닌지도 분간할 수 없었는데, 휴대폰이 부딪히는가 싶었다고 한다.

그는 다시금 눈을 뜬 채로 선명한 그림을 그렸다.

누군가 이 골목에서 112를 통해 신고를 했다. 지구대로 연결된 전화가 몇 초 뒤에 금방 끊겼다. 장난 전화를 이 밤중에 했을까?

마침 장난 전화를 건 그 인물은 이 부근에서 휴대폰을 떨어뜨렸다. 지구대의 순경이 듣기로 미약한 소음이 있었다고 한다. 통화 중에 어딘가 부딪힌 것처럼.

그 직후에 통화는 끊어졌다.

야밤에 야외에서 굳이 공무원을 놀려 먹으려다가 실수를 해서 제 폰을 놓쳤다. 그도 아니면 손이 미끄러워서 신고 전화 버튼을 잘못 눌렀다.

혹은,

누군가 정말로 이 밤중에 위협을 느끼고 신고를 하려다가, 그 직후 아무 말도 하지 못할 정도의 위력적 제압을 당했고 휴대폰이 떨어졌다.

세 번째 가정은 아주 미약한 단서만으로 이끌어 낸 과장과 과도한 상상력이 섞인 이야기였다.

윤계식은 그런 비약적인 추론이, 가끔 현실에도 닿는다는 것을 경험으로 잘 알고 있었다.

가장 충격적인 소설보다, 때로 현실이 더 극적이다.

그런 일들도 일어난다는 게, 오래 살아본 이의 감상이었다.

그가 입을 뗐다. 주영에게 말한다.

"……그 새끼 지금 어딨지?"

그리고 나서 생각한 건, 여러 건의 관련된 사실들이다. 한 달여 전 사라진 30대 여성. 휘령동 인근에서 벌어진 실종 건이 살인이라고 한다면 지나치게 깔끔하고 흔적이 없어, 한창 쫓고 있는 '김연수'를 연상시킨다는 박주영의 말.
그가 무심하게 찍어댔던 순찰 구역에서 우연히 마주친 이상한 청년.
그리고 기적이나 우연이라는 말을 가져다가 둘러대도 어이가 없을 정도로 또 다시 마주친 그 인간.

무척이나 기세가 날카롭고, 범죄와 관련된 듯한 분위기를 풍겼던 놈. 대놓고 관찰을 하자면 낌새가 수상쩍은 구석이 있는 혼자 사는, 정력이 넘치고 운동신경이 좋은, 시간이 많이 남는 뜨내기.

윤계식은 박주영의 감각을 믿었다.

윤계식 역시 비슷한 부류의 형사였던 적이 있고, 지금도 그런 인간이라 그렇다.

한 가지 목적을 위해서 깊이 몰입하는 인간에게 논리로 설명할 수 없는 능력이 주어질 때가 있었다.

사람을 첫 인상으로 재단할 수는 없었지만, 비언어적 정보들로 자신의 수상쩍음을 풍겨대는 인간 군상이 간혹 있음을, 어떤 감 좋은 강력계 형사가 알아챌 수도 있는 법이다.

계식이 발 끝으로 골목길 바닥을 툭툭, 쳤다. 신발을 고쳐 신는 동작이었다. 발에 꼭 맞게 채워지고 감싸는 운동화는 익숙한 감각이다. 언제든 뛸 수 있다. 비록 늙은 몸뚱이였지만, 잠시 정도는 젊은이처럼 굴 수도 있었다.

계식의 물음에 주영이 눈살을 찌푸렸다. 장년의 아저씨, 은퇴한 선배가 감이 날카롭다는 건 주영 역시 안다. 처음 봤을 때부터 그래 보이는 양반이었다. 계식이 어떤 생각을 했는지 정확히 알진 못하지만 표정과 분위기에서 저 형사가 저런 태도를 보일 만한 일이 그리 많지 않다는 걸 알았다.

주영이 손전등으로 계식의 발 밑 근처를 비추면서 입을 열었다.

"……최근 며칠 간 들러본 바로 딱히 외출 흔적 없는 것 같았습니다. 24시간 근무도 아니었지만, 들를 때마다 집에 불이 켜져 있더군요."
"……거기로 가보지."
"예?"
"딱히 수도 없잖은가. 한 번 가보자고. 여러가지 우연이 정말 운명적으로 겹치는지. 그림같은 단서의 흐름이 정말 한 통으로 이어져 있는지."

"어……."

주영이 고개를 끄덕거리며 긍정했다. 못할 일은 아니었으므로, 그의 걸음이 바로 옆 인도에 주차해 둔 차 쪽으로 향했다. 계식이 중얼거렸다.

"한 번 봅시다, 어디."

늘 잡힐 듯 잡히지 않았던 어떤 범죄자를 향한 말인지. 혹은 어떤 종교적 신앙의 대상에게 읊는 말인지. 그는 혼잣말을 하며 걸음을 재촉했다.

차를 타고, 이동을 하는 그 짧은 사이에 계식이 머릿속으로 정리를 했던 가능성 낮은 어떤 시뮬레이션에 대해 주영에게 상세히 설명했다.

*

부으응, 하고 차가 움직인다.

김민식과 박홍수 경장은 검은색 차를 몰았다.

인근 구역을 순찰하러 가는 길이었다. 애초에 그들이 맡은 책임 구역과는 조금 달랐다. 본래 위치에서 북부, 휘령동으로 올라갔다.

김민식은 박주영에게도 문자를 건넸다. 박주영은 순찰 중에 윤계식과 함께 움직여서 근처를 수색하다가, 역시 이상한 낌새를 느꼈다고 한다.

김민식에게 온 답장으로, 본인들 순찰 구역 일대 감시를 부탁받았다. 두 경장은 검은 차를 타고 원래 주영이 맡은 구역을 빙글빙글 돌며 사람들을 관찰했다.

특별한 점은 없었다.

김민식이 원래 생각한대로, 잠깐 쉬는 시간동안 헤어졌던 동료를 만나 승용차를 타고 차량 순찰을 하고 있었다. 다만 커피는 손에 든 것이 없었다.

박홍수도 김민식의 연락을 받고 부랴부랴 나온 터라 그렇다. 원래 쉬기로 한 시간보다 조금 일찍 만난 셈이었다.

"뭐 일 있습니까?"

직급은 같지만 갓 올라온 연차로, 굳이 따지자면 그보다 후임에 후배였다. 둘이 순찰조가 된다면 김민식이 사수의 역할을 맡게 되리라. 박홍수는 예의가 깍듯한 편이었다. 처음 만났을 때의 관계가 아마 시간이 지나도 그다지 변하지 않을 것 같다. 김민식은 연하의, 후배에게 고개를 끄덕이며 답했다.

"어… 아직. 그런데 조금 이상해서. 어차피 야간 순찰 도는 길이니까. 확인만 해보자는 거지."

"그렇습니까…."

대강의 이야기는 운전 중인 박홍수에게도 전달했다. 그로서는 딱히 떠오르는 생각이 없는 모양이다. 그저 김민식이 하자는대로, 이끄는대로 차를 몰 뿐이었다.

우웅, 하고 민식의 재킷 주머니에 넣어둔 휴대폰이 울었다. 톡어플 메세지다. 주영의 것이다. 그가 꾹 눌러 잠금을 풀고 내용을 봤다.

-해당 위치로 지원 바람.

"뭐라고?!"

김민식이 드물게 조금 큰 소리를 내었다. 차를 몰던 박홍수가 덩달아 악셀을 조금 더 꾸욱 밟아버렸다. 검은색 승용차가 속도를 냈다. "뭐, 뭡니까." 운전대를 잡은 후배가 물었다.

*

김재영은 자신이 최악의 덫에 걸려들었다고 생각했다.

검은색 차림이다.

어둠 속에서 보면 그게 사람인가, 싶을 정도의 일색 복장이다.

일을 치를 때는 늘 그렇듯 장갑을 낀다. 하박 전체, 팔꿈치 아래를 덮는 특수 소재의 물건이었다. 머리는 민머리가 지나치게 눈에 띄니 조금 긴 더벅머리의 가발을 덮었다. 그 위에 다시 검은 캡을 눌러썼다.

윗도리는 검은 바람막이다. 아래는 움직이기 편한 스판 재질의 작업복이었다. 운동화까지 포함해서, 전부 다 빛을 잘 받지 않는 검은색이라 시야가 어두운 인간은 밤중에 알아보지 못할 정도였다.

깊이 쓴 챙 아래로 검은 마스크 하나를 걸쳤다. 인상이 드러나서 좋을 것 없으므로, 지저분한 수염 분장을 붙였다. 드러나는 체모는 전부 가짜다. 현장에 떨어져도 인간의 DNA가 나오지는 않았다.

비닐같은 투명한 장갑 위에, 검은 면장갑을 하나 덧씌웠다. 재킷과 바지 주머니에는 다양한 물건들이 있었다.

금방 꺼내어 쓸 수 있는 얇고 질긴 와이어 묶음. 손잡이 부분이 있어 순식간에 자세를 잡고 상대의 목을 조를 수 있었다. 주먹 위에 끼는 철제 너클. 빛이 반사되지 않은 검은색으로 도색된 물건이었고, 날카로운 부위가 있어 둔기와 흉기 그 사이 어딘가였다. 과장되게 말해 '클로Claw'라고 부르는 부류에 속할지도 모른다.

발톱같은 칼날이 달렸다기 보다는, 징처럼 약간 튀어나온 원뿔이 붙어 있었다. 가시같은 그것에 맞으면 살이 뚫리고 깊지 않은 구멍이 생길 것이다. 여러 번 당하면 급소에 맞지 않아도 상당한 중상이 될지 모른다.

주사 형태의 제압 약물과, 작은 약물용 유리병 통째로 들고온 것이 있었다. 천 재질 따위에 묻혀서 호흡기를 막으면 영화에서 그러듯 순식간에 정신을 잃는다. 수면제와 신경성 독물이 섞인 신종 물건이었다. 대부분의 물건이 그러듯 신원 미상의 브로커를 통해 얻은 것이다.

그리고 작은 나이프 하나가 뒷주머니에 꽂혀 있다. 다종의 격투술과 무기술을 전문가 수준으로 익혀낸 김재영은, 한 뼘 정도 되는 나이프가 있으면 장정 십 수명으로 이루어진 포위망도 상처 없이 해쳐나갈 자신이 있었다.

총기류를 사용하지 않는 건 뒤처리가 까다로운 이유 때문이다. 소음도 그렇고, 화약 반응도 그렇고. 탄알이 어디로 튈 지 모른다는 것도 완벽하게 현장을 제어하기 원하는 편집증적인 성격에 쓰기가 영 불편하다.

조금의 의도치 않은 흔적이라도 남는다면 뒷일을 계산하기 힘들다. 다만 전기 충격기가 재킷의 품안에 들어있긴 했다. 발사하는 방식은 아니었고 가져다 댄 뒤 제압하는 방식이다.

그 정도만 있으면, 얼추 무기술을 배운 티를 내는 무장한 장정이 있더라도 두 셋까지는 정면에서 상대할 수 있었다. 둘 까지는 완벽하게 제압이 가능했다. 셋부터는 변수가 생길지 모른다.

'형사'라고 한다면, 아마 실탄을 가지고 있으리라 생각하는 게 옳았다. 더군다나 신변의 위협을 느낄 정도의 극한 상황이면 아마 발포할 것이다.
최악의 난이도를 상정하는 게 게이머로서 올바른 관점이었다.

재영은, 집 밖으로 나섰다.

먹잇감을 찾았다.

혼자 있는 적당한 누군가를 찾았다.

그의 신경을 거슬리게 했던 그 청년, 형사가 주변을 돌아다닌다는 사실은 알고 있었다.

혼자 있는 건장한 경찰이라면 아주 좋은 상대였다. 그보다 몸무게가 훨씬 많이 나가는 종류도 몇 초면 입을 막고 시체로 만들 자신이 있다. 누군가의 눈에 띄느냐 마느냐 하는 문제일 뿐이었다.

인근 동네의 지리는 이미 속속들이 알고 있었다. 현재 시간은 그리 늦지 않았다. 주택의 옥상 부근에서 몸을 감추고 몰래 망원경으로 주변을 훑었을 때, 가끔 '그'가 보였다. 형사 말이다. 혼자서 골목에 들어가 순찰을 도는 장면도 본 적이 있다.

낡아빠진 단독 주택의 옥상은 다양한 잡동사니가 있었다. 그것들을 적당히 이용하면 주변에서 사람 하나가 보이지 않도록 숨을 만한 엄폐물을 만들기도 쉬웠다.

저녁 무렵 끈질기게 망원경을 사용해 관찰 가능한 지점들을 전부 훑었다.

며칠이고 몇 시간이고 사용해서 먹잇감을 기다리는 짐승처럼 굴자 원하는 목표물을 발견할 수 있었다.

다만, 박주영이 높은 언덕길에 올라 재영의 집을 역으로 관찰할 때는 눈치채지 못했다.

서로가 서로의 움직임을 파악했으나 그 사실을 알지는 못했다.

어둔 골목 속의 시가전이라고 봐도 좋다.

전투가 시작되었는지 제대로 신호도 없는 싸움이었지만, 둘은 하나의 전장에서 움직이고 있었다.

재영은 형사가 움직이는 루트를 며칠 간의 관찰 속에서 파악했고, 그나마 그 행태의 공통점이 되는 지점을 사냥지로 삼았다.

그의 집 옥상에서 봉우리를 마주보고 관찰했을 때, 왼 쪽. 지도상으로 동쪽 시가지에서 자신의 집이 있는 주택가로 늘 들어온다. 시간도 대강 일치했다. 저녁 10시 경.

야간 순찰이라도 하는 건지, 그 행동의 연유는 알 수 없었지만 언제 어디로 움직이는 습성이 있는가, 만 파악하면 족했다.
먹잇감을 노리는 사냥꾼에게 필요한 건 그뿐이었다.

청년 형사, 눈빛이 바르던 그 인간의 사상과 생각과 정념이 어떤 내용인지 몰라도 전혀 좋았다. 가족 관계는 어떻고, 누구의 아들이며 누구의 연인이 되는가. 혹시 누군가의 아비가 되는가.
그런 것도 몰라도 좋다.
그저 자신의 눈에 보이는 그 육신을 한낱 영혼 없는 핏물로 바꾸어 낼 뿐이었다.

그건 세상에서 가장 저열한 방식의 연금술이었고,
변환비가 최악인 연성 방법이었다.

눈에 보이지 않으며 가치를 잴 수 없는 무언가를 눈에 보이며 고작 자신이 파악할 수 있는 저열한 물질로 바꾸어내고 있었으니.

물질 중에서 가치 없는 걸 보다 나은 것으로 바꾸고자 했던 그 중세 신비주의, 헛소리같은 종파와 학계의 소망보다도 방향성이 잘못 된 행동이었다.

사이코패스는 그런 유물론자였다.

인간은 세상에 발 딛고 선 그 순간부터, 신의 존재를 내심 부정할 수 없으나
입이나 제 삶으로는 끊임없이 고개 저으며 살아갈 수 있었다. 그건 신이 인간에게 부여한 자유 의지였으니.
자신의 삶을 송두리째 바쳐 무신론의 증명 이론을 만들어 낼 수 있겠으나,
그렇게 적어낸 인간의 표정이 왜인지 고통과 회한으로 비뚤어져 있는 건 어쩔 수 없는 일이었다.

세상엔 눈에 보이지 않는 게 존재하고, 사람들은 그 가치있는 무언가를 따라 길을 걷고, 삶이 영글도록 빚어낸다.

역사적 주류를 만들어내는 그 거대한 보행의 흐름에 정면으로 배치되는 살인마는, 제 손으로 또 한 번 영혼의 가치를 없애기 위해 노력했다.

10시까지 시간은 조금 남았으나, 그는 움직였다. 자신의 집 근처 상가 건물의 문을 몰래 따고 들어가 그 옥상에 섰다.
집의 옥상 구석보다는 고도가 조금 더 높다. 주변을 살피기에

괜찮았다. 쌍안의 야투, 그리고 망원 기능이 있는 안경을 들고서 재영이 수색을 반복한다.

집에는 사냥감 하나.

새로운 제물이 하나 더 있다면, 피날레로 적격일 것 같았다.

가을 바람이 옥상 구석, 난간의 철제 프레임에 제 몸을 붙인 채 고개를 두리번거리는 김재영의 뺨을 훑고 지나갔다.

달빛은 밝다.

*

김재영이 집으로 돌아와, 10시가 넘도록 수십 분 째 감시를 하고 있는 구역 근처로 차량 하나가 접근했다. 흰색 승용차다.

차에서 내린 건 두 사람이다. 검은 가죽 재킷을 상의로 걸친 청년 형사. 그리고 갈색의 바람막이 재킷을 위에 걸친 중장년의 사내. 골목 근처 도로변부터 둘이 걸어 들어왔다.

주택가의 비좁은 길목으로 들어와 땅 위에 붙은 두 사람의 시야가 제한적일 때. 높은 고도에서 그들을 관찰하는 시선이 있었다.

김재영은 집요하고 또 치열하게 주변을 더듬었다. 망원경 너머의 시야로 말이다.

박주영과 윤계식은 몇 걸음의 거리를 띄운 채 김재영의 집으로 향하고 있었다. 집까지는 걸어서 2, 3분이면 다다른다.

김재영의 집으로부터 다시 수십 미터 정도 떨어진 자리에 상가 건물이 하나 있다. 그 옥상에서 망원경으로 눈에 익은 청년 형사 하나를 발견한 김재영은 내면적으로 환희에 찬 비명을 질렀다.

가능성이 희박했으나, 생각했던 대로 되고 있었다.

결과만 좋으면 이제 모든 게 괜찮을 것이다.

그 망원경이 조금 더 주변을 더듬었을 때 체격이 건장한 중년의 사내 하나를 발견했다. '저 새낀 뭐지.' 김재영은 기억을 되새겨 봐도 알 수 없었다.
몇 걸음 떨어져 한 방향으로 걸어오고 있다. 공교롭게도 자신의 집 쪽이다. 일행이라고 한다면, 저 늙은 사내 역시 형사인가.

김재영은 나쁘지 않은 일이라고 생각했다. 반응 속도가 느린 늙은이라면, 형사라고 할 지라도 제압할 자신이 있었다. 그 앞에서 청년기의 형사 한 명을 잡아 기절시키고 난 뒤에도 말이다.

그는 주변 지리를 머릿속으로 다시금 더듬었다.
어떻게 해야 할까, 머리에 그린 지도 위에 자신을 그려 움직임을 가늠해봤다. 형사의 반항과, 대응을 생각해 두 놈 다 놓치지 않고 여기서 끝낸다.

한 번에 둘 셋이라면 불가능에 한없이 가까운 일이었다. 서울 도심 한복판에서 그런 대량 살인을 저지르고 완전 범죄로 가장한 뒤 도망간다는 것 말이다.
나라의 치안이 무너지는 수준의 일이다. 더군다나 그 여러 명, 셋 중 둘이 형사임이라면야.

김재영은 자신이 멋진 일을 하고 있다고 생각했다. 그가 구석 귀퉁이에서 보던 망원경을 접어 품에 넣고 움직이기 시작했다.

*

"바로 앞입니다."

박주영이 말했다. 그 몇 걸음 뒤에서 따라오던 계식은 그 이야기를 들었다. 깨나 큰 호흡으로 뱉은 말이라 자연스럽게 대화가 되고 있었다.

"음. 나도 보고 있네."
"그런데… 그 새끼가 혹시 정말 범인일 확률이 있는 겁니까?"
"우연이나 가망성 없는 심증이라고 해도. 좀 찾아본다고 큰일 나는 것도 아닌데 살펴볼 수야 있지. 원래 형사라는 건 답도 없는 문제를 계속 풀어나가야 하는 직업일세."

맞는 말이었다. 현실이란 그렇다. 기준도 뭣도 하나 보이지 않는 까마득한 어둠 속에서 늘 길을 찾아 더듬어 나가는 것. 대부분에, 전방에 선 직업들의 삶이란 그러하다.
새로운 발견을 위해 연구에 헌신해야 하는 과학자나. 새로운 작품을 써내려가야 하는 예술가나. 목숨을 걸고 조직을 위해 일하고 있는 어느 회사원이나. 치안 유지를 위해 범죄자들을 맞상대 해야 하는 강력계 형사나. 불 앞에 뛰어드는 소방관이나.

현실과 맞닿은 지점들은 모두 그렇다. 일반적인 삶을 사는 사람들, 안정적이어 보이는 삶 속에도 자세히 살펴보면 그런 치열함이 있다. 그 치열함을 확실하게 인지하고 사느냐, 아니냐가 결국 그 인간이 어떤 수준의 직업과 삶을 감당하고 있느냐 하는 물음의 답이었다.

어떤 조직의 엘리트란 자신이 하고 있는 일이 무엇인지 알고 있는 자들이다.

계식의 말에 주영은 걸으면서 고개를 위아래로 조금 흔들었다. 확실히 봐서 안될 것도 없었다. 어차피 그들의 수색 구역이니, 한 바퀴 더 돌 뿐인 일이다.

두 사람이 어둠 속을 저벅거리며 걸었다.

골목 하나가 나왔다. 길이 좁아지는 곳이었다. 건물이 평행이 아니라 사선으로 지어져 있었고, 끄트머리엔 사람 두 셋이 지나갈 정도다. 차량 진입 금지, 라는 표시가 근처에 적혀 있던 것 같기도 하다.

마침 CCTV는 또 없다.

가로등 불빛이 깜박거린다. 인위적인 주광색과 달빛이 주영의 앞을 비추고 있다.

집까지 고작 수십 미터다. 두 사람의 걸음이 조금 빨라졌다.

휙.

하는 소리를 박주영이 먼저 들은 것 같았다. 윤계식은 조금 뒤에 있어서 그것을 깨닫는 것이 느렸다.

박주영은 예기치 못한 인기척에 순간 몸이 굳었다. 그는 긴장 상태를 나름대로 유지하면서 걷고 있었다. 무슨 일이 벌어지리라고 확신을 하거나 상상한 건 아니었지만. 머릿속으로 그려내는 현실성 없는 스토리는 그에게 불안한 예감을 고했었다. 이런 골목, 어둔 도심과 사회의 눈이 닿지 않는 사각지대에서 '김연수'라는 괴물이 튀어나와 자신의 목덜미를 물지도 모른다는 뭐 그런 류의 상상 말이다.

빛이 없는 밤의 숲 길을 걸으면서 인간이 갖게 되는 일반적인 상상과 같은 궤였고,

그것이 현실이 되었을 때 박주영의 반응은 나름대로 기민했다.

어둠 속에서 뭔가가 뛰쳐나왔다.

박주영은 시야 한구석에서 빠르게 움직이는 그림자에 일단 놀라며 뒤로 빠졌다. 누구라도 정체가 불분명한 것이 시야에서 어른거리면 그렇게 반응한다. 위험한 물체일지도 모르니까.

실제로 아주, 가장 위험한 물체였다. '김연수'라는 놈 말이다. 김연수라고 불리웠던 그 원조 싸이코 새끼가 키워낸 젊은 놈이었으

니, 지금 그 말이 가장 잘 어울리는 놈이리라.

타닷, 하고 인적 없는 콘크리트 바닥을 빠르게 박차는 소리만이 울렸다. 그 정도는 아무것도 아니었다. 불꺼진 건물에 사람이 있는지, 혹은 아예 없는지 알 수 없었다.

윤계식이 차마 소리를 내기도 전이었다.

골목 틈새에 숨어있다가 박주영의 전방 좌측에서 튀어나온 김재영은 장갑을 낀 손을 휘둘렀다. 눈 한 번 깜짝할 사이에 그의 정면이었다. 제대로 자세를 잡지도 못하고 어버버, 하면서 한 두 걸음 뒤로 물러난 박주영을 노리는 건 그에게 아주 쉬운 일이었다.

김재영은 어지간한 격투기 선수들보다 노련한 맨손 격투 실력을 갖고 있었다. 그건 그가 지난 오랜 세월동안 뼈를 깎는 고련을 강제로 당해야 했기에 얻은 것이었다. 깔끔한 팔의 궤적의 끝엔 잘 말아 쥔 주먹이 있다. 검은 장갑의 너클 파트, 오른손 스트레이트가 측면으로 파고들면서 허공을 갈랐다.

퍽, 하고

턱이 흔들렸다. 박주영은 그대로 블랙아웃을 당했다. 무언가 튀어나왔고, 자신이 반사적으로 거리를 뒀다. 그 다음 세상이 180도 도는 것처럼 어지러웠고, 시야가 사라진다. 쿵! 하고 그가 콘크리트 바닥에 그대로 쓰러졌다.

뒤로 물러서던 기세 그대로 넘어졌는데, 단번에 쓰러지지 않고 몸이 굽히면서 순차적으로 떨어졌다. 고개가 크게 뒤로 젖혀졌는데, 도리어 뒷목 연수 부위는 허공에 뜨고 정수리 부근이 땅에 먼저 닿는다. 어찌저찌, 큰 부상 없이 떨어졌다.

김재영은 한 호흡 반 만에 한 놈을 쓰러뜨리고 그대로 몇 걸음 뒤의 윤계식에게 달렸다. 윤계식은 조금 굼떴다. 그 사이 소리를 칠 생각이 떠오른 건 조금 늦었다. 형사, 사내, 강력계의 와일드 카드로 살아왔던 그는 도움을 청한다는 발상이 약간 늦었다. 뒷춤에 달아둔 가스총을 꺼내 능숙하게 앞으로 겨누는 게 먼저였다. 그 동작을 최우선적으로 한다고 다른 일을 못했다.

골목은 아직 조용했다. 멀리까지 소리가 들리진 않는다. 김재영은 수없이 머릿속에서 계산한 대로 플레이했다.

그는 게임을 플레이하는 중이었다.

더럽게 어려운 암살 게임이다. 그는 게임 속의 캐릭터라도 된 양 움직였다. 얼추 그 모션과 동선이 구현 가능하다는 점에서 고기능의 신체였다.

눈대중으로 짐작한다.

윤계식과의 거리는 큰 걸음으로 세 번이면 닿는다. 약 3, 4미터 정도 떨어져 있었다.

달리듯, 뛰듯 그가 날았다.

반면

갑자기 튀어나온 대중없는 미친놈을 보고 윤계식은 서둘러 리볼버형의 가스총의 손잡이를 쥐며 자세를 잡았다. 숙련된 파지법은 그의 세월을 말해준다.

주름진 손아귀가 가스총을 정확히 쥐고 겨누었고, 직선으로 달려드는 인간을 바로 앞에서 맞추지 못하는 건 그의 수치나 다름이 없었다.

변수가 하나 있다면

달려들고 있는 김재영의 시선을 확인하기 어렵다는 것이다. 어둠속에서 상대의 어깨 움직임, 발 움직임을 그가 와중에 살폈다. 윤계식은 김재영이 아주 급하게 움직이고 있고, 방향을 선회할만한 여유가 없다고 판단했다.

검은 그림자처럼 보이는 김재영의 빠른 움직임에, 그 두부頭部에서 조금 아래쪽을 겨누며 방아쇠를 당기려 했다. 순간적으로 반응하고 피한다면 아마 자세를 낮추는 수 밖에 없을 테다.

달려들고 있는 김재영의 시선과 머리는 '총'을 인식했다.

주변은 인적이 드물지만 근거리에 거주자가 있는 주택이 있었다. 총소리가 나면 뒷감당이 어렵다. 그리고, 원래 이렇게 하려고 했다.

재영은 이미 꺼내어 들고 있던 한쪽 손의 나이프를 그대로 던졌다.

몇 걸음 거리라면, 상대가 총을 가지고 있어도 그가 더 빠르고 정확하다. 김재영은 마치 농구에서 그렇게 하듯, 발목을 꺾어대며 순간 상대방의 시선이 자신의 움직임을 따라 흐트러지게 했고 찰나 방아쇠가 당겨지기까지 틈을 만들었다.

직선 운동을 하다 오른쪽으로 급격하게 틀어 들어오는 그 춤같은 움직임에 윤계식의 조준된 총구가 흔들린 게 사실이었고, 재영은 이미 팔을 거세게 휘둘렀다.

궤적이 크진 않았다. 요점은 마지막 손목의 스냅이었다. 그리 길지 않은 나이프는 근거리에서 격투를 할 때도 써먹지만, 이렇게 던지기도 한다. 암기로의 용법 역시 손바닥에 피가 맺힐 정도의 반복 훈련으로 익힌 바가 있다.

여러 번 연습에서 그랬듯이, 나이프가 어둠을 뚫고 빛살처럼 날아가 장년 형사의 왼쪽 어깨에 틀어박혔다. 윤계식도 외투를 걸치고, 그 안쪽에 조끼를 또 입고 있었는데 그마저 가르고 살과 그 내부까지 칼날이 파고든다.

"읍!"

윤계식은 비명같은 신음을 잇새에서 토해내며 자세가 무너졌다. 한쪽 다리가 살짝 풀려서 주춤했고, 격통에도 집중력을 잃지 않기 위해 애썼다. 순간 형사의 표정이 흉측하게 일그러졌다. 그 시선이 재영을 쫓는다. 방아쇠는 아직 당기지 않았다. 안면부에 가스탄이 틀어박히면 어쨌든 위력이 있을 테다. 모자와 마스크가 있었지만 눈은 노출되어 있고, 얇은 천 정도는 가스의 액체와 기체 따위가 침투할 수 있을 것이다.

늙은 형사의 바람이 끝내 이루어지지 못했다.

김재영이 조금 더 빨랐다. 그는 방향을 살짝 꺾었음에도 기세가 많이 죽지 않았고, 후들거리는 한 쪽 팔을 움직여 계식이 자세를 잡았을 때 이미 지근거리에 다가와 그대로 낭심을 걷어찼다.

칵, 퍽! 하는 소리였다. 바로 앞까지 달려온 사내가 발을 들어올리는데 포장 도로에 신발이 끌렸고, 잠시 뒤 그 발등이 계식의 가랑이를 갈겼다. 순간적인 기지로 힘이 풀린 사지를 움직여 조금 쯤은 오므렸다. 충격이 다 들어오지는 않았으나 경직이 될 정도의 고통은 있었다. 계식의 이글거리는 눈과 달리 몸이 따라주지 못할 때, 재영은 그대로 손을 뻗어 턱을 마저 날렸다.

재영의 주먹 뼈가 계식의 턱을 깔끔하게 훅의 선을 그리며 다가와 쳤고, 뇌가 흔들렸다. 장년인은 순간 주영과 똑같이 시야가 까맣게 변색되어 사라지는 걸 느낀다.

미션 클리어, 라는 게임의 이벤트 문구가 재영의 뇌리에 떠오르는 것도 같다. 미친 사이코 새끼는 기어코 머릿속으로 계산했던 움직임을 현실화시켰다.

순식간에 두 명을 기절시켰고, 두 사람 다 골목 너머까지 소리가 들리도록 소음을 내지도 못했다.

김재영은 일단,

자신의 나이프가 박힌 채 기절한 계식을 확인하기 위해 걸어갔다. 뒤편에 쓰러진 박주영은 인기척이 없었다. 뇌진탕이 와서 제대로 쓰러진 둘이니 아마 잠시간은 정신을 못 차리리라.

적어도 분 단위일 것이다. 1, 2분이면 두 사람을 더 으슥한 담벼락 아래로 데려가 결박하기에 충분한 시간이다.

골목 중에서, 큰 길목이 1자로 뻗고 그 양 옆으로 틈새가 있는 것이다. 재영이 숨어 있다 튀어나온 곳이었다. 마침 자신이 옥상에 있던 상가 건물 쪽으로 둘이 다가와줘서 일이 쉬웠다.

굳이 고개를 디밀어 보지 않으면 무슨 쓰레기가 던져져도 잘 알지 못하는 그 틈바구니 속에서 일을 치르면 적당할 것 같았다. 한쪽은 불이 꺼진 가정집이다. 지금 사람이 없는지, 혹은 일찍 잠자리에 든 건지는 알 수 없었다. 다른 쪽은 재영이 이미 확인한 인적 없는 상가 빌딩이었고.

사람 한 명이 딱 들어갈만한 폭의 틈새로 재영은 계식과 주영을 들쳐 업거나, 혹은 그대로 질질 끌어 데려가려고 했다.

적당한 천이나 거적때기로만 덮어두어도 몇 시간, 혹은 밤이 다 지나도록 발견되지 않을 가능성이 있었다.

지금 당장은 거창한 형태로 마무리를 하기엔 준비가 부족하다. 나이프가 꽂힌 계식의 어깨에선, 다행히 피가 바깥으로까지 튀지 않았다. 칼날이 꼭 맞게 박혀 들어갔고 상처 자체가 크지 않아서였다. 물론 넓이의 이야기다. 깊이는 어지간히 박혀서, 정신력이 사납도록 무서운 계식이 쇼크로 휘청거릴 수준이었다.

재영은 다행이라고 생각했다. 골목에 피라도 튀어댔다간, 완벽주의인 그에게 있어 상당한 스트레스였을 것이다.

그의 동네를 돌고 있는 형사는, 아마 이 청년과 중년의 콤비 뿐인 것 같았다. 그간 곳곳을 뒤지며 파악했지만 순찰을 돌듯 움직이는 인간은 이 둘 뿐이었다.

약물을 과다 투입해서 끝내기로 했다. 기본적으로 독이 포함되어 있는 제압용 약물이다. 치사량 이상을 들이부으면 그대로 극독으로 쓸 수 있었다.

김재영은 두 명의 마지막이 될 골목 틈새로, 좀 더 멀리 있는 윤계식을 우선 잡았다. 체격이 깨나 있는 중년인의 기절체體다. 그럼에도 재영은 힘이 좋고 장신이라, 충분히 옮길만 했다.

계식의 왼쪽 다리를 잡고 든다. 묵직하다. 장갑을 낀 손으로 종아리 어름을 잡고 슬쩍 끌어봤다. 지익, 하고 움직인다. 나이프가 흔들리진 않았다. 바닥에 흔적이 많이 남을까, 싶어 끌어안아 들기로 했다. 그가 쓰러진 계식의 옆으로 가서, 그 밑에 팔을 넣어 들어올리기 위해 앉았다.

*

주영이 눈을 떴다.

어질거리고, 토할 것 같은 기분이었다. 세상이 아직도 흔들린다. 그는 어둔 밤 중에 멍하니 뜬 동공으로 전방을 인식했다.
그의 마지막 기억은 정확하고 명료했다. 초인적인 정신력이었다. 그의 의지와 집념이 이루어내는 결과인지도 모른다.
몇 초 후에, 주영이 스스로의 손을 들었다. 주변이 골목임을 인지한다.

자신은 어떤 수상한 새끼의 집으로 찾아 가다가, 그 골목에서 갑자기 습격을 당했다. 턱을 정통으로 맞았는지 쓰러졌다.

주영이 엎어진 곳은 재영과 윤계식이 있는 장소 조금 앞이다.

쓰러진 주영이 그대로 고개를 더 젖혀 뒤를 바라보면 두 명이 보일만 하다.

박주영은 잠시 눈을 감았다. 어지럼증이 심했다. 몇 초간 더 있었다. 귀가 웅웅댄다. 근처에서 풀썩거리며 누가 움직이는 게 느껴진다. 시간이 얼마 지나지 않은 것 같았다. 정말로 금방이었다. 박주영은 정신을 잃은 뒤 십 수초 후에 다시 정신을 차렸다.

덜덜덜 떨리는 손아귀를 제어할 수 있을까. 조금 기다렸다가 손끝을 움직이니 그래도 의지도 꿈틀거렸다. 감각도 느껴진다. 젊은이는 사력을 다해 제 신체를 썼다. 필생의 의지에 가까웠다.

주머니에 핸드폰이 있다. 몸보다도 어질거리는 머리로 똑바르게 해야 할 행동들을 떠올리는 일이 더 극한스런 작업이었다.

무릎이 접히고 이상한 자세로 쓰러졌던 그가 꿈틀거리며, 핸드폰을 쥐었다. 옷가지가 스치며 소리가 났고, 조용한 골목이었지만 그의 소리를 들을만한 인간 역시 자기의 작업에 몰두하고 있었다.
더군다나 박주영이 그렇게 빨리 정신을 차리리라 생각하지 못하는 의식의 빈틈이 방심을 만들어냈다.

박주영의 손이 주머니 속 폰을 쥐었다.

꺼낸다. 비틀거리는 손길이 화면을 조작한다.

박주영의 시야는 여전히 흔들거리고 또 흐릿하다. 눈알에 힘을 빡 주고, 인상을 찡그리면 좀 낫나? 그가 생각했지만 크게 효과는 없는 요령이었다. 휴대폰은 어차피 매일 숨쉬듯 쥐고 사용하는 물건이다. 연락을 하는 것 정도는 가능하다.
그의 손이 몇 번 움직이자 가장 빠르게 어플을 켰다. 메세지 어플이다. 가장 위에 있는 건 최근에 연락했던 그의 콤비, 김민식 경장이었다.
심플하게 이름과 계급으로 적힌 김민식과의 대화창이 눌린다.

'지워'

까지 친 건 그가 생각해도 정말 용한 일이었다. 스마트폰, 그리고 어플리케이션의 자체 완성 기능이 아래에 그가 언젠가 썼던 문장을 만들었다.
-해당 위치로 '지원' 바람.

클릭했고, 한 두 번 손가락을 문지르듯 누르며 움직였더니 메세지가 갔다.

"……."

윤계식을 품에 안기 위해 자세를 조정하고, 들어올렸던 김재영은 거구를 팔만으로 안고 방향을 돌렸다.
챙 아래에 눈빛이 빛났다. 검은 마스크가 입가를 가려 보이는 건 콧잔등 위의 얼굴 뿐이다. 그마저 모자를 눌러써서 각도에 따라 잘 보이진 않았지만.
김재영 스스로는 시야 확보에 문제가 없었다.

그는 손을 움직여 핸드폰을 만지고 있는 박주영을 보았고, 잠깐 생각을 했다.

정신을 완벽히 차렸다면, 윤계식을 버리고 한 번 더 손을 봐서 끝장을 내야 했다. 어질거리는 머리로 반항할 수 없는 상태라면, 장년의 형사를 안은 채로 다가가 발로 안면 부위라도 세게 밟아버리면 그만이었다.

박주영이 그 사이에 사력을 다해서 일어섰다.

*

박주영은 기어코, 몸을 일으켰다.

시야는 필요 없었다. 일단 기세다. 상대방이 자신을 어떻게 보는가가 중요했다. 싸움이란 외견에서 오는 위압감도 써먹어야 하는 일이었다.

실제로 그가 정신을 조금 차린 건 몸이 다 일어난 뒤다. 김재영은 윤계식을 바닥에 내려놓았다. 내팽겨치지 않은 건, 어깨에 꽂힌 나이프가 빠져 출혈 때문에 난리가 나지 않게 하기 위해서였다.
과도한 실혈은 늙은 윤계식 개인의 안위에 관해서도 불행이었지만, 그냥 살인이 아니라 완전 범죄를 지향하는 강박증의 김재영에게도 일어나서는 안되는 일이었다.
통제된 현장이고, 그가 완벽하게 흔적 없이 빠져나기까지 시간이 보장되어 있다면 모르겠지만. 여기는 아니다.

CCTV의 사각이며 이곳을 보고 있는 누군가의 시선도 없으나 소란이 일어나면 문제가 생길 수 있다. 인적 없는 골목길.

사람이 없을 땐 한 시간도 비어있는 경우가 있다. 더군다나 어둔 밤이며 시계가 좋지 않아 근처를 지난다고 해도 상황 파악을 못할 가능성도 있었고.

그럼에도 상황이 상상과 달리 틀어질수록 리스크가 생기는 건 사실이었다. 김재영의 머릿속, 혹은 마음속에서 그런 위기 수치를 재고 있는 가늠자가 그를 재촉했다. 더 빠르고 정확하게 움직일수록 좋다.

빠르게는 얼마든지 가능했다. 재영은 침착하기를 바랐다. 일류 운동선수나 같은 마음가짐이었다. 그가 능력을 발휘하는 분야는, 전혀 상관이 없는 쓰레기같은 곳이긴 했으나. 그는 평정심을 갖고 자신이 원래 쓸 수 있는 신체 능력을 십분 발휘하고, 숨 몇 번 몰아쉴 시간만에 일어선 청년을 다시 넉 다운 시키기로 했다.

재영이 예비 동작이나 전조도 없이 앞으로 뛰었다. 비틀거리며 선 주영 역시 그 모습을 봤다. 뒤로 피했더니 더 찔러 들어오며 어려움 없이 그를 쳤다. 박주영은 이번엔 앞으로 대가리를 박았다. 고개를 숙이고 마주 친다.

한 방만 견디면 된다. 지금은 정확하게 앞에서 조준을 할 만한 상황이 아니었다. 한 번의 습격만 견디고, 드잡이질을 해서든 상대를 떼어놓고 나면 홀더에서 총을 뽑아 똑바로 조준해볼 수 있을듯 했다.

순간 달려든 재영에게 주영은 더 가까이 갔고, 반 걸음 정도 거리가 엇나갔다. 재영의 휘두르는 팔이 주먹이 아니라 전완근 부근에 주영의 두부가 걸렸다. 궤적이 작고 깔끔한 훅이었으나 웅크리듯 고갤 숙이고 다가온 주영의 턱을 노리지는 못했다. 쿵!

하는 소리가 들린 것 같았다. 주영이 느끼기에는. 어디에 치이기라도 한듯한 충격이 느껴지며 비틀거리고 싶었지만, 그리고 실제로 몸이 좀 흔들렸지만 아랑곳않고 스텝을 밟았다.

주영은 대가리를 다가온 재영의 품에 박았다. 그대로 아래로 숙인 채 쥐고 있었던 주먹을 상대방의 명치에 꽂아넣었다. 눈이 흔들려도 이 정도로 가깝다면 할 수 있는 일이었다. 그동안 부단하게, 무술은 연마했다.

교육 시간에도 이수를 했고 따로 배우기도 했다. 시간을 들여 배운 게 도움이 되기는 한다. 진실된 훈련이나 노력은 급한 상황에서 정확한 동작을 수행시키는 힘이 있었다.

퍽, 하고 주먹이 한 두 번 재영의 몸을 가격했다. 그로서는 가렵지도 않았다. 과장되이 말해서 말이다. 그 정도는 아니었지만, 단련된 피부나 근육을 가졌고 또 통증에 익숙한 김재영은 크게 경직이 오지도 않았다. 타이밍에 맞춰 한 두 번 숨을 뱉으며 힘을 줄 뿐이다. 나이프는 이미 써먹었다.

김재영은 주머니에 있는 너클을 생각했다.

몸이 붙은 상태에서 이대로 상대를 제압한다. 팔로 묶어 졸라 기절시켜도 좋고, 움직임만 막은 뒤 너클을 끼워 가격해도 좋을 듯했다.

잠깐의 고뇌 후 살점이나 피가 바닥에 흩뿌려질 것 같아서, 그냥 경동맥을 압박하기로 했다. 거북이처럼 제 몸을 보호하며 고갤 처박은 박주영의 자세를 풀고 틈을 만들기 위해서 재영이 움직였다.

약간 거리를 벌리고, 다가오는 주영에게 방향을 내어준다. 그 힘을 흘리면서 옆으로 이동한다. 그리고 상체를 감싸안으며 조른다. 상대가 움찔하며 팔에 힘이 조금이라도 떨어지고 틈이 벌어지면 그 사이에 제 것을 넣고 목을 조르려 했다.

그 부분까지가 생각이었고, 주영은 다른 생각을 갖고 있었다. 뒤로 빠지려는 김재영을 무게를 실어 거칠게 밀쳤다. 한 팔로 그의 상체를 더듬어 만진 뒤, 거리를 알자 그대로 자세를 세우며 앞발로 밀어 찼다.

갑작스러운 회복과 과감한 움직임은 예상 밖의 것이었다. 주영은 비틀거리던 놈치고, 상당히 잘 움직이고 있었다. 그렇잖아도 조금 거리를 벌리려던 재영이 주영의 밀침에 따라 몇 걸음 더 벌어졌다.

상대를 밀쳤다는 무게감이 손과 발에 느껴지자, 주영은 정신을 차리려 애쓴다. 그리고 생각했던 대로 제 가죽 재킷의 안쪽, 품에 고정한 홀더에서 권총을 꺼내들었다.

몇 걸음 뒤로 밀려나는 재영의 눈에 그게 빤히 보였다.

리볼버를 꺼내어 익숙한 손짓으로 쥐고, 그대로 팔을 든다. 양손을 이용해 파지한 리볼버의 총구가 재영의 상체 부근까지 올라왔을 때, 별다른 충격이 없는 재영은 가뿐하게 다가와 그 긴 다리로 주영의 팔을 걷어찼다. 팩! 하고 휘둘러진 채찍처럼 다리가 움직여 리볼버를 날렸다.
쥐고 있던 손아귀가 풀렸고, 방아쇠는 차마 누르지 못했다. 안전

장치가 풀린 리볼버를 던지는 건 위험한 짓거리였지만 격발되지 않았다.

골목 벽 아래에 리볼버가 부딪히며 땅바닥을 미끌어졌다.

마지막 순간에 주영은 힘을 뺐다. 발이 차는 방향대로 팔을 풀었다. 그는 그대로 달렸다. 일말의 틈도 없었다. 김재영은 너클을 쓸까 한 번 더 고민했다. 관자놀이에 툭 튀어나온 쇠 징을 박아 넣으면 어쨌든 움직임을 멈출 것 같기는 했다.

그 사이에 박주영이 지근거리였고, 김재영은 다시 한 번 허리를 틀어 상단 차기를 날렸다. 박주영이 머리를 처박은 채 전진하다가, 용케 팔을 들어 발차기를 막았다. 다만 다리에 힘이 별로 없었다. 자세가 무너지며 옆으로 밀렸고, 그대로 땅바닥을 뒹굴었다.

쿠당! 하고 청년이 바닥과 거칠게 포옹했다.
감격스러운 기분이었다.
물론 반어법이다. 박주영은 정신이 없을 정도였고, 아무것도 느끼지 못할만큼 최악이었다. 덜 회복된 시야와 머리는 연이어 데미지가 오자 박주영을 더욱 괴롭혔다.

다만

박주영을 알아 본 한 사내는 그가 자신과 비슷한 부류라서 긍정했고, 인정했다.

그와 파트너로 다니던 작자 말이다. 극한의 상황에서 결국 한 걸음을 내딛게 만드는 건 육신보다도 정신의 영향이 컸다. 지독하도록 간절한 마음은 불가능하게 보이던 것들을 이따금씩 가능의 영역으로 끌어내린다.

인간이 고작, 할 수 있는 게 별로 없지만. 제 머리가 죽을 것처럼 흔들리거나 일어설 수 없을 듯한 상황 속에서 사명감을 붙들고 다시 서는 일은 그래도 어떤 분야에서 가끔 일어나는 기적의 한 종류였다.

박주영이 난리를 피우는 동안 윤계식이 정신을 차렸다. 김재영에게는 아주 좋지 않은 소식이었다.

늙은이는, 눈을 뜨고 뇌가 돌자마자 휴대폰을 찾지 않았다.

더듬거리면서 골목의 포장된 바닥, 흙먼지와 돌가루, 쓰레기 따위가 있는 지면을 찾았다. 찾고 있는 건 그가 마지막에 쥐고 있던 물건이다.

블랙 아웃에서 돌아왔지만 놀라운 의지는 곧바로 행동을 종용한다. 윤계식은 어질거리는 정신속에서 그가 해야 할 일을 의식한다.

여기가 어디지, 라고 느끼기 전에 그가 상체를 비틀었다. 울렁거리는 듯한 시야로, 어둠 속에서 그가 주위를 보았다.

한 걸음 너머에 가스총이 떨어져 있었다.

윤계식이 쓰러질 때까지 놓지 않았던 게, 김재영이 그를 안아 들고 옮길 때 빠졌다. 땅바닥을 구르는 그것을 향해서 그가 기었다.

생각보다 늙은 몸이 잘 움직여 주었다. 다리가 움직였다. 무릎으로 기어서 금방 닿는다.

김재영은 골목 구석에 쓰러진 박주영에게 다가간다.

목을 졸라 기절시키려는 생각은 여전하다. 아주 능숙하고 또 자연스럽게 그 팔이 박주영의 목을 휘감기 위해 들어간다. 쓰러진 놈을 상대하는 것이니 그 또한 구석 자리에 다가가 앉은 채다. 그 시야 한 켠에 이상한 게 들어왔다.
어깨에 칼을 맞고, 낭심을 걷어 차이고, 턱이 흔들린 뒤 뇌진탕을 일으켰을 늙은이가 일어날 리가 없었다.

시야 한 구석에서 움직이는 인간을, 그는 이상한 물건을 바라보듯 처다봤다.

윤계식이 리볼버 형의 가스총을 그에게 겨누고 있었다.

그가 박주영의 목에 감은 팔을 빼서 다가가기 전에, 손가락이 움직였다.

탕!

화약으로 탄을 쏘아내는 구식 가스총은 총성과 비슷한 소리를 냈다. 탄두가 없기에 유효 거리는 고작 작은 골목 하나, 그 내부에서나 쓸법했다. 그리고 지금 상황은 딱 그 정도였다.

멀지 않은 자리에 있던 김재영에게 가스총의 내용물이 가 맞았다.

*

팍, 하고 튀기는 액체와 흩어지는 기체가 김재영의 상반신을 물들였다.

그는 일단 숨을 멈추었다. 다행히 마스크를 끼고 있었고, 부위도 안면을 맞진 않았다. 순간 고개를 돌려 눈에 무언가 들어오지 않도록 했다.

유효한 전략이었고, 그는 눈을 보호할 수 있었다.

김재영은 그대로 일어나 뒤로 물러섰다. 가스총이 연발이 된다면 맞아서 좋을 게 없다. 그가 알기로 리볼버 식이든 뭐든 사정 거리는 그렇게까지 길지 않았다. 수 미터만 더 벌리면 그 사거리 바깥으로 넘어간다.

박주영을 채 옮기지도, 끝을 내지도 못했다.

김재영은 이미 틀어져버린 상황에 속으로 욕을 떠올렸다.

돌린 고개 그대로 등을 보이며 뛰었다. 눈을 감고 숨도 멈추었다. 골목의 지리는 이미 훤히 알고 있었다. 그를 가로막는 건 없다.

천천히 상의를 벗었다. 옷에 묻은 최루액이나 분진이 날려서 호흡기에 들어가면 곤란하다. 얼마간 참을 수 있기는 하다. 온갖 종류의 특수 트레이닝을 받은 몸이다. 정말 우습게도, 어느 게임이나 만화에나 나올 법한 그런 경험을 다 해 낸 몸이라는 말이었다.

살인마가 아니라면, 그 재능이나 신체적 성질만 본다면 어느 특전사 부대에 들어가 나라를 위해 헌신해도 좋을 만한 능력이다.

얇고, 운동용으로 적합한 검은 윗도리를 벗었다. 바람막이와 같은 재질이었다. 방수용이라 다행이었다. 안쪽에는 땀을 흡수하기 좋은 스포츠 웨어다. 검은색의 딱 달라붙는 스판이었고, 긴팔이라 어둠 속에서 그의 형체는 여전히 검고 또 분간하기 어렵다.

가스총의 액이나 가루가 옷을 찢어버리진 못할 것 같았다. 근접 거리에서 맞으면 화약의 폭발로 어느 정도 위력이 나오지만, 떨어진다면 관통력은 전혀 없다고 봐도 좋다.

김재영은 욕설을 지껄이기 전에 먼저 움직였다. 윗도리를 벗었고, 가스총의 탄착물이 묻은 방향을 바깥쪽으로 해서 들었다. 보호막처럼 그것으로 앞을 가린다. 숨을 조금 쉬어봤다. 마스크 너머로 맑은 공기가 느껴진다.

미미하게 가스총의 매케한 연기가 냄새로 닿는 것 같기도 하다. 심한 정도는 아니었다. 눈도 떴으나 괜찮다. 곧바로 자리를 이동한 게 유효했던 것 같다.

김재영이 그대로 윤계식을 경계하면서 천천히 다가갔다. 정확히 말하면 자세를 잡기까지만 천천히였다. 그가 여전히 총구를 쥐고 있고, 머리가 어질거리는 지 컨디션이 좋아 보이지 않는다는 걸 확인하자 그는 냅다 달렸다. 앞은 옷으로 가로막고 말이다.

제 시야마저 가리는 짓이었지만 어차피 한 번 본 장면으로 골목의 지리를 기억한다. 이리저리 꺾어서 지그재그로 달리며 그가 다가갔다.

반대로 윤계식은 가만히 있었다. 시야가 조금씩 돌아오는 것도 같다. 어른거리는 장면들 속에서 빠르게 움직이는 김재영은 바퀴벌레보다 잡기 어려운 것이었다.

총구를 함부로 틀지는 않았다. 어차피 맞추지 못한다면 의미 없다. 계식은 틈을 기다렸다.

지그재그로 움직인다면 어차피 사선에 한 번 걸린다. 그는 앞으로 조준한 총구를 가만 두고, 그 사선에 재영이 다가오기를 기다렸다.

김재영이 걸리자 탕! 하고 한 번 더 쏘았다.

김재영은 한 번 더, 속으로 욕했다.

가스총의 격발음은 화약으로 이루어져 일반적인 총과 닮아 있었고, 소리가 꽤나 컸다. 높은 소리이기도 했다. 이미 도심에서 누군가 들었을 지 모른다.

그가 바라마지 않는 완전범죄에서 슬슬 멀어지고 있었다. 애초에 두 명을 처리하는 게 문제였을 지도.

애초에 순순히 떠나지 않고 형사들을 잡겠다느니, 하는 미친 발상을 한 것 부터 그가 평정심을 잃었던 게 아닐까 싶었다.

김재영은 고민한다. 지금 자신이 정상이며, 정상적인 판단을 내릴 수 있는 정신 상태인가.

그리고 그 질문은 아주 덧없는 것이었다.

그는 사이코패스로서 범죄를 당연시 저지르며 살아가고 있는 그 모든 순간 한 번도 정상이었던 적이 없는 미치광이였으니까.

괴물같은 삶을 살아가는 놈이 정상적, 을 찾아보아야 제가 올라선 토대 자체가 틀려먹었다면 모조리 오답 뿐인 인생인 것이었다.

김재영이 앞으로 내민 외투에 가스총의 내용물이 한 번 더 쏟아졌다. 팍, 하고 다가오는 그 압력이 손에 느껴진다. 버틸만 하다고 생각했고, 그는 그냥 그대로 직진했다. 탕! 탕! 두 번 연속 격발했다. 가까이 다가갈 수록 팍, 튀는 천 위의 느낌이 강해진다. 아마 총구 바로 앞에 닿으면 타거나 찢어질 지도 모른다.

보통 가스총의 형태는 리볼버식이었고, 그건 잘해봐야 5연발이나 6연발이 한계이리라. 김재영은 한 두 발이 남았으리라 생각했다. 외투를 사용해 윤계식을 덮어버리려는 듯 과감하게 다가갔다.

윤계식은 다가오는 무언가에 대응해서, 원초적으로 움직였다. 오른 발을 들어 앞 발을 크게 찼다. 김재영이 그 정도로 어리숙하지는 않아서, 외투만 던진 채 옆으로 빠졌다. 시야가 가려지고 있으나 윤계식의 발은 도리어 더 집중적으로 바라보고 있었다. 움직임을 읽기 위함이다.

계식의 앞차기가 허공을 갈랐다. 한 손엔 가스총을 들고 있다. 탄환은 두 발 남았다. 탄환은 불발이 없도록 최신의 것으로 갈았다. 일이 시작되어서 박주영과 순찰을 돌기 시작한 이래 그는 장비를 가장 먼저 점검하고 챙겼다.

어둔 골목. 바쁘게 발들이 얽히며 각자의 움직임을 했다. 검은 재킷, 최루탄에 들어가는 것과 흡사한 액체와 기체의 흔적이 묻은 외투가 대충 던져졌다. 계식은 왼 팔을 흔들어 그걸 쳐냈다. 헛발질을 했으나 자세가 크게 무너지지는 않았다.

김재영은 앞으로 달리다 재킷을 놓고, 왼쪽으로 빠졌다. 가볍고 깔끔한 턴이었다. 미리 합을 맞춘 춤의 일부라고 해도 좋을 정도였다. 오른 발에 힘을 실으며 지면을 박찼고, 대각으로 뛰는데 상체의 무게 이동이 유연해서 부드러운 곡선으로 움직였다고 느낄 정도였다. 순간 앞을 바라보고 크게 앞 발을 내딛은 자세가 된 계식을 옆에서 본다.

김재영이 장갑을 낀 손을 말아 쥐며 깔끔하게 스트레이트로 관자놀이를 쳤다. 윤계식은 날렵했다. 살이 붙었으나, 그건 달리기의 경우이며 제자리에서 팔다리를 움직이는 건 아직도 순발력이 살아 있었다. 그가 김재영이 옆으로 튀었다는 걸 인지하자마자 가능한 가장 빠른 속도로 팔을 들어올렸다.

김재영이 있을 쪽으로 팔을 내밀며 막았고, 몸을 웅크린다. 주먹이 그 위를 때렸다. 무식하게 질러낸 스트레이트가 윤계식을 무너뜨렸다. 힘이 좋았다, 재영은. 장신의 체격을 빼곡하게 근육이 채우고 있는 몸뚱아리다. 몸무게도 이전보다 좀 더 늘었다. 지방이 빠지고 근육으로 빈 자리를 대신한데다, 그것도 모자라 추가적인 증량을 했다.

계식은 엉겁결에 취한 가드 위로 무게가 실리자 힘없이 넘어졌다. 차라리 빨리 구른 것인지 몰랐다. 버티다가 정신 없을 때 얽히게 되면 상대가 유술을 배웠다는 가정 하에 돌이킬 수 없었다. 목이라도 졸리면 턱을 맞았을 때와 달리 조금의 가능성도 없이 오랜 기절에 들어간다. 관절 부위라도 잡히면 당장 적을 눈 앞에 두고 사지를 못 써먹게 된다.

계식은 땅바닥을 구르면서도 총을 놓치지 않았다. 난전 속에서 방아쇠가 당겨지지 않은 건 천만 다행이었다.

윤계식은 관성 그대로 골목 바닥에 드러누워 옆으로 굴렀고, 몇 번 더 가서 다시 일어서려 했다. 재영이 그걸 가만 두고보지 않았다.

탕!

가스총의 격발음보다 더 명료하고 화끈한 화약류의 터지는 소리가 났다.

재영이 발로 계식의 급소를 차서 무력화시키려고 할 때 일어난 일이었다. 그가 뒤에 남겨둔 박주영 쪽을 고개돌려 처다봤다.
그의 손에 리볼버가 들려 있었다. 리볼버형의 가스총이 아니라, 형사가 들고 다니는 실제 총이었다.

초탄은 공포탄.

박주영이 흐린 눈동자를 잔뜩 인상을 찌푸려 가다듬으려 했다. 흔들리는 시야와 어둠 속에서 그가 김재영을 노려보았다.
제대로 보이는 건 사실 없다. 아직도 어질거린다. 그러나 말했듯, 기세가 중요했다. 땅바닥에 떨어졌던 총을 용케 주워 일단 당긴 것뿐이지만. 정확한 조준이 된다고 속여야 상대가 주춤할 테다.

박주영은 몸도 고개도, 버젓이 세워 들며 상대를 대적했다.

"……."

김재영의 표정이 일그러졌다. 그 마음은 딱히 변화가 없었다. 사이코패스는 원래 일그러진 마음을 갖고 있다.

실제로 그는 자신의 얼굴이 구겨진 것도 제대로 인지하지 못했다.

김재영은 또, 그 사이에 윤계식이 가스총으로 자신을 노리려고 하는 것 같다고 느꼈다. 슬쩍 바라보니 옆 눈으로 보이길 그러했다. 계식의 팔이 움직이는 걸 보고 그는 망설임 없이 다가가서 팍, 발로 그 손을 차버렸다. 리볼버는 당겨지지 못하고 뒤로 날았다.

김재영은 머릿속으로 생각했다.

어차피 일그러진 상황이었다. 그냥 여기서 죽여버리고 도망가는 것도 그리 나쁘진 않았다.

완전범죄는 불가능해 보였다.

다만, 아직도 이 새끼들의 숨통을 끊어놓고, 누군가가 신고할 경찰이 다다르기 전에 자리를 뜨는 것 정도는 가능할 듯하다.

그의 신분이 막히지 않는다면 국외로 뜰 수 있을 테였고, 아니라면 중년을 통해 노인 브로커와 연결해서 뱃길로 빠져야 할 것 같다.

김재영은 그렇게 생각했다. 주머니에 있는 너클 한 쌍을 떠올린다. 던져버린 재킷 주머니에 있었다. 윤계식은 여전히 어깨에 칼을 박고 있다.
몇 가지 제약들을 포기해버린 재영의 눈에는 자신의 무기로 다시 보였다. 그가 적당히 발로 계식의 안면을 뭉게고 칼을 뽑을 생각으로 한 걸음 다가갔다.

탕!

총성이 울렸다.

골목 사이, 적막한 공간을 채우는 폭발음이 참으로 정겹다.

전투의 소음이었지만 사이코패스에게 적대하고 있다는 점에서, 그 총이 형사의 손에 들려있다는 점에서 이 동네 부근의 치안에 긍정적 역할을 하는 소리였다. 사이코패스는 뒷감당이 어려워 총화기를 사용하지 않는다.
이미 상황이 그의 계산과 달리 뒤틀려가고 있다면, 빼앗아서 쓰는 것도 나쁘진 않을 것 같다… 고 생각하던 차였는데

재영의 계산과 달리 주영은 어질거리는 시야로 한참 앞에 있는 재영을 맞추어냈다.

격발음과 동시에 날아간 건 경찰들에게 지급되곤 하는 저살상탄이었고, 관통은 못해도 피부를 뚫고 들어가 내부를 헤집을 수는 있었다. 그것이 마침, 윤계식에 대한 대응이라 되듯 재영의 오른쪽 어깨를 뚫고 안으로 들어갔다.

큭, 하는 신음이 나오면서 재영은 그대로 한 쪽 무릎을 꿇었다. 다리에 힘이 풀리는 건 반사적인 일이었다. 연결된 반신의 신경이 격통과 함께 이상 반응을 일으켰다.

계식에게 다가갈 생각을 하던 재영은 그대로 한 걸음 앞에서 무너졌다.

그 모습을 보고 주영은 덜덜 떨리는 손과 온전치 못한 시야를 제어하려 애를 썼다. 주머니에 든 휴대폰이 떠오른다. 그는 한 손을 빼서 다시 핸드폰을 꺼냈다.

그 난리를 피우는 도중에도 감사하게 온전케 들어있던 스마트폰이다. 특제 케이스로 보호받고 있으니만큼, 아주 튼튼하다. 주머니 속에서 빠져 날아갔다면 찾느라 고생이었을 테다.

그가 재영이 쇼크로 한 쪽 무릎을 꿇는 장면을 앞에 두고, 핸드폰을 조작했다.

손가락 말단이 떨렸다.

김민식,

그에게 문자를 보낸 것을 기억한다.

아마 해당 위치로 지원바람, 이라고 보내놓고 위치를 적지 않았으니 주변을 헤맬 지 모른다.

박주영은 아주 습관적인 움직임으로, 실시간 지도 어플을 켜서 캡쳐한 뒤 보내는 늘상 하던 동작을 수행하기 위해 갖은 애를 썼다.

*

김민식은 마침 주변을 서성거리고 있었다.

박주영이 그런 문자를 보낸다는 게 어떤 의미인지는 대강 상상이 되었다. 갑자기 현장 신고의 정황을 살피러 갔던 인간이 지원을 요청한다니, 장난이 아니라면 그가 떠올리던 최악의 상상이 현실적인 경우였고,

더군다나 그 범인이 반항을 하고 있다는 의미도 되었다.

희박한 가능성이니 뭐니 하는 건 제쳐두고. 당장 떠오른 동료의 호출에 김민식은 빠르게 반응해서 차를 몰았다.

다만 해당 위치, 에 들어갈 위치 데이터가 없었다.

평소엔 늘 메세지로 지원 요청을 할 때 지도 어플의 화면을 캡처해서 보낸다.

그가 최초에 박주영에게 보냈던 곳.

그러니까 신고 전화의 발신지가 되었다고 생각되는 어느 골목 어귀를 근처로 그들이 차를 몰았다. 주변에 인기척이 없다.

아마 소란스런 현장일 테다. 김민식은 어둡고, 인적없고, 적막한 골목 속에서 요란을 떠는 누군가를 찾아 헤매었다.

한참 일대를 수색하고 있고, 그의 동료 박홍수는 김민식의 호들갑에 따라 거칠게 차를 몰았다.

안전 운전을 최대한 지키는 범위 내에서의 거침이었다.

그렇게 쓸데없이 시간이 얼마 지났다고 생각되었을 무렵, 조급한 심정의 김민식에게 메세지가 하나 더 왔다.

위치가 찍힌 사진이었다.
말도 없이 떡 사진 한 장 보내온 그 모습에서 김민식의 상상이 더 구체적으로 변했고, 그는 박홍수를 재촉했다.

차가 움직였다.

*

박주영과 윤계식은 용케 죽지 않았다.

김재영 역시 용케 버티어 섰다.

용케 말이다, 용케.

대립하는 세 남자 중에서 가장 심각한 부상을 입은 것은 김재영이었다.

가장 체력적으로 앞서고 있던 건장한 사내가 순식간에 큰 열세로 밀렸다.

여기저기를 얻어맞고, 어깨를 찔린 윤계식 역시 위급하기는 마찬가지였으나. 구멍으로부터 피가 새고 있는 김재영보다는 덜하다.

그는 어깨를 쓸 수 없었다. 지독하게 잘못 맞았다.

상대의 탄환이 저살상탄인 것에 감사해야 했다. 통과라도 했다면 또 어찌 되었을 지 모른다.

김재영은 머리를 자연스럽게 굴린다.

어떤 압박과 부정적인 상황 속에서도 짐승은 살아날 길을 찾아냈다.

오늘 밤 역시 그럴 수 있을까.

김재영의 눈이 흐렸다가 다시 초점을 찾았다.

너무 준비가 부족했나.

그럴 수 있었다. 갑작스러운 일이었다. 그가 목숨이라도 버리듯 시작한 도전이었는데, 분명 확률은 높았다. 보통 인간은 정확한 지점에 정확한 타격만 걸어주면 일어나지 못한다. 그보다 체격도 크지 않은 두 사내는 정통으로 뇌가 흔들리는 충격을 맞고도 바로 일어섰다.

그리고 몇 초 정도의 간격을 두고, 그가 다시금 끝장내려 할 때 사이 좋게 번갈아가며 그 초인적인 정신력을 발휘해서 김재영의 앞을 막아섰다.

좋은 콤비, 팀이다.

김재영의 입장에서는 씹어먹어도 시원찮을 팀워크였다.

그 역시 협력 플레이어로서, 두 명이 함께했다면 어땠을까. 중년의 김연수, 그를 길러낸 그 인간 말이다.

그보다 더 교활하고 지독한 인간이 눈 앞에 있었다면 아마 상황은 반대가 되었을 것이다. 반대조차도 아주 긍정적으로 말한 것이고, 아마 순식간에 두 형사는 죽어서 시체가 되었으리라- 고 김재영은 생각했다.

어쨌건 현실의 그는 혼자였다.

달 밤 아래.

총성이 울려퍼졌으니 앞으로의 일은 그도 모른다.

그는 잡힌 이후를 잠깐 생각한다.

그가 저질렀던 수많은 일들에 대해서. 그가 말하지 않을까? 혹은 말하게 될까. 치안 유지에 힘쓰는 이 선진국에서 비인도적인 처사로 그의 입을 열게 하지는 않을 것 같았다. 그러나 그의 입장에서 어둠과도 같은 구덩이 속에 들어가는 일이었으니, 그 안에서 무슨 일이 벌어질 지는 모른다.

혹은, 여러가지 교섭이나 시간에 따른 풍화 역시 그의 입을 열게 만들 수도 있었다.
그렇게 되었을 때 이 나라가 어떤 반응을 보일까.

대한민국이라는 나라를 의인화 시킨 다음에 그 표정을 머릿속에서 그려보았다.

상대의 얼굴이 경악으로 일그러지는 모습이 보인다.

김재영은 속으로 웃었다.

그만큼 자신이 끔찍한 일을 저질러왔다.

어떤 TV속의 스타보다도, 더 화려한 짓거리라고 생각했다.

뼛속 내부의 골수까지 광기로 이루어진 미치광이 살인마였고,

그 어두운 악의가 무기로 쓰일 수 있었다면 김재영에게 상황은 희망적이었겠으나 당장 그는 쓸 수 있는 방법이 제한적이었다.

그는 후들거리는 몸을 제어하기 위해 애썼다. 총탄을 맞았고, 순간적으로 쇼크가 왔지만 아직 움직일 수 있는 것 같았다. 아드레날린이 미친듯이 쏟아진다. 아직 김재영은 죽지 않았다.

도리어 더 상처 입은 짐승이 날뛰듯이 한 번 달려볼 만하다.

김재영은 윤계식에게 다가갔다. 그 움직임이 매우 빨랐다. 박주영은 휴대폰을 조작해서 무언가 메세지를 보냈고, 그것을 갈무리하고 다시 앞을 쳐다볼 즈음이었다.

김재영이 움직이는 것을 포착했지만 막지 못했다. 그 역시 정상적인 컨디션이 아니었다. 더군다나 김재영이 자세를 낮추어 윤계식의 근처로 간다면 잘못 쏘았을 때 윤계식에게 총탄이 날아갈 수 있었다.
어디까지나 초탄, 그러니까 두 번째로 리볼버에서 나간 첫 번째 실탄이 적중한 건 우연이나 기적으로 이름붙여야 하는 현상이었다.

박주영은 후들거리는 턱을 악물었다. 관절이 빠진 것 같지는 않

았다. 여기저기가 건드려져서 삐걱댄다. 구르면서 긁혔는지 뺨도 축축하고 서늘한 느낌이 난다. 만지면 피가 묻어나오리라.

"후우……."

박주영이 숨을 내쉬었다. 천천히 긴장을 푼다. 쓸데없이 들어간 힘이 좋을 것 없었다. 극한의 상황일수록 침착해야 한다. 공교롭게도 싸이코 살인마 김재영과 박주영은 비슷한 실전 상의 요령을 갖고 있었다.

둘 모두 제법 하는 놈들이었다. 청년기의 형사와 살인마 말이다. 개중에서 어느 놈이 마지막에 이 골목을 살아서 빠져나갈는지는 아직 결정된 바 없는 사실이었다.

김재영은 한쪽 팔과 반신에 속한 몸이 계속 덜덜거리려는 것을 느꼈다. 억지로 티를 내지 않고 움직인다. 가까스로, 몸은 제 말을 들었다. 피가 새어나와 팔께가 축축한 것 같다. 아니 사실 화끈하거나 서늘하거나. 제대로 인지 못하는 느낌이 오른팔에 가득하다. 오른팔 손가락은 기적적으로 움직였다.

팔에 구멍이 나고 어깨가 뚫렸는데, 신경이 손상되지 않은 것 같았다.

재영은 널브러진 윤계식에게 다가가 그 어깨에서 자신의 칼을 뽑았다. 푹, 하고 박힐 때와 비슷한 소리를 내면서 나이프가 뽑혀 나온다. 쇠붙이가 막고 있던 혈류의 흐름이 그대로 튀어나왔다. 일차적으로는 윤계식이 입고 있는 내의나 조끼, 자켓에 막혔으나 그 틈으로 더 흘러나온다.

시간이 오래 지속되면 누구라도 위험하다. 큰 혈관을 잘라서 미친듯이 뿜어져 나오는 수준은 아니었지만 지혈하지 않으면 어쨌든 실혈사나 쇼크에 필요한 출혈량이 맞춰질 것이다.
피를 흩뿌리면서 싸우는 싸움이란 그러했다.
머릿속에서 작은 모래 시계 하나를 엎어놓고 서로에게 달려들어야 하는 전장이다. 흐르는 시간과 피가 마치 같은 것처럼 느껴진다.

두 종류 모두 사람의 생명을 마지막으로 이끈다.

"크으."

윤계식의 잇새에서 비명이 새어나왔다. 그래도 잘 참는 것이었다. 아무나 데려다 놓고 그 어깨에 단도를 박았다가 뽑는 짓거리를 해보라. 온갖 발악을 하거나 충격으로 제 몸을 가누지 못하는 사람이 많으리라.

눈에 보이는 전쟁터가 아니라, 평화로운 듯 한 꺼풀이 덮여 있던 도심 속에서 갑자기 나타난 위기임에 더 그렇다. 눈에 보이는 위협이었다면 그 전부터 온갖 신경 물질이 쏟아져나와 통증을 통증처럼 여기지 못하도록, 긴장을 잊도록 만들었을텐데.
평안하다고 생각했던 그 허를 찔리는 게 가장 큰 고통이었다.

그리고 그게 바로 전쟁의 묘리이기도 하다. 상대의 방심한 부분을 찌르는 거.

재영은 그러길 원했다. 박주영의 틈을 찾는다. 시야가 조금 돌아오는 것 같다. 김재영은 초인에 버금가는 임무 수행 능력을 가진 인간이다. 그가 수행하는 '임무'가 쓰레기 같은 것이라 그렇지. 능력만은 출중했다.

박주영보다 자신의 상황이 나을까? 김재영이 궁리했다. 알 수 없다. 기초 상태만 보자면 그가 압도적으로 우세하다. 저 놈이 셋이 있더라도 제압할 자신은 있었다. 물론, 총을 빼놓고서.

김재영이 움직였다. 발을 질질 끌면서 옆으로 간다. 그의 생각은 빠르게 걷거나 뛰는 동작이었다. 생각보다 몸이 말을 안듣는다. 말했듯, 허를 찔린 총상이라 그렇다.

아예 맛이 간 듯 돌아버린 전쟁터의 병사라면, 총격을 입었더라도 돌진을 하는 기세가 있을 수 있었다. 물론 치명상이 아니라 몸의 말단 부위에 맞을 때 말이다.

총격을 맞아보는 트레이닝 법 따윈 없었지만, 어쨌든 실전에 대비해 갖은 고통과 충격에 대한 내성을 기른 김재영은 서서히 텐션을 끌어올렸다. 피가 계속 새어나온다. 손아귀에 든 나이프의 촉감이 만족스럽다.

그의 많은 살행들을 함께한 무기였다. 딱 잡히는 그립. 쏟아져나온 윤계식의 피나, 여기저기 튄 그의 피로 물든 나이프다. 도리어 진득한 액체가 있어서 딱 맞게 잡히는 것 같다.

여기저기에 던져서 파고들게 하기에 좋도록, '도'가 아니라 '검'의 형태였다. 위로 갈수록 약간 좁아지는 폭이고, 그 끄트머리에 가서는 탄두가 그러하듯 가파르게 서로 달라붙는 양날이다. 손 안에서 김재영은 그립을 느슨하게 했다가, 다시 쥐어보았다가 했다.

두 손가락으로 쥐었다가 손바닥 가득 닿게 집었다가 하는 것이다. 던질 수 있을 것 같다. 박주영의 눈을 살폈다. 어두워서 잘 보이지 않지만, 또 그의 눈도 흐릿하지만 집중하면 대강은 파악할 수 있었다.

상대도 정상은 아닐 테다. 그의 주먹은 만만하지 않다. 빠르고 강력한 것도 있지만, 무엇보다 정확한 타점에 임팩트와 데미지를 주기에 그렇다. 어지간한 격투기 선수와 아무 때고 붙어도 압승을 할 자신이 있는 인간이었다.

상대가 정확히 조준 사격을 못한다면 결국 난전에서 총은 없다고 생각해도 좋았다. 한 두 발을 맞추지 못한다면, 그 틈에 그의 나이프는 정확히 급소를 노릴 것이다.

그가 발치로 콘크리트 바닥을 꾸욱 눌렀다. 말단으로 느껴지는 압력으로 제 상태를 가늠했다. 달릴 수 있을까? 가능할 것 같다.

김재영이 발을 박찼다.

*

박주영이 들고 있는 리볼버는 제식 권총으로, 5발 격발이 가능하다. 초탄은 공포탄. 두 발은 저살상탄이다. 두 발은 실탄이었고, 세 발의 실탄이 재킷 품 안쪽에 있다.

그는 김재영이 달려드는 것을 보고 속으로 기겁을 했으나, 침착하기 위해 애썼다.

총을 맞고도 달려서 자신한테 다가오는 범죄자를 구경하는 일은 참으로 경험키 어려운 일이다.

근접전이 되면 아마 김재영에게 또 당하리라고 느껴졌다. 저 미친 자식은 무슨 기술이라도 배운 것인지, 손놀림과 몸놀림이 가까이서 도저히 당해내기 어려웠다.
선수라도 되는 것마냥. 사실 그 이상이었으나 어쨌든.
박주영은 몸을 틀어 뒤쪽으로 기울였다. 잘 움직이지 않는 사지를 컨트롤하기 위해서 몸통을 돌려 방향을 맞추었다. 그의 시선에서 보면 왼쪽으로 꺾어 들어오는 김재영을 맞추기 위해서다. 김재영은 그 오른팔을 축 늘어뜨린 채 귀신처럼 달린다.

끔찍한 꼴이었지만, 귀신에게 당할 생각은 없었다.
칼을 들고 날뛰며 극도로 위험한 수준의 전투 능력을 가진 살인마를 앞에 두고, 그는 차라리 방아쇠를 당길 것이다.

순식간에 그 빠른 걸음이, 총에 맞고도 죽지 않아서 거리를 좁혀 온다. 몇 걸음 안팎가지 다가왔다. 골목 담장에 가까이 붙는다. 박주영이 방아쇠에 검지를 붙여 대며 총구를 들어 그쪽을 향했다. 김재영이 한 순간 호흡을 멈추는 것 같았다. 잠시 쉬는 듯 보이는 움직임이자, 박주영은 방아쇠를 당겼다.
탕!
시끄러운 폭음이 골목을 다시 울렸다. 박주영은 그 와중에 최소한의 법률적 제약을 신경써서, 가급적이면 김재영이 죽지 않도록 덜 치명적인 부위를 겨누었다. 아까 노렸듯 어깨 부근이다. 정확히 말하면 몸통과 팔이 이어지는 부위 주변.

조금 아래로 떨어지거나 옆으로 가면 심장부에 직격한다. 총구를 위로 들며 쏘았다. 그의 사격 실력은 상당히 괜찮은 편이었지만, 김재영은 잠깐 상대방에게 호흡을 주듯 멈추곤 박주영의 기세를 살폈다. 무언가 대단한 일을 하려 할 땐 힘이 들어가게 마련이다. 상대의 기색을 읽고 타이밍을 잡은 김재영이 방아쇠가 당겨지기 전에 재빠르게 튀어나왔다.

갑작스레 속도를 바꾸자 총구가 따라붙지 못했다. 김재영은 그렇게 뛰쳐나오며 느릿하게 따라붙는 총구를 신경쓰지 않았고, 왼 팔로 나이프를 던졌다.

그는 양손잡이다. 어린 시절에도 그랬는가는 알 수 없지만. 적어도 청소년기에 훈련을 받으면서 양손잡이가 되었다. 나이프를 던지는 건, 왼손으로도 10-20미터 내라면 거의 백발백중이었다. 오른손이 미세하게 더 명중률이 좋았다. 둘 다 백발백중이었으나, 오른손으로는 조금 더 묘기를 부릴 수 있다.

왼 팔이 홱 뿌려지며 나이프가 날았다. 순간의 손목 스냅이 중요하다. 마지막 임팩트가 착탄지점을 결정한다. 자세가 무너질 정도로 급격하게 뛰며 던졌다. 그럼에도 나이프의 궤적은 정확했다. 날카로운 단도가 박주영의 허벅다리를 파고들었다. "악!"

그가 기합처럼 비명을 질렀다. 따끔, 하는 것 같았다. 온갖 군데를 얻어맞고 구르고 정신이 없는 와중이니 도리어 고통이 둔했다. 기합으로 대강 이겨낸다. 칼날이 청바지 위를 깊숙이 찔렀으나 피가 터지진 않았다. 근육이 칼날을 잡는다. 박주영은 핏발 선 눈으로 김재영을 쫓았다. 탕! 탕!

두 번째 총성은 실탄의 격발음이었다.

첫 번째가 빗나갔다.

김재영에게는 안타깝게도.

두 번째가 스쳤다. 또 오른쪽 어깨다. 이번에는 어깨와 목을 잇는 윗부분을 총탄이 스치고 지나갔다. 높이 쏘는 이유는 쓰러진 윤계식을 의식해서이기도 하다. 도심지에서 격발된 총탄은 재영의 어깨선을 스치고 지나가 골목벽에 맞았다.

실탄은 깔끔하게 재영의 살점을 날려먹었고, 그 뼈의 표면을 긁었다. 격통이 일었으나 이미 그의 정신은 반쯤 어디론가 나가있는 상황이다. 통증을 비롯해 감각이 맛이 가 있었다. 김재영은 부들거리면서 잠깐 무릎이 접혔다. 그리고 한 걸음을 차라리 더 내딛었다.

두 번째 걸음엔 무디고 독하게, 떨림이 없었다. 영화에 나오는 좀비가 그러듯 척, 척 걸어서 박주영에게 다가간다.

총을 든 상대에게 천천히 다가가는 건 거대한 표적지를 제공하는 꼴밖엔 되지 않았다. 박주영이 마찬가지로 경련이 일어나는 팔을 부들거리면서 들었다. 허벅다리에 꽂힌 나이프가 흔들릴 때마다 아주 끝내주는 감각이 뇌리를 찔렀다.
평생 살면서 다시는 겪고 싶지 않은 느낌이다.

마지막 한 발은 실탄이다. 이걸로 확실하게 무력화시켜야 한다. 근거리에서 권총을 들고 범인을 제압하지 못한다면 그것 역시 큰 수치였다. 이미 몇 발이나 맞거나 혹은 스쳤는데도 움직이는 상대방이 특이한 괴물인 점도 감안을 하긴 해야 한다.

박주영은 서서히 다가오는 김재영의 다리를 노렸다. 무력화시키기 위해 가장 좋은 자리다. 실제로 그 역시 허벅다리가 아려와 크게 움직이지 못한다. 힘을 줄 때마다 마약성 진통제가 필요한 감각이 그의 뇌리를 지배했다.

김재영은 다리는 멀쩡하다. 어차피 사지 육신이 연결된 것이라 한 부위가 크게 손상당하면 움직이기 힘든 건 마찬가지였지만.
한 팔이 잘리고도 날뛰는 모습은 아주 특수하며 기적적인 상황과 각색이 들어간 연출이었다. 보통 사지 중 한 쪽이 날아가면 쇼크사의 위험도 있을 것이다.

김재영이 차마 질질 끌지는 않고, 그 발을 무식하고 무심하게 내딛었다.

박주영은 마지막 방아쇠를 당겼다.

김재영은 온 힘을 다해 표정을 구겼고, 제 몸을 날렸다.

*

자신의 몸을 던지듯 날린 점프는 상처 입은 몸이라고 믿기지 않을만큼 날렵했다. 실탄이 콘크리트 바닥을 맞췄다.

탕!

하는 소리가 마지막으로 골목을 울렸다.

김재영은 사격의 궤적을 피해 대각선으로 뛰었다. 박주영의 시선에서 보면 자신의 왼쪽 다리가 걸치도록 날아들었다. 쏜 총알은 뛰어 나가는 박주영의 왼 다리를 스쳤다. 통증과 마비에도 불구하고 김재영은 박주영의 나리를 끌어안았다. 한 번의 점프에 거기까지 용케 닿았다.

다만 태클을 할 만큼의 여력은 없었다. 마지막에 허벅지에 깊이 패이도록 자국이 나서, 피가 터져나온다. 바지의 천은 총알이 지나가면서 길게 찢어지고 해당 부위가 사라졌다.

"으아아아아!"

김재영은 비명인지 뭔지 모를 괴성을 질렀다.

아주 오랜만에 토해내는 울음이었다.

사이코패스 역시 답답함을 느끼는가,

통감이 없어도 통증이 실재하듯.

마음이 죽은 놈이라고 할지라도 답답함은 있을 것이다.

그 크게 뻗은 팔의 궤적에 박주영의 왼쪽 종아리 부근이 걸렸다. 바닥에 엎어지듯 뛴 김주영이 팔을 휘둘렀고 또 무너지는 무게가 있어 박주영 역시 중심을 잃었다. 오른쪽 다리에 박힌 나이프가 그를 자극한다. 격통과 함께 그가 뒤로 넘어갔다.

김재영이 기듯이 넘어진 박주영의 위를 올라탔다. 그의 발치에 넘어진 게 최초였고, 뒤로 쓰러진 박주영을 제압하기 위해서 서서히 기어 올라간 모양새다.

두 남자가 뒤엉켰고, 그 사이에 있는 나이프가 흔들렸다.

아악, 이라고

박주영은 머릿속이 가득 메워지도록 비명을 질렀지만 성대는 떨리지 않았다. 큰 고통에 소리를 지를 여력조차 없었다. 김재영은 부들거리는 몸뚱이를 그 위에서 가누었다.

왼 팔과 오른 다리만 멀쩡하다.

말했듯, 연결된 다른 부위의 중상 때문에 어차피 그것 역시 제대로 제어는 안되고 또 모든 신경을 관장하는 뇌가 온 몸으로 위기 신호를 보내고 있었다.

김재영은 그로기에 가까운 상태에서 넘어지듯이, 아래로 무게를 실어 왼팔을 내리쳤다. 퍽, 하고 둔탁하게 붙는 김재영의 하박 부분이 박주영의 턱과 목, 가슴께를 쳤다. 별로 큰 고통은 아니었다. 나이프가 움직이면서 그에게 선사하는 것에 비해.

김재영은 몇 번을 더 숨을 몰아쉬듯 위로 상체를 세웠다가, 쓰러지듯 박주영을 팼다.

힘 없는 주먹이라도 몸체가 쓰러지며 더해지는 무게감이 있다. 중력에 따라 충격을 받았고, 박주영의 코에서 피가 흘러나왔다.

"아아아악!"
"으아!"

첫째의 긴 괴성은 김재영의 것이다. 그는 이미 이성이 날아갔다. 두번째는 박주영이 마주 지른 것이다. 그가 사력을 다해 상체를 써서 몸을 뒤집었다. 간신히 붙어만 있던 김재영의 몸이 옆으로 기운다. 아래로 떨어져야 하는 것이 풀썩, 그 오른쪽 땅바닥에 떨어진다.

박주영이 그 위로 뒤엉키듯 자세를 바꾸어 올라타려 했다. 제 허벅다리를 잊은 움직임이었다. 나이프가 더 깊이 찔렸다. "아아아악!" 이번에는 성대를 통해 비명이 튀어나왔다.

두 청년이 요란법석을 떨고 있을 때, 무너졌던 윤계식이 꿈틀거리며 일어서고 있었다.

그가 시체처럼 죽은듯 멈춰있던 몸을 일으켰다. 절로 신음이 새어나온다. 끙, 하고 앓는 소리가 움직일 때마다 숨처럼 뱉어졌다.

왼쪽 어깨는 새어나오는 피로 이미 흥건하게 젖어 있었다. 안쪽에 입은 옷이 피로 물들었고 손바닥을 타고 내려온다. 재킷까지 붉은 기가 스며들었다.

계식은 오른팔로 자신의 안면을 쓸었다.

컨디션은 갈수록 나빠지고 있었다. 거치적거리는 오른손엔 리볼버가 여전히 들려 있다. 그는 천천히 두 사내가 쓰러진 자리로 다가간다.

아악!

하고 비명을 토했던 박주영은 무릎으로 재영의 다리를 누르며 상체를 들었다.

통증 때문에 몇 번 휘청거렸으나 결국 김재영의 위에 다시 올라탔다. 이번엔 반대 상황이었다. 쿵! 하는 효과음이 어울릴법한 무게감으로 박주영의 팔이 김재영의 안면을 강타했다. 책상을 내려치듯 하박 부위와 말아쥔 주먹의 밑단이 김재영을 친다. 한 번, 두 번. 호흡을 실어 내리친 타격에 김재영의 코뼈가 부러졌다. 그는 핏발 선 눈으로 위에서 자신을 치는 박주영을 노려봤다.
그 와중에 타이밍에 맞추어 머리를 뺐다. 박주영의 주먹이 포장도로의 지면을 쳤다.
이미 다른 통증이 심해서 콘크리트를 내리쳤으나 고통이 심하게 느껴지진 않는다.

김재영이 일어나려고 안간힘을 썼다.
둘 다 병신과 비슷한 꼴이라, 제 몸을 못가누고 발버둥친다. 그물에 걸린 물고기나 비슷한 꼴이었다 둘 다. 서로의 사지가 얽혀들어가 더욱 그렇다.

김재영이 다리를 들어올렸다. 그 허벅지로 박주영의 다리를 쳤다.
정확히는, 꽂힌 나이프를 쳤다. 나이프가 세로로 기울며 상처를 헤집고 구멍을 길게 찢었다.

머릿속이 새하얗게 될듯한 격통을 느끼면서, 박주영은 한 번 더 주먹으로 김재영의 안면을 내리 찍는다. 퍽! 하고 친 것이 제법 강렬했다. 김재영의 얼굴이 피에 물들어간다.

윤계식은

발을 끌며, 그 느리고 둔중한 몸놀림으로 다가왔다.

두 청년은 죽지도 않고 계속

지랄을 해대고 있었다.

서로가 서로를 그렇게 느끼고 있다. 끈질기고, 죽지도 않는 새끼가 지랄을 해댄다고 말이다.

견해 차가 있어 보이는 두 젊은이의 투쟁을 마무리 지어주기 위해 윤계식이 다가섰다.

그 느린 걸음이 닿을 때까지,

둘은 지루한 결투를 반복하고 있었다.

"비…켜."

윤계식의 입에서 쇳소리같은 것이 새어나왔다. 박주영은 듣지 못했다. "비…켜. 박 형사."

퍽!

박주영이 김재영의 얼굴을 쳤다. 모자는 옛저녁에 날아가서 그 얼굴이 다 드러났다. 드러난 것이 다시 피투성이가 되어 알아보기 어렵긴 했다.

그리고 그 일격이 박주영의 한계였다. 그는 옆으로 쓰러졌다. 덜그럭거리는 나이프가 여전히 꽂힌 채다. 그는 하늘을 바라보고 누웠다.

김재영 역시 그 옆에 누워 있다. 시야가 흐렸다. 그가 일어나려고 애를 썼다.

그런 김재영의 대가리에, 윤계식의 가스 총이 겨누어졌다.

"……."

윤계식은 고민했다. 피투성이가 돼서 외상이 난 자리에 최루액 따위가 묻으면 부작용이 있나?

이 새끼한테 지금 쏴도 되는 건가. 그냥 발로 밟아서 기절시킬까.

잠깐 생각한 윤계식은 천천히 김재영의 대가리 바로 옆에 섰다. 김재영이 흐린 눈으로 그를 바라보았다. 몸이 잘 안움직였다. 옆으로 쓰러진 박주영의 다리가 그의 오른팔과 배를 누르고 있었다. 왼팔을 휘둘러 윤계식의 자세를 무너뜨리려 했다.

그러나 그러기 전에 윤계식이 먼저 무너졌다.

윤계식은 선택했다. 그래, 가스총보단 그냥 패자.

발을 들어 밟으려 했으나 몸이 영 움직이지 않았다. 계식은 그냥 그 자리에 무릎을 꿇듯이, 털썩 주저앉으며 김재영의 안면을 찍어버렸다.

컥.

둔탁한 소리와 함께 김재영은 시야가 먹먹해지는 걸 느꼈다. 안면에 감각이 없었다.

그 때,

골목 어귀에서 누군가가 달려들고 있다.

셋은 정신이 없어서 그게 누구인지 제대로 인지하지 못했다. 쳐다보지조차 않았다.

다가오는 이는 둘이었고, 사내였다.

검은 재킷을 입은 사내는 마치 형사처럼 보였고, 형사다.

김민식이 골목 안쪽으로 뛰어들어 다가가며 외친다.

“박 경사! 괜찮냐!”

존대도 아니고 반말도 아닌 어색한 말이었지만 어쨌든 친구의 안위를 걱정하는 다급한 음성이었다.

윤계식이 고개를 돌려 김민식과 박홍수를 쳐다본다.

근처에 차를 대고 곧장 도착한 둘이었다.

계식은 약간 긴장이 풀리는 걸 느꼈다. 아래를 다시 본다.

멀끔하게 생겼었을 김재영의 안면이 뭉게져있다. 그의 무릎이 닿지 않은 부위에 김재영의 눈이 있었다. 아직도 뜬 채로 앞을 노려보고 있는 지독한 새끼다.

윤계식이 그리 생각했고

김재영은 다른 생각을 했다.

'좆같다.'

그는, 자신이 지독한 덫에라도 빠진 것처럼 느껴졌다.

제 발로 걸어 들어간 곳이었으나 그 자리는 늪처럼 진득해서, 빠져나가질 못하는 곳이었다.

김재영은 입 속으로 욕을 지껄였다.

*

김민식과 박홍수 경장, 둘이 현장에 도착했다. 오는 길에 위치를 알자마자 지원 요청을 더 보내서 근방 지구대 인원들도 출동중이었다.

이미 사건은 종료되었지만 말이다.

김민식은 윤계식과 박주영의 상처를 보고 기겁했다. 그리고 그 아래 깔려 피투성이가 된 채 널브러진 김재영을 보고는 더 기겁했다.

어쨌든 그도 형사였으니, 곧 추스르고 사건 현장 정리를 위해 움직였다.

김재영은 아직 정신이 있었다. 온전히 움직이기 어려울 뿐이었지.

윤계식이 쓰러지기 전에 그것을 알렸고, 민식은 홍수와 함께 김재영에게 수갑을 채우고 일단 연행했다.

계식이 엄포를 놓았기에 하나를 더 걸었다. 양손에 채운 뒤 그 사이에 하나를 더 걸어 순찰용 자가용의 안전 손잡이와 엮어버렸다.

장신의 김재영을 어찌저찌 포박하는 일은 깨나 힘겨웠다. 두 장정이 주의를 기울이면서 애를 써야 했다.

김재영을 순찰차에 처넣고, 일단 셋 모두 근처 병원 응급실로 데려가 치료를 받게 하려할 때 즈음 지구대 인원들이 도착했다.

요란스런 경보음을 울리며 다가온 경찰차량이 골목 바깥에 두 대 섰다. 지구대에서 온 경찰복을 입은 인원들이 내렸다.

그들이 거들며 상황 정리를 했고, 계식과 주영은 사이좋게 경찰차에 실려 가까운 병원으로 직행했다.
김재영도 어쨌든, 치료를 받기는 해야 했다.

계식이 김민식의 눈을 노려보면서 진득하게 언질을 주었다. 무슨 짓을 저지를 지 모르는 미친 놈이고, 더럽게 세고 또 위험한 놈이니까 잘 간수하라고.

김민식은 실려가는 와중에 그런 말을 뱉은 윤계식의 표정에 무겁게 고개를 끄덕거렸고, 직접 박홍수와 함께 김재영의 신변을 책임졌다.

다행히 병원에서 아무런 일도 벌이지 않았다. 김재영도 피를 많이 흘려서 의식을 잃었다.

결국 가장 가까운 병원이라면 한 군데였으므로, 셋 모두 같은 응급실의 근처 침상에서 치료를 받고 각자의 위치로 옮겨진다.

주영과 계식은 응급실에 조금 더 남아 있었다. 김재영 역시 마찬가지였다. 다만 누워서 기절한 그의 양 팔목에 수갑이 채워졌고, 각기 다른 쪽의 침대 철제 프레임에 걸려 움직일 수 없게 되었다.

민식과 박홍수, 그리고 이후 수사본에서 나온 다른 경사 한 명이 더해져서 세 명이 김재영을 감시했다. 의식이 없을 때는 번갈아가면서 보았고, 의식을 차릴 때 즈음이 되어서는 세 명이 함께 그를 주시했다.

박주영 또한, 더럽게 위험하고 빠르며 격투기의 달인이라고 증언을 더한 탓에 벌어진 처사였다. 세 형사 모두 제압용의 경봉이나 리볼버를 가지고 있었다.

아직 별다른 증거는 없었지만, 박주영과 윤계식의 상세한 증언으로 인해 김재영은 일단 최우선적으로 감시해야 할 용의자가 되었다.

마침,

이 근처에 있었고 또 마침, 형사를 습격한 데다가 말도 안 될 정도의 신체 능력과 용의주도함 따위를 보인 인간이니 그들이 애타게 찾고 있는 '김연수'라는 인물상에 어느 정도 부합하는 놈이었다.

실제가 어찌 되었든 파볼 가치는 충분하다. 수사본에서 인원들이 더 배정되어서 김재영에 대한 사후 처리를 위해 애썼다.

*

"……."

심민아는 펜을 돌렸다.

박경수를 비롯해서, 다른 프로파일러 인력들이 모여 있는 자리였다. 늘 심민아가 제 집 안방처럼 붙어 있으면서 서류들을 분석하던 자리다.

전략 회의실.
수사본의 임시 건물로 쓰고 있는 빌딩의 어느 넓은 회의방이다.

오늘은 심민아 혼자 고뇌할 때와 달리 불이 모두 켜져 있었고, 넓은 방 한 가운데 테이블에 어지러져 있던 서류들도 깔끔하게 정리가 된 상태다.
흰색 톤의 인테리어에 철제 질감의 사물들.

직사각형으로 자리를 차지하는 테이블에 빙 둘러 앉거나, 근처에 서 있는 수사본의 전략팀 인원들이 있었다. 회의실은 넓게 사용되어 두 칸으로 나누어져 있었는데, 잡기나 서류 따위를 넣는 높은 서류장이 한 쪽을 좁게 막고 있었고, 그 사이가 마치 문 없는 통로처럼 되어 있었다.

통로 너머에 의자나 책상, 오래된 각종 서류들이 모여 있다. 그 쪽 역시 불이 켜져 있었다. 누군가가 일하고 있는 위치다.

전략팀에서 간부급들만 모여서 회의실 데스크 근처에서 이야기를 나누고 있는 중이다.

회의실은 길쭉한 테이블에 앉아서 머리 부분을 바라보면, 흰 화이트 보드가 굴러다니는 바퀴 위에 얹어져 시야를 가린다. 그 보드를 비켜 가면 다른 방들과 마찬가지로

투명한 유리벽으로 방과 복도가 나뉘어 있었다. 가리는 발이 있었는데, 지금은 투명하게 열어놨다. 그래봤자 화이트 보드와 짐더미에 가려서 회의하는 모습이 곧이 보이지는 않는다. 지나가며 고개를 비틀어 틈새로 확인해야 했다.

건물 내부는 방 내부의 톤과 마찬가지로 전체적으로 희고 깔끔한 톤이다. 현대적이라 할 수 있었다. 여기저기 오래 씀직한 티가 나기는 하지만, 기본적으로 청소 상태가 좋고 먼지가 별로 없었다.

경찰청에서 운영하는 경찰대학 관련 부속 시설이었는데, 시설 용도와 관련된 프로젝트가 경비 감축되고 소멸하면서 잠시 쓰임새가 애매해진 건물이었다.

본래는 이곳으로 학생들 중 일부를 뽑아 잠시 묵게 하면서, 현장과 관련된 다양한 실습들을 실행하려던 모양이었다. 교관으로 일할 만한 현역 일선 인원들이 자원자가 별로 없고 억지로 뽑자니 또 현장 인력이 달려서 잠시 보류되었다.

물론 그 외에도 다양한 현실적 장애물들이 있었다.

어쨌든 지금은 5층짜리 큰 건물을 수사본의 인력들이 마음껏 사용하고 있었다.

데스크 위는 깔끔하게 정리를 했지만 방의 벽면에 붙어 있는 수납장이나 간이 테이블 따위는 무언가 올려져 있거나, 내용물이 되는 종이 자락이 튀어나와 있거나 했다.

심민아는 늘 다름 없는 단발을 흔들며 자리에 앉아 있다. 그녀의 고개가 좌 우로 조금씩 까딱거렸다.

화이트 보드 앞에서 브리핑을 하려던 프로파일러 중 선임자, 최인서 경감이 그녀를 흘긋 처다봤지만 크게 관심을 두진 않았다. 심민아가 저러는 게 하루 이틀 일은 아니었다. 그녀는 자기만의 몰입이 강력하고 또 깊은 유형의 인간이다.

자신만의 템포로 24시간 쉴 새 없이 생각을 하고 있다. 그 과정이 조직의 문제 해결 과정에 도움이 된다면, 굳이 방해할 이유는 없었다.

크게 눈에 띄는 정도도 아니었고. 중년의 티가 슬슬 나는 40대 초반의 사내, 깔끔하게 머리를 뒤로 넘긴 검은 정장 차림의 사내인 최인서가 브리핑용의 지시봉을 손아귀에 말아 쥐며 말했다.

"…김연수, 로 보이는 놈이 잡혔습니다."

단도직입적인 내용 전개였다.
그 와중에 심민아는 생각하고 있었다. 그리고 저도 모르게 생각이 입 밖으로 조용하게 흘러나왔다.

"……이게 되네."

그녀가 계획의 입안자였고, 발상은 단순했다. 김연수에 대해서 가장 잘 알고 있다던 어느 민간인 아저씨의 생각을 받아들였을 뿐이었다.
밑져야 본전이며, 지푸라기라도 잡자는 식으로 의심 지역들에 수사본의 수색팀 인원들을 뿌려서 공격적인 순찰 수색을 시켰다.

범죄자같은 놈이 지역에 산다면 제 발이라도 저리게 말이다.

김연수의 흔적을 발견할 수 있다면, 공짜로 얻은 복권에 당첨되서 인생 역전하는 수준의 행운이었고, 그게 아니라 그냥 적당한 범죄자들이나 색출해서 검거해도 실적 올리기에 괜찮은 방법이라고 생각했다.

보통 이런 서울에서 김서방 찾기보다 더 무모한 짓거리가 효과를 나타낼 일은 없다. 심민아는 자신이 발안하고 행동에 옮기면서도 무척이나 비관적으로 가능성을 점쳤는데.

…….

서울 지방에 기거하던 거수자가 이상 행동을 보였고, 갑자기 실종 신고가 들어온 데다가, 실종 건과 관련해서 거수자를 압박했더니 자신이 먼저 형사들을 덮쳤다?

몇 가지 조건과 단서, 실마리가 빠져 있는 듯한 멍청한 이야기였다.

그리고 그 조건과 단서에는 실제로 움직인 청년, '김재영'이라는 이름의 동대문구 거주 젊은이의 심리가 들어있다.

어떤 비밀과 내력을 가진 놈인지 아직은 알 수 없었다.

다만, 그가 가지고 있는 다양한 기술과 체력적 조건들, 알리바이. 여러가지 것들을 종합했을 때 '김연수'를 쫓고 있는 이 수사본 인원들이 그 대상을 떠올리는 건 쉬운 일이었다.
그래서 지금 저기 최인서 경감이 말하고 있는 것이다.

프로파일링 관련 인물들만 아니라 수사본 각 과의 과장급들도 자리하고 있었다. 넓은 데스크는 십 수 명 정도가 둘러 앉아도 좋을 만한 크기이다.

심민아는 개중에서 정면에서 볼 때, 오른쪽 열 끝 지점 즈음에 조용히 앉아 있다. 끝에서 두 세 번째 정도였다. 마침 자신의 프로파일러 연차 서열대로 앉은 느낌이기도 하다. 의도한 바는 전혀 아니었지만. 맞은 편에는 그와 친한 박경수 경위가 브리핑에 집중하다가 심민아를 쳐다보았다.

눈이 마주치고 작게 미소짓는다.

이성적인 호감으로 저러는 건 아니었다. 원체 성격이 저런 식이고, 의뭉스러운 구석이 많은 양반이다. 절친한 동기이자 동료가 먼저 되지 않았다면 절대 다가가지 않았을 종류의 인물상이었다.

겉으로 드러나는 태도와 속내를 다르게 감추는 일이 아주 능숙한 사내다.

심민아의 중얼거림을 그녀보다 한 칸 앞자리, 브리핑 중인 화이트 보드 쪽에 가깝게 앉은 말단이 들었다. 그녀보다도 연차가 낮은 팀의 막내다. 눈알이 똘망똘망하게 굴러가고 있는 남자 후배였고, 군기라도 든듯한 자세로 브리핑을 듣던 그가 심민아를 슬쩍 바라봤다.

심민아는 '뭐.' 라는 표정으로 그를 응대했고, 곧 후배는 다시 화이트보드에 집중했다.

김연수, 라고 대강 수사본 내부에서 이름을 부르고 있는 용의자 김재영은 치료 후 지속적인 신문訊問에 시달리고 있었다.

입을 굳게 다물고 정보를 주지 않으려는 듯 구는 용의주도하고 지능이 높은 범인이었다. 사이코패스로 의심이 되고 있었고, 김연수와 관련되었다는 정확한 물증은 없지만 적어도 여러 건의 강력계 범죄들과 엮여 있으리라는 추정이 있다.

그의 자택 내부를 수색하던 경찰이 지하로 통하는 비밀 통로 같은 것을 발견하기도 했다. 단독 주택의 2층으로 올라가는 계단의 아래 부분. 보통 짐 따위를 놓는 그 빈 공간에 압력을 주어 조작하면 열리는 문이 있었다.

그 문이 다시 지하 계단으로 이어졌고, 아래로 내려가면 누군가 죽어 나가도 모를 듯 닫혀 있는 철문이 있었다.

김재영이 잡히고 난 다음 날 일이었고, 공업쪽 인부를 불러서 철문을 열어냈다.

그리고 그 속에 있는 다양한 흔적들을 발견할 수 있었다.

온갖 악의가 응축되어 있는 듯한 꼴이었다.

사람 하나, 가 철제 침대에 묶여서 정신을 잃고 있었다.

'최수영'은 그 때까지 수면제의 효력으로 자고 있었다.

어둔 전등 하나만이 미약하게 불을 밝히는 지하실의 내부에는 용도를 짐작하기 어려운, 애써 부인하고 싶은 다양한 도구들이 있었고, 배수로 또한 아래쪽으로 통해 있었다.

절대 관련 공기관에 알리지 않고 불법으로 만들었을 법한 추가적인 증축 시설이었고, 핏자국 따위의 물증은 없었지만 괜한 한기가 들면서 그 자리에서 있었을 듯한 일들에 대해 상상하게 되는 건 그곳에 발을 디딘 모든 이들의 자연스러운 반응이었다.

수사팀이 추가로 투입되어서 현장에서 얻을 수 있는 모든 정보들을 얻어내고 있었고, 그와 동시에 김연수, 아니 김재영으로부터 직접적인 자백을 듣기 위해 애쓰고 있는 판국이다.

김재영은 입을 꾹 닫고 있었다.

갖은 회유와 제안에도 말이다. 조금 강압적인 방법을 써도 되는 게 아니냐, 고 내부적으로 윗선에서 말이 조금 나오고 있었다.
현장 인원들은 사람에게 그런 방법을 쓰는 것에 대해 조금 꺼리는 편이었고.

어쨌거나 대부분의 일들은 시간 문제일 것이다. 김재영이 갑자기 자살이라도 하지 않는 이상. 온갖 증거의 투성이처럼 보이는 비밀 작업실 또한 개봉이 되었으니.

그에게 수사의 결과물을 들이밀며 자백을 요구하면 그래도 입을 닫고 있지는 못할 것 같았다.

"김재영, 나이는 31세. 동대문구 휘령동 거주. 현장에서 해당 지역 순찰조를 맡은 박주영 경사와, 민간인 '윤계식' 씨의 협조를 받아 순찰 중 검거에 성공했습니다.
동기는 불분명하지만 갑자기 어둔 골목에서 한 명의 형사와 한 명의 민간인, 박주영 경사와 윤계식 씨를 급습했고 근거리에서 놀라운 격투 실력을 보였다고 합니다.
복싱 등 무술을 수련 중이던 박 경사가 조금도 대응하지 못하고 곧바로 턱을 맞아 쓰러졌고, 윤계식 씨도 개인 소지하고 있던 가스총 등으로 반격했으나 오래 버티지 못했습니다.

다만 경사와 윤 씨가 극한 상황에서 의지를 발휘해 쓰러지지 않고 계속 움직였고, 제식 리볼버를 비롯해 실전 장비들로 범인을 제압한 걸로 보고되었습니다.

동기 불명의 급습자, 인 김재영은 당시 현장에서 저살상탄 한 발을 오른쪽 어깨에 맞았고, 실탄 두 발이 각 우측 어깨선 위쪽과 좌측 대퇴부 바깥쪽을 지나가는 중상을 입었으나 계속 저항했다고 합니다.

김재영은 맨손 격투로도 성인 남성, 형사와 마찬가지로 다년간 형사 생활로 다져진 윤 씨를 제압할 수준의 힘을 갖고 있었고 또 나이프를 다루었다고 합니다. 근거리에서 단도를 던져서 윤 씨와 박 경사의 어깨와 허벅지에 자상을 냈다고 합니다.

두 사람 모두 응급실에서 치료 받고 현재는 동대문구 성신병원에 입원 중입니다. 김재영 역시 부상 정도가 심각하여 응급실에서 조치 후, 입원 기간을 거치고 인근 파출소에 구류되어 있다가 현재 수사본에 옮겨져 담당자들의 신문을 받고 있습니다.

박주영 경사가 현장에서 기지를 발휘해 지원 요청을 보냈고, 인근 순찰 팀이던 7팀 소속 김민식 경장, 박홍수 경장과 지구대 인원들이 백업을 갔다고 합니다. 도착했을 때 김재영은 이미 탈진 상태였고 후처리만 도왔다고 합니다.

해당 건은 애초에 저기……."

최인서 경감이 지시봉의 끝을 데스크 쪽으로 향했다. 그 끝엔 어림짐작으로 심민아가 걸린다.

"프로파일러 팀 소속 심민아 경위가 발안한 들쑤시기 작전의 성과로… 아직 자세한 조사 후 내막을 밝혀야겠으나, 김재영이 김연수 건과 관련된 용의자라면 전략부에서 사이코패스의 심리를 잘 읽어낸 쾌거라고 할 수 있겠습니다."

"……김연수……."

자리에 앉아 무겁게 말을 꺼내는 사람은, 조용수 과장이었다. 그 위에 부부장이 있었는데, 과장 중에선 그가 최선임이었다.

과장의 맞은 편에 수사본의 부부장이 팔짱을 낀 채 앉아 있었다. 조용수보다 조금 더 나이가 많은 양반으로, 직급은 같은 경정이었다. 그보다 연차가 높고 베테랑이라 그 역시 존중하고 신뢰하는 선배였다.

조용수는 언제나 입고 다니는 갈색 자캣의 소매를 자신의 손가락으로 더듬었다.

오래도록 잡기 위해서 애를 썼으나 그 털 한 자락도 찾지 못한 귀신 같은 새끼였다.

지금 잡힌 놈이 어떤 놈인지는 몰라도 적어도 그 가능성이 보인다는 점에서 아주 고무적이었다.

조용수는 윤계식을 또한 생각했다.

그 양반은, 기어코 또 기어코 아직까지 살아서 달린 뒤에 은퇴를 하고 나서 김연수의 꼬리 한 자락을 잡아냈다.

존경할만한 집념이었다. 조용수는 조용히 고개를 저었다. '당해낼 수가 없군'같은 제스쳐였다. 같은 형사로서 집념의 크기를 따지자면. 용의자를 향한 그 끈질김을 따지자면 그는 계식만큼 할 수는 없을 것 같았다.

조용수가 말했다.

"……어쨌든 전략실과 수색팀 인원들이 함께 이뤄낸 쾌거로 보입니다. …내부 가설대로 김연수가 정말 팀이며 두 명 이상의 살인마 집단이라면 그 중 하나를 잡아낸 일일지도 모릅니다.
대한민국 전토에서 별다른 단서도 없이 더듬어서 해 낸 기적같은 일인데….
관련자들 포상은 어떻게 진행되겠습니까."

그 말에 최인서가 답하려 입을 열었다가,
마주 앉은 부부장 신규석이 소리를 내자 금세 다물었다.

"…관련자들 포상은 내규대로 진행해야지. 만약 김연수가 맞다고 한다면, 수사본 내에서 추가적으로 챙겨 줄 수 있을 것 같네. 애초에 그것을 위해 모인 임시 조직인데. 일이 빨리 끝나면 배정받은 예산에서 좀 떼어줄 수도 있지.
아직 경사, 경정 단계라면 특진도 볼 수 있을 것 같고…. 아무튼 사건 진행된 이후 마저 얘기하지."
"감사합니다."

조용수와 최인서가 고개를 끄덕이며 숙여보였다.

심민아는 머릿속으로 김연수, 에 대해서 마저 생각하다가 포상 얘기가 나오자 딴 길로 흐름이 샜다. 포상금이라면 월급보다 많을 수도 있었다. 정말로 잡아낸 김재영이 김연수 관련자라면 말이다.

흠…….

그녀는 집 안에 가구 중 새 걸로 바꿀만한 게 있었나, 하고 몇 초 정도 생각했다.

그 꼴과 표정을 보던 박경수가 심민아가 어떤 생각을 하는지 알겠다는 듯 잠깐 처다봤다.

*

22. 쿠당탕

최수영, 은 별다른 데미지를 크게 입지는 않았다.

갑작스럽게 기절을 당하고 수면 마취제를 투약당한 일이 있었지만 부작용은 달리 없었다. 그녀 개인에 국한되어 일어난 일을 설명하자면, 그저 밤 길을 걷다가 잠시 잠이 들었고, 이튿날 깨어난 것 뿐이었다.

물론 그 사이에 일어난 일들에 대한 불안한 느낌과 공포감은 그녀의 뇌리에 뚜렷이 박혀 있었다.

철제 침대에서 풀려난 최수영이 응급실로 보내졌고, 별다른 이상이 없다는 진단을 받았다. 일단 깨어난 자리는 병실이었다. 의식을 차린 그녀는 집으로 보내졌으며, 얼떨떨하고 또 정신 없는 기분으로 일상으로 돌아왔다.

29일날 밤, 그녀는 기절했다.

마침 금요일이었다는 게 최수영으로서는 조금 다행이었다.

거의 밑바닥이 보이지 않는 수준의 기가 막히고 불행스런 경험이었지만, 그 와중에 기쁨을 찾자면 그러했다.

그녀는 몸 성히 돌아왔고, 어디 하나 다친 곳 없었다. 넘어질 때조차 김재영이 소음이나 흔적이 떨어질까 염려해서 그녀를 조심스레 받쳐 들은 뒤 신속하게 옮겼다.

하루 종일 철제 침대에 묶여 있어서 손발목이 뻐근하고, 등허리가 결린 것 같은 것 외에는 이상이 없었다. 푹 자고 일어난 느낌이다. 그렇잖아도 최근에 스트레스와 약간의 우울증 증세로 수면 부족이었는데. 하루 종일 잠만 잤다.

29일 날 밤에 잠들어서, 주말이 시작되는 30일 토요일에 그녀는 풀려났다. 30일 늦은 저녁까지 의식을 잃고 있었으니. 그간의 수면 부족이 다소 해결될 정도의 깊고 오랜 잠이었다.

회사에 출근하는 문제도,

마침 주말에 납치당해서 큰 문제가 아니었다.

최수영은 그런 문장을 머릿속으로 떠올리곤 저도 모르게 어이없다는 듯 헛웃음을 흘렸다.

서울 생활을 하면서 당할 수 있는 일일까, 보통은.

그녀는 잠깐 어두운 상념이 지나감을 느꼈다.

그런 일을 당하는 경우는 삶에서 아주 극소수일 것이다. 그러나 분명 실제이기는 했다. 누군가가 그런 강력 범죄에 노출된다면, 아마 끝은 좋지 않으리라.
다시 보지 못하는 지인, 언니가 지나간 탓에 든 어두운 분위기였다.

그녀는 감당하기 어렵고 또 털어내기 힘든 정도의 감정이 다가오면 일단 그것과 자신을 분리하려는 태도를 취했다. 일종의 자기방어 본능일지 몰랐다. 불에 데면 급작스럽게 피하듯이.
다 토해낼 수도 없는 크기의 슬픔이 다가오면 사람은 일단은 미뤄둔다.

천천히 시간을 들여 처리를 하든, 무엇을 하든 해야지.

그녀는 카페에 있었다. 늘 오는 곳이었다.

회사에 다닐 때 다니는 곳은 종로 근처에 있는 프랜차이즈 카페였고, 지금 온 곳은 휴일 날 들르곤 하는 곳이다.
그러니까, 평소 직장 생활 중에 들르는 곳보다는 훨씬 적게 찾았으나 나름대로 단골이었다, 여기도.

개인이 운영하는 카페였고 또 작은 곳이었다. 집에서 그다지 멀지 않은 곳에 위치하고 대로변 찻길에서 바로 보이는 위치다.

그녀는 창가 테이블에 앉아서 시켜 둔 커피를 기다리고 있었다.

월요일이었는데, 직장에 사유서와 함께 겪은 일을 설명하고 연차를 사용했다. 대규모 조직의 일부인 그녀는 아무래도 쉽사리 휴가를 내는 게 어려운 구석이 있었으나 이런 경우엔 어쩔 수 없었다.

그녀의 사수나 소속팀 팀장 급의 직급자들도 어이가 없다는 표정을 짓다가, 직접 관련 경찰의 번호를 건네주며 물어보라고 하자 전화기 너머에서 고개를 끄덕거렸다.

토요일 늦은 저녁에 깨어나 주말간 경과를 지켜봤지만 크게 달라진 점은 없었다. 배가 무척이나 고팠고, 몸이 뻐근했다.

그녀는 운동을 했고, 또 밥을 먹었다.

월요일이 되어서 점심 무렵인 지금은 또 아무렇지 않게 다시 나와 앉아 있는 중이다.

"후우…."

최수영이 작게 한숨을 내쉬었다.

카페 사장이 마침 그 타이밍에 커피가 나왔다고 일러주었다.

그녀는 테이블에서 일어나 라떼를 가져온다.

따뜻한 것을 가져와 마시며 창가를 바라보자, 마음이 진정되는 것도 같았다. 실내에는 잔잔한 톤의 클래식 음악이 흐르고 있었다.

창가에서 보이는 바깥은 오후의 햇살로 찬란하다. 가을, 붉거나 혹은 노랗게 물든 가로수의 색깔이 시야를 채운다. 그 사이를 지나다니는 인도의 행인들이 있었고, 차도의 버스나 택시, 승용차들이 있다.

평화로운 한 때였다. 그녀는 그것과 정반대의 일을 금-토 양일간 겪었지만.

그럼에도 불구하고 다시 찾은 평안은 소중하기 그지 없었다.

*

팩!

하고 내팽겨치는 물건이 있었다.

누군가의 평안은 누군가의 불안이 되는가.

꼭 알맞게 진실이 되는 명제는 아니었다.

대립하고 있는 극단의 사상을 가진 양 단체가 있고, 한 쪽이 이익을 얻는다면 반대쪽이 그럴 수는 있을 것이다.
뭐, 그런 극단적인 경우가 아니라면 누군가의 상태 변화가 꼭 크게 영향을 미치지는 않았다.

전쟁 중, 에는 그런 말이 어느 정도 성립될 지도 모른다.

전쟁이라고 한다면 전쟁 중이었다. '김연수'는 말이다. 그는 대한민국 전체와 전쟁 중이었다. 미치광이의 헛소리로도 적합하지 않은 말이었지만 그에게는 엄연한 사실이다.

미치광이는 누군가의 동의를 구하지 않기에 미친 놈이었다.

김연수,

는 제 아들이 잡혔다는 사실에 분개함을 표현했다.

그가 대구 지방에 마련해 둔 자신의 안가 내부에서 재떨이 하나를 던졌다. 팩, 하고 날아간 그것은 오래도록 쓰이지도 않은 물건이었다. 벽면의 한 구석에 맞아서 둔탁한 소리를 쿵 하고 냈다. 무언가 깨지지는 않았다. 재떨이는 아주 단단한 재질이었고, 다만 벽과 바닥에 긁히고 패인 자국을 만들었을 뿐이다.

"……."

김재영에게는 그도 모르게 발신기 하나를 달아두었다.

김연수, 그러니까 천산혁이 말이다.

일반적으론 보이지 않는 위치에 새긴 문신을 통해 집어넣은 것이다. 체내에. 김재영의 엉덩이 조금 위쪽에 붉은 반점 같은 것이 있었다. 실제 반점은 아니고 단지 그렇게 보이도록 문신을 새긴 것이었다.

어린 시절에, 천산혁이 김재영을 데려오고 나서 새긴 것이었다.

10대 후반 즈음 되었을 때. 별다른 이유도 대지 않고 어린 청년에게 수술을 감행했고, 브로커와 연결된 어느 불법적인 의사는 체내에 초소형의 발신 장치 하나를 심어 넣는다.

그 이후에 수술 자국을 문신사가 반점으로 덮어버렸다.

자세히 더듬지 않으면 알지 못할 정도의 흔적이다.

발신기를 통해 김재영의 위치는 김연수, 천산혁에게 알려진다.

그가 짧게 연락을 보낸 이후 급작스럽게 행동할 지도 모른다고 예상하기는 했다.

천산혁은 김재영에 대해서 잘 알고 있으니까. 승부욕이 강한 놈이고, 도전정신이 높은 새끼였다. 그가 그렇게 길러내기도 했고, 또 적합했기에 계속 기른 면도 있었다.

그의 게임에 한없이 도움이 될 만한 놈이었는데, 아쉽게도 잡혀버렸다.

우연과 우연이 겹쳐서 수세에 몰리고 있을 때 도리어 점수를 벌기 위해서 나갔다가 실패한 모양이다. 그의 움직임은 김재영의 안가로 돌아가지 않았고, gps 위치를 지도 어플에 대입해보니 어느 병원에 머물렀다가 경찰 지구대에 구류되었던 듯 보인다.

김연수는 절체절명의 위기라고까지 생각하진 않았다. 둘이 공유하고 있는 정보가 무수하게 많지만, 당장 김재영의 입에서 튀어나오는 이야기로 천산혁을 잡을 수 있을 정도의 무언가는 없었다.

천산혁과 김재영은 철저하게 독립적이며 독단적으로 행동했다. 천산혁 역시 김재영의 위치를 파악하는 것 외에는 통제 바깥에 두었다. 그러니 이런 사달이 벌어진 것이기도 하다.

김재영은 나름대로 믿고 있었다. 사이코패스 간에도 어떤 신뢰가 있다면 말이다. 천산혁은 그를 끔찍하고 지독한 트레이닝의 연속으로 밀어넣었고, 그런 십 대와 이십 대를 보낸 김재영은 인간 병기, 나 괴물이라는 상투적인 단어가 어울릴만한 사내가 되었다.

천산혁이 스스로 상대한다고 하더라도 까다로운 종류였다. 단기결전이나 갖가지 도구를 쓴다면 모르겠지만, 맨 손으로 싸운다면 김재영의 작전에 따라서 얼마든지 천산혁이 질 수도 있었다.

승률이야 늘 엎치락 뒤치락 할 수 있는 게 사람간의 격투이기는 했다만. 그래도 압도적인 기세나 기술의 격차라는 건 있었다.

천산혁은 김재영에게 그런 것들을 아낌없이 알려주었고, 자신의 분신처럼 사용하기를 원했다.

김재영이 생각하고 말하는 것 까지 다 그를 닮도록 길러냈고, 어느 정도 성과를 이루었다.

그가 굳이 일일이 체크하지 않아도 그의 방식대로, 완벽주의나 편집증적인 형태로 일을 마쳤고 목적 없이 살아가고 있는 두 사이코패스가 공유하는 '게임'으로서의 달성 과제들에 대해서도 역시 높은 성취욕을 보였다.

성취욕이 너무 높은 게 혹시 문제였을까.

아니, 그건 아니다.

다만 도박수를 던져서 실패했을 뿐이다. 성공했을 가능성도 있었다.

형사들 중에 그만한 인재가 있었던가.

안정적으로 처리할 수 있으리라 보이는 인물들이기에 김재영이 일을 저질렀을 텐데. 그런 예상을 깰 정도로 실력과 의지가 모두 출중한 자들이 수사본부에 있던 모양이다.

경찰들 입장에서 잡아야 하는 '김연수'. 하나 남은 김연수는 소파에 앉았다.

그가 있는 안가의 내부 구조는 김재영의 것과 비슷했다. 취향의 문제까진 아니었고. 제공받은 안가를 모두 한 사람을 통해 구했기에 그러하다.

굳이 근원을 찾자면 '노인'의 취향이 일관적이었기에 그럴 테다.

2층짜리 단독 주택.

낡은 외관에, 도심에서 조금 벗어난 지역에 있다. 바깥에서 들이닥치는 햇살은 창문의 커텐으로 막아두었고, 불 역시 켜질 않아 다소 어둡다.

묵직한 질감의 짙은 갈색 톤이 내부 인테리어의 배색이다.

마찬가지로 짙은 암갈색 소파에 천산혁이 앉았다. 3인용의 가죽 소파로, 오래된 물건처럼 보였지만 비싼 종류인지 그리 헤져 보이진 않는다.

세월의 때가 묻고 조금 반질거리는 티가 날 뿐이다.

천산혁은 그 가운데 앉아 등을 기대었다. 바닥을 덩그러니 뒹굴었던 재떨이가 거실 한 구석까지 튀어서 멈춰 있다.

TV가 소파에서 바라볼 때 왼쪽 벽면에 붙어 있다. 소파는 현관으로 들어와 바로 보이는 거실에서 가장 먼 쪽, 안쪽 벽면에 붙어 있었고.

나무판이 연결되어 만들어진 바닥이나 벽면이다. 소파의 위에는 장식처럼 검은 장미 그림이 하나 액자 안에 걸려 있었다.

천장은 다소 높았는데, 그가 앉은 소파에서 바라볼 때 오른 쪽으로 이동하면 2층으로 올라가는 나무 계단이 있었다. 난간을 잡고 올라가면 2층에 다다르고, 중간부터 오르는 사람의 상체가 2층과 1층을 구분짓는 벽면에 가려 사라진다.

천장에는 쓰이지 않는 조명 장식이 달려 있었다. 마치 샹들리에처럼 이런저런 조명이 얽혀서 분위기와 모양을 내고 있지만 그 여러가지 중 한 두 개만 쓰고 있다.

경상 지방에 머무를 때 자주 기거하는 곳이었다. 최근에는 이곳에서 움직이고 생활했다. 소파가 붙은 벽면 쪽으로 다시 통로가 하나 나 있었고, 들어가면 부엌과 화장실이 나온다. 부엌으로 통하는 통로를 지나쳐 주욱 벽면을 따라가면 문이 하나 있다. 1층 안방이었다.

일가족이 모여서 윷놀이라도 해도 될 정도로 넉넉한 크기의 거실에는 별다른 장식도 가구도 없다. 황량하게 비어 있는 낡은 마루바닥이 있을 뿐이다. 카펫 하나 깔려있지 않고. 벽면 근처에 쓰레

받기와 빗자루, 그리고 진공 청소기 하나가 기대어 있다.

깔끔한 편인 천산혁은 자신이 머물게 되는 안가에 들어오면 가장 먼저 청소를 한다.

이곳 역시, 김재영의 그것처럼 시체를 처리할 수 있는 각종 기구가 있었다. 지하실로 연결되어 있다.

이런 시설들을 몇 개 만들어두기 위해 천산혁은 부지런히 일했다. 김재영이 크고 난 뒤에는 같이 뛰며 돈을 벌었다.
돈을 번다,
라곤 하지만 정상적인 직업은 물론 아니었다. 다른 이들의 원한과 핏값이 얽히는 아수라장 속에서 누군가의 목숨을 취하고 건네받는 돈뭉치들이었다.

살인청부업, 따위는 만화에나 나올 법하지만 동남아 등지에서 천산혁과 김재영이 실제로 저지르며 돈을 번 방법이었다.
'노인'은 좋은 거래 대상이었고, 두 기술적인 싸이코패스에게 많은 일감을 가져다주었다.

천산혁은 불도 켜지 않은 집 안 내부에서 곧 바깥에 나가도 좋을만치 정장을 차려 입고 있었다.

중절모 하나는 소파 근처에 있는 옷걸이에 걸어 두었다.

회색과 옅은 베이지 색이 섞인 정장이었고, 목에는 머플러처럼 어울리는 질감의 천 하나를 걸치고 있다.

그는 주머니에서 휴대폰을 꺼내어 각종 기록을 살펴보았다.

김재영과의 연락은 이전에 보낸 것이 마지막이었다.

동대문구 근처의 거점에 지내고 있는데 형사들이 압박해오는 것 같다.

단지 그것만으로 그들의 정체가 노출되었으리라 생각하지는 절대 않았지만.

개인적으로 불안감을 느꼈을 지도 모른다. 김재영이 말이다.

자신의 어린 자식, 자신의 유용한 칼날. 그리고 시간과 돈과 정력을 쏟아부어 만들어 낸 가장 훌륭한 수족이 게임 오버를 당했다.

천산혁은 무감정하고 차가운 눈동자를 데굴데굴 굴리며 집 안을 살폈다. 소파 근처의 스툴에 리모컨이 있었다. 그는 그것을 집어들어 TV를 켰다.

-지난 8월 말 동대문구에서 벌어진 실종 사건이 어떤 범행에 의한 납치라고 경찰이 밝혔습니다. 경찰은 내부적으로 실종 건에 납치 가능성을 확인한 뒤 수사중이었으며, 7일 전인 9월 29일 해당 사건의 용의자를 긴급 검거했음을 전했습니다.

뉴스 데스크에 앉은 여성 앵커가 속보처럼 이야기를 전달했다.
그가 일부러 틀지도 않았는데 곧바로 나온 내용이었다. 천산혁은 눈살을 찌푸리고 얼굴을 구겼다.
기분이 더러웠다.

경찰이 그들고 관련된 사건에 대해서 정보를 민간에 푼다는 건, 어느정도 성과를 냈음을 저들끼리 자축하는 의미라고 보였다.

아무런 가닥이 잡히지 않는 사건에 대해서 알려서 그들의 무능력함을 광고할 이유는 없었으니까.

게임에서 한 차례 크게 지고 들어가는 것 같았다. 그리고 그 패배의 상징이 TV에서 흘러나오고 있었고.

"……."

그것을 가만히 바라보던 천산혁은 리모컨을 거칠게 다시 한 번 집어던졌다.

재떨이가 박았던 벽면 위치에 똑같이 리모컨이 가 닿았고, 투당탕! 하는 소리를 내며 플라스틱 제의 물건이 여기저기에 제 몸을 튕겨대며 날았다.

*

"……."

윤계식은 눈을 떴다.

눈을 뜨자 보이는 건 하얀 천장이었다.

밝은 실내의 조명이 그의 눈을 찌른다.

오랜만에 눈을 뜬 그는 몇 번인가 눈살을 찌푸리면서 시야를 회복했다.

몸의 감각은 어떠한가.

그는 일어나자마자 가장 먼저 그것을 점검했다.

손 발이 제대로 움직이는가.

어딘지 몽롱하고 둔한 감각이 그의 뇌리를 감싸고 있었다. 사실 정신도 온전치 않다. 잠에서 조금 덜 깬 것처럼, 한 꺼풀 무언가 덮고 있는 듯한 괴리감이 그를 지배하고 있었다.

몇 분간 눈을 껌벅이면서 정신을 차리기 위해 그가 애를 썼다.

손을 움직이려 했으나 무언가 연결되어 있는 듯 거치적거리고 불편하다.

늙수구레한 사내는 많이 다쳤다.

"……."

말없이, 잠시 가만히 참았다. 움직일만하다고 생각이 들었을 때, 조금 일으켜 본다.

"윽."

몸에는 영 쑤시는 데가 많았다. 한참을 낑낑대면서, 상체를 간신히 세웠다. 병원 침실의 머리맡으로 몸을 끌고가서, 천장이 아니라 정면의 벽을 바라볼 때쯤 몸에서는 땀이 흐르고 있었다.

방의 온도 자체는 썩 나쁘지 않다. 쾌적하고, 적당히 선선했다.

계식은 벽을 바라보지 않고, 지난 날을 바라보았다.

기억들이 스쳐가듯 머리에 떠올랐다가 사라진다.

지독한 드잡이질이었다, 한 사내와 두 명의 전현직 형사들이 벌였던 달밤의 사투는 말이다.

벌컥. 그 때 소리가 났다. 계식은 자연스럽게 고개를 돌렸다. 관절 여기저기가 쑤시고, 뻣뻣하다.

고요한 병실. 실내. 내부. 창문도 닫아두었고, 소리 하나 없이 자그마한 기계음이나 바깥의 먼 소리만 울리던 곳이다. 방문을 열고 누군가 들어온다. 몇 명의 사내, 에 여성도 끼어 있다.

개중 자신과 비슷할 정도로 주름진 얼굴의 남자가 먼저 말을 걸었다.

"여어어어어. 우리 윤 경감님. 오랜만입니다, 그려."

익숙한 목소리에 사내는 눈살을 먼저 찌푸렸다. 친근한 척 말을 거는 사내의 얼굴은 익숙한 것이다. 어디서 봤는지 정확하게 떠오르지는 않았다. 그리고, 그 주변에 있던 이들은 모르는 작자들이었다. 아니, 한 놈만은 익숙하다. 그와 최근에 계속 활동하던 젊은 형사였다.

박주영도 성치 않은 몸을 끌고 그에게 온 모양이다.

계식은 정신이나 감각이 영 멀쩡치 않다고 느꼈다. 그대로 눈을 깊게 감았다가 다시 떴다. 약간의 어지럼증이 있다. 삐비빅, 거리면서 소리를 내는 다양한 의료기기들이 거슬린다. 호흡기 따위를 달고 있는 건 아니었지만 링거가 팔에 꽂혀 있었다.

뚜-욱, 뚜욱, 하고 수액 종류가 연결된 거치대 기계 위에서, 방울 떨어지는 소리가 들린다.

사내는 고개를 이리저리 뒤틀며 정신을 차리려 했다. 결리지 않는 부분이 없다. 그렇잖아도 노쇠한 몸뚱이인데, 무리를 한 기억뿐이다. 고단한 짓거리였다. 그런 고생이 결실을 맺지 못했다면 더 절망적이었을 테지만.

다행히 결과는 좋게 끝났다.

"이름이… 뭐더라."

"섭섭하게 이러시기요."

사실 그렇게 섭섭할만한 일은 아니었다. 정말로 말이다. 조용수 과장은 넉살 좋은 웃음을 지어보였다. 사람 좋은 표정이다. 그게 그의 장점이라고 해도 좋았다. 조직 내에서 그런 인격을 유지하고 있는 것만으로도 주변에 많은 도움이 된다.

조용수 과장은 어딜 가나 제 역할을 해내는 작자였고, 분위기를 부드럽게 하는 카리스마가 있는 사내다. 용인술이나, 사람들 간의 분위기를 조율하는 힘은 조직에 반드시 필요한 종류의 능력이다. 결국 내치가 잘 이루어져야 바깥 일도 잘 볼 수 있는 것 아니겠는가.

조용수는 늘 중요한 게 뭔지 생각하고, 알고 있는 사내였다. 그에게 있어서 중요한 건, 윤계식이라는 늙은 사내의 열정이다. 오랜 시간 전부터 한결같이 목표를 쫓았던 어느 사내의 삶의 방식 말이다.

그와 윤계식이 만나고 함께 일을 했던 건 지금보다 훨씬 젊은 날의 일이었다. 스쳐 지나가는 인연이었고, 사내가 조용수를 기억하지 못하는 건 당연한 일이다.

아주 오래 전, 강산이 한 번 이상 넉넉하게 변할 시간 전의 인연이 아닌가. 당시에야 열성적으로 그의 뒤를 쫓던 신참이었으나 그 이후로는 연이 많지 않았다.
그 어린 날의 어렴풋한 얼굴을 기억하고 있다가 지금 곧바로 떠올렸다는 건, 사실 초인적인 수준의 기억력이었다.

지난 세월이 조용수에게도 만만찮게 험난했던 탓이다. 이목구비도 조금 달라졌을지 모르고. 인상은 더욱 변했으리라. 젊은 날 윤계식과 함께 온갖 현장을 들쑤시고 다니던 인간은 이제 없었다. 늙고 처세술에 능한 수사본 과장급 인사가 하나 있을 뿐이지.

직책은 올랐으나 삶은 올라갔다고만은 할 수 없었다. 나이를 먹고 늙어갈수록 예전의 그 열정을 갈구하는 사내가 하나 더 드러날 뿐이다.

조용수에게 윤계식이란 그런 존재였다.

어린 날의 순수한 열정을 뜻하는.

아직까지 여기저기 박고, 깨지고, 피가 흐르도록 고생하는 선배를 보니 마음으로는 눈물이 날 정도였으나, 그리고 아직까지 자신을 기억하여 불러준 일에 더욱 감동을 받았으나.

아무렇지 않게 씨익 웃으면서 한 걸음을 더 다가섰다.

병실에 누운 늙은 선배는 나약해졌지만 그 양심은 아직도 건재해 보였다.

"조용수요."

"아, 그런 이름이었지."

"하하, 사람 참, …."

조 과장은 너스레를 떨려다가 차마 잇지 못했다. 낡은 이를 만난 더 낡은 후배는 차마 말을 더하지 못했고, 주변에 있던 다른 후배들이 받았다.

"윤 경감님. 심민아 경위입니다."

개중에서 최근 김연수 관련 수사본에서 활약을 했던 심 경위가 조금 더 나섰다.

"…경감은 무슨. 예전에 은퇴한 늙은이한테. …그래서, 대책 본부 분이십니까?"

계식은 젊은 나이의 심민아에게 정중한 존대를 덧붙였다. 이야기의 전반부는 예전 직책을 들먹이며 친한 척을 한 그녀에게 한 대답이다. 후반부는, 젊은데 이런 자리에 끼어 있으니만큼 엘리트 계열의 조직원이라고 생각해 하는 존중의 표현이었고.

"…예, 맞습니다. 김연수 사건 대책 본부 소속이고, 프로파일링을 하고 있습니다. 저희로서도 짐작밖에 못하던 실제 대상을 잡아내신 건 선배님이시라… 책상 물림을 하고 있는 입장에서 감사를 꼭 드리고 싶었습니다."

"책상물림이라… 과하게 겸손하신 표현이구먼. 수사본 쪽에서 판을 깔아주지 않고… …,"

계식은 성치 않은 몸뚱이에 인상이 찌푸려질 뻔한 것을 참느라 고생을 했다. 잠시 말이 멈춘 이유는 그것이었다.

"…끄응…, 도와주지 않았더라면 현장에서도 힘을 못썼겠지. …박 경사가 애를 많이 썼네."

그리 말하며, 계식은 인파 사이에 있는 박주영을 흘끗 보았다. 청년이 자신보다 더 심한 꼴을 당하면 당했지, 적게 맞지는 않았을 것이다.

괴물같은 놈이었다. 김재영, 이라고 이름이 밝혀진 범인은 말이다. 정확히 말해 아직 용의자의 신분이었으나. 내사적으로는 결론이 거의 난 일이었다. 김재영은 자세한 부분에 대해서 토설하지 않고 있었지만 다양한 정황들이 지나치게 명료했다.

자백을 하지 않았을 뿐, 그가 머물던 거처에서 범행에 사용한 듯 보이는 다양한 도구들이 여럿 발견되었으니.

전직 형사와 현직 형사를 향한 공격은 현행 범죄로 발각이 되었고, 이전에 동대문구에서 여성이 실종, 살해되었던 것과 같은 방법으로 새로운 피해자를 만드려다가 미수범으로 잡혔다.

김재영의 자백을 촉구하고 있는 부분은, 김연수와 관련된 면들이었다. 그가 정말 유명한 살인마의 일당이라고 한다면 근래 일어난 수많은 사건들에 전부 손을 댔을 확률이 높으니.

김재영같은 인간이 달리 김연수가 아니라고 한다면, 그게 더 놀랍고 절망스러운 일이었다. 이 세상에 다시 있을 것 같지 않은 괴물이었으니 말이다. 그 청년은.

정신적으로도, 육체적으로도 흉악함을 가진 인간이었다.

김재영에 관한 신문을 진행했던 프로파일러들도 여태까지의 살인마들과 비교해서 질이 더 거칠다는 느낌을 받았다며, 이야기를 나눴다.

단순히 김재영이 혼자서 자라난 괴물이 아니라, 전 세대의 괴물이었던 천산혁에 의해 개발된 괴물이기에 그렇게 느끼는 걸지도 모른다.

물론 김재영이 아직 천산혁에 대해서 증언하지는 않았으므로, 경찰 쪽은 해당 정보를 얻지 못했다. 그들이 간절히 원하는 것이 그 쪽의 정보였다. 공범의 존재. 청년 혼자서 이루기 어려울 듯한, 정교한 지하 시설과 다양한 도구들. 그것들 역시 돈의 관점으로 본다면 자산과 자본이었고, 액수로 따진다면 상당한 단위가 되리라.

김재영은 고작해야 프리랜서 디자이너로 일을 하고, 비슷한 느낌으로 단기적 직장을 가져온 게 고작이었다.

영화에서 나오는 것처럼 전문 청부업자로 일을 했다고 하더라도 걸리는 점이 여럿이었다. 조력자가 있을 것처럼 완벽한 상황 속에 있던 것이 그, 김재영이다.

집은 어떻게 구했을 것이며 또 구조 공사는 어떻게 처리를 했겠는가. 그게 악의로 지어진 집이라는 걸 빼고 생각하면, 아주 노회한 이의 계획과 세심한 손길이 엿보이는 공간이었다. '김재영'이라는 사내는 2대 째라고 보는 게 자연스럽다.

경찰 쪽은, 그렇게 '젊은이'를 도와주는 어떤 계획자의 존재를 추론한다. 가상의 존재였고, 물증이 있는 건 아니었으나.
'그 계획자'는 분명 김연수와 밀접한 연관이 있을 것이었다. 예전에 비슷한 짓거리를 벌였던, 그 때의 '진짜 김연수'와 말이다. 본인이던, 혹은 그의 동료이던.

일단 '현재' 벌어졌던 사건들에 대한 용의자는 김재영으로 결론이 나고 있었고, 예전의 김연수에 대한 수사만 종결이 되면 모두 끝난다.

한 번도 제대로 해결된 적 없었던 사건에 대한 공이 윤계식에게 있었다. 얄궂은 일이었다. 긴 세월 집념에 가까운 의지로 김연수를 좇던 늙은이가 결국 그를 잡아냈으니 말이다.
경찰 내부에서도, 김연수와 윤 경감을 기억하는 이들은 기이한 필연성을 느꼈다.

지성이면 감천이라던가, 혹은 진인사대천명이라던가.
수 십 년을 허비한 것 같아 보이던 누군가의 망집이 결국 결실을 발휘했다. 그런 사실은 누군가들에겐 큰 충격으로 다가왔다. 좋은 의미로.
죽어 있던 열정에 불을 지피듯한 일이었다.

결국 윤계식은 수사본이 예상하지 못한 데서 튀어나온 조력자였다. 적어도 그와 비슷한 시대에 현장을 뛰었던 중진급 인사들은, 그에게 호의를 느끼고 있었다.
예전의 그 막무가내가, 다시 사고를 친다고 싫어하진 않는 셈이다. 조용수 과장과 같은 자들이다.
그네들은 도리어 그 때의 그 인간이 아직도 저러고 다니는구나- 싶어서 남몰래 웃음을 지을 판이다. 한국 경찰이 도저히 잡아내지 못하던 신원미상의 범죄자를 쫓던 그의 의지는, 그래,

귀감이라는 고리타분한 말이 어울리는 무엇이었다.

윤계식을 알고 있는 이들끼리 느끼는 그 감상과 분위기, 열기는 다시 아래 직급의 실무자들에게 전달이 되었다.
심민아가 제대로 본 적도 없는 전직 형사에게 먼저 감사를 전한 것도 그런 이유였다.

윤계식이 멀쩡하게 대답을 하는 듯하자, 대화에 끼고 싶었던지 개중에서 박주영이 나섰다. 그러나,

"선배님, 몸은 좀 괜찮으시…."
"끙. 나보다 자네가 더 심각해 보이…."

박 경사가 한 발 앞서 나오며 이야기를 걸다가 말을 멎었다. 목발을 짚고 있는 꼴이었다. 다리가 망가진 건 아니었지만 칼에 찔린 부분에 힘이 들어가면 안된다. 다행히 신경이나, 대퇴부를 지나는 주요 동맥이 손상되지는 않았다. 수술은 마쳤고, 안정만 취하면 된다.

다만 그 외에도 여기저기, 처맞은 곳이니 찔린 곳이니 하는 게 그에게 격통을 선물했다. 간헐적으로 말이다.

함께 고된 전투를 치른 두 사내는 우습게도, 말도 제대로 잇지 못하고 그러고 있었다. 침묵이 길어지자 조 과장이 이야기했다.

"……안정을 취하시라고, 나가드리는 게 낫겠소."

그가 넌지시 말을 뱉었고, 사람들이 그의 말에 주억거리며 움직였다. 나중에 보자며 천천히 발길을 돌린다. 왔던 데로 다들 돌아갔다. 박주영 역시 뒤따라 그러려고 했으나 다리에서 올라오는 격통이 그를 멈추게 했다. 심민아가 답답하다는 듯 박 경사를 도왔다.

"아니… 꼴이 이러면 나오시지를 마시죠…."
"하하…… 악."

박주영은 멋쩍다는 듯, 민망하다는 듯 웃음만 흘리며 뒤돌아 나섰다.

"나중에 다시 뵙겠습니다, 선배님."
"그래, 쉬게. 푹. 고생이 많았어, 자네는."
"선배님만 하겠습니까."
"하."

피 튀기는 골목에서 살아 돌아온 두 전현직 형사에게는 이전보다도 돈독한 신뢰가 쌓여 있었다.

*

"경감님, 여쭙고 싶은 게 그러니까……."
"경감님 아니라니까요."

심민아 경위와 마주보고 있는 계식이 답했다. 그녀 뿐만은 아니었고, 프로파일링 쪽의 수사 방식을 맡고 있는 박경수 경위도 함께였다.

계식에게 묻고 싶은 게 있다는 이유에서였다.

계식은 거진 딸뻘로 봐도 좋은 나이대의 여성에게 자연스레 존대를 했다. 예전에 은퇴한 늙은이를 두고 경감이라고 칭하고 있기에 말이다.

박경수, 박 경위가 웃으면서 분위기를 조금 부드럽게 만들었다.

계식은 어느 정도 병상에서 자리를 털고 일어선 뒤였다. 여기저기를 찔리고, 갖다 처박고. 엉망이었지만 장기나 신경 기관이 손상된 곳은 없었다. 단순한 외부 상처였는데, 나이가 나이이다 보니 낫는 데까지 시간이 깨나 걸렸다.

의료비도, 정부에서 지원이 나와서 덕분에 편히 쉴 수 있었다. 수사본 등 경찰 조직 내에 있는 자들 중 조 과장과 같은 이들이 힘을 써준 덕분일 지도 몰랐다.

박주영 경사는 계식보다 훨씬 빠르게 쾌유했고, 벌써 퇴원을 한 뒤였다. 이따금씩 노인네를 찾아오는 예의까지 갖춘 젊은이였다. 대단할 건 없었지만, 계식에게는 그런 게 눈에 띄는 점이었다. 열정적이다, 혹은 독기가 있다, 혹은 싹수가 있다. 대강 그런 말로 통일되는 부분이다.

물론 박주영 외에도 찾아오는 젊은이들은 몇 있었다. 요즘은 노친네를 친근하게 여기고 대접해주는 이들이 종종 있었다. 지난 시절을 생각하면, 우스운 일이고 생경한 일들이기는 하다.

자꾸 못난 얼굴에 금칠을 하는 양반들이 있었다.

병원에 있는 휴게실 하나를 협조받아서 잠시 쓰는 중이었다. 바깥이 보이지 않는 곳이고, 잘 쓰지 않는 방인듯 인테리어도 마냥 흰 색이 아니라 평범한 건물의 객실같았다.

여섯, 혹은 여덟 명 즈음이 앉으면 딱 맞을만한 길다란 흰 테이블에 나란히 앉은 세 사람이었다. 계식은 묻고 싶은 말이 무어냐는 듯한 표정으로, 두 남녀를 가만히 쳐다보았다.

"하하… 별 얘기는 아닙니다."
"별 얘기가 아닌데 이렇게 부르셨수."

박경수의 말에 계식이 뚝, 답했다. 병원 휴게실 어디에서 빌려온 포트와 다기로, 따뜻한 차 종류를 각자 마시고 있었다. 계식은 둥굴레 차, 박경수와 심민아는 홍차였다. 후릅. 심민아는 한 모금 마시며 생각을 정리한다. 영리하게 묻기 위해서.

"선배님께서 생각하시는 김연수의 프로파일이 따로 있으십니까."

아, 그거.

계식은 심 경위의 질문에 별 것 아니라는 듯 이야기를 시작한다. 정말로 가벼운 이야기는 아니었다. 너무 오래도록 묵은 화제이자 담론의 주제였기에 새삼스럽게 어떤 감정이 일지 않는 것뿐이다.

잔인한 테러에 대해서 24시간, 수 십년을 생각해 온 전문가가 있다면 그 역시 대단한 동요를 보이진 않으리라. 사람의 감정은 그렇게 요동치도록 설계되어 있지 않았다.

긍정적인 반응과 다양한 희로애락은 있어야 했지만, 극단적인 레인지에서의 표출은 수명을 깎아먹는다. 지나친 감동도, 지나친 절망과 슬픔도 사람이 자신의 숨을 저며내어 토해내는 것이다, 원래.

지독하게 아름다운 시가 산문으로 길게 늘어져 적히지 못하듯.

한 순간의 처연한 감정도 24시간을 지속할 수 없었다.

그것이 끊어지지 않고 몇 시간, 며칠, 몇 달과 년을 헤매이게 된다면 그 때 누군가를 보고 '정신이 병들었다'고 일컫는 것이다.

우울증도 조증도, 조울증도. 그 외 다양한 병력과 심신미약도 대개는 그런 정신의 불균형과 연결이 되리라.

너무 오래도록 생각하고, 끔찍한 것이었으나 일상이었기에 윤계식은 덤덤하게 늘어놓는다.

"이전에 두 형사에게는 말했던 것 같은데,"

계식이 말하는 '둘'은 김민식과 박주영이었다. 지푸라기라도 잡겠다는 심정으로 윤계식을 찾아온 두 사람은 그와 가장 많이 대화를 나누고 교류를 한 현역들이었다. 그들과 나눈 이야기는 결국 두 청년을 거쳐서 본부에 보고되고, 수사본 인원들이 함께 나누어 들었으리라.

혹은 두 사람이 보고를 제대로 하지 않았을 수도 있지만.

계식은 두 경우에 대해 잠깐 생각해보다가, 아예 보고가 제대로 들어가지 않았거나 눈앞의 심 경위가 모를 수 있다고 가정한 뒤이었다.

"내가 여태까지 쫓았던 김연수는 사이코패스네."
"……."

심 경위도, 박 경위도 말을 하진 않았다. 알고 있는 사실이었다. 누구보다도 잘.

"그리고, 내가 쫓은 그 놈은 이십 여 년 전, 연수동에서 살인행行을 시작했던 놈이지.
…심 경위,
대한민국에 얼마나 많은 사이코패스 연쇄살인마가 있어왔나? 혹시 세어본 적 있나?"
"…현 시점 수사 종료된 건 기준으로 아마 70여 명 즈음입니다."
"오, 그렇군. 나도 그 정도로 알고 있지. 은퇴한 지 조금 되었으니, 외부 기준과 내부 기준이 다를 수는 있겠지만 말야. 아무튼… 그래, 70명이라고 치지. 개중에서 20여 년 전의 김연수가 몇 위라고 생각하나?"
"위位… 말씀이세요?"

위, 를 묻는 말에 심민아는 묘한 표정을 지어보였다. 살인마 새끼들끼리 랭킹 경쟁이라도 하고 있다는 말일까. 무엇을 기준으로 그걸 정하느냐는 이야기였다. 그녀에게 있어, 그리고 대부분의 올바른 경찰들에게 있어 살인마들은 그저 해악적 존재에 불과했다. 잘난듯이 몇 위냐는 말로 그것들을 가늠할 수 없었다. 하나같이 쓰레기니까. 저열한 짓거리에 랭킹을 붙일 수 있겠는가. 그걸 독려라도 하는 듯이.

그럼에도 불구하고 윤계식은 물었다. 밀어붙이듯이.

"그래. 몇 위. ……." "아마, …1위시라는 말씀이시죠? 하시려는 말이…."

박 경위가 대신 말을 받았다. 계식은 아직도 조금 쑤시는 어깨 부근을 신경쓰면서, 둥굴레 차가 담긴 컵을 슬슬 돌렸다. 계식은 종이컵에 담아서 마시고 있었다. 두 사람은 머그잔 따위를 쓰고 있었고. 본인이 편하다며 그렇게 한 참이다.

계식은 박경수의 말에 고개를 가로저었다. 크지 않은 궤적.

"내가 놈들을 다 못 만나봤으니까 모르…긴 하지. 그런데, …나만큼 우리나라 경찰 중에서 김연수 그 새끼한테 몰입한 놈이 있을까. 사이코패스 살인마 하나한테 말야….
여러분, 나는 부끄럽지만 그 일의 전문가라네. 하하…."

계식의 말이 잠깐 끊어졌다. 회한이 담긴 웃음이 새었다, 말 중간에.

참 지독한 세월이라고, 지난 시간을 두고 그런 상념이 계식의 머릿속에 지나갔다.

"2위가 아닐까, 싶어. 내가 그토록 잡고자 했던 놈은."

"그러면…."

박경수가 대꾸했다. 계식의 눈이 희번득했다. 미친 놈을 잡으려면, 어느 정도는 광기를 보여야 하는 법이 있었다. 그러지 않고서는 이해하고 잡아내기 어렵다.

계식이 말을 하는데, 스스로 사포를 갈아 씹어 먹은 기분이 들었다. 그가 김연수를 생각하는 마음이었다. 면도날을 잘 개어서 삼킨 것 같은 기분. 참 심한 마음이라 꺼내놓지 못하는 것이었다. 그래서, 이십 여 년이 지난 지금 이렇게 움직일 수 있는 것이었고.

지독한 한이라고 하는 게 맞으리라. 피해자들의 응어리를 대신해서 지고 있는 셈이다. 형사로서.

"1위는 뭐…. 우리나라에서는 그 새끼지. 김재영. 우리가 잡은 놈. …."

심민아 경위, 하고 계식이 그녀를 처다봤다. 눈동자가 번뜩이며 그녀를 마주했다. 심 경위는 문득 움찔했다. 광기가 스미는 것 같았다. 제 속에도 말이다.

"김연수를 아나? ……." "저는…."

심민아가 아노라고 답하려 했으나 계식이 말을 이었다. 넌 모른다는 말도 된다.

"놈은 내가 가장 잘 알지." 시익 웃었다. 노망 난 늙은이의 표정이었다. 그렇게 보여도 상관없는 사내의 얼굴이기도 하다.

"계획없이 일을 꾸밀 놈이 아니야. 놈이 둘로 활동을 시작했다면, 1대 김연수는 2대 김연수를 완벽하게 자신하는 작품이라고 여겼기에 내놓은 거지. 결함이 있을까? 아니, 조금도. 놈은 결함이 있다면 제가 낳은 자식이라고 해도 범행의 피해자로 만들 놈이거든. 악신에게 제사라도 지내는 듯한 놈이야. 살아있는 인간의 생살을 저며서.

……."

피로한듯 계식이 잠깐 쉬었다. 후릅. 둥굴레 차를 마신다. 차 향이 좋다. 별 것 아닌 향은 늘 마음을 다독인다.

일상이 필요하다. 누구에게나.

살인자에게도, 그리고 그것들을 쫓는 형사에게도 말이다.

살인자가 먼저 '자신自身'을 버렸기에 형사도 몸 버려가며 그 지랄과 간난수고를 다 겪는 것이다. 몹쓸 놈, 하고 계식은 속으로 생각한다. 김연수를 향한 말이다. 그리고 그와 같은 개망종들을 향한 말일 테고.

"체력, 기술이나, 마인드 세팅, 지식까지 완벽하게 채워넣은 다음에야 세상에 내놓았겠지. …내가 놈을 잡은 건 천운이라고 생각하네. 미안하지만."

윤계식은 그리 말하면서 전혀 미안하지 않은 표정을 지었다. 뚝, 하니 그냥 텁텁한 얼굴이었다. 늙은이의 그런 말에 심민아는 발끈할 수는 없었다. 그녀조차도 그렇게 여긴다. 김재영이란 인간을 잡은 건, 그냥 호박이 넝쿨째 들어온 것이나 다름 없는 일이었다. 우연이 벌어지지 않았다면 그럴 수 없었으리라.

그런 놈들이 태어나고, 사건을 저지르고 잡히지 않았듯이.

때로 세상이라는 거대한 피아노를 가끔 변주시키는 우연과 기적은 긍정적으로도 작용을 했다. 경찰 조직들에게 있어서 긍정적일 테였고, 물론. 김연수라는 살인마 집단에게는 비극이었을 것이다.

"1위를 잡았으니 남은 건, 기량이 떨어진 2위에 불과하지.

그런데,

만만한 놈은 아냐.

그 2위가 1위를 만든 새끼거든. 얼마나 독기를 품었을까? 뉴스를 보고 있을텐데, 아마 반드시. 자기현시욕에 빠져서 사는 미치광이가 얼굴에 똥칠을 했을 때. …자기가 실수를 했을 때보다 더 심한 창피라고 느낄 거다, 분명. 자기보다 더 나으니까 세상에 내보냈던 제자가 잡혔으니까.

김연수가 사람 새끼라면.

악마가 아니라면 다 늙어빠졌을 육신을 갖고, 아마 게임을 준비하고 있겠지.

늙을수록 늘어나는 건 여기밖에 없지 않나. 안 그래?"

안 그래, 박경위? 라는 말이 뒤에 붙은 것 같았다. 계식은 긴 말을 띄엄띄엄 토해내면서, 마지막에는 성치 않은 손가락으로 제 관자놀이를 톡톡 두드렸다. 심민아보다는 박경수가 나이가 약간 더 많았다. 심민아보다 훨씬 노안이기도 했고.

박경수는 문득, 이 양반이 내가 나이가 많다고 하는 걸까, 생각했지만 굳이 반론하지는 않았다. 심민아와는 1살 차이였고, 조직 내에서 자주 엮이기에 친구로 지내고 있었다. 액면가는 훨씬 높아 보인다는 걸 인정은 한다.

윤계식이 바라보는 자신의 나이가 어찌 되었든, 노선배의 말에는 공감을 하는 그였다. 나이가 들수록 체력이 좋아지지도 않고, 어린 시절부터 바람보다 늘 둔했던 머리도 그대로다. 지식은 쌓여가지만, 빠져나가는 양도 만만치 않다. 그러면 어떤 것이 늘겠는가.

노회함, 잔머리, 이해력, 노하우, 뭐 그런 종류들.

늙은이에게는 늙은이의 방식이 있기는 하다. 오래 참고 천천히 물건을 조각해 올리면, 끝내 거대한 물상을 만들어낼 수 있다는 확신은 어린아이가 갖기 힘든 것이었다.

그렇기에 '사부'가 '수제자'를 키워낼 수도 있는 것이었고. 길을 알고 있으니까. 완성도를 보고 끌어당기니까.

계식은 2대 김연수, 그러니까 김재영을 1위라고 했다. 그러나 그렇다고 해도, 1위자의 살인과 악마같은 업적은 결국 1대 째의 계획에서 나온 것일 테다.

기량은 떨어졌어도 그 지독한 놈이 큰 사고를 치겠노라 독심을 품으면 더 무서운 짓을 벌일 지 몰랐다. 늙은이의 무서움, 노회함, 시간에 따라 쌓이는 일의 위력이다.

한 번에 큰 한탕을 치지는 못해도 차곡차곡 쌓아서, 경찰 조직, 수사본의 뒤통수를 칠 일을 벌이는 지도.
점점 시간이 없어지는 늙은이가, 젊은이에 비해 인내심이 더 생긴다는 건 언제 생각해도 아이러니한 점이었다. 계식은 그런 말을 하고 있었다. 지금까지와 다른 종류로 일이 벌어질 지도 모른다는.

"지혜…로운 살인귀입니까."
"귀鬼도 아니지. 쓰레기같은 새끼에 불과해. 지혜慧도 아니고. 그깟 놈들한테 무슨 슬기로움이 있겠다고. 본능에 따라 움직이는 패턴과, 쌓인 지식, 그런 게 있을 뿐이고. 그런 말을 써주고 싶진 않군.
……."

계식은 말을 끝내며 고갤 천천히 끄덕거린다. 원래도 느긋한 성격이지만, 몸이 아픈 탓도 크다.

"1대 김연수. ……. 경험이 쌓인 살인자와, 경험을 주입시킨 살인자 중에서 후자는 잡았으니 이제 전자를 잡아야겠지.
놈의 특징은 내가 잘 알아.
게임을 하듯 스코어를 기록하고 싶어하는 놈이지."
"게임이요." 박경수가 말했다.

"그래. 인생에서 감정을 빼버리면 뭐가 남겠나. 게임 뿐이지. 죽고 사는 것도 다 저열한 말초 신경의 반응을 위한 일이 되는 거야."
"……."

"놈이 지금까지 살아남은 것도 참 신기하긴 하군. 나는 반드시 어딘가에서 객사하리라고 생각했는데.

하루를 제대로 보내지 못하는 미치광이가, 이십 여 년을 넘게 살다니.

……죽지 않고 살아남았으니, 내가 잡아줘야 하는 거겠지만."

툭, 하고 둥굴레 차가 담긴 컵을 테이블에 뒀다.

"늙은이의 객기로 들으시고. 아무튼 고생들 하시길 바라네. 여러분이 힘을 내줘야지 않겠어."

"그래서 여쭙는 거지 않습니까."

심민아가 볼멘소리를 한다. 윤계식은 피식, 웃을 뻔했다.

"나라고 뭐 알겠나. 미친놈들 중에서도 미친놈이라는 것만 알뿐이야. 사이코패스들을 생각하던 상식에서, 뻔한 것들을 다 빼보게. 그러면 놈의 행적이 거기에 있을 테니까.

내가 김연수를 특정한 방식이네. 놈은 머리가 꽤 좋고, 클리셰를 아주 싫어하니까.

가능한 것 중에서 가장 불가능에 가까운 것에 도전하려고 하는 놈이고.

교활하고, 아직도 아마 믿기지 않을만큼 몸이 좋겠지. 그러고도 남을 놈이야."

"몸이 좋다는 건…."

"뭐 운동을 했다거나."

계식은 팔을 옆으로 슬쩍 뻗어 이두에 힘을 줘보였다.

"한 육십까지는 그래도 근력이 유지된다지 않는가. 그게 인간의 한계라고 한다면, 놈은 반드시 그 한계에 다다를 놈이지.
평균적인 이십 대 정도의 신체 능력이라고 생각하면 될 걸세. 예전에는 더 괴물같았지만. 지금은 그냥 평범한 청년 정도겠지."
"저보다도 좋을까요?"
"경위님은 운동 좀 하시는가."

박 경위가 묻자 계식이 되물었다.

"그래도 일단 강력 수사 본부 소속이니…. 체력 유지는 현장팀과 함께 운동 하는 걸로 간신히 하고 있습니다."
"그래. 뭐 아마 그 즈음 될 거야. 거기에 지난 세월…,"

"……"

"어디서 뭘 하고 돌아다녔을 지는 도저히 짐작이 안 가는 군. 단독 범죄가 가능한 완벽한 살인마 새끼가 활개치면서 시간을 보낼만한 곳이 어디일까.
…어디 중국 변방이나, 동남아, 개발도상국 따위에서 살인 청부업이라도 잔뜩 하고 왔고….
그 동안 어마어마한 자본이나 특수한 기계류같은 거라도 구해다가 쓰고 있을 지도 모를 일이지."

계식은 잠시 말을 끊었다가, 자신의 상상을 뱉었다. 남에게 공유할만한 상상은 아니었다. 말이 되지 않는 일이었고. 만화적이었으니까.
그러나 계식은, 실제로 놈의 뒤를 쫓으며 또 형사로서 온갖 꼴을 다 보았다.
세상의 지독한 꼴이란 꼴들은 다 말이다.

그런 경험으로 그가 느낀 것은, 영화나 드라마 따위에서 표현하는 것보다 현실이 늘 더 지독하다는 점이다.

살인마가 죽지 않고 더욱 경험과 지식, 노하우를 쌓고 이십 여 년만에 한국에 돌아왔다. 놈이 몸집을 불릴만큼 활개를 칠 수 있는 거대한 암흑가가 어디에 있을까.

이 시대에 당장 떠오르는 건 그가 말했듯 중국의 어느 변방이니, 동남아 지역이니 하는 곳들이었다.

외부 자본주의 국가로부터 돈은 어느 정도 흘러 들어가면서, 법치나 과학 수사의 영향력은 덜 미치는 곳. 범죄자들이 몸을 숨기고 제 놈들의 둥지를 만들어보기 좋은 곳들이었다.

거대한 나라의 틈바구니, 사람으로 가득 차 있는 인해人海의 한 복판.

중국이던 그 남부로부터 뻗어 닿는 동남아 인근의 대륙과 군도건, 그늘진 곳이 많은 지역이었다.

"……인터폴의 도움이 필요할까요."

"받으면 좋겠지. 국제적인 놈일 수도 있다네. 그런 새로운 스테이지나 성장이 없었다면, 아마 지루해서 죽어버렸을 놈이야.

사실, …김재영이란 새끼도 어디에서 거둬왔을 지 모를 일이고. 한국에서 잠잠했던 시간 동안 해외에서 돌아다니며…

후계자를 키우고 밑준비를 했다면 말은 된다네. 현실적이냐, 는 말은 하지 말게나. 김연수의 입장에서 생각했을 때, 말이 된다는 거야. 놈은 그런 놈이라네."

계식은 드물게 말을 아주 길게 한다.

말이 많은 사내는 아니었음에도. 어쩌면 누군가에게는 털어놓고 싶던 이야기였을 지도 모르겠다. 혼자서 지독한 추론을 계속 해나가는 건 어떤 사내에게라도 어려운 일이었다.

세상에서 가장 입이 무거운 남자라고 해도, 말동무는 필요한 법이었다.

사람은 혼자 살 수 없는 생물이었으니까. 본질적으로는.

"…예상되는 다음 행동이나, 근거지라던가… 가 있으십니까. 몽타주라거나."

"몽타주는 이 사람아 뭐……, 알아도 조직이 더 잘 알겠지. 다만 나와 비슷한 나이대가 아닐까, 싶은 정도네. 못해도 사건이 벌어졌을 당시에는 20대 후반이었을 거야."

"후반, 말입니까."

"그래, 박 경사와 김 경장한테도 말을 했었는데…. 김연수 사건은 하나같이 치밀하고 완벽한 게 특징이네. 천재라고 해도 그만큼 치밀하지는 못해. 경험이 어느 정도 쌓여 있지 않고선. 김연수는 어느 정도 성인으로서 사회 경험이나, 다양한 작업들을 해 본 뒤에 일을 벌인 게 분명하네.

경찰 조직이 지금보다는 과학 수사가 떨어졌다고 하더라도, 그걸 놀리는 게 어디 쉬운 일처럼 보이는가.

만화 영화에서처럼 쉬운 일이 아니야. 치밀한 안배와 노력이 없으면 불가능하다는 말이지."

"……."

심 경위는 입을 앙다물었다. 생각을 할 때의 표정이었다. 계식의 말을 듣고 깊이 떠오르는 영감 따위가 있는지도 모른다.

덕분에 박경수 경위가 대개 계식의 말을 받아주고 있었다.

“치밀함 이상의 치밀함. 놈은 가장 ‘김연수’처럼 보이지 않는 모습을 하고 돌아다닐 거네. 그래… 뭐, ……. 어딘가에서 아주 세련되고, 온화하며, 덕망이 높은 노신사같은 꼴이라도 하고 있지 않을까.

생각보다 깊이 지역 사회에 침투해서 말야.

김재영도 그랬지 않나? 직업을 갖고 일을 하고, 취미 동호회 활동 따위도 한 걸로 아는데.”

“확실히….”

박 경위의 대답이었다. 심민아는 여전히 심각한 얼굴이고.

저런 말들에서 무언가를 떠올릴 수 있다면 확실히 천재 이상일 것이었다.

“너무 튀거나 드러나는 일을 하는 멍청이는 아니겠지. 김연수는 그 정도로 머저리가 아니거든.

주변에 완벽하게 동화하고, 톤을 맞춰서, 세련된 인간으로 자신을 포장하고 있을 거네. 그 예전에는 못하던 인간으로의 위장술을, 지금은 완벽하게 익혔겠지.”

“인간으로의….”

박 경수는 계식의 말을 읊어보았다. 말인즉슨, 계식은 김연수를 인간으로도 취급하지 않는다는 뜻이었다. 계식은 종이커버 안을 바라본다. 누런, 혹은 노란 둥굴레 차의 국물과 차 찌꺼기 따위가 보인다. 아주 약간 일렁거리는 수면.

물이나 유리창을 멍하니 응시하다가 거기서 그리운 누군가의 모습이 떠오른다거나, 하는 일은 없었다. 계식은 텁텁한 목소리로 말을 정리했다.

"크흠…. ……. 자네가 어느 날 길을 걷다가, 가장 김연수'같지 않은' 인간과 마주했다면. 바로 그 작자일 걸세. 물론 물리적으로 나이나 성별을 바꿀 수는 없을 테고."

만일 스코어 경쟁에서 이길 수 있다고 한다면, 김연수란 놈은 성형 수술이나 호르몬 요법 등을 이용해 나이나 성별을 속이기도 할 테였다. 그러나 과도한 성형 수술은 결국 리스크가 크다. 완벽한 솜씨를 지닌 명의를 찾는 것 자체도 어려웠고.

평범한 인상에서 조금이라도 벗어난다면 도리어 그가 원하는 생활과 활동에 지장이 있을 수 있다. 게다가, 성전환 역시 호르몬 주사와 외과 수술이 요구되므로 몸의 기능이 저하될 수 있었다.

가장 건장하고, 오로지 물리적인 이유에서만 축복받은 신체를 포기하지는 않을 테였다. 그건 놈이 가진 가장 좋은 무기들 중 하나일 테니까. 고작 누군가의 의심을 피하기 위해서 그렇게까지 하지는 않으리라.

김연수는 누구보다 효율을 따지는 놈이었으므로 말이다. 모든 살인 행각을 접고, 마지막 일을 벌인 뒤에 도망가기 위해서라면 가능은 하겠다만.

그 점도 계식은 확신이 있었다.

김연수는 살인을 그만둘 수 있는 놈이 아니었다. 죽던, 잡히던. 어떤 식으로든 끝맺음이 나야만 멈출 놈이다.

아마 한국에서 더 이상 활동을 하지 못하게 된다고 해도, 일시적인 것으로 여기며 틈을 노릴 것이었고. 그게 아니면 해외에서라도 난리를 칠 녀석이었다.

김연수 사건의 현장에 가보면 선연하게 느낄 수 있는 시퍼런 광기들은 계속해서, 수십 년 간, 계식에게 그렇게 이야기했었다.

경찰 조직, 수사본이 예전의 형사에게서 단서를 찾고자 한 건 아주 잘한 일이라고 할 수 있었다. 그런 면에서 말이다. 아무리 책상 앞에서 데이터를 분석해도, 현장에서 와닿은 어느 인간의 직관력을 무시할 수 없기에.

계식은 다행히 현장에서 근무하며, 누구에게 뒤지지 않는 직관도 함께 갈고 닦은 부류의 인물이었다. 덕분에 후배들이 도움을 받기 쉬운 상황이다.

김연수 역시 자신의 노하우를 김재영에게 전했듯이. 계식 또한 그런 일을 하고 있는 걸지 몰랐다. 결국 혼자만의 힘만으로 김연수를 검거하는 건 불가능하리라는 생각의 발로일 지도 모르고.

"……섬뜩한 말입니다, 참."

"어느 영화에서 나오는 말도 안되는 악당보다는 낫지 않은가. 발도 땅에 붙어 있을 거고. 백 년 만 년 살지도 않겠지."

"하하…."

박경수 경위는, 하나도 재미를 못 느끼는 표정으로 웃었다. 실무자에게는 참 와닿지 않는 농담조의 위로였다.

"완벽한 잠입을 한 놈을 어떻게 끄집어낼 수 있을까."

"…….'

심민아가 문득 고개를 들어 계식을 보았다. 윤계식의 말에 무언가 느끼는 거라도 있었을까.

계식은 자신이 꺼낸 질문에, 허탈한 표정으로 자답했다.

"나도 모르겠다네."

하하.

박경수는 한 번 더, 죽은 동태 눈깔로 웃었다. 심민아는 여전히 골몰한 표정이었고.

*

가만히 있는 건 그의 특기라고 할 수 있었다.

천산혁은 일단 서울로 올라왔다.

무슨 일이 일어났는지 조금 더 정확하게 살펴야 하니까.

김재영이 지냈던, 휘령동 인근의 자택에는 발을 들일 수 없었다. 주요 사건 관계자의 거처가 되었으니, 경찰쪽에서 대놓고 관리하고 있는 장소였다. 김재영과 당장 연락을 할 수 있는 어떤 수단도 없었고.

답답한 상황들이었지만 절망적이지는 않았다. 사이코패스에겐 절망이라는 게 달리 없기는 했지만 말이다. 늘 절망 속에 살아가는 존재와 같아서.

천산혁은 김재영이 사용했을 경로 따위를 추적했다. 안가의 근처나, 김재영이 주로 활동했던 동대문구 인근의 지형을 확인하면서 말이다.
결국 그에게 모든 기술을 알려준 게 천산혁이었다. 김재영이 어떻게 움직였을 지에 대해서 가장 잘 아는 자도 그다.

정확히 사건 당시의 정황을 알 수는 없었지만, 머리에서 면밀하게 시뮬레이트 해볼 수는 있었다. 아마 사실에 굉장히 가까우리라. 정확한 대조 자료가 없는 상황에서 하는 것치고는 말이다.

천산혁은 '살인'이라는 관점에서 본다면 당분간 철저하게, 침묵을 지키기로 했다. 김연수의 꼬리로 보이는 놈이 잡혔으니 경찰 조직도 상당한 호재를 맞이한 셈이었고, 나머지 몸통을 잡으려 더 애를 쓸 테였다.

이런 시점에서 김재영도 없이 그가 섣불리 움직이는 건 자충수에 가까운 일이었다. 다만 살인을 직접 벌이지 않는다고 해야 할 일이 줄어드는 건 아니었다.
천산혁은 일단 동대문구의 다양한 지형들을 검토했고, 가상의 계획을 짰고, 그 장소들을 돌아보면서 김재영이 어떻게 움직였고 또 잡혔을 지를 알아냈다.

정황을 파악하다 보면 '적'의 모습도 대충 그릴 수 있게 되는 법이었다. 천산혁에게 지금 가장 필요한 정보가 그것이었다. 적에 대한 정보 말이다.

그들은 완벽했다. 김연수는 말이다.
이전에는, '그'였지만. 긴 세월을 보내고 다시금 일을 시작한 뒤로는 '그들'이었다.

김재영은 그가 지어낸 가장 아름다운 조각품이었고, 살인 기술의 정점에 있는 놈이라고 할 수 있었다.

필요한 모든 노하우들을 주었고, 육체적인 기량과 기술 역시 극한 이상으로 갈고 닦을 수 있게끔 북돋았다.

가히, 젊은 시절의 그보다 낫다고 자신할 수 있는 물건이 나온 수준이었다.

그만큼 현대 대한민국의 수사 기법과 기술은 많이 진보했지만, 여전히 김연수들은 완벽성을 유지하고 있었다. 잘 되어가고 있었는데.

그의 생애의 마지막을 장식할만치 화려한 행보의 시작을 잘 끊은 판이었는데.

모든 게 엉망이 되었다.

누군가가 온 힘을 발휘해서 그들을 막고 있는 건 분명했다. 그렇지 않고서 방해할 수 있을만큼 쉬운 상대가 아니었으니까, 김연수들은 말이다.

'적'의 실체에 대해서 파악하지 못한다면 움직일 수 없다. 천산혁은 가장 먼저 그리 생각했다. 누구일까.

경찰 조직에 어떤 히어로가 있는 걸까. 살인 기술을 갈고 닦고 익히는 데 천재성을 발휘했던 김재영이나, 천산혁처럼. 살인마를 잡는 기술에 천부적인 탁월함을 보이는 수사관이 있기라도 한걸까.

그도 아니면 대한민국 정부가 비밀리에 주도하는 기술 개발이라도 성공해서, 그들이 짐작조차 하지 못하는 새로운 기법의 수사가 이루어지고 있는가.

후자는 가능성이 조금 더 낮았다. 천산혁은 해외를 떠돌면서 온갖 문물들을 보고 익혔으니까 말이다. 일반적으로는 생각하지 못할 만큼 진귀한 것들을 많이 보았다.

천산혁, 그 자체가 희귀한 인간이기는 했다만. 사회의 양지에 나타나지 않는 뒷거리에는 생각보다 더 다양한 자본과 기술들이 움직이고 있었다.

고로 그는 현대적 기술의 실체와 한계를 생각보다 잘 파악하고 있었고, 상용화되지 않은 단계의 물건들을 쓴다는 점에서 한국의 공무원 조직보다 앞서고 유리하다. 그게 김연수들이 존재할 수 있고, 잡히지 않을 수 있는 저력이 되기도 한다.

장점이라고 생각한 부분에서 갑자기 뒤진다는 것도 어이가 없는 일이었다. 가능성이 없는 건 아니었지만, 아주 낮다. 차라리 예기치 못한 천재성의 발현이, 수사 조직 내에서 있었다는 게 그럴 법하다.

우연이라는 건 때로는 기가 막힐 정도로 절묘하게 일어나기도 하니까.

그건 김연수, 아니 천산혁 역시 살아오며 많이 느낀 사실이었다.

"후……."

천산혁, 수염을 잘 가다듬고 머리를 빗은 노인… 이 아니라 지금은 평범한 모습이었다. 그는 며칠 동안 서울에서 제자의 행적을 따라 움직였다.

제자라거나 혹은 아들이라고 해도 좋은 존재였다.

천산혁은 윤계식과 비슷한 면이 있었다. 그들은 수사를 하기 위해서 자신의 육감을 사용한다. 뚱딴지같은 말이었지만, 천산혁도 그러했다.
서울의 거리, 골목, 여러 장소들을 돌아다니면서. 그동안 김재영이 그에게 연락으로 일러주었던 포인트들을 모두 훑었다.

가만히 눈을 감고, 낮이나 밤에 그런 거리에 홀로 있는 것이다.
대개의 범행은 골목을 이용해 벌어진다. CCTV가 없는 사각 지대를 이용하는 것이 가장 좋다. 서울이 계속해서 기술 발전이 이루어지고 있다지만, 결국 사각은 존재한다. 모든 구간을 CCTV로 채워 넣는다는 건 재정 상으로도 불가능하다.
틈을 찾고자 한다면 찾을 수 있다.

지금으로부터 다시, 한 두 세대, 수십 여 년 정도가 지난다면 또 모를 일이다. 그 때가 되면 천산혁은 다른 길을 찾을까? 아니면, 그 전에 죽게 될까. 그 역시 알 수 없는 법이었다.

천산혁은 자신의 머리를 어느 정도 신뢰했다. 정확히는 스스로 제어하기 어려운 무의식의 영역에 있는 계산력을 신뢰한다.
여러가지 정보들을 넣어두고, 연기를 하는 셈이다. 이전에 윤계식이 했던 일과도 비슷하다. 직접 현장에 가보고, 현장의 것을 눈에 담고, 코로 맡고, 더듬어 보고. 곰곰이 생각하는 일. 실제 정보를 머리에 넣고 뭐라도 얻어내려고 발악을 하는 일.

처음에는 잘 되지 않지만, 그런 얼척없는 맨 땅의 헤딩도 시간이 쌓이며 그럭저럭 쓸만한 무기가 된다. 두 사내에게는 경험이라는 무기가 있지 않은가. 인간사의 온갖 꼴과 행위들을 보아 온 경험.

수많은 데이터, 이전의 근거들과 상상력이 버무려져서 '실제에 가까운' 영상을 머릿속에 도출해내는 것이다.

그렇게 천산혁은 서울 시내를 하염없이 걸었다.

마치, 그것만 본다면 자식을 잃어버린 부모가 거리를 걷는 것과도 비슷했다. 이제는 볼 수 없는 아들을 찾기 위해, 그가 걸었던 거리를 떠도는 부모 말이다.

물론 천산혁에게는 가족에 대한 사랑, 그리움, 연민 따위는 전혀 없었다. 김재영을 가족이라고 여기지도 않는다. 두 사이코패스에게 있는 감정은 그런 인간적인 것이 아니었다. 철저하게 만들어진 도구와, 자신에게 지령을 내리고 또 도와주는 조력자 정도의 관계였다.

김재영과 천산혁이 공유하고 있는 일, 인 '살인'에 대한 욕구를 빼버린다면 둘에게 남는 건 아무것도 없었다. 극단적으로 말해 서로가 서로의 살인행, 스코어 올리기를 방해한다면 가장 1순위의 적이 될 수도 있는 것이다.

어떤 대단한 대의나 복잡한 사상에 의해서 그렇게 움직이는 자들이 아니었다. 그저 너절한 감각을 위해, 말초신경의 자극을 위해서 움직이는 짐승들. 다만 현대에서 살아남아 누군가를 죽이기 위해 본능을 일시적으로 누르고, 가다듬는 법을 배웠을 뿐이다.

그럼에도 겉으로 보기에는 그런 꼴이라는 게, 우스운 일이었다.

천산혁은 정말로 김재영을 그리워하기라도 하는 듯 수많은 거리를 돌아다니며 시간을 사용했다.

천산혁에게 있어 '시간'은 가장 값지며 중요한 재산이었다. 자신의 몸뚱이가 시시각각 늙어가고 있고, 절대로 거부할 수 없는 자연사로써의 죽음이 다가오고 있었으니까.

한정된 시간 내에 가장 화려하며 영향력이 높은 죽음을 다른 이들에게 선사해야 하는데. 결코 공짜가 아닌 천산혁의 시간이 단순히 거리 조사에 쓰인 것은 말했듯 그게 반드시 필요한 일이었기에 그렇다.

천산혁은 김재영이 누군가에게 쫓기는 모습을 상상했다.

육체적으로, 물리적으로는 김재영을 쫓는 일이 아주 어려울 것이다. 압박하는 일도, 궁지에 몰아 넣어 죽이는 일조차도 말이다. 어지간한 포위망 따위는 가볍게 뚫고 도주할 만한 실력과 체력이 있는 놈이었다.

거기에 탁월하게 갈고닦은 나이프 솜씨, 여러 도구를 사용하는 기량과 기술이 더해져 인간같지 않은 수행 능력이 나온다. '살인'에 대한 수행 능력이다.

잘 길러진 암살자였고, 평범한 인간이 그를 잡는 일은 상상하기 어렵기는 하다.

그러나 상대가 한 명이 아니라고 한다면, 유의미한 추격이 분명되리라. 아무리 힘을 많이 기른다고 하더라도, 두 팔과 두 다리에는 엄연히 한계가 있으니까.

그렇기에 천산혁이 김재영에게 강조하고, 길러준 주요한 부분은 '자신의 정체를 숨기는 법'에 대한 일이었다.

애초에 경계망에 오르지 않는다면 애써서 탈출할 필요가 없다. 누군가의 시선을 피하는 것보다, 그의 의식을 피하는 일이 더 쉬운 법이었다. 사람은 집중하는대로 보게 되고, 보고 싶은 것에 집중하게 되니까.

등잔 밑이 어둡다고, 의식적으로 사각 지대에 들어가고 나면 누군가를 피해 도주하는 일은 아주 쉬워진다.

체력을 많이 쓸 일도 적어진다. 거기에 더해, 이제 초인적인 수준의 육체적 기량이 들어간다면 아무도 잡지 못하는 현대의 살인귀, 귀신이 되는 것이다.

그런 김재영이었을텐데….

아무리 봐도 명확하게 김재영을 인식하고, 심지어 앞질러서 생각하고, 움직인 뒤에 그를 몰아넣은 흔적이 보인다.

그런 류가 아니라면 김재영을 잡는 일은 애초에 불가능하니까 말이다.

자신이 가르친 살인의 귀재를 잡을 수 있는 인간이 과연 대한민국에 존재하는가.

천산혁은, 그만한 자신감이 있었기에 끊임없이 머릿속으로 혼란과 대치했다.

그게 아니면 수가 없다, 라는 명확한 결론과

그럴 수 있는 인간이 있을 리 없다, 라는 자신에 대한 높은 확신이 싸운다.

천산혁은 살인이라는 행위를 빼놓고 본다면, 그에 기울인 노력과 과정에서의 피땀만을 본다면 분명히 일류 이상의 인간이었다. 김재영도 마찬가지였고. 그런 그가 이십 여 년에 걸쳐서 이뤄낸 성과를 잡아낼 인간이 저 너절하고 매너리즘에 찌들은 공무원 조직에 있을 리가 있는가.

이 대한민국에 산재하는 여러 문제들을 처리하는 일에만 벅차서, 새로운 일에는 전혀 대응할 줄을 모르는 견고하게 굳은 집단이?

천재는 쉽게 나지 않는다. 그걸 기다리느니, 그저 준수한 수재나 영재 따위를 수 십, 수 백 양성해서 안정적인 조직 성장을 기대하는 게 낫다. 그리고 그런 평범한 작자들은 아무리 모인다고 해도 그들을 잡아낼 수 있을 리 없었다. 김연수라는 이름으로 활동하는 두 사내를 말이다.

천산혁은 여기저기를 떠돌다가, 며칠에 걸쳐 계속해서 머릿속으로 씨름을 하다가.

하루는 저녁 거리 어딘가에 있는 패스트 푸드점에 들어갔다.

서울은 어딜 가나 가게들이 많이 있었고, 또 늦게까지 영업을 한다. 아무리 밤이 깊어도 대로변에는 인적이 있었고 사람들의 눈을 피하는 게 불가능에 가까울 정도다.

사람들 속에 숨는다는 점에 있어서는 최적의 환경일 수 있었다.

그저 평범한 노인마냥, 동네를 산보하는 늙은이마냥 차려 입은 천산혁은 깔끔한 가게에 들어가서 디저트와 커피를 시켰다.

창가를 바라보면서 구석진 곳에서 혼자 고요하게 사색을 즐겼다.

패스트 푸드점에서 찍어내듯 만드는 애플 파이와 싸구려 커피였다. 겉에는 등산용으로 입으면 좋을 법한 얇은 다운 자켓과, 내부에 몇 겹의 옷을 입었다. 팔이 없이 쉽게 걸치는 얇은 자켓에, 두

툼한 니트에. 배색도 일부러 눈에 잘 띄지 않고, 색감이 애매한 것으로 고른다.

늙은이가 지나치게 세련된 유행에 맞춰 옷을 입는 것도 어이가 없는 일이니.

바지도 아무데서나 살법한 것을 적당히 입고 있다. 베이지 톤의, 약간은 헤진 느낌이다. 중고로 옷을 사는 건 편리한 일이었다. 괜찮은 연기력이 가미된다면, 그에게 '지난 시간'을 설명해 줄 알리바이가 만들어지니까.

천산혁의 인생과는 상관없이, 평범한 옷을 입고 동네 근처를 돌아다니던 어느 태평한 노인네의 모습이 꾸며지는 셈이다.

프랜차이즈 가게는 제법 실내가 넓었고, 저녁 무렵이었으나 빈 곳이 있었다. 창가 구석 자리에서 바깥을 바라보며 커피를 홀짝인다.

천산혁은 인정하고 싶지 않았지만, 10월 중 이미 절반이 지나가는 시점에서는 결국 확정을 짓고, 결론을 내려야만 했다. 그에게 시간은 무한하지 않으니까 말이다.

대적자의 존재를 인정하고, 그의 천재성을 수긍하고. 그런 이가 경찰 조직 내에 있다는 사실을 예상하지 못한 자신들의 무지함을 반성해야 했다.

후릅.

뚜껑을 까서 종이컵에 입을 대고 커피를 마신다. 설탕이 많이 들어가지 않은 아메리카노였고, 그저 그런 씁쓸한 맛만이 난다. 대단한 향도 없다. 미식을 즐기는 편은 아니었지만 이해할 수는 있었다.

그런 감각이나 기술은 '누군가인 양' 행세를 할 때 제법 쓸모가 있었다. 부유한 재산의 노신사를 연기할 때 맛을 이해하지 못하는 것도 불성실한 밑준비일 테니까.

약간은 흘러내리는 앞머리를 대강 쓸어 가르마로 정리를 한다. 바깥은 가을 날씨가 한창이고, 해가 지니 제법 바람이 쌀쌀했다.

큰 소리를 내지 않고 두런거리며 옮겨 다니는 손님들이 패스트 푸드점 내에 조금 있었다. 그가 있는 데는 1층의 한 구석이었고, 대개는 2층이나 3층으로 자리를 옮겨 식사를 하는 듯한 곳이다.

창 밖은 바로 좁은 인도가 있고, 그 너머에는 4차선의 차도가 있다. 서울 북부에는 땅값이 싼 편이라 그런지 대학가 따위가 형성되어 있었다. 학교 부지는 대개 그런 곳에 지어지니까.
돌아다니다 보면 젊은이들이 많은 곳도 있었다. 지금 천산혁이 앉아 있는 패스트 푸드점 역시 그런 곳에 위치했고.

가로등이니 가게의 불빛이니 하는 것들 때문에 눈이 시려울 지경이다. 천산혁은 유리창에 옅게 비치는 자신의 얼굴을 보면서 표정이나 행색을 점검했고, 곧 눈을 돌려 바깥 경치를 살핀다.

거리를 바라보는 건 좋고, 또 중요한 일이었다. 어딜 가나 분위기를 살피는 머리가 있어야 했다. 어떻게 움직이는가, 어떤 표정들을 다들 하고 있는가. 사회에 팽배해 있는 뉴스나 색다른 정보가 있는가.
사회적인 관념과 통념은 어떻게 발현되는가. 이 시대의 정치가들은 어떤 분위기를 유도하는가.

그 모두가 살인귀가 움직이는 데 필요한 데이터들이었다. 주변에 잘 녹아들어, 개중에서 떨어져 나온 한 마리 양을 움켜 쥐고 죽여야 했으니까. 변장의 기본은 상대에 대한 '이해'이고, 잘 녹아드는 것이다.

천산혁은 언제나와 같은 습관으로 사람들을 살핀다. 그가 평생을 살아도 이해 못할 평범한 감정들이 그곳에 있었다. 웃고 떠들며 지나다니는 젊은이들. 술에 취한듯도 보이고, 객기를 부리는 얼빠진 표정들도 보이고. 연인이 되지 못한 이와 어설픈 사랑을 나누는 이들도 있고, 아주 오랜 시간이 지나서 권태롭거나 지나치게 일상적인 표정으로 다니는 남녀도 있다.

천산혁, 그 자신처럼 나이가 들어 세월에 지친 표정을 하고서 걷는 노인들도 더러 있고. 그 사이의 중년들도 있었고.

다양한 사람들이 표정을 굳히거나, 어딘가를 바라보며 걸어간다. 그만큼의 수가, 인생이 살아 숨쉬는 곳이었다. 서울이라는 도시는.

천산혁은 새삼스럽게 사색과 함께 바라보다 새로움을 느꼈다.

그래, 한국은 좋은 곳이다, 라는 깨달음이다.

지난 날 한국에서 거하게 일을 벌이고, 동남아를 비롯해 다양한 해외를 전전할 때는 느끼지 못한 사실이다.

참 살기 좋은 곳이었다.

위로 있는 북한과의 문제만 제외한다면.

어쨌든 살인귀에게는 딱히 그런 게 상관이 없었으므로, '그저 살기 좋음'만 느껴진다. 그 얘기는, 방심한 채 걸어다니고 있는 미련한 먹잇감들이 수두룩하다는 말이었다.

살기 좋은 도시에서는 사람을 죽이기도 좋다.

천산혁은 서울 도시가 양식장이라고 생각한다.

살기 어려운 곳에서, 자신만의 사고와 철학, 강한 근육으로 살아남은 자연종들이 아니었다. 가두리 양식장 내에서 키워진 뻔한 사고 방식의 연약한 무리들. 그런 작자들을 사냥하는 건 아주 쉬운 일이었다.

조금의 방심만 유도하면 틈을 보이고, '그럴 리가 없다'라는 말로 대부분의 이상함을 무마하며 살고 있으니까.

'그럴 리가 없는' 일을 '그럴 리'로 만들어주는 게 천산혁이 하는 일이었다. 여태까지 가장 잘 해왔던 일이었고. 그는 이 사회에 살고 있는 깜짝 상자같은 존재다. 평범한 상자에 스프링 따위를 잔뜩 구부려서 사람을 놀래키는 트랩 장난감이 있지 않은가.

물렁한 뇌와 머리로 살아가는 세대의 이들에게 경각심을 주고, 현실을 알려주는 존재같은 것이다. 알려준 다음에, 곧바로 죽여버리기에 교육적 효과는 전혀 없겠지만. 어쨌든 대강 그런 존재였다, 그는.

"아, 진짜로. 미쳤다니까. 이번에 나온 애들 앨범 봐 봐. 사운드도 쩔고… 아니… 솔직히 사운드가 문제가 아니긴 하지. 비쥬얼이 진짜 개잘빠졌다니까. 역시 아일렌이야, 20대 때 보여주는구나."

천산혁은 구석 자리에서 조용하게 사색을 하고 있었는데, 그 근처에서 어슬렁거리며 말을 하는 사내 놈들이 있었다. 다가오기 전에 흘끗 본 바로는 대학생 즈음 되어 보이는 청년 둘이다. 한 명은 그다지 관심없는 이야기를, 다른 녀석이 주입이라도 하듯 열변을 토한다.

그가 앉은 자리 근처에 전자 키오스크kiosk가 있어서 그걸 누르러 오던 것이다. 한 놈은 표정이 시큰둥하니 맞장구도 없었는데, 한 놈은 굉장히 들떠 있다.

후릅.

저런 놈들이다. 천산혁은 인상 좋은 할아범을 연기하고 있다. 표정에도 부드러움이나 푸근함이 조금쯤 묻어난다. 다른 사람을 경계한다거나, 날카로운 면은 전혀 보이지 않았고.

그러나 외관과 기색을 연기한다고 사람이 바뀌는 건 아니었다. 평범하게 연예인이 어떻다, 저떻다 지껄이는 이들. 문제는 아니지만, 그것에 빠져 제 삶이나 주변에서 무슨 일이 벌어지는 지도 제대로 알지 못한다면 그건 문제였다.

"흠."

가래가 조금 끓는 듯, 목을 가다듬는다. 천산혁은.

애플 파이를 아껴서 씹어 먹었다. 한 번에 먹고 나면 할 일도 없고, 심심하지 않겠는가. 자리에 앉아 있을 명분이 적으니 다른 사람들 눈에 띄기도 쉽다.

두 사내 놈은 서너 걸음 근처에 천산혁이 있다는 것도 알지 못한 채, 다시 연예인 얘기니, 하는 것에 집중한다. 정확히 말하면 한 놈의 이야기고 다른 놈은 햄버거 메뉴를 고르느라 정신이 없었고.

보라, 바로 근처에 이런 살인귀가 있는 것도. 그가 머릿속에서 멍청한 청년 둘을 살해한다면 어떤 방법이 좋을지 계획을 짜보는 것도 전혀 알지 못하지 않는가.

천산혁의 존재를 눈치채는 사람이 있는 게 놀라운 일인 법이기는 했다만. 적어도 사회가 이토록 무절제하고, 타인에게 무관심하고, 무지성적인 행태를 보이지 않았다면 지금보다 그는 활동하기 어려웠을 테다.

서로가 주변의 인간에게 조금 더 진솔한 관심을 기울이고, 거기서 오는 창조성이나 명료한 시민 의식으로 다른 이들을 똑바로 바라보고, 올곧게 경계하고. 서로의 선과 선을 지키며 인격을 존중하고.

주변에 있는 인간이 어떤 인간일지, 조금만 더 생각해보고.

그렇게 사는 모습이 일반적인 사회상이었다면 천산혁은 예전에 잡혔으리라.

그는 귀신이었고, 틈바구니를 기어 다니는 망령이었다. 그가 기는 '틈'은 곧 사람들의 '의식의 틈'이었다. 내 주변에는 잔혹한 일이 벌어질 리 없다, 내 곁에선 인생의 심각한 사건 사고가 생겨나지 않을 거다.

대강 그런 의미 없는 자신들 때문에 사람들의 눈은 어두워진다. 그런 이들의 어두운 눈을 타고 올라가 목을 물어버리는 식이다.

천산혁은 커피를 마신다.

그리고 그와 똑같은 표정과, 비슷한 체감의 수고로움으로 두 멍청한 청년을 죽여버릴 수 있었다. 아무에게도 보이지 않고 처리를 하고, 그대로 도망가는 일까지 포함한다면 조금 더 번거롭기는 하겠다만.

그 지점은 이미 '살인귀'가 염려해야 할 부분이지, 이미 죽은 희생자가 염려할 부분은 아니었다. 천산혁은 멍청한 청년 둘이 움직일 때마다 빈틈을 느꼈고, 그들이 옆에서 한참을 떠들다가 이내 자신들의 메뉴를 들고 사라질 때까지 다양한 계획을 머릿속에서 실행해보았다.

김연수, 라는 이름으로 유명한 사내는 그렇게 앉아서 비생산적인 생각들을 하다가, 천천히 패스트 푸드점을 나섰다.

김재영의 적,

이었던 누군가에 대해서는 조금 더 고찰해 볼 필요가 있었다.

경찰 조직을 움직이면서 완벽한 살인귀의 목을 옥죄어 올만한 인간이었다.

대담하고, 명철하고, 빠른 발과 손, 실행력을 갖고 있으며 조직 내부에서 신임을 받는 자였다.

조직 전체에 영향을 미치지 않고서 한국 경찰을 그렇게 유연하게 부릴 수 있을 리 없었다.

아마 비상한 업적을 만들어 낸 젊은 수사관이나, 혹은 오랜 시간 경찰 내부에서 공을 쌓아온 유연한 사고의 노익장일 테였다.

둘 다 판타지같은 이야기였고, 김연수는, 아이러니하게 한국 경찰에 대해서 가장 빠삭하게 알고 있는 인간이었다. 그 조직의 무능함과 한계를 알고 있기에 '판타지'라고 단정지을 수 있었다.

그러나 이미 일어난 일이었으므로, 그는 현실의 가정假定을 '판타지'에 올려놓고 적을 추적해야 했다.

저벅.

김연수, 천산혁. 혹은 어디에서는 다른 이름.

여러 군데서 다양한 별명으로 불린 그였다. 진짜 이름은 천산혁이었지만, 그리 신경쓰지 않는다. 그는 이름에 그다지 신경쓰지 않는 인간이었으니까. 다른 누가 뭐라고 불러도 좋았다. 자기의 살의殺意만 실현할 수 있다면 아무래도 좋다. 다른 건 다.

검은 색의 다운 자켓, 어느 시장에서라도 산듯한 민무늬의 물건을 걸치고서. 사내는 지나치게 속도를 내지 않으며 천천히 걷는다.
표정 연기는 중요하고, 연습도 필요한 일이었다. 밤 거리. 지나치는 사람들이 제법 많았다. 대학가가 근처에 있는지 젊은이들의 왁자지껄한 소리가 천산혁의 귀로 들려왔고, 지나갔고.

대학에 올라가면 술을 마시는 게 자연스러운 일이라도 되는 양, 그 근처에는 주점들이 아주 많았다. 번쩍거리는 네온 사인이나 가게의 불빛 따위가 늙은 사내의 눈을 어지럽혔다.

사내는 생각을 했다.

참, 평화로운 낯짝들이로구나, 하고.

저벅거리는 닳은 운동화가 보도 블럭을 밟는다.

다리의 근육이 약간은 불편하기라도 한듯, 어정쩡한 자세를 유지하며 계속해서 걸었다.
사람들은 늙은이를 쳐다보지도 않았다. 아주 성공적이다. 어디에나 있을 법한, 주민의 모습을 한다는 건 살인귀에게 가장 장한 일이었으니까.

계속해서 서울 이곳, 저곳을 떠돌고 있었다. 김재영의 자택과 안가가 없어졌으므로 이용할 수는 없었고, 서울 남부에 둔 자택을 이용하는 게 좋으리라.

여기저기 모텔이니 하는 곳들을 전전하던 천산혁은 어느 정도 충분한 데이터를 바람 결에 얻었고, 집으로 돌아갔다.

김재영이 비참하게 쫓기던 꼴만큼은 머릿속에 선명하게 그려졌다.

경찰 조직을 제 손아귀에 쥐고 움직인 실세. 거기에 권력으로 인해 둔해지지 않았고, 기름 때가 끼이지 않은 놈. 아직까지 군살 없이, 자신의 신념을 위해 뛸 수 있는 조직의 중진.

천산혁은 머릿속으로, 한 번도 만나본 적 없는 누군가의 몽타주를 그리며 움직인다.

'적'에 대한 그림을 다 그리고,

'계획'에 대한 밑그림도 다 그려지는 날.

김연수는 다시금 움직일 테였다.

적을 한 번 알았다면, 똑같은 방법에는 걸려들지 않는다. 천산혁은 느긋하고 푸근한 인상의 사내 낯짝 아래, 날선 심경을 숨기면서 다짐했다.

*

"로버트 리?"

계식이 물었다. 심민아 경위는, 성실하게 답변을 해주었고. 부외자에게 하고 있다는 점에서, 심 경위는 상당한 호의와 존경을 표하는 중이리라.

"네. 김재영이 말한 이름인데요."
"아, 그래……."

윤계식은 어느덧 몸을 회복했다. 벌써 두어 달이 지났다. 다행히 몸에는 큰 무리가 없었다. 늙은 몸뚱이를 함부로 굴려댔건만, 생각보다 말짱하다. 물론 아직까지 여기저기 쑤시고, 자상을 입은 곳은 여전히 붕대를 계속 갈아주고 있었다. 불편함을 감수하고 있었지만, 그보다 심한 후유증이 남지 않았다는 점에서 감사를 아무리 해도 모자랄 상황이다.

어느 정도 몸을 움직일 수 있게 되자 계식은 입원보다는 통원치료를 선택했고, 지금은 바깥이었다.

그의 자택은 대전 성유동이었으나, 아직 서울에서 머무르고 있었다. 수사본 조직은 생각보다 윤계식에게 많은 것들을 해주었다. 관계자 소유의 작은 방이라며, 깔끔한 빌라를 계식에게 주며 잠시 거처 삼으라며 한 것이다.
연원도 모르는 혜택을 받는 건 물론 찝찝한 일이기는 하다만. 돈을 굳힐 수 있는 길이었으므로 마다하지는 않았다. 어차피 서울에 쭉 머무를 것도 아니다. 치료를 받고, 또 수사에 진전이 있을 때까지 근처에 있고 싶을 뿐이다.

계식은 이번에는 직접 수사본 건물에 출두를 했다. 이미 예전에 은퇴를 한 늙은이가 조직 현장에 찾아오는 건 부담스러운 일일 뿐이었지만, 사람들의 눈에 잘 띄지 않게끔 움직여 적당한 회의실을 찾았다.

심민아가 그의 앞에 있었고, 이번에는 박주영과 김민식, 두 애송이도 있었다. 심민아까지 해서 정확히는 세 애송이다만.

계식은 눈을 가늘게 떴다. 대충 걸쳐 입은 가죽 자켓은 그가 여기저기를 다치고, 제대로 움직이지 못하는 사실을 조금쯤은 가려준다. 체격이 조금 두터워보이게까지 한다.

그대로 회의실 어느 소파에 몸을 기대어 앉은 채 심민아의 이야기를 듣고 있다가 말한다.

"신경 쓰지 말게."

"예?"

심 경위가 답했다. 그녀는 머리를 굴리기 좋아하고, 여기저기에서 배우는 일에 낯가림이 전혀 없는 편이었다. 열성적인 천재나 괴짜, 그게 심 경위의 성격이었다. 윤계식은 드물게 그녀에게 양질의 정보를 선사해주는 이였다.

박주영과 김민식은, 뚱한 표정으로 근처에 앉아 대화에 참여한다. 지금은 입을 다물고 있었다.

"김재영이 말했다고 했지 않나."

"어, 예…. 그래도 긴 신문 시간 끝에 토해낸 것이니 뭐라도 정보가 있지 않을까…."

"김연수의 아들이라고 한다면 그럴 리가 없잖나."

윤계식은 고개를 가로 저었다.

“그냥 시간 끌게 하려고 아무 말이나 던진 것에 불과해. 어떤 의미도 없어. 의미가 있다고 해봤자, 듣는 사람을 곯려 먹을 의도 밖엔 없겠지. 그냥 오염된 정보라고 치고, 흘려 들으시게.”

“어….”

심민아는 약간 불만스러운 표정이었지만, 계식은 단언했다.

“놈한테 틈 같은 건 없어. 고문도 안 통할 거고. 그냥 죽겠다고 나올 놈들이지. 현대 경찰 조직에서 고문이 가능하나?”

“…불가능하죠.”

심민아는 당신도 알고 있지 않냐는 듯한 표정으로, 불퉁하게 답했다. 박주영이나 김민식의 표정도 일그러졌다.

뭐, 지독한 범죄자들과 매일 마주하고 있는 일선의 누군가는 다소 힘을 쓰기도 할 테다. 그러나 계식이 이야기하는 건 조금 더 본격적이고 잔악한 종류였다. 정보를 끌어내기 위해서, 완벽하게 신병身柄을 제압하고 행하는 짓거리다. 영화에서나 나올 법한 종류.

“…맞네, 불가능하지. 다 같이 옷 벗고, 헌법 앞에서 징역 선고 받을 작정이면 모르겠다만. 추천하지도 않네. 그런다고 불 놈들이 아냐.

……. 사람을 그렇게 쉽게 죽이는 놈들이니까. 아마 고통을 느끼는 부분이 조금 맛이 가 있는 지도 모를 일이네.”

계식은 김연수의 초인적인 운동 능력이나, 살인법 따위를 염두에 두고 말을 했다. 그건 분명 인간적이지 않은 수준의 몸놀림이다. 이미 이상한 놈이니, 그 몸뚱아리에 신기한 점 몇 개가 더 들어있다고 해도 놀랄 게 없다.

“그 입에서 무언가 튀어나왔다면, 그냥 온전히 방해하기 위한 말일 뿐일세. 못 들은 셈 치고, 그냥 넘어들 가시게. 로버트 리는 무슨. 거기서 추론해서 오히려 토종 한국 계열이라던가, 아니면 한 번 더 꼬아서 외국계 한국인이라던가… 생각하는 시점에서 이미 낭비네.

진짜로 자백제라도 투여해서 대답을 이끌어냈다면 또 모르겠네만.”

“…….”

심민아도 그렇고, 다른 두 청년도 입을 다물었다. 자백제라. 현장에서 쓰이는 걸 알고 있는 이는 없었다. 심민아라면 혹시 모른다. 두 사내보다는 직위가 높았고, 현장직보다 다양한 정보를 알고 있을만한 직책이었으니.

어느 전쟁 중인 국가의 군사 접경지에서, 비밀리에 쓰이고 있다면 그럴 법하지만, 대한민국의 수사 기관 내에서 쓰인다는 건 지나친 상상이리라.

“김재영은 우연히 잡힌 것에 가까워. 검거 현장에 있던 내가 할 말은 아니네만…. 자네도 있었지.”

박주영을 보고 계식이 말한다.

“신체적으로나, 정신적으로나 티타늄같은 놈일세. 계속해서 긁어대도 별 건 안 나올 거야. 이미 죽음을 각오했을 지도 모르고.”

살인마에게 불살이라는 건 생의 끝이나 다름이 없다네.

라고 계식은 섬뜩한 말을 혼자서 중얼거렸다. 김연수는 일반적인 살인마가 아니라, 통용되는 말이었다. 그런 이름의 마약에 중독된 환자와 같았고, 망가진 놈들 중에서도 최고로 부서진 마음을 가진 쓰레기였다.

범행으로부터 오는 달뜬 희열만으로 살아가는 시한부 환자같은 새끼들이다. 그렇지 않고서야 인간이 문명 사회에서 살인을 저지르려고 저만한 준비를 하고 기술을 갈고 닦은 게 말이 되지 않는다. 누가 시키지도 않았는데. 물론, 김재영의 경우에는 시킨 놈이 있다지만은. 그걸 감안하고서도 비정상적인 또라이였다.

"일반 사이코패스보다도 더 지독한 오염물로 다루게. 가까이하려고 하지 말고. 내가 해줄 말은 그것뿐이군, 당장은."

계식은 피곤하다는 듯한 표정을 지어보였다. 아직도 어깨는 낫지 않았다. 가을이 지나고 겨울이다. 날이 추웠다. 늙은이를 이렇게 오라가라 하다니, 고생을 시키는구먼… 대강 그런 소리를 중어러 거린 듯도 하다. 심민아는 대충 죄송한 표정을 지어보였다.

"아무튼 감사합니다. 계속해서 수사 진척에 따라 함께 머리를 빌려주시고, 조언 아끼지 않아주신다면 무척이나 도움이 될 것 같습니다."

그리곤 꾸벅 고개를 숙여보인다. 계식은 떨떠름한 표정마저 지었다. 심민아는 조금 다르다. 두 애송이 사내들과도 말이다. 애송이라 거리감이 느껴지는 것도 아니었고, 그냥 애초에 괴짜라 조금 이질감이 드는 편이다. 이대로 나이를 먹어도 그녀는 특이한 성격이리라.

"…알겠네. 아무튼. 나야말로 고맙지. 부외자에게 양질의 정보를 준다는 것만으로도. 조직의 신뢰를 체감하는구먼. ……이렇게 우리나라 경찰이 개방적이었던가?"

허허, 박주영은 계식의 말에 헛웃음을 지어보였다. 물론, 그럴 수도 있었다. 그러나 그만큼 김연수라는 이름이 한국 경찰에게 트라우마같은 단어가 되어버린 탓이었다. 그리고 계식은 유일하게 그 트라우마에 대항한 이름이었고.

결과가 있다면 어쨌든 신뢰를 보이고 기용할 수 밖에 없다. 그게 윗분들의 생각이었다. 박주영 역시 동의하는 바였고.

"와주셔서 감사합니다. 선배님. 식사라도 하시겠습니까? 아직이시면. 저도 아직 점심을 못먹었습니다."

"시간대가 애매하긴한데, 마침 그런가. 좋지."

계식은 주영의 말에 동의하면서 몸을 일으켰다. 끄응. 움직일 때마다 군소리가 나는 건 나이 탓도 있다. 몇 달 전의 통증이 지속되는 것 때문도 있고.

박주영이 다가가 그를 보필했다. 계식은 손을 뿌리치고 싶었지만, 당장은 도움이 되니 그저 받는다. 나이를 먹을수록, 못난 꼴만 많이 보이는 것도 같았다.

심 경위가 계식을 배웅했고, 박주영과 김민식이 그를 따라 나섰다. 들어왔던대로, 별관 쪽 후문을 이용해서 조용히 건물을 나섰다. 주차된 차를 타고 그들은 수사본 건물 부지를 빠져나간다.

그러고 나서도, 심민아는 언제나 그렇듯 자기만의 계산 속에 빠져들어, 한참을 몰두하고 있었다.

자료와 가장 가까이에서 김연수를 추적했던 인간의 현장 경험. 그 외 근접 데이터들을 토대로 결국 결론을 만들어 내야만 했다. 조직은 살아 움직이는 무엇이었다. 계속해서 움직이고, 적의 행동을 미리 막아야만 한다. 모인 힘을 제대로 쓰지 않는다면, 결국 조직의 목적성이 희미해지고, 최종적으로는 와해되리라.

심민아가 수사본의 리더도, 뭣도 아니었지만, 적어도 발언권을 가진 계획의 입안자 정도는 될 수 있었다. 나름대로 프로파일링 쪽에서는 신임을 받고 있는 말단인 것이다.

그녀는 계식의 추리를 적극적으로 받아들여, 가상의 '김연수'를 그려나간다.
나잇대는 계식과 비슷한 정도로 늙은. 그 근처로 잡았고, 예전에 악명을 떨쳤던 괴인과 동일인물이라는 계산 하에 말이다.

잘 드는 칼이나, 빠릿한 새 몸뚱이를 잃어버린 늙은 악마는 어디로 갈까. 또 어디로 움직이고 무엇을 노리고 있을까.

심민아는 자리를 옮겨 자신의 집무실에서, 화이트 보드를 복잡한 선형 구조로 채우며 생각을 계속해나갔다.

*

"선배."
"어, 어……."

최수영은 문득 자신을 부르는 소리에 생각이 현실로 돌아왔다. 그녀는 그 이후로도 간혹, 가끔. 그렇게 생각에 잠기곤 했다. 어쩔 수 없는 일이었다. 자신이 살고 있는 현실이 현실처럼 느껴지지 않는 기분. 누구나 느껴본 적이 있지 않은가. 적어도 최수영은 그 날 이후로 그러했다.

"왜, 왜?"

최수영은 상념을 털어내며 떠뜸거리는 말을 했다. 그녀의 옆에는, 이제 막 은행에 들어온 신입이 있었다. 사수를 맡을만한 실력이나 여유는 없었는 데도, 적임자가 없다는 이유로 그녀에게 맡겨진 친구였다.

최수영보다는 키가 조금 더 크고, 체구는 호리호리한 편이었다. 남자치고는 말이다. 부드러운 곱슬 머리에 인상 역시 좋은 사내였다. 제법 미형이라, 회사 생활만 건실하게 잘 해낸다면 누구라도 잘 만나게 될 것 같았다. 사내연애, 말이다. 나름대로 엘리트 조직이었지만 사람들이 함께 모여 일하고 움직이는 꼴을 보면 가끔 바보같은 일도 일어난다.

적어도 최수영은 그럴 생각이 없었지만, 이제 들어온 지 몇 달도 채 되지 않는 사원을 보면 그런 생각들이 들었다. 결혼 상대를 애타게 찾고 있는 어느 여사원들한테는 좋은 신랑감으로 보일 지도 모르겠다고.

물론, 성실하다는 전제 하에.

신입사원, 김준혁이 옆을 걷다가 부른 이유는 별 게 아니었다.

"점심 먹고 어디로 가세요? 자주 가시는 카페라도 있어요? 회사 근처에 괜찮은 곳이…."

남자가 물어볼만한 질문은 아니었다. 카페와 커피를 좋아하는 남성들도 아주 많기야 하다만. 물어보는 투 자체도 어쩐지 조금 여성스럽구나, 라고 최수영은 느꼈다. 상대의 심기를 건드리지 않는 선에서 아주 사소한 질문으로 잡담을 이어나가는 점이. 그녀가 경험한 보통의 남성들은 말이 그리 많지 않았다. 대부분의 경우에, 여성들보다는.

"아…. 네. 자주가는 데 있어요. 거기로 같이 가요. 괜찮으면. 점심시간 그리 길지 않으니까… 그리 많이 있지는 못하지만…."
"네, 좋아요. 선배 옆에 있으니까 참 마음이 놓이네요."
"하하…."

최수영은 참 곰살스럽게 구는 아이라고, 생각했다. 검은 머리를 찰랑거리는 그녀였다. 짧지 않은 스커트에 낮은 구두를 신고 또각거리며 걷는 중이었다.
대로변. 회사 생활은 여러가지 사건이 있었던 이후로도 계속해서 이어나가는 중이었다. 그녀에게 트라우마라고 할만한 것이 많이 남지는 않았다.
중요하게 공포를 느낄 장면에서 그녀는 정신을 잃었고, 깨어나보니 경찰 등에 의해서 옮겨진 상태였으므로.

그러나 이따금씩 악몽을 꾸기는 한다. 직접 보지 않은 그 사이의 장면들이, 상상으로 꾸며져서 그녀를 괴롭히곤 했다. 일상생활이 불안정해질 정도의 정신적 충격은 아니었으나, 최수영은 확실히 그 날 이후로 조금 더 멍한 면이 생기기는 했다.

이수정이 종적을 감춘 것부터가 시작이었는데, 그렇잖아도 흔들리는 정신 상태에 한 대 더 큰 망치를 얻어맞은 꼴이었다. 정신과 진료를 받아봐야하나, 최수영은 가끔 하는 상념 중에 그런 고민도 떠올린다.

은행에 들어오면서 새로 맞춘 듯한 번듯한 양복 차림이었다. 그녀의 곁에서 걷는 김준혁은. 아주 약간의 갈색기가 머리칼에 돌았으나, 자연적인 색이라며 변호를 했다.

아무래도 고객을 응대하고, 또 신뢰감과 진중함을 표현해야 하는 정식 은행 직원이 염색을 하는 건 어려운 일이었으니.

"바로 앞이죠? 저기. 백반집."

"네, 저기. 맛도 좋아요. 깔끔하고. 메뉴도 여러 개라 나말고도 다른 분들도 많이 찾고…. 부장님부터 바로 윗급의 여자 선배들까지."

"아하, 들어가면 아마 뵙겠네요."

"글쎄… 사람 많고 시끄러워서. 아마 정신 없을 거야. 그냥 빈자리 나면 빨리 앉아서 먹고 나오느라고… 마주칠 지는 모르겠네."

"근처 직장인들이 다 몰려오나 보네요…."

김준혁의 말에 최수영은 그리 큰 관심이 없었다. 신호등 앞에서 있는 두 남녀였다. 데이트를 하듯 단란한 광경은 아니었고, 약간의 거리를 두고 두런두런 이야기를 하며 걷는다. 곧 신호가 바뀌었고, 최수영이 먼저 또각거리며 걸어갔다.

*

"해약하신다구요?"

웃으면서 김준혁이 상대에게 물어보았다. 여러가지 복잡한 조건과 내용으로 얽혀 있는 서비스 상품이었다. 사업적 구조를 제대로 짜기 위해 전문가들이 달라 붙어 만든 약관과 상세 내용들이다. 한 번에 다 이해하는 사람은 아주 적다. 심지어 설명하는 쪽인 직원들조차 말이다.

늘 여러 상품이 새롭게 개발되고 사라지고. 전문직이라고 하지만 정말 '모두' 아는 건 아니었다. 더군다나 아직 들어온 지 얼마 되지 않은 신입 사원이라면 더 그러리라.

"예, 부탁해요."

빙긋, 웃으면서 말을 건네는 노인이었다. 김준혁은 사심없이 웃는 낯으로 고객들을 응대했다. 표정이 밝고, 톤이 부드럽고. 호감형의 청년이 은행 지점에 들어왔다. 어느 정도 서비스업이 포함되어 있는 직종이었고, 사람의 기분을 좋게 해서 나쁠 일은 없었다.
결국 은행의 창구에서 돈을 어디로 움직일 지 결정하는 게 그 사람들이었으니까. 단순하게 숫자 다루기 이상의 일이 필요한 면도 있었다.

준혁 역시 드물게 인상 좋은, 그리고 밝은 표정으로 맞이하는 매너의 노신사를 보며 기분이 좋았다. 여러 번 웃는 사람은, 그만큼 애를 쓰는 것이었으니 말이다. 성격이 원래 그렇다고 하더라도 힘이 아예 들지 않는 일 같은 건 없었다.
웃는 낯에 욕을 하는 이는 드물긴 했지만, 대개는 무관심하거나 무표정한 느낌으로 그의 친절을 대한다. 오랜 시간이 지나 신뢰가 쌓이면 달라지겠지, 라고 늘 생각하지만 그만한 신뢰 관계가 쌓이려면 아직 견뎌야 할 날들이 많을 테였다. 그는 이제 막 시작하는 말단이었으니.

그런 와중에 기분 좋은 웃음으로 상대를 대하는 노인이었다. 다만 그가 말하는 바에 있어서는 조금의 절차가 필요하다.

"아, 서비스 상품…이 이것저것 걸려 있는데요. 지금 해지하시면 아마… 처음에 예상하셨던 금액보다는 적게 나오실 거에요. 원금에 기본금 조로 조금만 얹어서 나올 텐데… 괜찮으세요?"

노인은 2, 3초 정도 조금 뜸을 들이며 고민하는 기색을 표현하더니 이야기했다. 그럼에도 그의 의견은 달라지지 않았다.

"예. 당장 조금 필요한 구석이 있어서. 허허. 늙은이도 이런저런 일이 있으니까요, 뒷방에만 있는다고 하더라도."
"아아… 네."

어쨌든 은행의 구좌에서 돈을 뺀다는 건 그만큼 손해인 셈이었다. 은행의 입장에서는. 그래서 두둑한 단위의 돈을 넣어두는 우량 고객들을 대우하는 것이기도 했고. 은행은 돈을 굴리는 곳이다.

'돈을 굴리는 법'에 대해서 온갖 전문가들이 다 모여들어 파생 상품을 만들고, 전략을 짤 판을 만들어주기도 했고.

고객이나 돈을 놓치는 건 지양해야 할 일이다. 그러나 단기적인 고객의 선택을 앞에 두고 불량한 태도를 취하는 은행에 돈을 맡길 이들은 아무도 없으리라. 준혁이 일하고 있는 곳은 대기업에 가까운 곳이었고, 해약과 관련해서 불필요한 실랑이를 더 피해야 하는 기업체다.

"알겠습니다, 말씀하신대로 진행해 드릴게요. 잠시만 기다려주세요."

…….

노신사는 빙긋, 웃을 뿐이었다. 준혁은 전산 화면을 보며 이것저것 두드리며 묻는다, 성함이, 신분증과 통장을 좀 보여주실 수 있으시겠어요.

……

아, 그 아래에 서명해주시면 됩니다, 선생님. …….

잠깐의 시간동안 머리를 굴리며 해약 절차를 진행한 준혁은, 인상 좋은 사내에게 마지막으로도 웃어 보였다.

"해약 완료되었습니다. 통장에 정확한 금액 들어가신 것, 확인해 보시고요."

"예."

"감사합니다. 이후로도 또 맡기실 일이 있으시면, 언제든 자세하게 상담해드릴 수 있으니 XX은행 명동 지점 많이 이용해 주시고요."

"알겠어요. 직원분 인상이 좋아서라도, 다시 올 것 같으네요."

노신사는 그렇게 영양가 없는 빈 말을 마지막으로 자리에서 일어섰다. 빈 얘기라고 하더라도, 해주는 편이 좋은 것이다. 김준혁은 그리 생각했다. 사람을 대하는 건 언제나 피곤한 일이다. 복잡한 업무가 곁들여져 있다면 조금 더 가속화되는 피로의 누적이고.

그저 관계성을 위해 하는 위선적인 말들이더라도, 그는 친절한 편이 좋았다.

노인이 갔고, 그는 창구에서 잠깐 멍을 때렸다. 다음 손님이 오기 전까지의 텀이 아주 짧게나마 있다.

그러고 보면, 상당한 액수였다. 멀끔하게 차려입은 신사라고는 생각했지만. 세상에는 정말로 티내지 않고 다니는 알짜배기 부자들이 종종 있는 모양이었다. 십 억 원 대의 금액을 아무렇지 않게 쓸 일이 있다면서 얻어가는 노인이라니.

젊은 시절에 무얼 했길래 저렇게 되는 걸까. 김준혁은 궁금증이 잠깐 들었지만,

띵동-

하는 소리와 함께 다음 고객이 다가오며 금세 잊어버렸다.

*

23. 밑준비

천산혁은 항구 앞에 서 있었다.

부둣가, 인적이 드문 곳이었다. 대형종보다는 중소형종 선박이 오가는 곳이며, 다른 곳에서 실린 짐들이 최종적으로 다다르는 보관 창고가 모여있는 곳이다.

인천 해안가 인근의 장소였고, 천산혁은 그 방파제 근처에 자리를 잡고 앉아 있었다.

콘크리트로 정비된 도로의 끄트머리였다. 그대로 차가 움직이면 추락할 수 있으므로, 30cm 안팎의 저지대가 있었다. 그대로 걸어 내려가면 곧장 떨어지는 절벽이었고, 아래로 방파제가 길게 늘어서 있다. 파도는 그가 앉은 곳보다 깨나 멀리에서 부서졌다.

사람이 없는 밤이다. 모 기업이 근처 컨테이너 박스를 전부 소유하고 있으므로, 인근에 올만한 일도 별로 없다. 여차하면 박스 내부에 들어가서 일을 봐도 괜찮았고.
'일'이란 다른 사람의 눈에 들키면 곤란할만한 종류의 모든 일을 통털어 일컫는다.

천산혁의 경우에는, 가장 흉악한 범죄도 될 테였다.
천산혁보다는 온건한 목적을 갖고 조직 따위가 사용하는 곳도 된다. '조직'은 뒷거리의 조직을 뜻했고, '온건한 목적'이라는 건 오로지 살인만을 위한 살인이 아니라, 누군가를 감금하고 협박한다거나, 하는 종류를 이른다.

철써억.

계속해서 파도가 다가와 방파제에 부서진다.

천산혁은 그 꼴을 지켜보고 있었다. 정신적으로 과부하가 올 때도 있는 탓이다. 천산혁은 그런 순간에는 쉬어줘야 한다는 걸 늘 깨닫고 있었다.

육체와 똑같이 사람의 정신도 용량과 한계가 있어서, 사이코패스라 할 지라도 어느 정도는 쉼이 필요하다. 육체를 갖고 태어난 인간이 밥을 먹고, 잠을 자야만 하는 것처럼. 아무런 생각을 하지 않는 시간은 공평하게 필요했다.

그간 많이 머리를 굴렸다. 고민을 했고. '누군가'를 특정해내기 위해서 애를 썼다.

어차피 그가 외부의 민간인으로서 경찰 조직 내의 정보를 얻어내는 건 한계가 있는 일이었다. 다양한 루트가 유용 가능하나, 지나치게 건드렸다가 괜히 이쪽의 정보를 노출시킨다면 안 하느니만 못한 일이었다.

천산혁, 김연수 측의 이점은 결국 그것이다. 여태까지 한 번도 꼬리를 잡힌 적이 없다는 거.

지금에 와서야 김재영이라는 꼬리가, 아니 몸통의 반쪽이 거하게 잡혀버렸지만. 어쨌든 그 점에 있어서도 딱히 걱정은 없다.

천산혁과 김재영은 둘만의 게임을 하던 중이 아니었는가. 김재영은 아마 죽더라도, 쓸데없는 이야기를 발설하진 않을 거다.

그렇게 되었다가 천산혁의 게임이 망가지면, 자신의 게임도 의미가 없어지는 것 아니겠는가.

'룰Rule'이란 중요한 법이었다. 그들은 이걸 스포츠로 여기고 있었다. 자신들의 인생을 통째로 말이다. 김재영의 발설로 인해서 천산혁의 입지가 좁아지고, 운신이 어려워진다면 결국 김재영이 라인을 침범해서, 같이 달리던 천산혁을 밀어버리는 일이 된다.

죽더라도, 그 스코어의 숭고함을 위해서 그냥 죽을 테였다. 김재영이 어떤 놈인지는 그가 안다. 천산혁이 직접 키웠고, 매일 옆에서 지켜봤으니까.

그런 각오는 천산혁 역시 마찬가지였다.

스코어Score.

누군가에게 보여줄 수 있는 점수는 아니었지만, 살인귀는 그 생각을 하면, 입이 찢어져라 웃을 수 있다.
달리 감정을 표현하지 않는 천산혁과 김재영이었으나, 그 점에 있어서는 달랐다.

생生으로 인해서 점수를 벌 수 없다면, 반대로 사死로써 점수를 벌면 되지 않겠는가.
두 인간은 그런 점에서 이해가 일치하는 동료였다. 김재영과 천산혁.
하늘 위에 신이 있는지 따위는, 그다지 관심이 가지 않았다. 그러나 모두가 비슷한 모습으로 태어나, 이해할 수 있는 말을 하고 교류를 한다는 점에서, 그 비슷한 존재라도 있지 않을까 천산혁은 여긴다.

'기준'이 있다는 건 중요하다. 그가 얼마나 대단한 일을 하는지 다른 이들도 이해할 수 있다는 것 아닌가.

천산혁은 살아서, 누구보다도 길게 게임을 지속하고 싶었다.

이전까지 있어왔던 그 어떤 살인귀들보다도 위대한 업적을 쌓고 싶다.

이전 시대, 전근대 사회에는 보다 살인이 쉬웠다. 사람의 목숨이 이처럼 고귀하게 보호받던 시절은 아마 역사가 시작된 이래로 근래가 유일하리라.

누군가의 숭고한 의지는 시절을 가리지 않고 있어왔지만, 그런 게 아니라 보편적인 의미에서의 '존엄성'은 결국 현대에 와서야 제도로써 보호받기 시작한다.

지금의 살인귀인 그는, 결국 전근대 사회의 악마들에 비교해서 숫자가 초라할 수밖에 없었다. 그러나 그만큼 어려운 상황인 게 사실이다. 그의 살인행을 막는 온갖 요소들을 이겨내고, 그 어려운 상황 속에서도 누군가를 계속해서 죽여 나간다면.

그리고 평생토록 들키지 않고 자신의 삶을 이어나간다면. 얼마나 짜릿하고, 위대하고, 기록에 남을만한 일이겠는가, 하는 것이다.

천산혁이 그 일을 하다가, 도중에 죽더라도 누군가가 기록할 테였다.

그는 모든 일이 틀어졌을 때 공개를 할 자료를 늘 저장해두는 변태이기도 했으니까 말이다.

원래 '김연수'의 스타일에 그런 기록의 유지는 불필요한 것이었다. 그러나 그 정보가 결국 김연수의 목숨이나 마찬가지였기에, 최신화를 하고 아날로그에 가까운 방식으로 보존을 하면서 지키고 있었다.

인터넷 연결이 되지 않는, 폐쇄 회로로 작동하는 전자 기기로 늘 편집을 하고, USB 따위에 넣어 보관을 한다. 애초에 인터넷 연결에 필요한 부위와 기능을 전부 물리적으로 제거한 컴퓨터였다. 단순히 문서 편집만을 위해서 사용하는 놈이다.

가장 좋은 것은 그가 끝까지 살아남아서 계속해서 살인행을 벌이는 길이었다.
그러나 그러지 못한다면. 혹은, 그가 생의 마지막 날을 맞이하게 되는 때가 온다면.

그러면 천산혁은 스스로 자신이 벌여 온 모든 만행을 낱낱이 공개하리라.
모두가 알 수 있도록. 최악의 살인마라고 욕을 하는 게, 결국 그를 치켜세워주는 일이었다. '최악'이라는 건 곧 '최고'라는 말과도 다르지 않았다. 어떤 역경에도 지지 않고 불굴하며 위업을 달성한 게이머. 그렇게 평가되겠지.

그것만이 어둔 눈으로 앞을 바라보는, 천산혁이나 김재영이 살아가는 유일한 이유였다.

철써억-.

파도는 하염없이 부딪힌다.

어둔 밤. 바다. 하늘. 여러가지 것들이 동시에 눈에 들어오지만, 점점 더 저녁이 깊어지며 새까만 밤이 되었다. 별이나 달빛도 그리 밝지 않은 날이었다. 비나 눈이 올듯 하진 않다. 다만 구름이 제법 끼어 있었고. 도시로부터 조금 떨어진 곳이나 멀지 않은 데 공장지대가 있는 점이 하늘을 가리는 이유가 될 지 몰랐다.

끝없는 어둠 속에서, 그는 패딩 재킷에 손을 넣어 녹이며 앞을 바란다.

'앞'이 있을지 없을지, 알 수는 없지만 천산혁의 걸음은 멈추질 않을 테였다.

그는 유용 가능한 자금들을 여기저기서 끌어왔다.

'준비'를 위함이다. 지금은 그에게 문제가 생긴 상황이었다. 여기서 굽히고, 도망가는 길이 있을 테였다. 그러나 천산혁은 정면으로 문제를 돌파하기로 했다. 어려운 일이지만 성공한다면 최고의 점수를 받을 수 있으리라.

적어도 그의 뇌리에 새겨지는 점수판에 있어서는 그러하다.
그의 아들, 김재영도 어둔 감옥 속에서 듣고, 보고, 그렇게 인지하겠지.

어쩌면 아들을 만든 건, 자신의 스코어를 높이거나 조력자를 구하려 한 것도 있겠지만. 같이 스코어를 셀 할 머리가 필요해서 만든 일일 지도 몰랐다. 천산혁이 아무리 명료한 정신을 갖고 있다고 하더라도 언젠가는 흐려지니까 말이다.

그의 몸뚱이가 녹슬듯, 정신도 그러리라. 언제나 명징한 사고를 유지하려 하지만 쉽지 않은 게 사실이다. 그가 죽더라도, 김재영이 살아있는 동안은 차후에 더욱 정확한 분석이 이루어지리라.

세상 사람들은 둘을 지독하게 욕할 테였다. 그게 맞는 일이고, 그걸 거부할 생각은 없었다. 다만 돌아버린 두 사내에게는, 그 욕이 동일한 양의 칭찬으로 들리리라.

누구보다도 사회의 어둠 속에서 숨어 살아가는 존재였으나, 반대로 누구보다도 드러나고 싶어하는 이들이었다.

인천 어느 인적 드문 부둣가.

사고가 나서 폐차된 자동차의 번호를 달아둔 중고 차종을 끌고서 왔다. 추운 겨울 날 바닷바람을 맞으면서 머리를 식힌 건 그가 매저키스트여서는 아니었다. 생각을 버리고, 다음 일을 준비하기 위해서.

그리고 그가 구입한 물건들을 받아가기 위해서였다.

'노인'은 자신이 일하는 모습을 보이고 싶어하지 않는다. 그는 언제까지나 드러나지 않는 곳에 있고자 했고, 사회가 그의 존재를 알기조차 원하지 않았다.

아마 천산혁이나 지금은 잡혀 들어간 김재영과 달리, 몸뚱이가 거대한 인간이라 그럴 것이다. 국제적으로 수사를 받고 있는 몸이니 그들처럼 경거망동 할 수 없으리라.

따지고 보면 천산혁도 '노인'을 통해서 여러가지 일을 도맡아 하느라 위험할 뻔했다. 그가 솜씨 좋은 처리자였기에 도움을 받은 전력이 많다. 김재영의 신분에 관한 일도 그렇고, 이렇듯 다시 멀쩡하게 그가 한국에 입국한 것 역시도.

천산혁은 위성 통신 전화로 노인과 연락을 했다. 직접 목소리를 듣는 것도 아니었고, 그 수하와 통화를 하거나 메세지로 정보를 주고 받을 뿐이지만.

어쨌든 그는 '물건들'의 구입을 원했고, 대량의 원화를 노인에게 거래의 대가로 지불했다. 결국 그가 이십 여 년의 시간을 버리고 얻은 건 이런 것들이다. 김재영이 잡혀간 이상 가지고 있는 무기로 승부를 해야지 않겠는가.

천산혁은 시간이 되었구나, 싶어서 천천히, 자리를 옮겨 움직였다.

이 시간 즈음에 물건이 올 것이라고 연락이 왔었고, 덕택에 추운 날 바깥 바람을 쐬며 사색을 할 시간을 벌었다. 버린 건지, 번 건지는 모르겠지만 어쨌든.

그가 연락용으로 유지하고 있는 위성 통신 전화로 금방 메세지가 왔다. '적재 완료'라는 뜻을 담은 메세지였다.

일처리가 모두 끝나고 용역들마저 흔적을 지웠다는 뜻이다. 천산혁은, 뒤로 돌아가 타고 온 중고 차량을 움직였다.

어둔 밤, 부둣가의 컨테이너 박스 사이에 세워진 승합차였다. 선팅이 되어 있어 바깥에서 잘 보이지도 않는다. 신형은 당연히 아니었고, 사람들의 눈길을 끌만큼 지나치게 낡지도 않았다. 현재 거리에서 가장 많이 굴러다니는 것이 어느정도 연식의 어떤 차종인가를 아는 게 중요했다.

그는 결국 그 사이에 몸을 숨겨야 하는 인간이었으니.

부르릉.

그는 차갑게 식은 운전석에 앉아 시동을 걸었다. 금세 걸렸고, 작게 라이트를 켜서 근처를 돌았다.

'노인'이 물건을 두었다고 알려준 컨테이너 박스의 위치를 찾아 앞에 대고, 내린다.

묵직한 무게감의 철문이 닫혀 있었다. 번호로 눌러 여는 기계식 자물쇠가 있었다. 상당히 두꺼운 종이었고, 총으로도 함부로 열지 못할만한 느낌의 물건이다. 미리 건네 받은 번호를 누르자, 자물쇠는 철컥 하고 열린다.

천산혁은 주름진 손으로 묵직한 자물쇠를 들어, 승합차의 운전석 아래에 대강 던져두었다. 탁, 하고 운전석 쪽의 문을 닫는다.

다시금 컨테이너 앞으로 돌아와 창고의 문을 연다. 한 쪽만 열어도 충분하다. 끼이이, 하면서 금방 닫혔던 문이 또 한 번 열린다. 천산혁이 찾아오기 조금 전에 '노인'의 밑에서 일하는 용역들이 다녀 갔으리라.

신음을 토해내는 문을 지나, 그는 패딩 점퍼 속에서 라이트를 꺼내들었다. 휴대폰 라이트도 제법 쓸만은 하다만. 공업용 러기드 폰Rugged phone을 들고 다니지 않는 이상 배터리는 늘 걸림돌이다.

다양하게 일을 봐야 하는 입장에서는, 용도에 맞는 다른 물건을 가지고 다니는 것이 속이 편했다. 러기드 폰을 사는 건 문제가 아니지만, 그렇게 눈에 띄는 소지품을 들고 있다면 다른 사람의 시선을 속이기가 불편하다.

그 때 그 때 상황에 맞는 도구들을 사용하고, 적당히 숨기던 폐기하던 하는 게 가장 좋은 방법이었다. 여태까지 그가 알아온 바로는.

얇지만 제법 광량이 많고 배터리가 오래가는 손전등이었다. 그는 컨테이너 박스의 내부로 들어가 물건들을 살폈다. 대강 눈대중으로 세어보고, 구분한다. 물건의 개수나 종류, 부피는 대강 맞는다.

'노인'이 여태껏 거래에 있어서 일을 그르친 적은 한 번도 없었다. 신뢰라는 점에서 상당히 높은 점수를 받을만한 인간이었다, 그는. 반대로 '노인' 역시 천산혁을 그렇게 생각하리라. 제 입으로 프로 청부업자라고 이야기를 하면서 너저분한 실력과 행태를 보여주는 인간들이 참 많았다.

그런 어중이떠중이들 보다는, 차라리 천산혁이 훨씬 더 쓰기 좋은 도구였던 탓이다. 지난 시간 동안.

'노인'과의 관계에 있어서 어떠한 의리나 사적 감정이 존재하지는 않는다. 다만, 서로가 거래 대상으로 서로를 볼 때 쓸데없는 소요를 피할 수 있다는 것만 하더라도 훌륭한 파트너가 될 수 있었다.

천산혁이나 노인이나 어차피 효율을 추구하는 자들이었으니까.

천산혁은 노인의 목적이 뭔지는 정확히 모른다. 그저 더럽게 많은 돈을 가졌고, 온갖 물산과 물자가 모여드는 암흑가의 허브hub 역할을 하고 있다는 것 밖에는.

어중간한 단위의 돈이라면 이미 모았을 양반이었다. 평생을 불법적인 일에 매진한 작자였고, 나름대로 거물이었으니. 천산혁이나 김재영처럼 아예 감정이 없는 인간처럼 보이지는 않았었다. 어느 정도 사이코패스 기질이야 있기는 하겠다만. 희로애락을 평상시에 표현하는 모습을 많이 보았었다. 연기가 아니라, 자연스러운 반응으로.

목적을 모르는 상대와 동행을 하는 건 적잖이 위험한 일이었다. 그러나, 적어도 그게 천산혁 자신을 방해하는 쪽은 아니라는 확신은 있었다.

덜컥, 하고 부딪히는 소리가 났다. '물건'들은 네모난 나무 박스에 들어 있었다. 대단한 것들은 아니었다. 쓰기에 따라서는 대단할 수 있었으나. 총 따위도 아니었고. 대한민국에서 실탄을 써봤자 변변찮은 꼴이 되지 못했다. 컴팩트compact한 권총 종류라면 이미 안가에 보관중인 것이 여러 정 있었다. '총'은 천산혁에게 있어서 구하지 못할 물건은 결코 아니었다. 사용하는 데 쓸만한 방법이 별로 없기에 꺼려질 뿐이다.

어떻게 해도 탄흔, 탄피, 총성의 문제가 남았다. 화약 반응도 있었고. 도심지에서 주로 일을 벌이는 그로서는 최악의 물건이다. 소리가 거의 나지 않는 분사식의 무기라거나, 하는 건 몰라도.

차라리 약물 류가 담긴 탄환에, 공기압의 발사 장치를 쓰는 편이 좋았다. 아니면 나이프라던지. 그런 류는 이미 차고 넘치게 모아둔 상태였고, 이번에도 다양한 종류로 시켜서 새롭게 충당을 한다.

천산혁은 어쨌든 화려하게 일을 벌이려 하고 있었다. 상대의 예상을 뒤엎는 움직임이야말로, 가장 안전한 방향성이라는 지론 때문이었다. 물리적인 틈을 찾는 노력은 물론 중요하지만, 인간은 생각보다 더 근시안적인 생물이기에 말이다.

얼핏 봤을 때 물리적으로 괜찮은 샛길보다, 들킬 위험이 높은 대로변을 지나가더라도 인식의 그늘에 숨어서 도주하는 게 더 좋은 길이라고 그는 생각했다.

그를 잡아내기 위해서 쫙 깔려 있는 포위망을 뚫어야 한다고, 예컨데 가정을 한다면.

지금 준비하고 있는 물건들이 그 '인식의 그늘'에 숨는 길을 위한 도구들이었다.

설마 어떤 간 큰 범죄자 새끼가, 이 큰 길로 지나가겠어.

설마 이런 상황에서 경찰 조직의 수사망을 무시하고 큰 사고를 치겠어.

천산혁은 무거운 나무 상자들을 승합차에 실으면서, 피식 웃었다. 그런 생각을 하고 있을 자신의 '적들'에 대한 비웃음이었다. 다른 누군가를 깔아뭉게는 건 아주 드물게 그가 웃을 수 있는 방법이었다.

곧 있을 일을 생각하니 웃음이 새어나올 정도다.

초로의 노인은 건장한 사내들 못지 않게, 나무 박스 여럿을 어렵잖게 차에 다 옮겼다.

간단하게 볼 일을 보고, 끼이이, 텅, 하고 컨테이너 박스의 문을 닫는다.

운전석에 두었던 기계식 자물쇠를 다시금 채운다. 철컥.

물건들이 흔들리지 않게끔 잘 고정을 해 둔 뒤, 아무렇지 않게 차를 몰았다.

그는 부둣가에서 빠져나갔다.

'일'을 하기 전에 적절한 쉼이었고, 머리 식힘이었다.

*

번뜩.

'여자'는 차디찬 건물 내부에서 눈을 떴다.

어둠 밖에 보이지 않는 공간이었으나, 스스로 눈을 뜬 걸 인식할 수는 있었다.

입으로 소리를 내지는 못했다.

구강이 벌려지지가 않았다. 여성은 자신의 몸이 이상하다고 느꼈다. 약간의 꿈틀거림도 느껴지질 않는다. 그녀가 다룰 수 있는 건 눈꺼풀, 그리고 동공 정도이다. 숨은 제대로 쉬고 있을까. 그녀는 지금 바라보고 있는 게 현실인지, 아니면 꿈인지도 인지하지 못한다.

곧 마음대로 되지 않는 꿈, 혹은 현실일 수도 있다는 생각에 불안감이 엄습했다. 여전히 눈을 떴으나 짙은 어둠 속이라 알 수 있는 게 없었다.

냄새… 그녀는 냄새를 맡는다. 후각 역시 둔하다. 꿈 속에서 냄새를 보통 맡을 수 있던가,

김미영은 결국 불안감에 잠식당했다. 꿈이라면 깨길 바라고, 현실이라면 차라리 기절하기를 원했다.

또각.

하는 소리가 들린다. 단단하고 불편하게 만들어진 콘크리트 바닥을 구둣발 따위로 밟는 소리였다. 누워있는 그녀, 김미영은 귀와 코, 눈만은 멀쩡했다. 사고 역시도. 자신의 꿈에 누군가 들어오기라도 한 모양이다. 꿈이 아닐 경우의 의미에 대해서는 상상할 수가 없었다. 두려워서.

또각.

몇 번의 발소리가 더 들리더니, 인기척이 그녀의 근처로 다가왔다. 차갑나…? 김미영은 자신이 싸늘하고 차가운 어딘가 위에 올라와 있다고 생각했다.

촉감 역시 느껴진다. 그러나 여전히 몸의 말단조차 움찔거릴 수 없었다. 근육은 완전히 굳은 듯하다. 얼굴 근처의 근육 조금을 제외하고는 말이다. 입조차 벙긋거릴 수 없다.

달칵, 하고 불이 켜졌다.

아주 작은 불빛이었다. 아니, 아주 국소적인 불빛. 김미영은 갑자기 나타난 불빛에 눈을 찡그렸다. 어쩔 수 없는 반응이었다. 작은 부위를 비추는 불빛이 김미영의 목덜미 그 근처를 쏘았다. 직접적으로 비추지 않는 광선이라, 미영은 간신히 근처를 볼 수 있었다.

"……."

사내는 아무런 말이 없었다. 김미영은 사내의 얼굴을 보았다. 주름진, 그리고 무감정한 눈이 희한한 늙은 남자였다. 회백색의 머리를 정갈하게 뒤로 넘겨 가다듬은 것마저 보였다.

김미영은 언젠가, 영화나 드라마 따위에서 본 지식을 떠올렸다.

이게 꿈이 아니라면. 그리고 현실이며, 저 사내가 자신을 겁박한 범죄자라면. 아마 그 얼굴을 보는 건 굉장히… 위험한 일이다. 흉악범은 자신의 얼굴을 본 이를 결코 살려두려고 하지 않을테니까.

어둠 속에서 사는 자의 일반적인 반응이었다.

사내, 늙은이, 산혁 역시도 그러했다. 감정적 반응을 크게 드러내지 않을 뿐, 일반적인 궤를 많이 벗어나지는 않는다. 당연히, 눈 앞의 여자는 처리할 작정이었다.

어둡고, 황량하고, 차가운 실내.

'안가安家'. 김재영의 것 외에도 서울에 더 있었다. 이렇게 시설이 갖춰진 곳이 말이다. '노인'은 수완이 좋다. 아마 매물이 더 있을 지도 모른다. 서울은 확실히 고도로 발전된 선진국의, 대도시였으니까. 그런 데에 자신의 밭을 좀 일구어놓아도 좋겠구나, 생각했을지도.

어쨌든 노인의 덕택에 김재영이 사용하던 것과 같은 지하 시설이 딸린 집을 하나 더 구했다. 본격적으로 일을 벌이기 위한 지방에 하나 정도 있으면 충분했는데.

김재영의 것은 경찰들에게 밝혀져서 이미 못 쓸 물건이 되어버리고 말았다. 꽤나 큰 지출이었지만, 감당 못 할 수준은 아니었다. 어차피 살인행을 달리는 사이코패스에게는 뒤가 없기도 하고.

새롭게 꾸며진 살인의 방에, 새로운 여자가 초대되었다.

그녀, 김미영은 서울 도시 한복판을 거닐던 평범한 여성이었다. 대학교를 졸업하고, 취업이 되지 않아서 여기저기 일자리를 알아보러 다니던 말이다. 아마 그 날도 평소와 다름없이 면접을 위해서 돌아다니던 때였으리라.

천산혁이 일을 벌이고 '대상'을 옮기기 좋은 스팟spot이라고 점찍어 뒀던 곳을 딱 지난 것이 단지 그녀의 불운이었다.

순식간에 그녀는 정신을 잃었고, 눈을 떠 보니 이곳이다.

마술이라고 해도 좋은 정도의 솜씨였다. 당하는 입장에서는 도저히 웃지 못할 농담이지만.

그리고 눈 앞의 남자 역시 단지 마술사는 아니었다. 그는 자신의 목적을 위해서 일을 하는 작업자에 불과했다. 김미영을 데려온 것도 심플한 이유 때문이다. 아마, 다시 보내주지는 않을 테였다.

"……."

김미영은 말을 할 수가 없다. 노인, 사내, 늙은이. 천산혁은 말이 없었다. 달칵. 불이 꺼졌다. 다시 어두운 방 안이었다. 김미영은 희미한 잔상들만이 망막에 남아 그려졌다. 어둔 가운데, 무언가 움직이는 소리만이 났다. 덜거덕, 하면서 단단한 도구들이 서로 부딪히는 느낌이었다.

감각이 살아나고, 기억이 돌아오고. 김미영은 자신이 겪었던 일이 무엇이었는지, 서서히 깨달아갔다.

마지막으로 그녀가 보았던 장면 따위가 떠오른다. 어떻게 된 일인지, 그녀의 머리가 점점 퍼즐을 맞춰가면서 끔찍한 표정을 지었다. 천산혁은 눈이 아주 좋았다. 지그시 눈을 감고, 어둠에 눈을 적응시킨다. 아까 비추었던 빛이 모조리 사라질 때까지. 충분하게 암순응을 시키면, 이 곳은 완벽한 어둠이 아니다. 희미한 빛으로, 사물의 외곽선을 조금 구분할 수 있었다.

고요함.

천산혁은 그것이 좋았다. 그게, 피해자들의 소리 없는 비명과 공포를 더욱 극대화시키니까. 연주를 하고 있는 피아니스트 앞에서 무례하게 소리를 내는 관객이 없지 않은가. 그런 기분이었다, 그는.

김미영의 절망은 천산혁에게 있어서 음악이나 다를 바 없었다. 자신에게 없는 감정을 타인으로 하여금 보는 것이다. 아주 실감나는 영화, 혹은 게임. 뭐 그런 거라고 생각한다.

천산혁은 태어날 때부터 망가져서 태어났다고 여긴다, 스스로를. 뇌의 어딘가가 남들과 달리 물리적으로 망가졌는 지도 모른다. 그래서 이런 일을 벌인다.

남들과 다른 그 부분을 충족하기 위해서. 타인의 '행복'에서 자극을 얻으려 하지 않고 '괴로움'에서 얻고자 하는 건 그의 선택이기는 하다.

천산혁은 싸늘한 표정으로 김미영을 내려다보았다.

어둠 속에서 발버둥치려는 그녀의 표정이 보인다. 동공이 찢어질 듯, 커졌다. 눈물이 흘러내리는 게 보인다. 천산혁은 닦아주지는 않았다.

이제 자신이 벌일 일은 모든 것의 끝이었으니까. 눈물은 큰 문제가 아니리라.
'김미영'에게는 특제의 약물을 주입했다. 정신과 감각은 돌아왔으나 여전히 근육은 움직일 수 없으리라.

덜컥, 거리면서 옆에서 그는 도구를 골랐다. 미리 김미영의 침대 옆에 놓아둔 선반과, 그 위의 도구 상자였다. 손에 잘 익고, 적당한 것을 잡은 그는 일을 시작하려 했다. 시간을 많이 끄는 편은 아니었다.
누군가의 생의 마지막에 의미를 부여하는 편도 아니었고. 잡히는 대로, 그저 가능한대로.

한 번 최대한의 스코어를 올리고도 자신이 살아남을 수 있는가. 어디까지 숨을 수 있는가. 그런 것들을 시험해보고자 했다. 서울의 지형은 그간 많이 바뀌었다. 일을 벌이기 위해 사전 조사는 필수였다. 그는 당분간 많은 곳을, 여러 변장한 모습으로 돌아다니면서 관찰했다.

차를 타고 다닐 때도 있었고, 산보를 하는 노인 복장으로 걸은 때도 있었다. 먹잇감과 사냥터를 점검한다. 현대의 사냥터는 여러

기기가 공존하고 있으므로, 단순히 물리적 지형만이 아니라 감시자의 사각을 잘 골라야만 한다.

어지럽게 개발이 되고, 수많은 사람들이 살아가고 있는 대도시에는 다행히 그런 사각들이 꽤나 있었다. 아직까지도 말이다.

덕분에 이렇게 그가 훌륭하게 먹잇감을 하나 구해오지 않았는가. 실제로 먹지는 않는다. 천산혁은. 그러나 없애기는 할 테였다. 그게 그의 존재 의의니까.

잠깐의 표정을 보는 것은 '연주'를 듣고자 하는 관객의 입장에서 한 선택이었다.

왼 손에는 도구를 들었다, 사내가. 오른 손에는 주머니에서 주사기 하나를 들고 왔다. 순식간에 잠들 수 있는 종류의 약물이 담겨 있는 것이다.

수많은 이들에게 약물을 투여해봤기에, 크게 망설임도 없었다. 그는 장갑을 낀 차가운 손을 김미영의 목덜미에 가져다 댔다. 그녀는 촉감이 남아있기에 움찔거렸고, 곧 생애 최악의 표정을 지었다.

천산혁은 환희에 떨면서, 그것으로 만족하고 목덜미의 혈관에 약물을 찔러넣어, 주입했다.

꾸욱, 하고 실린더의 액체가 밀려 들어가자 그녀는 그 표정에서 그대로 의식을 잃어버렸다. 깨나 많은 용량의 약물이 모두 투입되었다.

김미영은 생애 마지막 감정, 감각, 생각을 떠올렸다가 잃어버렸고.

천산혁은 도끼와 같은 파괴력의 날붙이로, 간단하게 작업을 했다.

덜걱, 하고 그가 주사기를 구석진 곳의 쓰레기통에 던져 버렸다. 휙, 하고 던진 것이나 잘만 들어간다.

곧, 양 손으로 단단히 쥐고서 도구를 휘둘렀다.

끔찍한 소리가 천산혁의 지하, 암실暗室에서 울렸다.
한 명의 생명이 또 타의에 의해 꺼졌다.

***

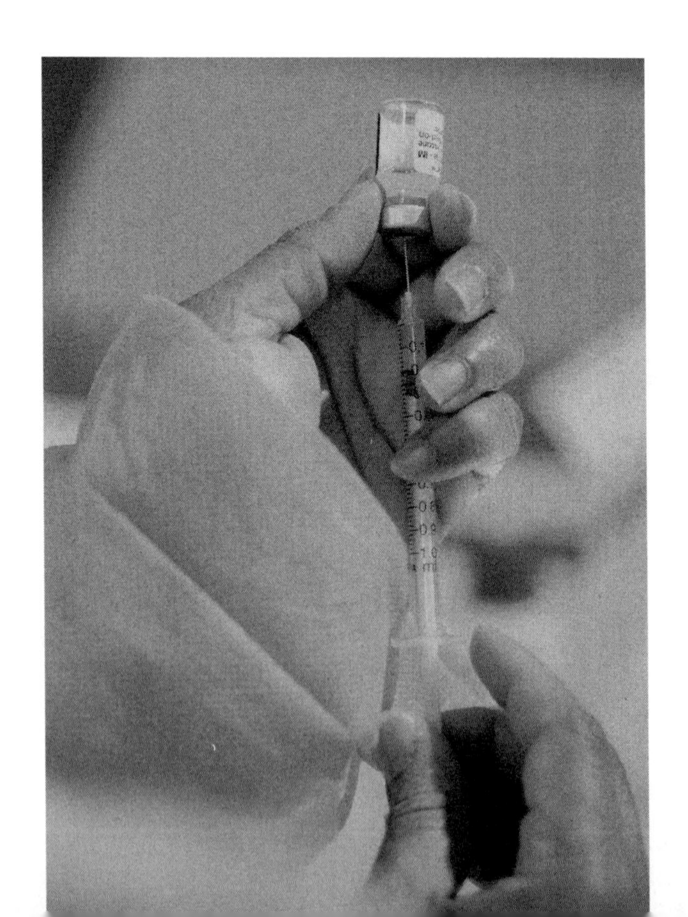

*

"…실종?"

"…예. 신고가 하나 들어왔는데…. ……. 사실 다 신경쓸 수는 없기는 한데 느낌이 좀 쎄, 한 게 있어서요."

"흐음…."

박주영이 상관에게 보고를 하고 있었다. 수사본 건물 내에서 그들의 팀장을 맡고 있는 경위였다. 심민아, 등이 속한 프로파일링 쪽과는 물론 다른 팀이다. 박주영과 김민식 등 일선에서 뛰는 수사관들, 곧 수색팀 휘하의 말단 간부다.

원래 박 경사와 김 경장을 맡는 이는 아니었으나 수사본으로 함께 차출되면서 돈독해졌다. 같은 동작 경찰서 출신에, 그래도 자주 얼굴 보던 사이이기는 했었으니까.

김현식 경위는 비어 있는 회의실 구석에 앉아 이야기를 들었다. 복도를 걷다가 잠깐 할 말이 있다며 불려온 참이다. 부하의 보고는 그때그때 들어두고 분석해두는 편이 좋다. 어차피 위로 올라갈수록 '정보를 취합하는' 일에 몰두하게 된다. 일단 들어보고, 정보의 유용성이나 신뢰성에 대해 나중에 판단하는 것이다.

"…관악구 근처인 것 같던데요."
"…아, 이번엔 또 남부야?"

서울 북부에서 일어났던 사건, 정확히 말하자면 동대문구 인근에서 벌어졌던 실종 건으로 김연수를 잡은 지 얼마 되지 않았다. '김재영'이라는 청년이지만, 수사본 내부에서는 '김연수'라는 별칭으로 불리는 살인마의 꼬리 즈음은 되리라고 여기고 있었다.

놈은 아주 지독한 성정을 갖고 있는 놈이라, 온갖 회유와 협박에도 불구하고 조금도 입을 열지 않고 있었다. 대한민국 경찰 조직 내부에서, 자백제를 쓸 수도 없는 노릇이었다. 그런 약이 경찰에게 있는 지도 모르겠지만.

결국 사건은 원점으로 돌아갔다. 윗 분들은 '정확한 마무리'를 원하고 있었다. 연쇄 살인 역시 그쳤으므로, 이것으로 모든 일이 끝났다며 자축할 수도 있었느나, 김재영은 지나치게 젊었다.

그를 가지고 정말로 이십 여 년 전의 사건의 범인이라고 할 수는 없는 법이었다.

살인에 대한 공소시효가 사라진 것이 최근의 일이었다(*덧:소설 내 설정입니다. 실제 대한민국의 법이 어떻게 되어 있는지는 찾아보지 않았습니다).

김연수는 현재 진행형으로 수사관들의 트라우마였고, 숙적이기도 하다. 조직의 중진급 이상으로 올라간 이들에게는 더욱 선명한 악몽이었고.

그들은 '자존심'의 문제로 인해서 더욱 확실한 결론을 원하고 있었다. 수사본의 추적은 아직도 끝이 아니었다. 이대로 비상 위원회와 특별하게 구성된 조직이 지속되어서, 경찰 인력과 행정적 자원이 지나치게 소비된다는 여론이 일기 전에는 끝나지 않을 테였다.

김현식이 파악하고 있는 중책자들의 의지나 분위기는 그러했다. 경찰 조직은 나름대로 단단히, 마음을 먹은 중이었다.

어쨌건 '김연수'의 하나로 보이는 김재영이 그 모든 범행을 혼자 저질렀다는 건 말이 되지 않는다, 가 지배적인 조직 내 여론이었다.

공범이 아직도 버젓이, 이 한국 땅에 있을 확률이 높았다.

"…예. 두 건째 비슷한 정황입니다. 사라진 곳도 모두 서울 남부 일대고… 한 곳은 관악구 동문동이고요.

다른 건은 동작구입니다. 저희 파출소있던 곳이라 눈에 문득 들어왔는데…. 이게 전에 동대문구 근처에서 이수정 씨 실종 건이랑 비슷한 느낌이 들었어서요…."

"아… 그."

김 경위가 말을 아꼈다. 지키지 못한 시민에 대한 건 왜인지 약간, 선뜻 말하기 어려운 점이 있다. 김현식은 감성적인 편인 사내였다. 생김새보단 훨씬.

"목격자도 없고… 어느 한 지점에 갑자기 행방이 묘연합니다. 유령이 잡아가기라도 한 것처럼."

"유령은 무슨, 씨…."

"아니. …"

말이 그렇다는 거죠, 하고 박주영은 볼멘 소리를 중얼거리듯 했다. 김현식은 그런 단어를 쓰는 걸 좋아하지 않았다. 자신들의 무능이 때로 명백하게, 백주 대낮에 드러나는 것처럼. 범죄자들의 한계과 실체 역시 똑바로 보아야 했다.

잡지 못한다고 유령이니, 뭐니 하는 말들로 속편하게 수사에서 힘을 빼려는 꼴을 그는 보질 못했다.

"그래서, 끝이야? 더 이야기 있는 거 아냐?"

“예, 최근 1월 25일 즈음에 실종 신고가 한 건 있었고요. 그 다음 2월 2일 금방, 한 건이 더 있었습니다. 두 건의 실종자는 다른 사람이고, 모두 여자에 40대 한 명, 20대 한 명입니다.

1월 25일 신고 들어온 박정희 씨가 40대에 동작구 미림동 거주이시고… 그 근방에서 마지막 목격 정보 있었습니다.”

“그리고.”

“2월 2일 건, 이틀 전 게 김미영 씨… 26세 관악구 거주자입니다. 동문동 근처에서 마지막으로 목격이 있었습니다.”

“……확실히 이상하네.”

“예, 단순 실종은 아닌 것 같죠?”

“…….”

김현식은 고개를 조금 끄덕거렸다. 한국 치안은 굉장히 높은 수준이었다. 한 해 실종자 규모가 수 백이니, 수 천이니 하는 판국이어도 말이다. 물론 ‘실종 신고’를 모두 합친다면 한 해 수 만 규모가 된다. 개중에서 최악의 경우로 결론이 지어진, 실종 사만 사건만 쳐서 당 해 기준으로 천 수백 정도였다.

김현식은 경찰로 일을 하면서, 남한 땅의 치안이 어느 정도 이상 유지된다는 데에 자부심을 느끼고 있었다. 막말로, 밤에 술에 취해서 거리를 돌아다니는 여성들이 아무런 일도 없이 집에 귀가를 할 수 있는 것만 하더라도.

물론 ‘그래야 한다’는 것과 ‘지금의 현실이 그렇다’라는 이야기는 논점이 다르다.

가장 좋은 상황은 완벽하게 안전한, 범죄적 무풍지대를 만들어내는 것이겠지만.

범죄가 존재하기는 하나, 일정 수 이상을 억누르고 있는 현 상태는 세계적으로 보아도 최고 수준의 치안임을 부정할 수 없으리라.

서울 도심 지역에서 여성 두 명이 실종된 건, 곰곰이 생각해보면 눈에 띈다.
수사관의 감이라고 해도 좋았다.
그녀들이 어떤 대단한 범죄 사건에 연루되었다거나, 일부러 자신의 안전을 포기하고 취약 지역에 들어가서 모험을 즐겼다거나 하지 않는다면.

노인도 아니었고, 명료한 정신을 갖고 있는, 신체 건강한 청년대의 여성들이다. 한 명은 40대라고는 하지만, 그래도 운신에 어려움이 있을 정도는 전혀 아니다.

일부러 골라 다니지 않는다면 결국 서울 지역 내에서 아무에게도 들키지 않을 으슥한 곳은 일부에 불과하다.
그 짧은 순간에 아무런 자취도 남기지 않고 깔끔하게 사라지는 게 가능한가.
단순 가출일 경우도 있겠지만, 최근 김연수 사태로 인해서 도심지에서의 청년층 실종에 대해 과민하게 반응하는 경찰 조직이었다.

고로 건수가 들어온 이후 따로 찾아본 이들이 있었고, 관련 정보를 박주영이 전달받은 뒤에 추론하고, 하소연하는 중이다.
말단 수사관의 하소연은 다시 수색7팀장, 김현식 경위에게 들려오고 있는 것이고. 김현식은 '감'이 오면서 동시에 스트레스를 받았다. 편두통을 유발하는 종류다.

그는 미간을 잔뜩 찌푸리면서, 쇼파에서 몸을 좀 앞으로 세웠다. 등받이에서 떨어져 등을 구부린다. 박주영은 그 근처에 서 있다가, 할 말이 마땅찮자 적당한 스툴 의자 하나를 가져와 앉았다. 말이

스툴이었고, 물건을 놓는 서랍 겸 선반 류로 보였다. 어쨌든 바퀴가 달렸고 앉을만 하다는 게 중요하다.

드륵, 하고 끌어 와 박주영은 자세를 바로하며 김현식을 처다보았다. 김현식이 말한다.

"……조금 더 조사해 봐. 할 수 있겠어? 크게 시간차 두지도 않았고… 다른 병력이나 이상 없는 환경에서 갑자기 실종 건이라고 하면… 확실히 눈에 띄어."

"예, 그렇죠? 제 생각에도 그랬습니다."

김연수 사건과 관련한 대책 본부, 수사본의 인물들은 단체로 노이로제에 조금 시달리는 중이었다. 열정이 있는 순으로, 더욱 그러리라.

박주영이나 김현식은 수사에 대한 정열이 아주 불타는 편이었고. 편집증적으로 살인마의 행동과 모습에 대해서 생각해온다.

그런 점에서, 한 명의 인간이 움직여서 범죄를 저지르기에 적당해 보이는 거리감과, 비슷한 범행 방식의 흔적, 따위가 눈에 잡히자 '김연수'를 떠올렸다.

서울 남부, 동작구와 관악구라면 그리 멀리 떨어진 지역도 아니었다. 차량을 가지고 있다면 삼십 분 안쪽으로 다닐 수 있었고. 길목에 따라 다르고 교통 사정에 따라 물론 다르기야 하겠다만.

거기에 명확한 의지를 갖고 사냥터를 펼치고 있는 살인마라고 한다면, 며칠 정도의 간격을 두고 누군가를 잡아간다고 해도 충분하게 말이 되었다.

그 정도로 정력적으로 움직이는 완벽한 살인귀, 에 대해서 이미 많이 겪지 않았는가 그들은. '김연수'라는 놈이라면 혹시 그럴 지 모른다.

우연하게 발견한 퍼즐같은 정보였다. 아귀가 우연히 맞아 떨어지지만, 아닐 수도 있다. 그러나 눈에 밟혔다는 게 중요하다. 어차피 아무런 증거도 단서도 없는 판국이었으니.

결국 수사망을 유지한 채 몸으로 뛰는 수뿐인 것이다.

'몸'으로 뛰는 역할을 하는 건 또 그와 같은 말단 수색팀 소속의 형사들이었고.

김현식은 스트레스를 이겨내는 듯한 표정으로, 미간을 풀어내며 박주영에게 이야기했다.

"어… 그래. 일단… 쫓아 보자고. 김연수가 결국 한국 내에서 일을 벌인다면 우리가 잡아야겠지. 서울은… 단순하게 생각해서 가장 많은 사람이 있는 곳이고, 또 가장 많은 골목이 존재하는 곳이기도 하고."

"이번에도 저번과 같이, 살인터, 를 만들어놓고 사냥하고 있는 걸까요?"

인간을 사냥한다는 점에서, 끔찍한 이야기였다. 그러나 실제로 놈은 끔찍한 작자이다. 형사들은 사실을 말하는 것만으로도 입이 거칠어지곤 한다.

"글쎄. 저번과 완벽하게 똑같은 수법으로 저지를까? …그래도 알아봐야 하는 건 변하지 않지. 일단은 똑같이 거점이 있다는 가정하에 찾아보자고."

"알겠습니다."

"고생하게."
"별말씀을."

박주영은 일단은 김현식에게 찝찝한 건에 대해서 이야기를 전달했다. 수없이 들어오는 보고와 자료, 정보의 파도 속에서 우연하게 걸린 미심쩍음이었다. 제 스스로 말을 꺼냈으니, 결국 가장 많이 뛰어다녀야 하는 건 박주영 자신이 되어야 할 테다.

"바로 나가보겠습니다."
"어이. 그래. 몸 챙겨가면서 하고."
"빈 말도 참, 잘하십니다."
"거, 새끼…."

박주영은 회의실에서 먼저 나서며 이야기했다. 그 전에, 드륵 거리며 움직이는 스툴 서랍을 제자리로 밀어넣기도 하고. 방문을 열며 나설 때 김현식이 말을 건넸고, 박주영은 이죽거리며 농담으로 받았다.

김현식은 짜증스럽다는 표정을 지어보였지만 별 말은 하지 않았다. 별 것 없는 농담들이, 일선에서 일하는 수사관들의 스트레스를 조금이라도 풀어준다면.
유머가 없다면 모두가 미쳐버렸을 테였다. 진작에. 사소한 농담들은 직속 상하 관계에서도 가끔은 필요한 법이었다.

"후우…."

상사에게는 상사 나름의 스트레스와 짐들이 많다.

김현식은 박주영이 건네 준 하나의 짐을 더 떠안았고, 그들을 돕기 위해 어떤 지원 요청을 윗쪽에 올려야 할런가 짧게 생각했다.

가능만 하다면, 제 스스로 나서서 한국에 존재하는 살인마 새끼들을 전부 때려잡고 싶었지만. 늘 마음처럼은 안되는 것이 현실이었다. 그걸 알아가는 게 살아간다는 과정일 지도 몰랐고.

*

"끙…. 두 명이 사라졌다고?"

계식은 박주영의 이야기에 표정을 달리했다.

어느 정도 자상이 낫고, 몸도 쾌유를 해서 대전 성유동 자택과 서울을 오가던 그였다. 서울 인근에 있던 차에 박주영에게서 연락이 와서 전화를 받았다.

동작구 근처의 어느 공원, 주차장이었다. 박 경사가 말을 한다.

["예. 선배님 어디 계십니까?"]
"나야… 지금 서울이지. 동작구, 별새공원. 주차장이네만."
["아… 그렇습니까. 마침 잘 됐습니다."]
"뭐가."
["계신 곳 말입니다. 안 그래도 자세하게 파보려는 실종 건 두 개가 모두 서울 남부입니다. 동작구랑 관악구."]
"호오."

낮이었다. 2월 초. 겨울은 아직이었고, 한기가 뼛속까지 스며드는 날이다. 계식은 낡은 차의 히터를 틀어두고 주차장에 잠시 대기하던 참이다.

그리고 박주영을 통해 듣게 되는 소식에 흥미를 느꼈다. 어차피 일선에서 뛰고 있는 건 그가 아니다보니, 자세한 정보는 수사본 인물들만이 가진다.

그러다가, 박주영같은 열혈에 괴짜인 말단이 발로 뛸 때 즈음해서 계식도 정황을 알게 되는 셈이다. 결국 윤계식 혼자서는 달리 할 수 있는 게 없었다. 김연수를 잡고자 하는 의지만은 조건에 상관 없이 명확했으므로 그는 고마울 따름이다.

거기에, 자신이 움직이는대로 그 근처가 주요 수색 범위에 들어왔다니. 계식으로서 차라리 즐거운 일이었다. 그의 목적은 예전에도 하나였고, 지금과 똑같다.

형사로서 범행을 막고, 범죄자를 잡아 더 이상 죄를 저지르지 못하게 하는 거.

젊은 시절이나 지금이나. 계식의 목표는 딱히 달라진 게 없었다. 아마 죽을 때까지 그럴 것이다. 한 번 입었던 형사라는 직업의 옷은, 은퇴를 해도 사라지지 않았다. 그건 윤계식이라는 인간의 살갗에 이미 녹아든 옷이었다. 어떻게 해도 벗을 수 없는.

살인마들 또한 그럴 것이었다.

살인자라는 옷이, 제놈들의 살갗과 피부 속 DNA에 박혀서 계속 그런 일을 자행하는 것일 테다. 제 힘으로는 멈출 수 없는 놈들을 멈춰주는 것이 늙은이의 역할이었다.

박주영 경사라는 애송이가 도와준다면 조금 더 수월할 게 분명했다.

["계신 곳 알려주시면 일단 그리로 가겠습니다. 별새 공원이요?"]
"어… 아니. 자네는 수사본 건물에 차 대지 않나."
["어, 예…."]
"그럼 내가 움직이지. 바쁠 건 없을 테고. 그렇잖나?"
["예 당장 시급한 건 아니고, 일단 발로 좀 뛰면서 정보를 좀 캘까 합니다…."]
"그래. 그러면 내가 그리로 가지. 내 차로 움직이는 게 낫지. 대전에서 올라오는데, 차 댈 곳도 없네, 여기는. 서울에 자택이 있는 것도 아니고."
["어어… 알겠습니다. 주소 보내드립니까?"]
"됐네. 있으니까. 본부 건물로 가?"
["예, 맞습니다."]
"기다리게."

계식은 그리 말하고는, 뚝 끊었다. 바쁘거나 전할 말이 있으면 아마 또 연락을 하리라. 그는 네비게이션에 저장해두었던 주소를 찾았다. 그가 타는 낡은 은회색 승용차는 중고 매물이었는데, 네비게이션만 새롭게 갈았다. 값싼 태블릿 PC를 넣은 것인데, 제법 쓸 만했다.

"흠."

네비게이션을 비롯해서 다양한 기능이 있었다. 그는 컴퓨터나 전자 기기를 딱히 못다루는 편은 아니었다. 형사로서 일을 할 때도 어느 정도는 필요한 일이었으니까. 업무에 도움이 된다면, 뭐라도 배우고 뭐든 하는 편인 인간이었다. 젊은 시절부터.
개인용 전자 기기들은 어느 정도 다룰 줄 안다면, 확실히 다방면에서 쓸모가 많았다.
태블릿 PC를 조작해서, 네비게이션 기능과 함께 음악을 틀었다.

지난 시절의 명곡, 밝고 경쾌한 리듬감의 댄스 음악이 흘러나왔다. 그럭저럭, 나쁘지 않게 듣는 종류였다. 결국 그 시절을 기억하기 위해서 그 때의 음악을 틀 뿐이었다. 부르는 이들의 생각과 삶에 대해서, 지나치게 의미를 두지는 않고서 말이다.

재지jazzy한 사운드가 어울리는 보컬의 음색이었다. 흑인 음악을 듣고서 만들어낸 창법처럼도 들린다.

"흠, 흠."

계식은 어울리지 않는, 혹은 답잖은 콧노래를 부르면서 차를 끌었다. 덜걱, 거리는 소리가 조금 난다. 차가 움직일 때 말이다. 주인처럼 늙은 차였지만 아직은 멀쩡했다.
공원의 흙바닥을 타이어가 긁어대면서 바깥으로 나갔다.

*

오늘은 쓰레기를 버리는 날이었다.

노인은 답잖은 근력을 자랑했다.

'쓰레기'를 만드는 데까지 많은 시간이 걸렸다. 쓰레기를 만든다고 하니 이상하지만, 분명 그러했다. 노인이 쓰레기를 만드는 데 쓴 원료는, 그보다도 유용성이 적은 무언가였다.
'쓸만함'이라는 걸 수치로 표현한다면, 아마 분명 음수陰數가 되리라. 그것도 절댓값이 아주 큰 편이었다. 현대 도시에서 그보다 써먹을 곳이 없는 물질은 달리 없었다.

물론 적절한 인프라가 갖춰져 있다면 아주 비싼 값에 팔리기도 한다. 노인, 은 그런 류의 사업을 하는 인간은 아니었지만 말이다. 그는 돈을 위해 이 모든 일을 하는 자가 아니었다.

단순히 흥미 본위라는 점에서, 순수한 작업자였다. 조건과 상관없이 반드시 그 일을 해내고야 마는.

초로의 노인은 안색이 좋았다. 체격 위로 덮어 입은 외투 따위가 가리지만 자세히 살피면 군살이 적은 체형이었고.

그는 수 일에 걸쳐서 '쓰레기' 제조 공정을 완료했고, 그것들을 나누어서 처리하고 버리기로 한다.

물질의 원료가 되는 건, 직접 구했다. 그 과정이 결국 노인이 이 모든 공정을 거치게끔 하는 이유가 되었다.
그 과정에서 오는 어떤 '느낌' 때문에 노인이 살아가고 있는 것이기도 했다.

관악구 신전동에 위치한 노인의 자택이었다. 오래도록 산 집은 아니었고, 그보다 더 늙고 교활한 인간에게서 최근 구매한 단독 주택이었다.

정원이 딸려 있었고, 주차할만한 공간도 자택 내에 있었다. 서울 내의 주택이다보니 가격이 만만치 않았지만, 초로의 노인은 모아둔 재산의 규모가 상당했다. 거부라고 어디에서 떵떵거리고 다닐만치는 분명 아니었지만, 일반적으로 젊은 날 사업을 건실하게 한 수준은 된다.

이제 노후를 생각하는 게 좋을 나이였지만 그에 대해서 크게 개의치 않는 편이기도 했고. 뒷일을 생각하지 않는다는 건, 같은 액수의 돈이라도 더 과감하게 투자할 수 있다는 말이었다. 노인, 사내는 분명 그런 편인 인간이다.

자택의 담은 제법 높아서, 주변에서 내부를 보기에는 어려웠다. 근처에 고층 빌딩이 따로 있지도 않았고. 고작해야 빌라 정도였는데, 거리가 제법 있어서 각도가 나올 지는 모를 일이었다. 옥상에 올라가 망원경이라도 들고 일부러 애를 쓴다면 보일 법도 하다. 애초에 그럴만큼 누군가에게 경계의 대상이 되지 않는다면 아무 문제도 없는 일이었다.

"큼."

노인은 최근 물건을 옮기는 일이 많다고, 여겼다.
예전과 같지 않은 팔심에, 체력이다. 그러나 그럼에도 불구하고. 일반적인 이들보다는 아득하게 좋은 힘을 가지고 있다. 젊은 날에는 그보다 더했으리라. 운동을 전문적으로 하지는 않았지만, 만약 했다고 한다면 누구에게도 지지 않을 자신 정도는 있었다. 맨몸으로 하는 기초 종목들 중에서는, 적어도.

늙고 스러져가는 몸이었으나 서글픈 생각은 없었다. 사내는 단지 '불편할' 뿐이었다. 감상적인 마음을 떠올릴만치 잘 작동하는 뇌가 아니었다. 노인은 푸근한 인상을, 마치 가면으로 박아넣은 듯 언제나 짓고 있었다. 자택을 나서는 순간에 말이다. 담장 안이었고, 그는 지금 그동안 축적한 쓰레기들을 차에 싣는 중이었다.

한 낮이었다. 밤에 일부러 움직이는 것도 누군가의 눈에 뜨일지 모르는 법이었으니. '사내'는 타인의 경계심을 사는 행위를 가장 조심했다.

그게 결국 몰래 어떤 일을 하는 데 있어서 가장 좋은 방법이었다. 아무렇지 않게, 일상 속에 숨어서 움직이는 식이 말이다.

평생을 그걸 연습한 남자다. 약간 희끗한 머리. 조금 각진 턱. 부드러운 인상. 대단한 미남은 아니지만 호감형의 얼굴이었다. 젊은 시절에 호남, 미남이라는 이야기를 들었을 법도 했다.

지금은 긴 팔 스웨터에 팔이 없는 재킷을 걸치고 있었다. 현관문을 열고, 부지런히 마당에 둔 승합차에 무언가를 싣는다.

종류는 여럿이었다. 나무 박스도 있었고. 몇 개인가를 중간 좌석에 싣고. 그 다음에 LPG통 따위로 보이는 물건도 있었다. 정확히 규격이 써있다거나, 기업의 마크가 있지는 않았지만 가스를 담을 수 있는 종류의 용기로 보였다.

가정이던 어디든 쓸 수 있을만한 보편적인 용량이다. 그런 것을 두어 개 굴렸다. 쇳덩이에, 둥근 모양이라 도인이 들기에는 분명 힘든 물건이었다. 노인은 능숙하게 현관으로부터 꺼내어 굴리고, 계단 아래로 날랐다.

단과 단 사이에서는 순간적으로 힘을 주어 들었고, 암녹색 스웨터에 가려진 팔심이 애를 썼다. 노인은 웃는 톤의 표정이 그다지 일그러지지도 않고 물건들을 옮겼다.

선팅이 된 승합차의, 뒷자석 쪽에 가스통을 싣고, 굴러 떨어지지 않게끔 간이 지지대를 세워 고정시킨 뒤 트렁크 도어를 닫았다.
툭, 하고 닫힌 중고 승합차다. 좌석 쪽의 문도 닫고, 사내는 다시금 집으로 들어갔다.

얼마 지나지 않아, 채비를 갖췄는지 검은 다운 재킷을 걸쳐 입고 나온다. 모자나, 장갑도 챙긴 뒤였다. 재킷의 주머니에는 핸드폰이니, 하는 게 들어있는지 조금 불룩하게 튀어나와 있었고.

"크흠."

날이 추웠다. 깃을 세워 목을 감싸면서, 사내는 운전석에 올라탔다. 차를 조금 끌어 주차장 쪽의 문으로 향했다. 지어진 지 제법 되어 보이는 곳이었지만, 쓸만한 구석들은 나름대로 첨단인 면이 있었다.
사내는 보조석에 있는 리모컨을 눌러 작동시켰다. 현관, 정문이 아닌 주차장 쪽의 문은 저절로 열린다. 위, 아래로 오르고 내리는 철문이었는데, 사람이 직접 들어야 할 것 처럼 생겼으나 모터가 있어서 자동으로 개폐가 된다.

그리 답답하지 않은 속도로 문이 열렸고, 사내는 자연스레 차를 몰아 빠져나가고, 리모컨을 조작했다. 잠시 방향을 틀어 차의 앞머리가 길쪽으로 향하게 하는 동안, 저택의 자동문이 다시 닫혔다. 철컥, 하는 기계적인 소리를 듣고서야 남자는 차를 몰아 집 앞 골목을 빠져나갔다.

제법 살기 좋은 곳이었다. 이전까지 지내던 곳도 다 좋기는 했다만. 식사를 혼자 해먹는 게 다소 귀찮기는 했다. 그러나 최근에는, 밀키트니 하는 것들도 먹을만하게 나오곤 한다.
점심 식사를 미리 마치고, 볼 일을 보러 나가는 사내가 차를 몰아 나갔다.

쓰레기를 버리러 가는 길이었다. 다른 이들의 이목을 사지 않는 게 중요했고. 흠, 흠.

노인, 사내는 마음에도 없는 콧노래를 흥얼거렸다. 자택에서 나온 순간부터는 모두 연기의 순간이었다. 몰입이라는 건 깨지기 쉬운 면이 있으므로, 혼자 있을 때라도 어느 정도 유지하는 게 중요했다.
그래야 갑작스러운 상황에도 당황하지 않고 자연스레 대처를 할 수 있는 법이다.

늙은이는 썬팅된 차 속에 다양한 방식으로 만들어낸 폐기물들을 넣고, 그와 함께 달린다.

곧 주택가, 골목을 빠져나가 시내의 거리에 진입했다.
덜컹거리는 짐들은 배치를 잘 해두어 떨어지진 않는다.

노인은 조금 더 연기의 몰입을 위해서, 아무 곡이나 음악을 틀어보았다. usb로 작동하는 음악 플레이어가 있었다.
오래된, 옛날에 죽었을 어느 가수의 노래가 흘러나온다. 20세기 초중반 즈음의 흑인 음악들이었다.

트럼펫 소리와 함께 늙은이는 바다, 부둣가로 향한다.

*

철-써억.

하고 바다가 부서진다.

기포는 방파제 위로 제 몸을 띄웠고, 순식간에 흩어진다.

짠기가 느껴지는 바람.

바닷가에 사는 사내들은 거친 면이 있었다. 무엇이든 다 안아주는 바다를 매일 바라보며 살기에, 강해질 수 있는지도 모른다.

인천 어느 인적 없는 부둣가.
실체가 불분명한 어느 무역 회사가 소유한 컨테이너 박스가 즐비한 곳이었다.

창고로 쓰이는 곳이며, 간이 목책 따위가 설치되어 있고, 또 함부로 진입하지 못하게끔 지지대가 세워져 있기도 하다.

한 사내는 부둣가를 찾았다. 익숙한 곳이었고, 들어가기 위한 절차도 그리 어렵잖게 해결할 수 있었다.

창고로 이용하는 컨테이너 박스던 바다던.

늙은이가 주기적으로 찾는 곳이었다. 컨테이너 박스에서는 물건을 실어가고, 바다에는 주로 버린다.

사내들이 사회에서 겪는 온갖 질고를 그저 받아주는 듯한 거대한 물.

낡은 승합차를 끌고 온 천산혁은 낮에도 아무런 인적이 없는 장소에 들어와 잠시 경치를 구경했다.

웃는듯이 좁아진 눈매의 안쪽에는 날카로운 느낌의 동공과 홍채가 있다. 천산혁은 승합차를 옮겨, 바닷가 근처까지 댔다. 배가 들어오는, 곶처럼 생긴 길로 나아가면 그 아래가 곧바로 물이었다. 방파제를 지난 부분이다.

부으응, 하고 승합차가 엔진 소리를 토해낸다. 튀어나온 곶의 끝에 다다른다.

오후, 한 낮. 경악스러운 짓을 벌이기에는 지나치게 밝은 시간이었다. 그러나 양심을 잃은 인간은 자신이 하는 일에 아무런 망설임도, 가책도 없었다.

천산혁은 아슬아슬한 데까지 차를 몰아 정지시키고, 내렸다.

가운데 문을 열어, 좌석 쪽에 잔뜩 실어둔 나무 박스를 건드린다. 그가 얼마 전에 이 부둣가에서 물건을 실어갈 때 사용했던 적재 상자였다. 튼튼하고, 쓸만한 구석이 많아 버리지 않고 그대로 이용하고 있었다.

나무 박스의 뚜껑을 열면, 내부에 천으로 곱게 싸인 물건들이 나온다. 마치 큰 비닐봉투에 무언가를 싸서 담은 것같은 모양새였다. 보자기의 주둥이는 특수한 끈으로 꽉 묶어두었다. 공기가 통하는 종류였다. 내부에 든 것으로부터 어떤 냄새가 새어나온다.

희미한 냄새다. 약물의 그것이었는데, 천산혁은 그 냄새를 늘 경계한다. 특수한 약품의 냄새 따위는 사람의 인상을 결정하는 중요한 요인이 되기도 한다. 그런 걸 제대로 관리하지 못하면 결국 어딘가에서 꼬리가 밟힐 수도 있었다.

'약물'은 제법 비싼 종류였다. 무엇이든 가리지 않고 해체해버리는 산acid종류의 물질이었다. 지독한 종류의 화학물이 세상에는 아주 많았고, 극도로 위험한 종류는 실험실이나 군사적 관리를 벗어나지 못하는 게 대부분이었다. 그러나 간혹은 민간에 풀려날 때가 있었는데, '노인'은 그런 화학 물질을 만들고 또 관리하는 인간이었다.

정부군이나 대단위 연구 시설과 직접적으로 관련이 있는 인물은 아니었다. 천산혁이 거래하는 '노인'은. 소규모의 인프라와, 몇 가지 우연, 인맥과 누군가의 천재성이 겹쳐져 가능한 일일 뿐이다.

어쨌든 중요한 건, 당장 천산혁에게 도움이 된다는 점이다.

김재영에게도 준 적이 있는 물건은, 일을 벌이고 시체를 처리할 때 사용한다.

지금 천산혁이 머물고 있는 관악구의 자택은 지하에도 환풍구나 수도 시설이 잘 갖추어져 있었다. 상하수도관이 연결되어 있었고, 지하실 내부에서 발생하는 연기 따위도 제대로 뺄 수 있다.

그러나 시체와, 관련된 물품들을 처리할 때 발생하는 기체의 양은 만만찮은 수준이다. 특수한 약품을 사용하고, 열탕 속에 잔여물들을 넣어 모조리 풀어 헤치고 잘게 쪼갠다고 하더라도 최종적인 '쓰레기'가 남는다.

본래의 형체를 알아볼 수 없을 정도로 흩어지고 부서진 '쓰레기'들은 물기를 말려 천에 담는다.

천 역시 특수 재질로 만들어진 종류라, 물에 빠뜨리면 알아서 녹는다. 정확히 말하면 물고기들 따위가 먹을 수 있는 것이었다. 특별히 물고기가 먹지 않는다고 하더라도 시간이 지나면 자연 분해되는 종류였고.

이런 용도로 쓰기 위해 지어진 천에 '고체' 쓰레기들은 모조리 담고.

사냥과 작업을 마친 시체를 '폐기물'로 변환 시키는 과정에서 발생하는 기체는 따로 가스통에 주입한다.

특수하게 제작된 거대한 가마솥 비슷한 것이었고, 원시적인 화학 실험에나 쓰일법한 기괴한 모양의 기구였다.

불쾌하고, 독특한 냄새를 담은 다량의 기체를 주택 밖으로 배출했을 때 원치 않는 주목을 받을 수도 있었다.
사소한 주목은 결국 타인의 기억에 남는다는 말이었고, 그건 살인자로서 가장 지양해야 하는 상황이고 일이었다.

천산혁은 결국 모든 작업 과정을 이토록 번거롭게 처리해야 했다.

'사냥'을 무턱대고 많이 할 수 없는 이유도 된다.
애초에 사냥감을 물어오는 일 자체도 많은 사전 준비와 예행 연습이 필요한 일이었다만.

예행 연습 자체는 머릿속의 시뮬레이션으로 대체가 가능했다. 완벽한 동선과 지형에 대한 이해만 있다면. 어차피 천산혁의 몸은 기계처럼 움직인다.
그러기 위해서 단련했고, 아직도 녹슬지 않은 몸은 예전만은 아니어도 준수한 성능을 낸다.

천산혁은 피해자의 소지품과 시체까지 모조리 끓여, 녹이고, 남은 것들을 잘게 쪼갠 뒤, 형질에 따라 분류해서 보자기에 가득 담았다.

그것을 집에 굴러다니는 적재 박스에 실었고, 승합차에 넣은 것이다.
소지품과 시체를 '뭔지 알 수도 없는 이상한 가루들'로 만드느라 생겨난 불쾌한 냄새의 기체들은, 가스통에 담아 가져왔고.

승합차의 문을 열었고, 그렇게 생겨난 두둑한 천자루들을 들었다. 아직도 장사와 같은 전완근에 힘이 바짝 들어갔고, 손쉽게 몇 개를 들어 곶의 절벽면에 다가선다.

그리 멀리도 아니고, 휙, 하고 던져 넣는다.

두 명 분.

이전까지만 해도 사람이었던, 그리고 그런 이들이 걸치고 있던 모든 소지품들이 작은 보자기에 담겨서 바다에 빠졌다.

먹을 수 있는 성분들은 모조리 물고기 따위가 먹고, 해체되고, 흩어지리라. 흔적도 남지 않고서.
바다의 자정작용에 따라.

무엇이든 받아주는 바다이다.
이곳저곳에서 치이고, 괴로움에 떠는 사내들의 심정을 받아주는 용도로는 얼마든지 사용되어도 좋았지만. 천산혁에게는 마음이 없다.
대신 마음 외의 것에 집중하느라 벌인 범죄와, 그로 인해 만들어진 폐기물들이 있을 뿐이었다.

가루가 되어버린 무엇을 담은, 천자루들을 금세 다 털어냈다.

드륵, 덜컹.

천산혁은 선팅이 되어 내부가 보이지 않는 승합차의 좌석 쪽 문을 닫았다.

뒤로 가서 트렁크 도어를 올렸다. 큼지막한 가스통 두 개가 누워 있었다. 지지대가 잘 받쳐주고 있어 문을 연다고 바로 구르지도 않았다.

개중 가까운 것의 상부를 잡는다. 손잡이 용도의 홈이 있었다. 흡, 하고 잠시 소리를 내고는 한 번에 들어꺼낸다. 그다지 어렵지도 않게.

그리고 천산혁은 그대로 들어 옮긴다. 보통은 바닥에 대고 굴리는 것이 편한 방법이었는데도.

손아귀에 핏줄이 선다.

쇳덩어리지만, 사내는 멈추지 않고 바다 앞까지 간다. 천자루들을 버린 곳이다. 텅, 하고 묵직한 소리와 함께 그 앞에 서서 세운다.

어떤 감상이 생겨서 잠시 망설이는 건 아니었다. 해야 할 일이 있기에 몇 초 멈춘 것에 불과했고. 천산혁은 뚜껑 부분의 레버를 돌렸다. 푸쉬이, 하는 소리가 나면서 기체가 새어나왔다. 한 번에 다 빼낼 필요는 없었다. 그래서도 안되었고.

그 기체와 냄새가 옷에 묻기 전에, 천산혁은 가스통 역시 바다에 던져 넣었다.

손잡이용의 홈을 두 손으로 쥐고, 훌쩍.

상당한 무게감의 물건이었으나 몸의 중심이 흔들리지도 않았다. 괴물같은 완력이었다.

첨-벙.

하고 바다가 한 가지 더 쓰레기를 받았다.

'천산혁'이라는 인간의 악의가 만들어낸 무엇이라는 점에서. 제작자의 심정을 따진다면 세상 그 어떤 것보다도 지독한 쓰레기였다. 그것의 원료가 된 무언가의 가치를 따진다면 다르겠지만은.

바다는 그렇게, 쓰레기를 버리기 위해 만들어진 건 아니었다.
그럼에도 양심을 판 이들은 늘 못 버릴 것들을 투척한다.
책임지지 못할 것들을 말이다. 다시는 보이지 않으니까, 없다고도 생각하며.

바다에 버려도 좋은 것은 어느 못난 사내의 후회니, 괴로움이니, 트라우마니. 뭐 그런 것들 뿐이리라.
천산혁은 타인에게 늘 트라우마를 만들어주는 종류의 인간이었고, 악의를 담아 지은 최악의 폐기물들을 버려댔다. 무기질적으로, 무감정하게.

기계적인 행위로 가스통마저 모조리 버린다.

풍-덩, 하고 작은 파도를 일으키며 쇳덩이가 가라앉는다. 레버를 열어 슬그머니 숨구멍을 틔웠으므로, 가라앉는 통에서 기체가 뽀글거리며 올라온다. 계속해서 움직이는 파도 탓에 제대로 보이지는 않으나, 독특한 냄새의 기체들은 바다에 녹아들거나, 혹은 그 위로 올라오거나 하리라.

천산혁은 짧은 쓰레기 투기를 마치고, 다시금 차에 올라탔다.

부르응,

하고 낡은 승합차가 움직였다.

후진으로 쭉 빼서 곶의 입구까지 나간다. 능숙하게 후진으로 방향 전환을 한다. 돌릴만한 공터에서 한 바퀴 돌려, 나가는 방향으로 차의 앞머리를 둔다.

그리고는 다시 잠깐 멈추었다. 덜컥, 하고 차문을 열고 그가 내렸다.

한낮의, 인적 없는 부둣가였다.

근처에는 그의 모습을 찍을만한 어떤 전자 기기도 없었고.

어느 미치광이가 하필 이곳에 집착하면서 멀리, 망원경을 들고 서 있다면 모르겠으나. 그럴 일까지 신경쓰지는 않았다. 천산혁이.
스스로의 계산력을 벗어나는 부분까지 생각하며 괴로워하는 종류는 아닌 것이다.

자신의 작업을 마무리 단계까지 끝낸 산혁은, 자동차의 투신을 막는 길 가의 지지대로 걸어가 앉았다.
이전에 '물건'의 배달을 기다릴 때 앉아있던 투로 말이다.

짠기가 섞인 바닷바람을 맞으면서, 그는 가만히 얼마간 있었다.

사색을 위함은 아니었다.

혹시라도 모를 냄새 따위를 없애려고 말이다. 차의 선팅된 창문도 열어놓고 내렸다. 차량 내부에도 일 처리를 하느라 혹시 모르게 어떤 냄새가 배었을지 모른다.

강한 바닷바람에 자신의 흔적을 지우려고, 천산혁은 그렇게 얼마간 시간을 더 보냈다.

한기에 몸이 으슬해질 때까지 한참 있고 나서야, 다시금 그는 차에 올랐다. 그대로 자택까지 이동을 한다.

***

형사刑事 이야기, 윤계식 1권 끝